Sur l'auteur

Steven Saylor est né au Texas en 1956. Diplômé d'histoire de l'université du Texas, il devient rédacteur en chef du *Sentinel* de San Francisco, puis agent littéraire, avant de se lancer dans l'écriture. Sa parfaite connaissance de l'Antiquité lui a permis de créer, en 1991, cette série originale des *Mystères de Rome*, qui comprend déjà neuf volumes, dont le dernier, *The Judgement of Caesar*, a paru en 2004 aux États-Unis.

Steven Saylor partage son temps entre Berkeley en Californie et Austin au Texas.

L'ÉTREINTE
DE NÉMÉSIS

PAR

STEVEN SAYLOR

Traduit de l'américain
par Arnaud d'APREMONT

10|**18**

« Grands Détectives »
dirigé par Jean-Claude Zylberstein

ÉDITIONS RAMSAY

*Du même auteur
aux Éditions 10/18*

DU SANG SUR ROME, n° 2996
▶ L'ÉTREINTE DE NÉMÉSIS, n° 3064
L'ÉNIGME DE CATILINA, n° 3099
UN ÉGYPTIEN DANS LA VILLE, n° 3143
MEURTRE SUR LA VOIE APPIA, n° 3413
RUBICON, n° 3547
LE ROCHER DU SACRIFICE, n° 3625

À paraître

LA DERNIÈRE PROPHÉTIE *(octobre 2005)*

Titre original :
Arms of Nemesis

À Penni Kimmel
Helluo librorum et litterarum studiosus

Première partie

Des vivants et des morts

1

Malgré ses indéniables qualités (son honnêteté et son dévouement, son intelligence et sa troublante agilité), Eco n'était pas vraiment la personne indiquée pour répondre à la porte : il était muet.

En revanche, il n'était pas sourd – et ne l'avait jamais été. Je n'ai même jamais rencontré un homme dont l'ouïe fût aussi fine que la sienne. D'ailleurs, il ne dormait jamais sur ses deux oreilles. Il avait hérité cette habitude de son enfance malheureuse. Avant même que sa mère ne l'abandonne et que je ne le trouve dans la rue, il savait déjà tenir ses sens en éveil. Ce fut donc naturellement Eco qui entendit les coups sur la porte au cours de la deuxième heure [1] après le coucher du soleil. Tout le monde était déjà couché. Eco accueillit mon visiteur nocturne. Mais, étant naturellement incapable de le chasser, comme un fermier fait déguerpir une oie errante de son seuil, il ne put le renvoyer.

Alors, quelle solution restait-il à Eco ? Il aurait pu aller réveiller mon homme à tout faire, Belbo aux gros bras.

---

1. La journée romaine était divisée en douze heures diurnes (« après le lever du soleil ») et douze heures nocturnes (« après le coucher du soleil »). La durée des heures changeait donc chaque jour et, en dehors des équinoxes, les heures diurnes et les heures nocturnes n'étaient pas égales. *(N.d.T.)*

Empestant l'ail et se frottant stupidement les yeux de sommeil, Belbo aurait sûrement pu, de sa masse, intimider mon visiteur, mais je doute qu'il serait parvenu à se débarrasser de lui. L'étranger était déterminé et deux fois plus intelligent que Belbo était fort. Eco fit donc ce qu'il avait à faire. D'un signe, il invita mon visiteur à attendre sur le seuil et vint frapper doucement à ma porte. Ses coups discrets ne m'ayant pas tiré de mon sommeil – les portions généreuses du poisson de Bethesda et la soupe d'orge arrosées de vin blanc[1] m'avaient rapidement plongé dans les bras de Morphée –, Eco ouvrit délicatement la porte. Sur la pointe des pieds, il s'avança dans la pièce et secoua mon épaule.

À côté de moi, Bethesda remua et soupira. Une masse de cheveux noirs vint inopinément se poser en travers de mon visage et de mon cou. Les mèches mouvantes chatouillaient mon nez et mes lèvres. La fragrance de son henné parfumé fit naître une subtile sensation de picotement érotique sous ma taille. Je tendis le bras vers elle, esquissant un baiser avec mes lèvres, passant mes mains sur son corps. Mais comment parvenait-elle à enrouler son bras tout autour de mon corps pour venir me secouer par-derrière ?

Eco n'aimait pas ces grognements mi-humains mi-animaux auxquels ont recours les muets. Il les jugeait dégradants et gênants. Tel le Sphinx, il préférait opter pour un silence austère et laisser ses mains parler pour lui. Il attrapa mon épaule plus fortement et la secoua à peine davantage. Je reconnus alors son toucher, aussi sûrement que l'on reconnaît une voix familière. Je pus même comprendre ce qu'il disait.

– Quelqu'un à la porte ? marmonnai-je en m'éclaircissant la voix, mais sans ouvrir les yeux.

---

1. Le troisième repas de la journée, la *cena*, se prenait en milieu d'après-midi, après la fin des activités quotidiennes, mais avant le coucher du soleil. *(N.d.T.)*

Eco donna à mon épaule une petite tape d'acquiescement, sa manière de dire « Oui ! » dans le noir.

Je me blottis contre Bethesda, qui avait tourné le dos. Je posai mes lèvres sur son épaule. Elle laissa échapper un souffle, quelque chose entre un roucoulement et un soupir. Dans tous mes voyages, des colonnes d'Hercule à la frontière parthe, jamais je n'avais rencontré femme plus sensible. Une lyre exquisément ouvragée, pensai-je, parfaitement accordée et polie, se bonifiant avec les années. Tu es un homme heureux, Gordien ; quelle merveilleuse trouvaille tu as faite dans ce marché aux esclaves d'Alexandrie il y a quinze ans !

Quelque part sous les draps, le chaton s'agita. Égyptienne jusqu'au bout des ongles, Bethesda avait toujours eu des chats, qu'elle invitait même dans notre lit. Celui-ci traversait la vallée formée entre nos corps, se frayant un chemin d'une cuisse à l'autre. Jusqu'alors, il avait gardé ses griffes rentrées. Excellente chose, car ma partie la plus vulnérable venait de devenir plus vulnérable encore et le chaton semblait se diriger droit dessus. Il pensait peut-être qu'il s'agissait d'un serpent avec lequel il allait pouvoir jouer. Je me blottis contre Bethesda pour me protéger. Elle soupira. Je me souvins d'une nuit pluvieuse au moins dix ans plus tôt. Eco ne nous avait pas encore rejoints. Un chat différent, un lit différent, mais cette même maison, la maison que mon père m'avait laissée, et nous deux, Bethesda et moi, plus jeunes mais pas si différents d'aujourd'hui. Je m'assoupis, au bord du rêve.

Deux rudes tapes secouèrent mon épaule.

Deux tapes, c'était la manière d'Eco de dire « Non ! », comme secouer la tête. Non, il ne voudrait ou ne pourrait pas chasser mon visiteur.

Il me frappa de nouveau, deux fois plus fort, l'épaule.

— D'accord, d'accord ! murmurai-je.

Bethesda roula agressivement de l'autre côté, emportant le drap avec elle et m'exposant à l'air humide et froid de septembre. Le chaton culbuta vers moi, toutes griffes dehors et battant l'air en quête d'équilibre.

– Par les couilles de Numa ! hurlai-je, même si la légende ne dit pas que le roi Numa fut victime d'un semblable petit coup de griffes.

Eco ignora discrètement mon cri de douleur. Quant à Bethesda, sans se réveiller, elle rit dans l'obscurité.

Je sautai du lit et cherchai ma tunique à tâtons. Eco la tenait déjà prête pour que je m'y glisse.

– J'espère que c'est important ! dis-je.

C'était important, mais cette nuit-là – et même pendant un certain temps ensuite – je ne pouvais savoir à quel point. Si l'émissaire attendant dans mon vestibule avait été clair, s'il avait été franc sur le motif de sa venue et l'identité de celui qui l'avait envoyé, j'aurais accédé immédiatement à ses vœux, sans la moindre hésitation. Les affaires et les clients comme ceux qui me tombaient dessus cette nuit-là sont rares. Je me serais battu pour décrocher ce travail. Au lieu de cela, l'homme, qui sèchement se présenta sous le nom de Marcus Mummius, affecta un air de grand secret et me traita avec une suspicion qui frôlait le mépris.

Il me dit que mes services étaient requis, sans retard, pour un travail qui m'éloignerait de Rome plusieurs jours.

– As-tu des ennuis ? demandai-je.

– Pas moi ! mugit-il.

Il semblait incapable d'adopter un ton convenable pour une demeure endormie. Ses paroles fusaient sous la forme de grognements et d'aboiements, comme on parle à un esclave indiscipliné ou à un chien méchant. Il n'existe pas de langue plus laide que le latin parlé ainsi. En un mot, le latin de garnison, car aussi endormi et engourdi par le vin de la soirée que je l'étais, je commençais à faire certaines déductions sur mon hôte inattendu. Dissimulé derrière sa barbe bien soignée, avec sa tunique noire austère mais

14

apparemment coûteuse, ses bottines[1] admirablement décou-
pées et sa cape bordée de laine, je devinais un soldat, un
homme habitué à donner des ordres et à se voir instantanément obéi.

– Eh bien, dit-il, me toisant de haut en bas comme si
j'étais une recrue paresseuse, arrachée à sa paillasse, et traînant les pieds avant la marche du jour. Tu viens ou pas ?

Outré par tant d'insolence, Eco mit les mains sur les hanches et lui lança un regard noir. Mummius rejeta la tête en
arrière et grommela dans un accès d'impatience.

J'éclaircis ma voix.

– Eco, dis-je, va me chercher une coupe de vin, s'il te
plaît. Chaud, si possible. Et vois si les braises sont encore
rouges à la cuisine. Une coupe pour toi aussi, Marcus Mummius ?

Mon visiteur grimaça et secoua vivement la tête, comme
un bon légionnaire en service.

– Un peu de cidre chaud, peut-être ? Non ? J'insiste,
Marcus Mummius. La nuit est fraîche. Viens. Suis-moi
dans mon bureau[2]. Regarde, Eco a déjà allumé les lampes
pour nous. Il anticipe tous mes besoins. Ici, assieds-toi, je
te prie. Maintenant, Marcus Mummius, je suppose que tu
es venu ici pour me proposer du travail.

Dans la lumière vive du bureau, je pouvais détailler à
loisir les traits de mon hôte. Mummius avait l'air totalement
las, épuisé, comme s'il n'avait pas dormi correctement
depuis un bon moment. Il s'agitait nerveusement sur sa
chaise, tenant ses yeux grands ouverts avec une vigilance
absolument pas naturelle. Au bout d'un moment, il se
releva d'un bond et se mit à marcher de long en large.

---

1. *Calcei*, bottines du citoyen. Les soldats portaient des *caligae*,
sortes de sandales montantes, fermées au niveau du pied pour les officiers. *(N.d.T.)*

2. *Tabulinum* (de *tabula*, table), la pièce personnelle du maître de
maison. *(N.d.T.)*

Quand Eco revint avec le cidre chaud, il refusa de le prendre. Tel un bon soldat qui, montant une longue garde, refuse de se mettre à l'aise, de peur que le sommeil n'ait raison de lui.

– Oui, dit-il enfin, je suis venu te sommer...

– Me sommer ? Personne ne *somme* Gordien le Limier. Je suis un citoyen romain, pas un esclave, ni même un affranchi. Et aux dernières nouvelles, Rome, malgré tout ce que cela a d'étonnant, était encore une république et pas une dictature [1]. D'autres citoyens viennent me consulter, me demander des services, les louer. Mais généralement ils viennent à la lumière du jour. Tout au moins, les citoyens honnêtes.

Mummius sembla faire tous les efforts du monde pour contenir son exaspération.

– Ridicule, s'exclama-t-il. Tu seras payé, naturellement, si c'est ce qui t'inquiète. Je suis même autorisé à t'offrir cinq fois ton prix journalier habituel, considérant le dérangement et le... voyage, dit-il prudemment. Cinq jours de paie garantie, plus ton hébergement et tes dépenses.

Je lui prêtai toute mon attention. Du coin de l'œil, je vis Eco lever un sourcil, m'encourageant à faire preuve d'habileté en cette affaire. En grandissant, les enfants des rues apprennent à être de redoutables marchandeurs.

– Très généreux, Marcus Mummius, très généreux, dis-je. Naturellement tu n'ignores pas que mes tarifs ont dû augmenter il y a un mois à peine. Dans Rome, les prix ne cessent de grimper. Cette révolte d'esclaves et l'invincible Spartacus qui se déchaînent dans toute la campagne et répandent le chaos...

– Invincible ?

---

1. À Rome, jusqu'en 202 av. J.-C., le dictateur était un ancien consul désigné par le Sénat pour six mois en cas de crise grave (« état d'exception »). Il disposait alors des pleins pouvoirs, avec tous les risques inhérents, ce qui entraîna la suppression de la fonction. *(N.d.T.)*

On aurait dit que Mummius avait été personnellement offensé.

— Invincible, Spartacus ? Nous en reparlerons bientôt.

— Invincible face à une armée romaine, je veux dire. Ses partisans ont vaincu tous les contingents envoyés contre eux. Deux consuls romains ont été renvoyés chez eux, disgraciés. Je suppose que lorsque Pompée...

— Pompée ! cracha Mummius.

— Oui, je suppose que lorsque Pompée parviendra enfin à ramener ses troupes d'Espagne, la révolte sera rapidement liquidée...

J'en rajoutais parce que le sujet semblait irriter mon hôte et je voulais ainsi continuer de distraire son attention, tout en relevant mon prix.

Mummius se prêta merveilleusement au jeu. Il marchait de long en large, grinçant des dents, jetant des regards sombres. Mais, apparemment, il refusait de s'abaisser à bavarder d'un sujet aussi important que la révolte servile.

— Nous verrons cela, murmura-t-il pour tenter de m'interrompre, ce qui fut vain.

Puis, soudainement, il retrouva son ton de commandement qui me fit taire pour de bon :

— Nous verrons bientôt ce qu'il en est de Spartacus ! Maintenant, tu parles de tes tarifs.

J'éclaircis ma gorge et bus une gorgée de vin chaud.

— Oui. Eh bien, je disais, avec la flambée des prix qui échappent à tout contrôle...

— Oui, oui... Ton tarif...

— Eh bien, j'ignore ce que toi ou tes employeurs avez entendu dire de mes honoraires. Je ne sais même pas comment tu as eu mon nom ou qui m'a recommandé.

— Aucune importance.

— D'accord. Même si tu as parlé de cinq fois...

— Affirmatif : cinq fois ton tarif journalier !

— Cela risque de faire une somme plutôt élevée, vu que mon prix normal...

17

Eco s'était déplacé derrière l'homme et faisait du pouce un geste qui désignait la hauteur.

– C'est quatre-vingts sesterces [1] par jour, dis-je.

J'avais lancé un chiffre au hasard. Celui-ci correspondait à environ deux fois la paie mensuelle d'un légionnaire du rang. Mummius me regarda avec une expression curieuse. Pendant un moment je pensai que j'étais allé trop loin. Tant pis : s'il tournait les talons et quittait la maison sans un mot, j'en serais quitte pour retrouver mon lit chaud et Bethesda. De toute façon, il voulait probablement m'entraîner dans une histoire de fous.

Soudain son rire retentit bruyamment.

Même Eco fut interloqué. Par-dessus l'épaule de Mummius, je le vis plisser les sourcils.

– Eh oui ! Quatre-vingts sesterces par jour, répétai-je aussi sereinement que possible, essayant de ne pas refléter le trouble d'Eco. Tu saisis ?

– Oh oui ! dit Mummius.

Son rire vulgaire de garnison s'était changé en un sourire narquois.

– Et cinq fois cela fait...

– Quatre cents sesterces par jour ! s'exclama-t-il. Je sais compter.

Puis il ricana de nouveau, avec un mépris si sincère que je compris que j'aurais pu demander beaucoup plus.

Par mon travail, je suis fréquemment en contact avec les classes aisées de Rome. Les riches ont besoin de juristes lorsqu'ils s'affrontent. Ces derniers ont besoin d'informations. Et obtenir des informations, c'est ma spécialité. Des avocats aussi réputés qu'Hortensius et Cicéron ont requis mes services. Des clients aussi distingués que les grandes familles Metellus et Messalla ont parfois directement fait

---

1. Les *sestertii* en argent sont apparus en 269 av. J.-C. À l'époque de cette guerre servile (73 av. J.-C.), un denier *(denarius)* d'or vaut quatre sesterces et une pièce d'or *(aureus)* vaut 25 deniers. *(N.d.T.)*

appel à moi. Mais même eux hésiteraient sans doute à payer quatre cents sesterces par jour à Gordien le Limier. Il fallait que le client représenté par Marcus Mummius fût particulièrement riche.

La question, accepter ou non ce travail, ne se posait plus. L'argent était une garantie suffisante. Bethesda serait ravie de voir autant d'argent tomber dans nos coffres. Quant à certains de mes créanciers, ils pourraient recommencer à me saluer avec des sourires au lieu de lâcher les chiens. Pourtant, en réalité, le véritable appât, c'était la curiosité. Je voulais savoir qui avait envoyé Marcus Mummius. Mais en attendant je ne voulais pas encore lui montrer que j'acceptais son offre.

— Cette enquête doit être assez importante, dis-je d'un air détaché.

Je m'efforçais d'afficher une décontraction toute professionnelle, alors que des fontaines de pièces d'argent se déversaient dans ma tête. Quatre cents sesterces par jour, multipliés par cinq jours garantis de travail... Deux mille sesterces ! Le mur arrière de la maison allait enfin pouvoir être réparé et les carreaux abîmés remplacés dans l'atrium [1]. Je pourrais peut-être même offrir une nouvelle esclave à Bethesda pour l'aider...

Mummius hocha la tête, l'air grave.

— Tu ne seras peut-être jamais appelé pour une affaire aussi importante.

— Et délicate, je suppose.

— Extrêmement.

— Requérant de la discrétion.

— Une grande discrétion, acquiesça-t-il.

— Il n'y a pas simplement une question de propriété en jeu, je me trompe ? Une affaire d'honneur, alors ?

---

1. Pièce principale de la maison romaine. Il s'agit en fait d'une grande cour carrée couverte d'un toit dont le centre est percé d'une ouverture pour qu'on puisse recueillir l'eau de pluie. *(N.d.T.)*

– Plus que de l'honneur, dit Mummius toujours aussi grave, avec une expression vague dans les yeux.

– Une vie, alors ? Une vie est en jeu ?

À son expression, je sus que nous parlions d'une affaire de meurtre. Un gros salaire, un mystérieux client, un meurtre... Je ne résistai plus. Mais je fis tout mon possible pour le dissimuler.

Mummius avait vraiment l'air sombre. Celui des champs de bataille. Pas celui qu'affichent les soldats dans la frénésie précédant la charge, mais celui qu'ils ont après, en contemplant le carnage et le désespoir.

– Pas une vie, dit-il lentement. Pas une simple vie, mais de nombreuses vies. Des dizaines de vies ! Des hommes, des femmes, des enfants, tous suspendus dans la balance. Si rien n'est fait pour l'empêcher, des rivières de sang vont couler et les pleurs des bébés vont s'entendre jusque dans la gueule d'Hadès.

Je finis mon vin et reposai la coupe.

– Marcus Mummius, dis-moi franchement qui t'envoie et ce que tu attends de moi ?

Il secoua sa tête.

– J'en ai déjà trop dit. Et puis d'ici à notre arrivée, la crise sera peut-être terminée et le problème résolu. Alors on n'aura plus besoin de toi. Dans ce cas, moins tu en auras appris, mieux ce sera pour toi.

– Et je n'aurai pas la moindre explication ?

– Non, pas la moindre. Mais tu seras payé, quoi qu'il arrive.

Je hochai la tête.

– Combien de temps resterons-nous absents de Rome ?

– Cinq jours. Je l'ai déjà dit.

– Tu as l'air très sûr de toi.

– Cinq jours, répéta-t-il avec assurance. Ensuite tu pourras rentrer à Rome. Cela durera peut-être moins de temps, mais sûrement pas davantage. D'une manière ou d'une autre, tout sera fini dans cinq jours. Pour le meilleur... ou le pire.

— Je vois, dis-je.

En réalité, je ne voyais rien du tout.

— Et où allons-nous exactement ?

Mummius ne desserra pas les lèvres.

— Je te demande ça, continuai-je, parce que je n'ai pas vraiment envie de traîner dans la campagne en ce moment, sans avoir la moindre idée de ma destination. Il y a une petite révolte d'esclaves en cours, sais-tu. Nous en avons parlé il y a un instant. Tous mes informateurs me conseillent vivement d'éviter les voyages, sauf cas de force majeure.

— Tu seras en sécurité ! s'exclama Mummius, sur un ton autoritaire.

— Ai-je ta parole de soldat – ou d'ex-soldat ? – de ne pas être exposé à un danger ?

Mummius plissa les yeux.

— J'ai dit que tu seras en sécurité.

— Très bien. Alors je vais laisser Belbo ici pour protéger Bethesda. Je suis sûr que ton employeur pourra me fournir un garde du corps si j'en ai besoin. Mais je veux emmener Éco avec moi. Je pense que la générosité de ton patron ira jusqu'à le nourrir et à lui fournir un endroit où dormir.

Il regarda Éco par-dessus son épaule. Son œil afficha un certain scepticisme.

— Mais ce n'est qu'un enfant.

— Éco a dix-huit ans. Il a revêtu sa première toge virile[1] il y a deux ans.

— Il est muet, n'est-ce pas ?

— Oui. C'est idéal pour un soldat, je pense.

Mummius grommela.

---

1. La *toga virilis*, toge d'adulte, généralement d'un blanc grisâtre, remplace la toge prétexte *(toga praetexta)* des enfants bordée de pourpre (jusqu'à dix-sept ans). La prise de la toge virile s'accomplit d'ordinaire en mars, lors des *Liberalia*, les fêtes de Bacchus. *(N.d.T.)*

— Je pense que tu peux le prendre.

— Quand partons-nous ? demandai-je.

— Dès que vous êtes prêts.

— Demain matin, alors ?

Il me regarda comme si j'étais un légionnaire paresseux réclamant un petit somme avant une bataille.

— Non, dès que vous êtes prêts ! trancha-t-il de son ton de commandement. Nous avons déjà perdu assez de temps !

— Très bien, bâillai-je. Je vais demander à Bethesda de rassembler quelques-unes de mes affaires...

— Ce ne sera pas nécessaire.

Mummius se dressa de toute sa hauteur. Malgré sa fatigue manifeste, il semblait joyeux d'avoir enfin la situation en main.

— Tout ce dont tu as besoin te sera fourni.

Naturellement ! Un client prêt à payer quatre cents sesterces par jour peut certainement fournir le nécessaire : des habits de rechange, un peigne, et même un esclave pour porter mes affaires.

— Alors je vais simplement dire au revoir à Bethesda.

Je m'apprêtai à sortir de la pièce, quand Mummius s'éclaircit la voix.

— Une chose encore, dit-il, en posant tour à tour son regard sur moi et sur Eco, j'espère qu'aucun de vous n'est sujet au mal de mer.

2

– Où vous emmène-t-il ?

Bethesda exigeait de savoir. Oui, elle « exigeait », sans se soucier de son statut de simple esclave. Et si son impertinence vous semble incroyable, c'est que vous ne connaissez pas encore ma Bethesda.

Et puis, qui est cet homme ? Qu'est-ce qui te fait croire qu'on peut lui faire confiance ? Et si un de tes vieux ennemis lui avait demandé de t'attirer loin de la ville pour te trancher la gorge ?

– Écoute, Bethesda, si quelqu'un voulait me trancher la gorge, il n'aurait pas besoin de se poser tant de problèmes. Il lui suffirait de faire le travail ici, dans le quartier de Subure [1]. On peut y embaucher un tueur à tous les coins de rue.

– Oui, et c'est pour ça que Belbo est là pour te protéger. Pourquoi ne l'emmènes-tu pas ?

– Parce que je préfère qu'il reste ici pour te protéger, toi et les autres esclaves par la même occasion. Ainsi je n'aurai pas à m'inquiéter pendant mon absence.

---

1. En latin, *Subura* (de « suburbain »). L'un des quatre quartiers (« *regiones* ») de Rome, mais surtout le quartier populeux, quasi mal famé, domaine des marchands et des trafiquants en tous genres, où pourtant résidaient d'éminents personnages comme Jules César. *(N.d.T.)*

Même arrachée à son sommeil au milieu de la nuit, Bethesda était splendide. Sa chevelure noire, parsemée de filaments d'argent, tombait en cascade de chaque côté de son visage. Même boudeuse, elle conservait cet air de dignité inébranlable qui m'avait d'emblée attiré vers elle, sur le marché aux esclaves d'Alexandrie, quinze ans plus tôt. Un frisson d'inquiétude me parcourut. C'était la même chose, chaque fois que je m'éloignais d'elle. Le monde est un théâtre incertain, voire périlleux, et la vie que j'ai choisie court souvent au-devant du danger. Mais j'avais appris depuis longtemps à ne pas montrer mes doutes ni mes inquiétudes. Bethesda faisait tout le contraire.

— C'est une grosse somme d'argent, lui dis-je.

Elle renâcla :

— S'il dit la vérité.

— À mon avis, c'est le cas. Un homme ne survit pas si longtemps dans une ville comme Rome sans acquérir un peu de jugeote. Marcus Mummius est honnête, pour autant qu'il puisse l'être. Pas très chaleureux, je l'admets...

— Mais il ne t'a même pas dit qui l'envoyait !

— C'est vrai. Mais il m'a tout de suite précisé qu'il ne me le dirait pas. Autrement dit, il ne m'a pas trompé.

Bethesda fit un petit bruit vulgaire avec ses lèvres.

— Tu ressembles à l'un de ces orateurs pour lesquels tu travailles, comme ce ridicule Cicéron. Ces gens qui disent que la vérité est un mensonge et un mensonge la vérité, quel que soit le contexte.

Je me mordis la langue et inspirai profondément.

— Fais-moi confiance, Bethesda. Je suis resté en vie jusqu'à maintenant, non ?

Je la regardai au fond des yeux. Derrière sa froideur extérieure, je crus apercevoir une lueur chaleureuse. Je posai ma main sur son épaule. Elle fit mine de l'ignorer et se détourna. Cela se passait toujours ainsi.

Alors je me rapprochai et posai mes mains dans le creux de sa nuque, en les glissant sous sa cascade de cheveux.

Elle n'avait pas le droit de me rejeter et ne se retira point. Mais elle se raidit à mon contact et garda la tête droite, même quand je me penchai pour lui embrasser l'oreille.

– Je reviendrai. Dans cinq jours, je suis de retour. Il l'a promis.

Je la vis esquisser un petit rictus. Ses lèvres tremblèrent. Ses paupières clignèrent rapidement et je remarquai les petites rides que le temps avait rassemblées au coin de ses yeux. Elle fixait le mur blanc devant elle.

– Ce serait différent si je savais où tu vas.

Je souris. Bethesda n'avait connu que deux villes dans sa vie, Alexandrie et Rome. Et, à l'exception du voyage l'ayant emmenée de la première vers la seconde, elle ne s'était jamais aventurée à plus d'un mille à l'extérieur de l'une ou de l'autre. Qu'est-ce que ça pouvait lui faire que je me rende à Cumes ou à Carthage ?

Bon, soupirai-je. Si cela te rassure, je soupçonne qu'Eco et moi allons passer les tout prochains jours du côté de Baia [1]. Tu en as entendu parler, n'est-ce pas ?

Elle hocha la tête.

– C'est une belle petite région côtière, ajoutai-je. Elle se trouve plus au sud, derrière le cap de Misène, dans cette baie que les locaux, de Pouzzoles à Pompéi, appellent la Coupe. Les plus riches d'entre les riches se font construire de superbes demeures près du rivage et prennent des bains de boue chaude.

– Mais comment sais-tu cela, puisqu'il ne t'a rien dit ?

– Oh, ce n'est qu'une supposition.

Bethesda s'adoucit sous ma caresse. Elle soupira. Alors je sus qu'elle acceptait mon « escapade », et la perspective d'être la maîtresse de maison pendant quelques jours, avec autorité sur tous les autres esclaves. Par expérience, je savais qu'en mon absence elle se montrait un tyran tout à

---

1. En latin, *Baiae* ; aujourd'hui, en français, Baies. *(N.d.T.)*

fait impitoyable. J'espérais seulement que Belbo serait capable de supporter sa loi. Cette pensée me fit sourire.

Je me tournai et vis Eco attendant dans l'embrasure. Pendant un instant, son visage exprima une fascination intense. Puis il croisa les bras et roula les yeux, comme s'il entendait nier tout intérêt ou toute sympathie pour le moment de tendresse qu'il venait d'interrompre. Je déposai rapidement un baiser sur la joue de Bethesda et quittai la chambre.

Dans le vestibule, Marcus Mummius faisait les cent pas. Il avait toujours l'air las et impatient. Quand j'apparus, il leva les mains et se précipita vers la porte, sans même m'attendre. Pour lui, dire au revoir à une femme, qui plus est une esclave, n'était qu'un gaspillage de temps. Il se contenta de jeter un regard par-dessus son épaule pour me le signifier.

Nous dévalâmes en hâte le sentier escarpé qui descend l'Esquilin[1], évitant les embûches à la lueur de la torche d'Eco. À l'endroit où le chemin s'achève pour se jeter dans la voie Subura, quatre chevaux et deux hommes nous attendaient.

Ces derniers avaient l'allure et le comportement de légionnaires en civil. Sous leurs légers manteaux de laine[2], j'entrevis l'éclat rassurant de couteaux. De ce fait, j'appréhendai moins la perspective de m'aventurer à travers les rues de Rome à la nuit tombée. Je glissai ma main à l'intérieur de mon manteau et sentis mon propre poignard. Mummius avait dit que tous mes besoins seraient comblés, mais je préférais avoir mon arme.

En revanche, il n'avait pas prévu Eco. Aussi me donnat-on la monture la plus robuste et le jeune garçon grimpa

---

1. L'une des sept collines historiques de Rome. *(N.d.T.)*
2. Ce que les Romains appelaient manteaux *(lacerna* ou *paenula)* tenait plus de la cape ou de la pèlerine que du manteau *stricto sensu.* *(N.d.T.)*

26

derrière moi en me tenant par la taille. Si mon corps est large au niveau des épaules et de la poitrine (j'ajouterai, de la taille, depuis quelques années), celui d'Eco est mince. Aussi représentait-il un infime surcroît de poids pour l'animal.

Un petit air frais trahissait l'arrivée précoce de l'automne. Mais la nuit était douce. Pourtant, les rues étaient désertes. En temps de troubles, les Romains fuyaient l'obscurité et verrouillaient leurs maisons dès le coucher du soleil, abandonnant les rues aux proxénètes, aux ivrognes et aux amateurs de sensations fortes. Il en était ainsi pendant les périodes sombres des guerres civiles et les années lugubres de la dictature de Sylla. Il en allait de nouveau ainsi alors que la révolte de Spartacus était sur toutes les lèvres. Sur le Forum, on racontait des histoires terrifiantes. Des villages entiers auraient été anéantis. Leurs habitants auraient été rôtis vifs et mangés par leurs anciens esclaves. Après la tombée de la nuit, les Romains refusaient toute invitation et ne sortaient pas. Ils se barricadaient dans leurs chambres. Pendant leur sommeil, ils ne voulaient pas voir entrer le moindre esclave, pas même ceux en qui ils avaient le plus confiance. Et, la nuit, ils faisaient des cauchemars et se réveillaient trempés de sueur. De nouveau, le chaos était lâché sur le monde et il avait pour nom Spartacus.

Les pas de nos chevaux résonnaient dans les ruelles de Subure, qui empestaient l'urine et les détritus en état de décomposition. Ici et là, les lumières tombant des fenêtres ouvertes, aux étages supérieurs, éclairaient notre route. Des bribes de musique et de rires d'ivresse fusaient au-dessus de nos têtes. Les étoiles paraissaient lointaines et froides, perspective d'un hiver glacial. Il ferait plus chaud à Baia, pensai-je, là où l'été s'attarde dans l'ombre du Vésuve.

Les sabots de nos chevaux se mirent à résonner fort près des temples et des places désertes. Nous contournâmes les espaces sacrés, où les chevaux ne sont pas admis, même la nuit. Puis nous nous dirigeâmes vers le sud, traversant la passe étroite séparant le Capitole du Palatin[1]. L'odeur de paille et de fumier envahit l'air, à hauteur du Forum boarium[2]. Le grand marché au bétail était calme, à l'exception des beuglements occasionnels des bêtes dans leurs enclos. Sur son piédestal, l'énorme bœuf de bronze découpait sa silhouette cornue contre le ciel constellé, comme un Minotaure géant en équilibre.

Je donnai une petite tape sur la jambe d'Eco. Il se pencha en avant.

– C'est bien ce que je pensais, lui chuchotai-je à l'oreille. Nous nous dirigeons vers le Tibre. As-tu envie de dormir ?

Il me donna deux tapes énergiques.

– Bien, répondis-je en riant. Alors tu feras le guet pendant que nous descendrons le fleuve pour rejoindre Ostie.

Sur la rive, d'autres hommes de Mummius attendaient, prêts à récupérer nos chevaux. Au bout de l'embarcadère le plus long attendait notre bateau. Si, dans mon demi-sommeil, j'avais imaginé un lent et désinvolte petit voyage vers la mer au fil du Tibre, je m'étais trompé. L'embarcation n'était pas une barque, comme je le supposais, mais un chaland, mû par une douzaine d'esclaves rameurs avec un timonier à l'arrière et un dais au milieu. Autrement dit, un bateau rapide. Mummius ne perdit pas de temps pour nous faire monter à bord. Ses deux gardes du corps suivirent et nous appareillâmes aussitôt.

– Vous pouvez dormir, si vous voulez, dit-il en désignant l'espace sous le dais, où des couvertures étaient posées en vrac. Ce n'est pas le grand luxe et aucune esclave ne va venir vous réchauffer, mais il n'y a pas de poux. Sauf si ceux-là en ont amené.

Il donna un rude coup sur l'épaule d'un des rameurs.

– Ramez ! beugla-t-il. Et je vous conseille de filer plus

---

1. Deux autres collines de Rome. *(N.d.T.)*
2. Littéralement, le « marché aux bœufs ». *(N.d.T.)*

énergiquement qu'à l'aller, sinon je vous envoie tous sur la galère.

Il eut un petit rire froid. De retour dans son élément, Mummius se montrait plus jovial. Mais je n'étais pas sûr d'apprécier ce dont j'étais témoin. Il confia la garde à l'un de ses hommes et se glissa sous les couvertures.

– Réveille-moi au besoin, chuchotai-je à Eco, en lui pressant la main pour être sûr qu'il m'écoute. Ou dors, si tu peux. À mon avis, nous ne courons aucun danger.

Puis je rejoignis Mummius sous la tente. Je m'installai le plus loin possible de lui et m'efforçai de ne pas penser à mon lit ni à la chaleur du corps de Bethesda.

J'essayai de dormir, sans succès. Le crissement des chaînes, le bruit des rames dans l'eau, l'interminable battement du fleuve contre les flancs du navire m'emportèrent finalement dans un demi-sommeil agité. Je me réveillai fréquemment au son du ronflement de Mummius. La quatrième fois, je ne pus m'empêcher de sortir mon pied des couvertures et de lui décocher un petit coup. Le ronflement s'interrompit un moment. Puis il reprit. On aurait dit un homme que l'on étranglait lentement. J'entendis alors des gloussements de rires étouffés. En me soulevant sur les coudes, j'aperçus les deux gardes à la proue qui me souriaient. Parfaitement réveillés, ils se tenaient côte à côte et devisaient tranquillement. À la poupe, le barreur, un géant barbu, paraissait ne rien voir et ne rien entendre d'autre que le fleuve. Non loin de lui, Eco était accroupi et regardait l'eau par-dessus le bastingage. Il ressemblait à une statue de Narcisse contemplant son reflet sous le ciel étoilé.

Finalement, le ronflement de Mummius s'atténua et se fondit avec le clapotis de l'eau contre le bois et la respiration rythmée des rameurs. Mais je ne parvenais toujours pas à m'abandonner aux bras bienfaisants de Morphée. Je m'agitais dans les couvertures, et les rejetais par instants. J'avais trop chaud, puis trop froid. Mes pensées se perdaient aveuglément dans des méandres, puis tournaient sur

29

elles-mêmes. Cette somnolence me ramollit sans me reposer, me calma sans me rafraîchir. Lorsque nous arrivâmes enfin à Ostie et à la mer, j'étais beaucoup plus engourdi qu'au moment où Mummius m'avait tiré de mon lit, quelques heures plus tôt. Mon esprit était obscurci ; je n'avais étrangement plus conscience du temps ni de l'espace. Je m'imaginais que la nuit ne s'achèverait jamais et que nous voyagerions sans fin dans l'obscurité.

Mummius nous fit descendre sur un embarcadère. Les gardes du corps suivirent le mouvement. Mais les rameurs épuisés restèrent à bord, haletants et pliés en deux d'épuisement sur leurs rames. Je jetai un regard derrière moi. À la lumière des étoiles, leurs larges dos nus se soulevaient et étincelaient de sueur. L'un d'eux se pencha par-dessus bord et se mit à vomir. À un moment, pendant le voyage, j'avais cessé d'entendre leur respiration hachée et le crissement régulier des rames. Je les avais complètement oubliés, comme on oublie les roues d'un véhicule. Qui remarque des roues jusqu'à ce qu'elles aient besoin d'être huilées ? Ou un esclave avant qu'il devienne malade, affamé ou violent ? Je frissonnai et resserrai la couverture autour de mes épaules pour me protéger de l'air frais de la mer.

Mummius nous entraîna le long de l'embarcadère. Sous la passerelle, j'entendais le doux battement de l'onde contre les pilotis de bois. Sur notre droite, une flottille de petites embarcations fluviales était amarrée au quai. Sur notre gauche courait un petit mur de pierre contre lequel étaient empilés des cageots et des paniers dans un fouillis d'ombres. Au-delà du mur, Ostie dormait. Ici et là, j'apercevais une fenêtre éclairée aux étages. À intervalles, des lampes étaient placées sur le mur de la cité. Mais en dehors de nous aucun être vivant ne bougeait. La lumière créait des jeux d'ombre trompeurs. Je crus apercevoir une famille de mendiants, blottie dans un recoin. Ailleurs, c'est un rat que je vis surgir d'un monticule, qui, sous mes yeux, se transforma en un vulgaire tas de frusques.

Une planche disjointe me fit trébucher. Eco agrippa mon épaule pour me retenir. Mais Mummius me donna une tape si forte qu'elle me fit presque choir pour de bon.

– Tu n'as pas assez dormi? aboya-t-il de son ton de caserne. Moi, je n'ai besoin que de deux heures de sommeil par jour. Dans l'armée, on apprend à dormir debout, y compris en marchant, si c'est nécessaire.

Je hochai négligemment la tête. Nous dépassâmes des jetées et des entrepôts, puis traversâmes des marchés couverts et des chantiers navals. Le bruissement des vagues de la mer se mariait avec le clapotement régulier du fleuve. Nous parvînmes enfin au bout du quai, là où le Tibre s'élargit soudain et se jette dans la mer. Le mur de la ville s'éloignait vers le sud. Devant nous s'ouvrait une vaste étendue d'eau calme irisée par les étoiles. Une autre embarcation de bonne taille nous attendait là. Mummius nous poussa au bas des marches et nous fit passer dans le bateau. Il aboya un ordre au garde-chiourme et nous appareillâmes.

Le quai s'éloigna. Autour de nous, les vagues grossissaient. Eco jeta des regards effrayés et saisit ma manche.

– Ne t'inquiète pas, lui dis-je. Nous ne resterons pas longtemps dans ce bateau.

Effectivement, un moment plus tard, alors que nous contournions un petit promontoire rocheux, un navire apparut.

– Une trirème! murmurai-je.

– La *Furie*[1], dit Mummius, voyant ma surprise et souriant fièrement.

Je m'attendais à un grand bateau. Mais pas à un si grand. Les voiles des trois mâts étaient amenées. Trois rangées de

---

1. À Rome, les bateaux étaient du genre féminin et portaient des noms féminins. Les Furies étaient des esprits vengeurs attachés notamment à châtier les parjures. *(N.d.T.)*

rames sortaient de son ventre. Il me semblait incroyable qu'un tel monstre ait été envoyé pour aller chercher un seul homme. Mummius alluma une torche et l'agita au-dessus de sa tête. Sur le pont de la galère, une torche oscilla en réponse. À notre approche, des hommes commencèrent soudain à s'activer sur tout le navire et jusqu'en haut des mâts, aussi discrètement que des fantômes au clair de lune. Les rames plongèrent dans l'eau. Les voiles se déployèrent et se mirent à claquer dans la douce brise. Mummius mouilla son index sur sa langue et le pointa vers le ciel.

– Pas beaucoup de vent. Mais il va nous pousser régulièrement vers le sud. C'est bon.

Nous atteignîmes le navire. Une échelle de corde fut descendue. Eco grimpa le premier. Je le suivis et Marcus Mummius ferma la marche. Il remonta l'échelle derrière lui. Le bateau qui nous avait amenés repartit vers Ostie. Mummius se mit à arpenter rapidement le navire en tous sens, distribuant ses ordres. La *Furie* se souleva et se mit en branle. À travers les planches nous parvint le rythme régulier des rameurs gémissant à l'unisson. Je regardai Ostie, derrière nous s'étendaient son étroite plage et ses toits de tuile par-dessus les murs. La ville s'éloigna à une vitesse stupéfiante. Rome parut soudain très loin.

Occupé avec l'équipage, Marcus Mummius ne faisait plus attention à nous. J'indiquai à Eco un coin tranquille. Appuyés l'un contre l'autre et enroulés dans des couvertures pour nous isoler de la fraîcheur du large, nous nous efforçâmes de dormir.

Soudain, Mummius vint me secouer.

– Que fais-tu sur le pont ? Un citadin habitué au confort comme toi va attraper la mort avec une telle humidité. Venez, vous deux, il y a un local pour vous à la poupe.

Nous le suivîmes, trébuchant sur des cordages et autres obstacles invisibles. À l'est, les premières lueurs de l'aube commençaient à poindre au-dessus des collines sombres. Mummius nous guida vers une pièce minuscule dotée de deux couchettes côte à côte. Je m'effondrai sur la première. Une délicieuse sensation m'envahit alors que je m'enfonçais dans un épais matelas en plumes d'oie de la meilleure qualité. Eco prit l'autre. Il commença à bâiller et à s'étirer comme un chat. Déjà à moitié endormi, je remontai la couverture jusqu'au menton. Mummius nous avait-il laissé sa propre cabine ?

J'ouvris les yeux et le vis, les bras croisés, appuyé contre le mur, juste devant la porte. Dans la lumière blafarde de l'aube, son visage était à peine visible. Mais l'infime battement de ses paupières et le relâchement de son maxillaire inférieur ne laissaient aucun doute : Marcus Mummius, l'honnête soldat, était profondément endormi et rêvait... debout.

Je me réveillai en sursaut, en me demandant où j'étais. Ce devait être le matin ; parce que, même à mes moments les plus dissolus, je dormais rarement jusqu'à midi. Pourtant la vive lumière tombant de la fenêtre au-dessus de ma tête était douce comme celle d'un après-midi du début de l'automne. La terre semblait frémir, sans que cela soit le tremblement soudain d'un séisme. La maison craquait et gémissait tout autour de moi. Et quand j'essayai de me lever, je replongeai immédiatement dans un épais matelas de duvet.

Une voix vaguement familière me parvint à travers la petite fenêtre, une voix de soldat bourru hurlant des ordres. Et soudain, tout me revint à l'esprit.

Près de moi, Eco gémit et cligna des yeux. Je me redressai et m'assis au bord du lit. J'avais l'impression d'être sans arrêt tiré en arrière dans cette vaporeuse montagne de duvet, douce et engourdissante. Je secouai la tête pour m'éclaircir les idées. Une aiguière d'eau était posée sur une étagère fixée au mur. Je l'attrapai par les deux poignées et bus une longue gorgée. Puis je pris de l'eau dans mes mains pour m'asperger le visage.

– Ne la gaspille pas, aboya quelqu'un. C'est de l'eau fraîche du Tibre. C'est pour boire, pas pour se laver.

Je levai les yeux vers Marcus Mummius, debout dans l'embrasure, les bras croisés. L'air vif et alerte, il arborait le sourire supérieur de celui qui s'est levé tôt. Il avait revêtu sa tenue militaire, une tunique de lin et de cuir rouge, sous une cuirasse en cotte de mailles.

– Quelle heure est-il ?

– Deux heures de l'après-midi. Ou, comme l'on dit à terre, la neuvième heure du jour. Vous n'avez fait que dormir et ronfler depuis que vous vous êtes effondrés dans ce lit la nuit dernière.

Il secoua sa tête.

– Un vrai Romain devrait être incapable de dormir dans un lit aussi confortable. On devrait laisser ce raffinement absurde aux Égyptiens. Voilà mon avis.

Il se mit à rire et je pris un plaisir sinistre à l'imaginer soudain embroché sur la lance d'un de ces Égyptiens raffinés.

Je secouai la tête à mon tour.

– Il reste combien de temps ? Sur ce bateau, j'entends.

Il fronça les sourcils.

– Je ne peux pas te le dire. Tu le sais bien.

Je soupirai, avant d'ajouter :

– Alors je vais formuler ma question autrement : combien de temps reste-t-il avant qu'on atteigne Baia ?

Le visage de Mummius se décomposa :

– Mais, je n'ai jamais dit...

– C'est vrai, tu ne l'as jamais dit. Tu es un bon soldat, Marcus Mummius. Tu as juré de ne rien divulguer et tu es resté fidèle à ton serment. Quoi qu'il en soit, j'aimerais bien savoir quand nous arriverons à Baia.

– Qu'est-ce qui te fait penser... ?

– Je *pense* justement, Marcus Mummius. Tu as dit le mot exact. Si je n'étais pas capable de résoudre une énigme aussi simple que celle de notre destination, je ne serais sûrement pas l'homme dont ton employeur a besoin. Alors, premier point : nous faisons voile vers le sud. Je ne suis pas marin, mais je sais que le soleil se lève à l'est et se couche à l'ouest. Tu viens de me dire que nous étions l'après-midi ;

or, regarde où se trouve le soleil : sur notre droite. Et la côte est sur notre gauche. J'en déduis donc que nous faisons route vers le sud. Comme tu m'as également dit que mon travail serait achevé en moins de cinq jours, nous pouvons difficilement nous éloigner de l'Italie. Ce ne peut être qu'une ville située sur la côte sud et très probablement dans la baie ? Bon, d'accord, je me trompe peut-être en désignant Baia. Il pourrait également s'agir de Pouzzoles, Naples ou même de Pompéi. Mais à bien y réfléchir, je ne crois pas me tromper. Un homme aussi riche que ton maître, capable de payer cinq fois mes honoraires journaliers sans sourciller et d'envoyer un navire comme celui-ci pour une apparente brouille, un homme aussi riche que ton maître, donc, possède une maison à Baia. Parce que c'est là que tout Romain qui peut se le permettre se fait construire une résidence d'été. Par ailleurs, hier soir, tu as dit quelque chose à propos de la gueule d'Hadès, non ?

– Je n'ai jamais...

– Si, si. Je te l'assure. Tu as dit que de nombreuses vies étaient en jeu et tu as parlé de bébés que l'on entendrait pleurer jusque dans la gueule d'Hadès. Bien sûr, tu pouvais parler par métaphore, comme un poète. Mais, à mon avis, la poésie n'est manifestement pas ton fort. Ta main se sert d'une épée, pas d'une lyre, et, dans ta bouche, il fallait entendre « gueule d'Hadès » dans son sens littéral. Je ne l'ai jamais vue moi-même, mais les colons grecs qui les premiers ont occupé la baie situaient l'entrée du Monde inférieur dans un cratère sulfureux appelé lac Averne[1]. Et c'est pour cela qu'on l'appelle aussi la Gueule d'Hadès, Hadès étant le mot grec pour le Monde inférieur, que les vieux Romains appellent encore Orcus[2].

---

1. En latin, *Avernus*, ce qui signifie « sans oiseaux », précisément à cause des émissions de gaz. *(N.d.T.)*
2. C'est avant tout le nom du dieu du Royaume des morts, le Pluton romain, également connu sous le nom Dis ou Orcus. *(N.d.T.)*

Mummius me dévisagea malicieusement.

– Tu es un esprit perspicace, dit-il finalement. Après tout, tu mérites peut-être ton salaire.

Je ne perçus aucun sarcasme dans sa voix. Au contraire, je décelai une sorte de tristesse, comme s'il espérait vraiment que je réussisse, mais n'y croyait pas.

Un instant plus tard, Mummius ressortait de la pièce en bombant le torse.

– Vous devez avoir faim après avoir ronflé toute la journée, nous cria-t-il par-dessus son épaule. Il y a de la nourriture dans le carré d'équipage, au milieu du navire. Vous n'en avez sûrement pas de meilleure chez vous. Je la trouve même trop riche. Pour moi, rien de tel qu'une outre de vin coupé d'eau et une croûte de pain dur. Mais le propriétaire du navire veut toujours ce qu'il y a de mieux – autrement dit ce qui coûte le plus cher. Et après vous être sustentés, vous pourrez refaire un long somme.

Il rit, avant d'ajouter :

– C'est ce que vous auriez de mieux à faire, de toute façon, sinon vous risquez de nous encombrer. Sur un navire, les passagers sont des poids morts. Ils n'ont rien à faire. Bon, allez, suivez-moi.

En changeant de sujet, Marcus Mummius avait évité de reconnaître que Baia était notre destination. Mais il était inutile d'insister : je savais où nous nous rendions et maintenant une affaire plus importante occupait mon esprit. Je commençais à soupçonner l'identité du mystérieux employeur. Qui pouvait fournir un moyen de transport aussi luxueux pour véhiculer un vulgaire employé ? Pour une affaire privée, Pompée était probablement en mesure de réunir de telles ressources. Mais il était toujours en Espagne. Alors il ne restait que l'homme le plus riche que Rome ait jamais connu, Marcus Licinius Crassus. Mais qu'est-ce que Crassus pouvait bien vouloir de moi, lui qui possédait des foules d'esclaves et pouvait s'offrir les services de n'importe quel homme libre ?

J'aurais pu agacer Mummius avec de nouvelles questions. Mais j'avais déjà suffisamment mis sa patience à l'épreuve. Je le suivis au soleil de l'après-midi. Des effluves d'agneau rôti flottaient dans la brise salée. Mon estomac rugissait comme un lion. Je renonçai à ma curiosité pour satisfaire un appétit plus pressant.

Mummius avait tort de penser que je m'ennuierais sur la *Furie*, au moins tant que le soleil brillait. Le spectacle toujours changeant de la côte italienne, les mouettes tournoyant au-dessus de nos têtes, le travail des marins, les jeux du soleil sur l'eau, les bancs de poissons, l'air vif caractéristique d'une journée qui n'est déjà plus estivale, mais pas encore automnale... Tout cela avait largement de quoi me distraire jusqu'au coucher du soleil.

Eco était encore plus excité que moi. Tout le fascinait. Un couple de dauphins nous rejoignit au crépuscule. Il accompagna le navire bien après la tombée de la nuit. On les voyait plonger et replonger en soulevant des gerbes d'écume. Par moments, ils semblaient rire comme des humains. Eco leur répondait en imitant leur cri, comme s'ils se parlaient dans un langage secret. Quand finalement ils disparurent, il alla se coucher le sourire aux lèvres et s'endormit rapidement.

Je n'eus pas cette chance. Ayant dormi une bonne partie de la journée, je n'avais pas sommeil. Pendant quelque temps, la côte fantomatique et le scintillement des étoiles se reflétant sur l'eau me charmèrent autant que le spectacle de l'après-midi. Puis la nuit se rafraîchit. Alors je regagnai mon lit. Mais Marcus Mummius avait raison. Le lit était trop doux, ou la couverture trop rêche. À moins que ce ne fût la lumière des étoiles filtrant par la fenêtre ou les imitations du rire des dauphins qu'Eco faisait dans son sommeil... J'étais incapable de m'endormir.

Alors, je perçus le son du tambour. Il venait des profondeurs. C'était un battement sourd, lancinant, plus lent que mon pouls, mais aussi régulier. La nuit précédente, j'étais si épuisé que je ne l'avais pas entendu. Mais maintenant je ne pouvais l'ignorer. C'était le tambour qui réglait le mouvement de rames des esclaves au pont inférieur, le rythme qui portait le navire vers Baia. Plus j'essayais de me boucher les oreilles, plus j'avais l'impression que le son montait plus fort à travers les planches. Et plus je m'agitai dans mon lit, plus le sommeil semblait s'éloigner.

J'entrepris de me remémorer la physionomie de Marcus Crassus, l'homme le plus riche de Rome. Je l'avais vu des centaines de fois au Forum, mais son visage m'échappait. Ensuite, je comptai mon argent dans ma tête, imaginant le doux tintement des pièces. Je songeai aux honoraires que j'allais encaisser. Je pensai à Bethesda, l'imaginant endormie, seule, la petite chatte blottie entre ses seins. En esprit, je visitai toutes les pièces de ma maison, une à une. Soudain une image s'imposa à moi : celle d'un Belbo complètement ivre, affalé en travers de mon portail grand ouvert, laissant libre accès à n'importe quel voleur ou assassin...

Je sursautai et m'assis. Avec une sorte de petit gémissement, Eco se retourna dans son sommeil. Je laçai mes chaussures, m'enroulai dans la couverture et retournai sur le pont.

Çà et là, des marins dormaient, pressés les uns contre les autres. Quelques-uns erraient sur le pont, attentifs à toute menace en provenance de la mer ou du rivage. Une petite brise du nord gonflait la voile et me donnait la chair de poule. En me promenant, je me laissai insidieusement attirer vers la porte située au milieu du pont, celle qui donnait accès au cœur de la galère.

Curieusement, un homme peut voguer sur de nombreux navires au cours de sa vie, sans jamais se demander vraiment comment ils se déplacent. Mais c'est ainsi que la plupart des gens vivent : ils mangent, s'habillent, vaquent à leurs activités, sans jamais avoir une pensée pour la sueur des esclaves qui ont moulu le blé, tissé leurs vêtements et pavé les routes. Et ils ne s'interrogent pas davantage sur le sang qui réchauffe leur corps ou l'humeur qui protège leur cerveau.

Je franchis la porte et me retrouvai rapidement au bas des marches. Instantanément une vague de chaleur me balaya le visage, moite, étouffante, comme de la vapeur d'eau bouillante. Je percevais le martèlement sourd du tambour. Je sentis les hommes avant de les voir. Toutes les odeurs humaines possibles étaient concentrées dans cet espace fermé. On aurait dit l'haleine de démons s'élevant de gouffres sulfureux. Je fis un pas de plus dans un monde de morts vivants. Il était difficile d'imaginer que la gueule d'Hadès ouvrît sur un univers plus terrifiant que celui-là.

L'endroit ressemblait à une longue et étroite caverne. Ici et là, des lampes suspendues au plafond projetaient une lumière pâle sur les corps nus et blafards des rameurs. D'abord, dans la pénombre, je ne distinguai que des ondulations tout autour de moi, comme des grouillements de vers. Mais à mesure que mes yeux s'habituaient, je découvris lentement les détails.

Au centre et sur toute la longueur de la cale courait une étroite passerelle, comme un pont suspendu. De chaque côté, les esclaves étaient disposés en gradins, sur trois rangs. Ceux qui occupaient la rangée contre la coque pouvaient rester assis en permanence. Ils disposaient de rames plus courtes qui exigeaient moins d'efforts. Les bancs de la rangée du milieu étaient légèrement plus hauts. Chaque fois qu'ils tiraient les rames en arrière, leurs occupants devaient s'arc-bouter sur leurs repose-pieds. Puis, ils devaient se soulever pour repousser les rames vers l'avant. Enfin, les derniers, les plus malchanceux, se trouvaient debout sur la passerelle centrale. Ils avançaient d'avant en arrière pour pousser leurs rames en un grand mouvement circulaire. En pleine extension, ils se dressaient sur la pointe des pieds, puis ils tombaient à genoux et basculaient en arrière pour ressortir les rames de l'eau. Chaque esclave était entravé à sa rame par une petite chaîne rouillée fixée aux poignets.

Ils étaient des centaines, serrés les uns contre les autres. On aurait dit du bétail dans un enclos. Mais là les animaux sont libres de leurs mouvements. Chaque homme était comme le rouage minuscule d'une machine qui ne s'arrête jamais. Et ils avançaient au rythme du tambour.

Je me retournai pour regarder le batteur à la poupe. Assis sur un petit banc, il devait se trouver juste en dessous de mon lit. Il avait les jambes écartées, et ses genoux serraient le bord d'un tambour beaucoup plus large que haut. Autour de chaque main étaient enroulées des lanières à l'extrémité desquelles se trouvait une boule de cuir. Alternativement, l'homme levait ses mains et laissait retomber les boules sur la peau du tambour. À chaque coup donné, une vibration sourde envahissait l'air chaud et dense. En regardant mieux, je vis que le batteur avait les yeux fermés et qu'un petit sourire errait sur ses lèvres. On aurait dit qu'il rêvait. Mais jamais le rythme ne faiblissait.

À côté de lui, un autre homme était debout. Habillé comme un soldat, il tenait un long fouet dans sa main droite. En m'apercevant, il me jeta un regard noir et fit claquer son fouet en l'air, comme s'il voulait m'impressionner. Les esclaves les plus proches de lui frémirent. Certains gémirent même. C'était comme si une vague de souffrance venait de passer au-dessus d'eux.

Je remontai la couverture sur ma bouche et mon nez pour filtrer la puanteur. La lumière des lampes passait à peine entre les passerelles, les bancs et les pieds entravés. Mais je pus tout de même distinguer le fond de la cale. C'était un infect mélange d'excréments, d'urine, de vomi et de restes de nourriture avariée. Comment pouvaient-ils supporter ça ? S'y étaient-ils habitués avec le temps, comme ils s'étaient habitués aux chaînes ? Ou étaient-ils écœurés en permanence comme je l'étais moi-même ?

Des sectes religieuses de l'Est prétendent qu'après la

mort les méchants se rendent dans un lieu où ils subissent un châtiment éternel. Est-ce que cela ne suffit pas à leurs dieux de voir les hommes souffrir dans ce monde ? Ont-ils besoin de les torturer encore dans l'autre monde ? J'ignore tout de ce lieu de damnation après la mort. Mais il y a une chose que je sais : si un tel endroit existe sur terre, c'est bien le ventre d'une galère romaine, là où les hommes sont forcés de travailler, environnés par la puanteur de leur vomi et de leurs excréments, en oubliant leurs angoisses, au rythme sans fin du tambour.

La plupart des hommes, dit-on, meurent au bout de trois ou quatre ans de galère. Les plus chanceux disparaissent plus tôt. S'il a le choix, un prisonnier ou un esclave coupable de vol préférera finir dans les mines ou dans l'arène plutôt qu'aux galères. De tous les châtiments infligés à un homme, ramer dans une galère est considéré comme le plus cruel. La mort vient toujours, mais pas avant qu'il soit à bout de force et que toute dignité ait été annihilée dans la souffrance et le désespoir.

Dans les galères, les hommes deviennent des monstres. Certains capitaines de navire ne changent jamais leurs esclaves de place. Un homme qui rame jour après jour, mois après mois, du même côté, surtout s'il se tient sur la passerelle centrale, développe des muscles disproportionnés d'un côté du corps. Simultanément, sa peau pâlit comme celle du poisson par manque de soleil. S'il s'échappe, il sera aisément repérable en raison de sa difformité. Une fois, dans Subure, j'ai vu une troupe de gardes privés extirpant un évadé d'un lupanar. L'homme était nu ; il hurlait. Eco, qui n'était alors qu'un enfant, avait été horrifié par le physique de l'esclave. Après mon explication, il s'était mis à pleurer.

Mais, dans les galères, les hommes deviennent aussi des dieux. Crassus, s'il était bien le propriétaire de ce navire, veillait à changer ses rameurs de place. Ou alors, il les épuisait encore plus rapidement que les autres, parce que je ne voyais aucun monstre difforme parmi eux. Au contraire, j'apercevais de jeunes hommes à la poitrine large, aux fortes épaules et aux bras musclés. Et les plus vieux survivants avaient des physiques encore plus impressionnants. On aurait dit un équipage d'Apollons barbus mêlés à quelques Hercules à cheveux blancs. Cependant leurs visages étaient tous humains, trop humains, misérables, déformés par la souffrance et la peine.

Quand je les observais, la plupart détournaient les yeux, comme si mon regard pouvait les blesser aussi sûrement que le fouet de leur gardien. Mais quelques-uns ne tournaient pas la tête. Je voyais des yeux éteints par l'effort permanent et la monotonie, des yeux envieux ; envieux d'être à la place de cet homme qui pouvait simplement marcher où il voulait, essuyer la sueur de son visage et se nettoyer après avoir déféqué. Dans certains regards je lisais la peur et la haine ; dans d'autres, une espèce de fascination, d'avidité. Le type de regard direct qu'un homme affamé peut jeter sur un glouton.

Soudain, alors que je marchais le long de la passerelle centrale entre les esclaves nus, je fus saisi par une sorte de fièvre brûlante. J'étais comme en transe. Mes narines étaient pleines de l'odeur de sueur et de déchets. Mes yeux erraient sur cette masse de souffrance constamment plongée dans l'obscurité. J'étais le personnage d'un rêve qui regardait des hommes vivant un cauchemar.

Plus on s'éloignait de la plate-forme où battait le tambour et de la passerelle centrale, moins il y avait de lampes. Mais çà et là, la lumière de la lune s'infiltrait dans la pénombre. Elle faisait luire les bras et les épaules trempés de sueur des rameurs et faisait scintiller les chaînes. Derrière moi, le battement sourd du tambour s'éloignait, mais il était toujours lent et régulier. Le rythme lancinant était aussi hypnotique que le chuintement des vagues contre la proue.

J'atteignis le bout de la passerelle. Je me retournai pour contempler cette multitude en action. Soudain, j'eus assez de ce spectacle. Je me précipitai vers la sortie. Plus loin devant moi, éclairé par une lampe comme un acteur en scène, le garde-chiourme me regardait. Il hocha la tête. Même à cette distance, je pouvais percevoir son dédain. C'était son domaine. J'étais un intrus, un curieux, trop délicat pour un tel endroit. Il fit claquer son fouet au-dessus de sa tête à mon intention. Les esclaves à ses pieds gémirent. Et il sourit.

Je songeai à quel point Eco aurait facilement pu échouer dans un tel endroit si je ne l'avais pas trouvé et recueilli. Un enfant au corps solide, sans langue, sans famille pour le défendre, avait toutes les chances d'être enlevé et vendu aux enchères.

À cet instant, un homme dévala l'escalier. Il me bouscula en passant devant moi, puis se précipita vers la poupe. Il hurla quelque chose et le tambour doubla brusquement sa cadence. Tout sembla vaciller alors que le navire s'emballait. Je tombai à la renverse contre la rampe de l'escalier. La vitesse augmentait de manière stupéfiante.

Le tambour résonnait de plus en plus fort, de plus en plus vite. Le messager repassa devant moi avec la même brusquerie pour remonter sur le pont. J'agrippai la manche de sa tunique.

– Des pirates ! dit-il simplement avec une intonation théâtrale. Deux navires ont surgi d'une crique. Ils sont après nous.

Son visage était sombre. Mais, assez curieusement, lorsque je le relâchai, j'eus l'impression qu'il riait.

Je commençai à le suivre, mais m'arrêtai, fasciné par le spectacle qui se déroulait tout autour de moi. Le tambour allait encore plus vite. Les rameurs gémissaient et suivaient la cadence. Le garde-chiourme arpentait la passerelle centrale. Son fouet claquait. Les rameurs tentaient de l'éviter.

Les rameurs alignés contre la coque restaient assis sur leurs sièges. Mais les infortunés de la partie centrale faisaient tout ce qu'ils pouvaient pour garder le contrôle de leurs rames, s'élevant sur la pointe des pieds, trébuchant, tendant leurs bras à l'extrême. Ils n'avaient pas le choix.

Et la cadence accéléra encore. L'impressionnante machine était au maximum de sa puissance. Les rames faisaient de grands cercles, suivaient un rythme fou. Les esclaves poussaient et tiraient de toute leur force. Horrifié mais incapable de détourner mes yeux, j'étudiais leurs visages grimaçants. Les mâchoires étaient serrées, les yeux étincelaient de peur et de confusion.

Il y eut un craquement, comme si une des grandes rames s'était brisée. Le bruit avait été si fort et si proche que je m'étais protégé le visage. Au même instant, un jeune garçon qui ressemblait à Eco rejeta la tête en arrière. Sa bouche s'ouvrit comme pour émettre un hurlement silencieux.

Le garde-chiourme releva son bras. La lanière claqua. L'enfant hurla comme s'il avait été ébouillanté. Je vis le fouet mordre ses épaules nues. Le petit esclave vacilla contre sa rame, avant de chanceler sur la passerelle. Enchaîné à ses anneaux de fer, son corps partit en avant, puis en arrière et enfin il se redressa, pendu par les poignets. À cet instant, le fouet s'abattit sur ses cuisses, alors que l'enfant cherchait désespérément à retrouver son équilibre.

Le garçon hurla. Il se tordit et retomba. La rame l'en traîna dans une nouvelle révolution. Je ne sais comment il retrouva sa prise, tous les muscles tendus. Le fouet frappa encore. Le tambour battait. La lanière montait et retombait. Hurlant, haletant de douleur, le rameur dansait comme un possédé. Ses épaules larges se tordaient au rythme du fouet. Son visage était convulsé. Il pleura comme un petit enfant. Le garde-chiourme ne cessait de le frapper, et de le frapper encore.

Je dévisageai le soldat. Il me sourit sinistrement, exhibant une denture pourrie. Alors il se tourna et cracha sur les épaules d'un autre esclave en plein effort. Ses yeux dans les miens, il releva son fouet comme s'il me mettait au défi d'intervenir. Les rameurs gémissaient en chœur. Je regardai le garçon, qui n'avait jamais cessé de ramer. Il bougea les lèvres à mon intention, incapable de parler.

Soudain, j'entendis des pas venant d'en haut. Le messager réapparut, paume levée. C'était un signal pour le tambour.

– Tout va bien ! hurla-t-il.

Le battement cessa brusquement. Dans ce calme soudain, on n'entendait plus que le clapotement des vagues contre le navire, le craquement du bois et les halètements rauques des rameurs. À mes pieds, le garçon s'effondra sur sa rame. Ses épaules musclées étaient striées de coups. Les blessures les plus récentes se mêlaient aux cicatrices plus anciennes. Ce n'était pas la première fois que le gardien s'acharnait sur lui.

Tout à coup, je ne vis plus rien, je n'entendis plus rien. La puanteur me submergea, comme si la sueur de tous ces corps avait transformé l'air fétide en poison. Je bousculai le messager et me précipitai en haut des marches, à l'air frais. Penché au-dessus de l'eau, je vidai mon estomac.

Au bout d'un moment, je regardai autour de moi, faible, désorienté, écœuré. Sur le pont, les hommes amenaient la voile auxiliaire du deuxième mât. L'eau était calme ; la côte, sombre et silencieuse.

M'ayant aperçu, Marcus Mummius s'approcha. Il avait l'air en grande forme.

– Eh bien, ton dîner est reparti ? Cela arrive quand nous allons à pleine vitesse et que le ventre est plein. J'avais bien dit au propriétaire du navire de ne pas stocker de provisions si riches. Je préfère rendre un estomac plein de pain et d'eau qu'un ventre plein de viande à demi digérée et de bile.

Je m'essuyai le menton.

– Nous les avons distancés ? Tout danger est passé ?

– Façon de parler, répondit-il en haussant les épaules.

– Que veux-tu dire ?

46

Je tournai les yeux vers la poupe. La mer était vide.

– Combien étaient-ils ? Où sont-ils passés ?

– Oh, il y avait bien mille navires... au moins. Toutes bannières pirates au vent. Et maintenant ils ont rejoint l'Hadès, leur monde.

L'expression de mon visage le fit rire.

– Des pirates fantômes, expliqua-t-il. Des esprits de la mer.

– Attends. Je ne comprends pas.

Les marins sont superstitieux, certes, mais je pouvais difficilement croire que Mummius avait épuisé les rameurs pour distancer quelques bancs de brume ou une baleine égarée.

Non, Mummius n'était pas fou. C'était pire que ça.

– C'était une manœuvre, dit-il finalement en secouant la tête et en m'assénant une grande tape dans le dos.

– Une manœuvre ?

– Oui, une manœuvre, un exercice. Nous devons en faire très souvent, surtout sur les navires civils comme la *Furie*, pour être sûrs que tout le monde est prêt. En tout cas, c'est ainsi que les choses se passent avec...

Il allait dire un nom, puis se reprit :

– Sous mon commandement.

– Une manœuvre, répétai-je stupidement. Tu veux dire qu'il n'y avait pas de pirates ? Que cette cadence folle était parfaitement inutile ? Les esclaves sont totalement éreintés...

– Bien ! dit Mummius en levant la tête. Les esclaves d'un maître romain doivent toujours être prêts et forts. Sinon à quoi servent-ils ?

Les mots n'étaient pas de lui. Il citait quelqu'un. Quelle sorte d'homme commandait Mummius et lui permettait d'agir ainsi avec ses outils humains ? Je baissai les yeux vers les rames immobiles qui sortaient de la *Furie*. Un instant plus tard, elles s'animèrent et plongèrent dans les vagues. Les esclaves avaient eu un bref répit. Le travail reprenait.

Je pris une profonde inspiration. J'aurais voulu être de retour à Rome, endormi dans les bras de Bethesda.

4

Un coup dans les côtes me réveilla. Eco se tenait au-dessus de moi, faisant de grands gestes pour que je me lève.

Je m'agenouillai sur le matelas pour regarder par le hublot. La terre était proche, çà et là une maison perchée sur les falaises. Les demeures les plus proches de l'eau étaient des masures branlantes, d'humbles habitations construites avec du bois de récupération et recouvertes de filets. Elles étaient entourées de bateaux échoués sur la grève. Sur les hauteurs, les maisons étaient très différentes : c'était de grandes villas à colonnades blanches et treilles.

Je m'étirai, m'aspergeai le visage et pris une gorgée d'eau pour me nettoyer la bouche. Eco avait déjà préparé ma plus belle tunique. Tandis que je m'habillais, il me coiffa et me rasa. À la moindre secousse du navire, je retenais ma respiration. Mais il ne me coupa pas une seule fois.

Ensuite Eco m'apporta du pain et des pommes. Nous sortîmes sur le pont pour les manger en contemplant le paysage. Marcus Mummius commandait la manœuvre d'approche. Nous entrions dans la grande baie que les Romains ont toujours appelée la Coupe. Elle ressemble effectivement à une grande vasque et ses rives sont bordées de villages. Pour les anciens Grecs, qui furent les premiers occupants, c'était tout simplement la baie de Naples, du nom de la principale localité. Quant à Cicéron, mon client occasionnel, il la surnomme la baie du Luxe, avec beaucoup d'ironie dans la voix. Il n'y possède pas de villa... pas encore [1].

Nous entrâmes dans la baie par le nord, longeant les passes étroites entre le cap Misène et l'île de Procida. Droit devant nous, de l'autre côté de la baie, la grande île de Capri se dressait comme un doigt tendu vers le ciel. Le soleil était haut. La journée était belle et claire. Pas une brume à la surface de l'eau. Entre nous et le détroit séparant Capri du promontoire de Minerve, des voiles multicolores constellaient la baie : les voiles des bateaux de pêche et des navires de commerce, et encore celles des bacs qui faisaient le tour de la baie, transportant denrées et passagers de Sorrente et Pompéi, au sud, à Naples et Pouzzoles, au nord.

Dès que nous eûmes contourné totalement le cap, toute la baie scintillante s'ouvrit devant nous. Au-dessus des villages d'Herculanum et de Pompéi, le Vésuve dominait de sa masse menaçante. Ce paysage m'impressionne toujours. La montagne se dresse à l'horizon comme une grande pyramide aplatie au sommet. Avec ses pentes fertiles couvertes de prairies et de vignes, le Vésuve apparaît comme un dieu généreux et bienveillant, symbole de permanence et de sérénité. Pendant un moment, au début de leur révolte, Spartacus et ses partisans s'étaient réfugiés sur ses hauteurs.

La *Furie* longea la côte, dépassant le cap Misène. Puis elle tourna le dos au Vésuve pour se glisser majestueusement dans le port discret. Les voiles furent amenées. Les marins couraient sur le pont. J'écartai Eco. Sans voix pour se défendre, il risquait d'être écrasé ou pris dans les cordes qui tourbillonnaient, et j'avais peur pour lui. Il retira doucement ma main de son épaule. Je ne suis plus un enfant, semblait-il me dire du regard. Mais c'était bien une curiosité d'enfant qui lui faisait tourner la tête en tous sens, essayant de ne rien perdre du spectacle. Soudain, il attrapa

---

1. Il en possédera trois dans cette baie. *(N.d.T.)*

mon bras et me montra une barque qui venait de sortir du quai. Elle se dirigeait vers nous.

L'embarcation se rangea le long de la *Furie*. Mummius se pencha et cria une question. La réponse lui arracha un soupir. Mais était-ce de soulagement ou de regret ? J'étais incapable de le dire.

Je m'approchai de lui. Il leva les yeux au ciel en grimaçant.

– Rien n'a été résolu en mon absence, soupira-t-il. On va sans doute avoir besoin de toi. Au moins, le voyage n'aura pas été inutile.

– Alors, maintenant, tu peux quand même m'avouer officiellement que mon employeur est Marcus Crassus.

Mummius me dévisagea, l'air piteux.

– Tu te crois suprêmement intelligent, n'est-ce pas ? Fais preuve de la moitié de cette intelligence quand ce sera nécessaire. C'est tout ce que j'espère. Maintenant... À l'échelle !

– Et toi ?

– Je suivrai plus tard. Je dois d'abord faire le tour du bateau. Je vous remets aux bons soins de Faustus Fabius. Il va vous emmener à la villa, à Baia, et s'occupera de vous là-bas.

Je suivis Eco dans la barque. Un grand roux en tunique bleue nous y accueillit. Il avait un visage jeune, mais des rides marquaient le coin de ses yeux verts. Il devait avoir dans les trente-cinq ans, à peu près le même âge que Mummius. Il me serra la main et je vis sur son doigt l'éclair de son anneau de patricien. Il n'avait pas besoin d'un tel bijou pour prouver qu'il venait d'une vieille famille : les Fabius sont aussi anciens que les Cornelius ou les Aemilius ; ils sont même antérieurs aux Claudius. Mais même sans avoir vu son anneau et sans connaître son nom, j'aurais su qu'il était patricien. Seul un noble romain de la plus vénérable lignée pouvait se tenir aussi droit sans avoir l'air prétentieux ou ridicule.

51

– C'est toi que l'on appelle le Limier ?

Sa voix était douce et profonde. En parlant, il avait arqué ses sourcils. C'était un réflexe typique des patriciens.

– Gordien, de Rome, me présentai-je.

– Bien. Assieds-toi ici, je te prie. Tu seras mieux, sauf si tu es un excellent nageur.

– Oh, je ne nage quasiment pas, confessai-je.

Il hocha la tête :

– Et voici ton assistant ?

– Mon fils, Eco.

– Je vois. Je suis heureux que vous soyez arrivés. Gelina va être soulagée. Pour quelque raison, elle s'était mis en tête que Mummius pourrait revenir la nuit dernière, même tard. Nous lui avions tous dit que c'était impossible, même dans les conditions les plus favorables. Mais elle s'est entêtée. Avant de se coucher, elle a demandé qu'un messager descende toutes les heures sur le port voir si le navire arrivait. Il y a du désordre ici, comme tu peux l'imaginer.

Il remarqua ma surprise.

– Ah, Mummius ne t'a quasiment rien dit, j'imagine. Oui, telles étaient ses instructions. Mais ne t'inquiète pas, tu vas tout savoir.

Il se retourna dans le sens du vent et inspira profondément. Sa longue chevelure flottait dans la brise comme une crinière rouge.

Je regardai le port. La *Furie* était de loin le plus grand navire. Les autres n'étaient que de petits bateaux de pêche ou de plaisance. Misène n'a jamais été un port particulièrement actif. L'essentiel du trafic qui entre ou sort de la baie passe par Pouzzoles, le principal port d'Italie. Mais Misène paraissait encore plus tranquille qu'elle n'aurait dû l'être, vu la proximité de la luxueuse Baia et des célèbres sources minérales. Je le dis à Faustus Fabius.

– Alors, tu es déjà venu ici ? demanda-t-il.

– Quelques fois.

– Tu as quelque connaissance des navires de commerce qui pratiquent la côte de Campanie ?

– Les affaires m'ont amené de temps en temps ici. Mais je ne suis pas un spécialiste du trafic maritime. Quoi qu'il en soit, ai-je tort de penser que le port est plutôt vide en ce moment ?

Il fit une petite grimace.

– Non. Il y a les pirates en mer et Spartacus sur terre, le commerce est au point mort dans toute la Campanie. Presque rien ne bouge tant sur terre que sur mer. Je suis d'autant plus surpris que Marcus ait voulu te ramener sur la *Furie*.

– Tu veux dire Marcus Mummius ?

– Bien sûr que non. Mummius ne possède pas de trirème ! Je pensais à Marcus Crassus.

Il esquissa un léger sourire.

Oui, je sais, tu as censé ignorer ce point, au moins jusqu'à ton débarquement. Mais, bon, maintenant tu es au courant.

En mettant le pied sur le quai, je jetai un dernier coup d'œil vers le port.

– Tu dis qu'il n'y a aucun trafic en ce moment ?

Il haussa les épaules. J'attribuai son rictus au dédain traditionnel des patriciens pour les questions de commerce.

– Les voiliers et les barques sillonnent la baie pour transporter les biens et les passagers. Mais il est devenu excessivement rare de voir un grand navire en provenance d'Égypte, d'Afrique ou même d'Espagne, pénétrer dans le port de Pouzzoles. Les biens et les denrées ne circulent plus par voie de terre. Tout le sud de l'Italie vit sous la menace de Spartacus. Il a établi ses quartiers d'hiver du côté de Thurii, après avoir passé l'été à terroriser la région située à l'est du Vésuve. Les cultures ont été détruites, les fermes et les villas dévastées par le feu. Les marchés sont vides. Heureusement pour eux, les habitants de la région ne se nourrissent pas seulement de pain. Personne ici ne mourra de faim tant qu'il y aura des poissons dans la baie ou des huîtres dans le lac Lucrin.

Fabius nous guida vers l'extrémité du quai.

— Malgré les troubles, il ne doit pas y avoir grande pénurie à Rome, n'est-ce pas ?

— Oui, « Le peuple a peur, mais ne souffre pas ».

Je citai la phrase d'un discours que j'avais récemment entendu au Forum.

Fabius ricana.

— Je reconnais bien là le Sénat. Ils veillent à ce que la populace de Rome vive correctement. Et pendant ce temps les sénateurs sont incapables d'envoyer un commandant décent contre Spartacus et les pirates. Quelle bande d'incompétents ! Rome n'a plus jamais été la même, depuis que Sylla a ouvert la porte du Sénat à tous ses riches fidèles pour les remercier. Aujourd'hui les vendeurs de babioles et les marchands d'huile d'olive font des discours, pendant que des gladiateurs dévastent la campagne. Par chance Spartacus a, jusqu'à maintenant, manqué de la cervelle ou des nerfs qu'il faudrait pour marcher sur Rome.

— Cette hypothèse est évoquée quotidiennement.

— Oh ! j'en suis sûr. Entre le caviar et les cailles farcies, les Romains n'ont pas beaucoup d'autres sujets de bavardage ces temps-ci.

— On parle toujours de Pompée. On dit qu'il a presque anéanti les rebelles en Espagne. Le peuple attend qu'il rentre en hâte pour liquider Spartacus.

— Pompée !

Fabius avait prononcé ce nom avec presque autant de mépris que Marcus Mummius.

— Ses origines sont modestes, mais ce n'est pas le problème ici. Et personne ne peut nier ses réussites sur le plan militaire. Simplement, dans le cas présent, Pompée n'est pas l'homme de la situation.

— Alors, qui ?

Fabius sourit et dilata ses larges narines.

– Tu vas bientôt le rencontrer.

Des chevaux nous attendaient. Accompagnés par le garde du corps de Fabius, nous traversâmes le village de Misène puis prîmes la direction du nord. La route pavée longeait une plage couverte de vase. Un peu plus loin, elle s'éloignait du rivage pour gravir une petite crête boisée. Des deux côtés, à travers les arbres, je pouvais apercevoir de grandes maisons entourées de superbes jardins cultivés. Eco écarquillait les yeux. Avec moi, il avait rencontré des hommes riches et parfois il avait pu pénétrer dans leurs demeures. Mais un tel luxe était nouveau pour lui. Dans les villes, les maisons des riches étaient collées les unes contre les autres et n'en imposaient pas comme les villas de la campagne. Loin des yeux jaloux des foules citadines, là où seuls les esclaves et les invités aussi riches qu'eux pouvaient venir frapper, les grands Romains n'avaient pas peur de faire étalage de leur richesse.

La monture de Faustus Fabius avançait d'un pas tranquille. Si l'affaire en question était pressante, il ne le montrait pas. Il y avait quelque chose dans l'air de la côte de Campanie qui rendait nonchalants même les citadins du Nord les plus pressés. L'air tonique embaumant le pin et la mer, une clarté particulière du soleil dans le ciel, un sentiment d'harmonie avec les dieux de la Terre, de l'Air, du Feu et de l'Eau. Un tel plaisir rend loquace. Je commençai à discuter avec Faustus Fabius, m'extasiant sur la vue, le questionnant sur la topographie et la cuisine locales. Il était romain jusqu'au bout des ongles. Mais manifestement il venait suffisamment souvent dans la région pour avoir une bonne connaissance des Campaniens de la côte et de leurs vieilles coutumes grecques.

– Je dois dire que tu es plus disert que l'hôte avec lequel j'ai fait la traversée.

Il accepta cette remarque avec un petit sourire et un signe

de tête entendu. Il ne portait manifestement pas Marcus Mummius dans son cœur.

– Dis-moi, qui est Mummius ?

Fabius leva son sourcil.

– Je pensais que tu savais au moins cela. Mummius était l'un des protégés de Crassus pendant les guerres civiles. Depuis lors, il est devenu son bras droit pour les affaires militaires. Les Mummius ne sont pas particulièrement distingués, mais, comme la plupart des familles romaines qui survivent assez longtemps, ils possèdent au moins un ancêtre célèbre. Malheureusement, la notoriété va de pair avec un soupçon de scandale. L'arrière-grand-père de Marcus Mummius était consul à l'époque des Gracques [1]. Il remporta de grands triomphes pendant ses campagnes en Espagne et en Grèce. Tu n'as jamais entendu parler de Mummius le Fou, également surnommé le Barbare ?

Je haussai les épaules. L'esprit des patriciens est sûrement différent de celui des hommes ordinaires. À la moindre sollicitation, ils peuvent vous raconter des détails parfaitement insignifiants sur des générations d'individus, jusqu'à l'époque du roi Numa et même au-delà.

Fabius sourit.

– La chose est peu probable mais, si la discussion porte sur ce sujet devant Marcus Mummius, fais très attention à ce que tu dis. Il est incroyablement susceptible à propos de la réputation de son ancêtre. Et, donc, il y a bien des années, Mummius le Fou fut envoyé en Grèce par le Sénat pour mettre un terme à la révolte de la Ligue achéenne. Mummius les anéantit totalement. Puis il pilla systématiquement Corinthe avant de raser la ville et de réduire sa population en esclavage par décret sénatorial.

---

1. Tiberius et Caius Gracchus, frères et tribuns romains. Ils lancèrent notamment des réformes agraires et tentèrent d'atténuer les inégalités à Rome. Tiberius fut tribun en 133 av. J.-C. et assassiné la même année. Caius fut tribun en 124 et assassiné en 121. *(N.d.T.)*

— Ah, encore un chapitre glorieux de l'histoire de notre empire. Voilà bien un ancêtre dont tout Romain devrait être fier.

— Exactement, dit Fabius, un peu crispé par le ton ironique de ma voix.

— Ainsi cette boucherie lui a valu le surnom de Mummius le Fou ?

— Oh ! par Hercule, non. Ce ne fut ni son goût du sang, ni sa cruauté, mais sa manière de traiter les œuvres d'art qu'il ramena à Rome. Des statues inestimables arrivèrent en morceaux. L'or des vases avait été enlevé, les bijoux des coffrets arrachés. Les objets précieux en verre étaient en miettes.

Fabius secoua la tête de dégoût. Pour un patricien, un scandale vieux d'un siècle avait la même importance qu'un scandale du jour.

— Le vieux Mummius est devenu Mummius le Fou, le Barbare, vu qu'il était aussi triste qu'un Thrace ou un Gaulois. La famille ne s'est jamais vraiment débarrassée de cette souillure.

— Et Crassus reconnaît la valeur de Marcus Mummius ?

— C'est son bras droit, je te l'ai dit.

J'acquiesçai de la tête.

— Et toi ? Qui es-tu, Faustus Fabius ?

Je le fixai, essayant de déchiffrer sa physionomie féline. Il répondit à mon inspection par une expression mi-sourire, mi-rictus.

— Disons le bras *gauche* de Crassus, répondit-il.

Nous venions d'atteindre la crête. La route continuait en terrain plat. À travers les arbres, j'apercevais par instants la mer et, au loin, les toits d'argile de Pouzzoles, rutilant comme de minuscules perles rouges. Apparemment, nous traversions une immense propriété. Nous longions des tonnelles et des champs cultivés. Mais je ne repérai aucun esclave au travail.

Nous atteignîmes un chemin plus petit qui obliquait vers

la droite. Deux colonnes se dressaient de chaque côté. Peintes en rouge, elles étaient surmontées d'une tête de taureau en bronze avec un anneau dans les naseaux. De part et d'autre, le terrain était boisé, mais relativement sauvage. Le chemin redescendait en pente douce vers la côte. Puis la route vira brusquement en contournant un gros rocher. Les arbres et les fourrés s'effacèrent soudain pour révéler l'imposante façade d'une villa.

Le toit était constitué de tuiles d'argile. Elles étaient d'un rouge flamboyant sous l'effet du soleil. Les murs étaient couleur safran. La partie centrale de la maison s'élevait sur deux étages. Deux ailes la prolongeaient : l'une vers le nord et l'autre vers le sud. Nous arrêtâmes nos montures dans la cour. Deux esclaves se précipitèrent pour nous aider à mettre pied à terre et conduire les chevaux vers les écuries proches. Eco épousseta sa tunique, puis regarda tout autour de lui, les yeux ébahis. Faustus Fabius nous entraîna vers le portail. Des couronnes funéraires de cyprès et de pin ornaient les hautes portes en chêne.

Fabius frappa. La porte s'entrouvrit à peine. Un œil regarda qui arrivait. Alors elle s'ouvrit largement. L'esclave qui venait de tirer le battant ne se montra pas et resta tapi dans l'ombre du portail. D'un geste, Fabius nous invita à le suivre en silence. Pour mes yeux habitués au soleil, le corridor semblait assez sombre. De chaque côté du couloir, je vis les masques de cire des ancêtres de la maison dans leurs niches.

Le corridor sombre déboucha dans l'atrium. Un portique à colonnade entourait la pièce carrée. Des allées pavées serpentaient dans un jardinet, légèrement en contrebas. Au centre se dressait une petite fontaine. Un faune de bronze rejetait la tête en arrière alors que de minuscules jets d'eau jaillissaient de son corps. L'ouvrage était admirable. La créature semblait vivante, prête à bondir et à danser. Quant au bruit de l'eau, on aurait dit un rire. À notre approche, deux oiseaux jaunes qui se baignaient dans le petit bassin s'envolèrent. Ils volèrent en cercles autour des sabots du faune, puis se perchèrent un instant sur la balustrade du balcon.

Je les regardai s'évanouir dans l'azur, avant de baisser les yeux vers le jardin. C'est alors que je l'aperçus : à l'autre extrémité de l'atrium, un corps reposait sur une grande bière funéraire.

Fabius traversa le jardin. Il s'arrêta juste pour plonger ses doigts dans le bassin du faune. Puis il les porta à son front. Eco et moi suivîmes son exemple. Puis nous le rejoignîmes près du corps.

– Lucius Licinius, dit Fabius à voix basse.

Le défunt avait dû être très riche. Ou bien un homme à la bourse bien fournie organisait ses funérailles. Même les familles les plus fortunées étaient déjà bien heureuses lorsqu'elles pouvaient allonger leurs morts sur des lits de bois à pieds d'ivoire et peut-être à motifs décoratifs également en ivoire. Mais ce lit était entièrement en ivoire, de la tête au pied. J'avais entendu parler de telles splendeurs, mais n'en avais jamais vu. La matière précieuse avait la brillance et la pâleur de la cire. Elle semblait presque aussi lisse et diaphane que la peau du mort.

Des couvertures pourpres à broderie d'or étaient étendues sur le lit, à côté d'asters et de branches de conifères. Le corps était revêtu d'une toge blanche ornée d'élégantes broderies vert et blanc. Les pieds étaient enfilés dans des sandales fraîchement huilées et pointées vers la porte, comme le veut la tradition.

Eco fronça le nez. Un instant plus tard, je fis de même. En dépit des parfums et onguents et de l'encens qui brûlait dans un petit brasero, il flottait dans l'air une indéniable odeur de pourriture. Eco se déplaça pour se boucher le nez avec sa manche. D'une tape, je lui fis baisser la main et le tançai pour sa grossièreté.

Fabius murmura :

– C'est le cinquième jour.

Il restait donc deux jours encore avant les funérailles et la fin des sept jours de deuil public. Le cadavre sentirait alors vraiment fort. La famille s'était certainement assuré les services des meilleurs embaumeurs de Baia. Ou, plus probablement encore, elle les avait fait venir de Pouzzoles. Mais tout leur art n'avait pas suffi. Quelques rameaux de lierre recouvraient la tête.

– Ce lierre, dis-je, on a l'impression qu'il a été placé sur son visage pour...

Fabius ne chercha pas à m'arrêter lorsque je soulevai délicatement les rameaux qui avait été si habilement disposés pour cacher le cuir chevelu du défunt. Les blessures semblables à celle que je trouvai sous le lierre étaient le cauchemar des embaumeurs. Elles étaient trop importantes pour être dissimulées d'une manière subtile, trop profondes et trop horribles pour être regardées longtemps. Involontairement, Eco poussa un cri de dégoût et tourna la tête.

– Hideux, n'est-ce pas ? chuchota Fabius sans regarder.

Un coup – peut-être plusieurs – porté avec un objet lourd et tranchant avait fracassé le quart supérieur droit du visage, arrachant l'oreille, brisant la pommette et la mâchoire et abîmant l'œil, qui, malgré tous les efforts qu'on avait déployés, restait mi-clos et ensanglanté. J'étudiai ce qui restait de cette figure. J'imaginai un bel homme, la cinquantaine, légèrement grisonnant sur les tempes, avec un menton et un nez bien dessinés. Entre les lèvres entrouvertes, j'aperçus la pièce d'or placée là par les embaumeurs : le droit de passage pour Charon, le nocher qui faisait traverser l'Achéron.

– Sa mort ne fut pas un accident, dis-je.

– Ah, ça non !

– Une altercation violente qui a dégénéré.

– Peut-être. C'est arrivé en pleine nuit. Son corps n'a été découvert ici, dans l'atrium, que le lendemain matin. Les circonstances de la mort sont claires.

– Vraiment ?

– Un esclave est en fuite. Quelque fou qui aura suivi l'exemple de Spartacus, semble-t-il. Mais d'autres te donneront davantage de détails.

– Tu veux dire que le responsable est un esclave en fuite ? Je ne suis pas un chasseur d'esclaves, Faustus Fabius. Pourquoi m'a t-on amené ici ?

Le patricien regarda le mort, puis le faune.

– Quelqu'un d'autre te l'expliquera.

– Très bien. Et la victime... Comment l'appelles-tu, déjà ?

– Lucius Licinius.

– Oui, ce Lucius Licinius était-il le maître de maison ?

– Plus ou moins, répondit Fabius.

– Pas d'énigme, je t'en prie.

Il se pinça les lèvres.

– C'est à Mummius de te le dire, pas à moi. J'étais d'accord pour t'escorter jusqu'à la villa, pas pour t'expliquer l'affaire.

– Marcus Mummius n'est pas là. Mais nous, si. Et le cadavre d'un homme assassiné aussi.

Fabius grimaça. Patricien ou pas, il m'apparut comme un homme habitué aux missions déplaisantes ; et il n'aimait pas ça. Comment s'était-il présenté ? Comme le « bras gauche » de Crassus ?

– Très bien, dit-il finalement. Voilà quelle était la situation de Lucius Licinius. Lui et Crassus étaient cousins, intimement liés par le sang. J'ai compris qu'ils ne se connaissaient pas dans leur jeunesse, mais que les choses avaient changé à l'âge adulte. De nombreux Licinius ont été tués pendant les guerres civiles. Quand la situation est redevenue normale sous la dictature de Sylla, Crassus et Lucius ont commencé à entretenir une relation étroite.

– Une amitié ?

– Non. C'était davantage une sorte de partenariat d'affaires, sourit Fabius. Mais avec Marcus Crassus, tout est affaires. Quoi qu'il en soit, dans toute relation, il y a un fort et un faible. Je pense que tu en sais assez sur Crassus, ne serait-ce que par ouï-dire, pour deviner qui était le subalterne.

– Lucius Licinius.

– Naturellement. Lucius était un homme pauvre. Sans l'aide de Crassus, il le serait resté. Il avait si peu d'imagination qu'il était incapable de voir une opportunité et encore moins de la saisir. Sauf s'il était poussé. Pendant ce temps, Crassus accumulait les millions avec ses affaires immobilières à Rome. Tu dois connaître la rumeur.

J'acquiesçai. À la fin des guerres civiles, le dictateur Sylla triomphant détruisit ses ennemis en s'emparant de leurs propriétés et en redistribuant villas et fermes à ses fidèles. Pompée et Crassus étaient de ceux-là. C'est ainsi que Crassus entama son ascension, guidé par une soif de posséder apparemment sans limites. Un jour, à Rome, je m'étais trouvé devant un immeuble en flammes. Crassus venait de faire une offre pour acheter l'appartement voisin. Son propriétaire, totalement désorienté et persuadé qu'il allait perdre son bien dans les flammes, le vendit à Crassus pour une bouchée de pain. Sur ce, le millionnaire appela sa brigade privée de soldats du feu pour éteindre les flammes. De telles histoires concernant Crassus étaient monnaie courante à Rome.

– Tout ce que Crassus touchait semblait se transformer en or, expliqua Fabius. D'un autre côté, son cousin Lucius, en bon plébéien à l'ancienne, essayait de vivre de la terre. Il a tout perdu. Finalement il est allé implorer Crassus de le sauver, et Crassus a accepté. Il a fait de Lucius une sorte de factotum, le chargeant de s'occuper de certaines de ses affaires. Les bonnes années – sans pirates ni Spartacus, j'entends –, il y avait pas mal d'affaires à gérer dans la baie. Pas seulement les villas luxueuses et les fermes ostréicoles. Crassus possède des mines en Espagne et une flotte qui ramène le minerai à Pouzzoles. Il a des artisans qui transforment la matière brute en outils, armes et œuvres d'art. Il possède également des navires qui transportent les esclaves d'Alexandrie et des fermes et des vignobles dans toute la Campanie. Et il faut aussi qu'il nourrisse les hordes d'esclaves qui travaillent pour lui. Crassus ne peut veiller lui-même sur les menus détails. C'est pour ça qu'il délègue la responsabilité de ses affaires locales. Ici, dans la baie, Lucius surveillait consciencieusement les investissements et les entreprises de Crassus.

— Il s'occupe de cette maison, par exemple ?

— Crassus est le vrai propriétaire de la villa et des terres qui l'entourent. En fait, il n'a pas besoin de villas. Il méprise l'idée de se retirer à la campagne ou sur la côte pour se reposer et lire de la poésie. Pourtant il continue d'en acquérir. Il en possède actuellement des dizaines. Et comme il ne peut laisser des maisons vides dans toute l'Italie, il les loue à sa famille et à ses factotums. Et il peut y séjourner.

— Et les esclaves de la maison ?

— Ils sont aussi la propriété de Crassus.

— Et la *Furie*, la trirème qui m'a amené d'Ostie ?

— Elle appartient à Crassus, même si c'était Lucius qui en était responsable.

— Et les vignobles et les champs que l'on a longés tout le long de notre route depuis Misène ?

— Propriété de Crassus. Comme ces ateliers, fabriques, écoles de gladiateurs ou fermes de la région, d'ici à Sorrente.

— Ainsi, appeler Lucius Licinius le maître de maison...

— Il donnait les ordres et agissait en toute indépendance ici, c'est certain. Mais il n'était rien d'autre qu'une créature de Crassus. Un serviteur. Privilégié et protégé, mais un serviteur quand même.

— Je vois. Laisse-t-il une veuve ?

— Oui, Gelina.

— Et des enfants ?

— Leur union fut stérile.

— Aucun héritier, alors ?

— Si, Crassus, en qualité de cousin et patron, héritera des dettes et des biens de Licinius.

— Et Gelina ?

— Elle passe sous la dépendance de Crassus.

— À t'entendre, Faustus Fabius, on a l'impression que Crassus possède le monde entier.

— Il m'arrive de penser que c'est le cas. Ou que ça le deviendra, ajouta-t-il en levant les sourcils.

5

On frappa à la porte. Un esclave se dépêcha d'aller répondre. La porte tourna lourdement sur ses gonds. Une faible clarté envahit le corridor obscur. Dans l'encadrement apparut une silhouette trapue avec une poitrine large et une ample cape rouge d'officier. Marcus Mummius s'avança vers nous. En traversant le jardinet, il piétina un parterre d'herbes et donna un grand coup de coude au faune délicat.

Il s'arrêta devant le corps et grimaça à la vue de la blessure.

Alors, tu l'as déjà vu, dit-il en replaçant grossièrement le camouflage de lierre. Pauvre Lucius Licinius. Fabius t'a tout expliqué, j'imagine.

– Absolument pas.

– Bien ! Parce que ce n'est pas à lui de t'informer. Je ne l'imaginais pas capable de tenir sa langue devant un étranger, mais finalement nous arriverons peut-être à faire de lui un soldat.

Mummius sourit de toutes ses dents, tandis que Fabius lui décochait un regard méprisant.

– Tu as l'air en grande forme.

– Avec mes hommes, j'ai fait le chemin depuis Misène au pas de course. Rien de tel pour se dénouer les articulations après quelques jours en mer. Ce petit exercice et le bon air de la baie mettraient n'importe qui en grande forme.

– Néanmoins, tu pourrais baisser la voix, par respect pour le mort.

Le sourire de Mummius disparut dans sa barbe.

– Désolé, murmura-t-il.

Il retourna à la fontaine. Penché au-dessus de l'eau, il s'humecta le front du bout des doigts. Il se tourna, gêné, vers le défunt. Puis il nous regarda, semblant attendre une remarque de notre part pour son irrespect à l'endroit du mort.

– Nous devrions appeler Gelina, dit-il enfin.

– Sans moi, intervint Fabius. Je dois aller à Pouzzoles et, si je veux être de retour avant le crépuscule, il ne me reste pas beaucoup de temps.

– Et où est Crassus ? lui demanda Mummius.

– À Pouzzoles aussi. Pour ses propres affaires. En partant ce matin, il a laissé un mot à Gelina lui demandant de ne pas l'attendre avant le dîner.

Tirée par un esclave invisible dans la pénombre, la porte s'ouvrit comme par enchantement devant Fabius. Puis il disparut dans la lumière.

– Pour qui se prend-il ! marmonna Mummius. Malgré son attitude prétentieuse, on dit que sa famille n'était même pas capable de lui fournir un précepteur décent. Un de ses ancêtres a vidé les coffres familiaux et personne n'a pu, depuis, les remplir à nouveau. Crassus l'a pris comme lieutenant, simplement par égard pour son père. On ne peut pas dire qu'il ait fait montre d'une grande aptitude pour la chose militaire. Je pourrais citer quelques familles plébéiennes qui ont davantage laissé leur empreinte au cours des cent dernières années.

Il eut un sourire de satisfaction, avant de héler un petit esclave qui traversait l'atrium.

– Meto, va trouver ta maîtresse et dis-lui que je suis rentré avec son invité de Rome. Pour l'instant, nous allons nous rafraîchir aux bains. Tout de suite après nous la verrons.

– Est-ce nécessaire ? demandai-je. Après la course folle pour arriver jusqu'ici, devons-nous réellement perdre du temps en prenant un bain ?

– Absurde. Tu ne peux pas rencontrer Gelina avec cette odeur d'hippocampe.

Il rit de sa prétendue blague et posa une main sur mon épaule pour m'éloigner du défunt.

– En outre, prendre un bain est la première chose que tout le monde fait en arrivant à Baia. C'est comme invoquer Neptune avant de sortir en mer. Ici, les eaux sont vivantes, sais-tu ? On doit leur rendre hommage.

Apparemment, l'air relaxant de la baie parvenait même à assouplir la discipline rigide et empesée de Mummius. Je passai mon bras autour des épaules d'Eco et nous suivîmes notre hôte dans un merveilleux décor.

Ce que Mummius avait négligemment appelé bains était en fait une impressionnante installation. Située à l'intérieur même de la villa, elle semblait avoir été construite sur une terrasse naturelle, à flanc de colline et face à la baie. Un grand dôme recouvert de dorure formait une voûte. En son sommet, une ouverture circulaire laissait passer un rayon de pure lumière blanche. En dessous se trouvait un bassin où flottaient des nuages de vapeur sulfureuse. Des marches concentriques permettaient d'y descendre. Du côté est, une arche donnait sur une terrasse meublée de tables et de chaises, avec vue sur la baie. Autour du bassin, une série de portes formait une arcade semi-circulaire. Les portes en bois étaient peintes en rouge sombre. Les poignées d'or représentaient des poissons. La première porte menait à un vestiaire chauffé. En nous déshabillant, Mummius nous expliqua que les autres salles renfermaient des bassins de diverses tailles et formes, remplis d'eau de différentes températures.

– Tout a été construit par le célèbre Sergius Orata lui-même, fanfaronna Mummius. Tu as entendu parler de lui ?

– À vrai dire, non !

– Comment ? Le Pouzzolien le plus célèbre. Celui qui a fait de Baia ce qu'elle est aujourd'hui. Il a commencé avec les parcs à huîtres sur le lac Lucrin. Ce fut le départ de sa fortune. Puis il est passé maître dans la construction des piscines et des viviers. Les propriétaires de villas de toute la baie l'assiègent de commandes. Quand Crassus l'a acquise, cette propriété ne disposait que d'un modeste bain. Avec la permission de Crassus – sans parler de son argent –, Lucius a ajouté un étage ici, une aile là. Et l'ensemble des bains a été reconstruit. C'est Sergius Orata lui-même qui a dressé et exécuté les plans. Quant à moi, je préfère largement une petite grotte en plein bois, voire les thermes publics. Ce type de luxe est absurde. Impressionnant, certes, mais exagéré, comme le dit le philosophe.

Mummius s'approcha d'un crochet de cuivre qui avait la forme des trois têtes de Cerbère. Il suspendit ses chaussures à deux des têtes et sa ceinture dans la gueule ouverte de la dernière.

– Quoi qu'il en soit, vous devez saluer l'admirable travail de plomberie. Une source naturelle sort de la terre juste ici. C'est pour ça que le premier propriétaire avait construit son bain à cet emplacement. Pour ça et pour la vue. Quand Orata a repensé l'ensemble, il a prévu que des conduites puissent amener l'eau chaude dans les bassins, alors que d'autres la mélangeraient à l'eau fraîche provenant d'une autre source sur la colline. Vous pouvez passer de l'eau la plus froide à l'eau la plus chaude et vice versa. En hiver, certaines pièces sont même chauffées par l'eau de la source chaude, grâce à des tuyaux passant dans le sol. Ce vestiaire, par exemple, est chauffé d'un bout à l'autre de l'année.

– Très impressionnant, effectivement, acquiesçai-je, en retirant ma tunique.

Je m'apprêtais à la déposer dans un des coffres muraux,

quand Mummius intervint. Il appela un vieil esclave voûté qui se tenait discrètement en retrait.

– Approche-toi. Prends ces vêtements et va les faire laver, dit Mummius en désignant ma tenue et celle d'Eco.

Il ajouta sa propre tunique aux nôtres.

– Et rapporte-nous quelque chose de correct pour une entrevue avec ta maîtresse.

Après avoir ramassé les vêtements, l'esclave nous observa un instant afin d'estimer nos tailles. Puis il quitta la pièce.

Nu, Mummius évoquait assez un ours, avec de grosses épaules, une taille large et une pilosité dense et sombre sur tout le corps, sauf sur ses nombreuses cicatrices. Eco semblait particulièrement intrigué par une longue balafre barrant son pectoral gauche comme une trouée claire au milieu de la forêt.

– Bataille de la porte Colline[1] ! s'exclama fièrement Mummius en baissant les yeux et en passant le doigt sur la cicatrice. L'heure de gloire de Crassus... et la mienne. C'est ce jour-là que nous avons repris Rome pour le compte de Sylla. Le dictateur n'a jamais oublié ce que nous avons fait pour lui. J'ai été blessé au début du combat. Mais, heureusement, sur le côté gauche, ainsi j'ai pu continuer de manier mon épée.

Il mima l'action, se fendant en avant et faisant tournoyer son bras droit.

– Dans la fièvre du combat, je n'ai pas vraiment remarqué la blessure. Je ne ressentais qu'une vague brûlure. Ce n'est que tard dans la nuit, alors que je venais remettre un message à Crassus, que tout bascula autour de moi. On m'a dit que j'étais blanc comme marbre. Je ne me suis pas

---

1. La porte Colline était une des seize portes de Rome. Elle se trouvait au nord de l'enceinte. C'est là que Sylla vainquit les forces de Marius en 82 av. J.-C., ce qui lui permit de se rendre maître de l'Italie. (N.d.T.)

réveillé pendant deux jours. Mais c'était il y a plus de dix ans... Je devais être à peine plus vieux que toi, dit-il en donnant une bourrade amicale à Eco.

Eco lui rendit son sourire et examina avec curiosité les multiples cicatrices. Les petites entailles et autres traces de coups étaient réparties sur tous ses membres et son torse comme des médailles.

Mummius ceignit sa taille d'une serviette et nous invita à faire de même. Puis il nous entraîna vers la grande salle voûtée à bassin circulaire. Le jour commençait à se rafraîchir. Dans un chuintement et une forte odeur de soufre, la vapeur s'élevait en épais nuages.

– Apollonius !

Avec un large sourire, Mummius se dirigea vers l'autre côté du bassin. Un jeune esclave en tunique verte se tenait au bord de l'eau, en partie dissimulé par la vapeur.

En nous approchant, je fus impressionné par l'extraordinaire beauté du jeune homme. Il avait une épaisse chevelure, presque bleu-noir, la couleur du ciel une nuit sans lune. Ses yeux étaient d'un bleu éclatant. Son front, son nez, ses joues et son menton étaient parfaitement lisses et glabres. Un sourire semblait sans cesse flotter sur ses lèvres charnues. Il n'était pas grand, mais, sous les amples plis de sa tunique, il avait incontestablement un corps d'athlète.

– Apollonius ! répéta Mummius.

Il se retourna vers moi.

– Je vais commencer par l'eau la plus chaude, annonça-t-il en indiquant une porte. Et après, un vigoureux massage sous les mains expertes d'Apollonius. Et toi ?

– Je pense essayer d'abord ces eaux, dis-je en trempant mon pied dans le bassin principal avant de le retirer prestement. Ou peut-être un autre un peu moins brûlant.

– Essaie celui-là ; c'est le plus frais, dit Mummius en désignant une salle proche du vestiaire.

Il s'éloigna, une main sur l'épaule de l'esclave, et fredonnant un air de marche.

Nous transpirions. Des strigiles d'ivoire nous permirent d'enlever toute la saleté du voyage. Ensuite nous essayâmes un bassin après l'autre, passant du froid au chaud, puis de nouveau au froid. Une fois nos ablutions terminées, Mummius vint nous rejoindre dans le vestiaire chauffé. Des sous-vêtements frais et de nouvelles tuniques nous y attendaient. La mienne était de laine bleu foncé avec une simple bordure noire : tenue adéquate pour un invité dans une maison en deuil. Le vieil esclave avait l'œil. La taille était parfaite. La tunique ne me serrait même pas aux épaules, comme c'était trop souvent le cas avec les vêtements empruntés. Mummius revêtit la tunique noire unie et bien coupée qu'il portait la nuit de notre rencontre.

Eco eut moins de chance. L'esclave, l'imaginant apparemment plus jeune qu'il n'était – ou considérant qu'il était trop mignon pour se promener membres nus dans la maison –, lui avait apporté une tunique à manches longues, qui descendait jusqu'aux genoux.

– Tu devrais te sentir flatté, lui dis-je pour le réconforter. L'esclave t'a trouvé si éblouissant qu'il a jugé nécessaire que tu dissimules toute cette splendeur.

Mummius rit. Eco rougit, mais n'en croyait rien. Il refusa de s'habiller, jusqu'à ce que l'esclave lui rapporte une tunique semblable à la mienne. Elle ne tombait pas aussi bien, mais Eco resserra la ceinture de laine noire autour de sa taille. Il avait l'air heureux de porter un vêtement plus adulte, qui laissait voir ses bras et ses jambes.

Mummius nous guida à travers de longs couloirs. Sur notre passage, les esclaves baissaient la tête et reculaient humblement. Des statues exquises et de splendides peintures murales décoraient les salles que nous traversions. Les derniers souffles subtils de l'été s'attardaient dans les jardins. Enfin, nous parvînmes dans une pièce semi-circulaire à l'extrémité nord de la villa. Elle se trouvait au-dessus d'un à-pic rocheux, surplombant la baie. Une esclave nous annonça et s'en alla.

La pièce avait une forme d'amphithéâtre. Les gradins étaient les marches qui conduisaient à une galerie à colonnade. Elle offrait une vue spectaculaire sur la mer étincelante et sur le port de Pouzzoles à quelque distance. Et, plus loin encore, sur la droite, à l'horizon, apparaissait la masse du Vésuve avec, à ses pieds, les villes d'Herculanum et de Pompéi.

Une femme se reposait sur la terrasse. Mais l'intérieur de la salle était si sombre et la lumière venant de l'extérieur si éblouissante qu'elle n'était pour moi qu'une vague silhouette. Elle était assise, jambes étendues, le dos droit sur un divan bas. Sur la petite table à côté d'elle, je voyais une aiguière et des coupes. Elle regardait la baie et ne bougea pas à notre entrée. Elle aurait pu n'être qu'une statue, si une douce brise n'avait fait voler les pans de sa robe.

Elle se tourna vers nous. Je ne pouvais pas encore distinguer ses traits, mais je sentis la chaleur dans sa voix.

– Marcus, dit-elle en tendant son bras droit en signe de bienvenue.

L'intéressé se dirigea vers la terrasse. Il lui prit la main et s'inclina.

– Ton invité est là.

– Je vois. Deux, même. Tu dois être Gordien, celui que l'on surnomme le Limier.

– Oui.

– Et lui ?

– Mon fils, Eco. Il ne parle pas, mais il entend.

Elle hocha la tête et nous invita du geste à nous asseoir. Mes yeux s'habituant à la lumière, je commençai à détailler les traits austères mais purs de son visage : une mâchoire puissante, de hautes pommettes, un grand front. Ces traits étaient adoucis par ses longs cils et par la douceur de ses yeux gris. En raison de son veuvage, sa chevelure noire, grisonnant légèrement aux tempes, n'était pas coiffée ou apprêtée, mais simplement brossée en arrière. De la nuque aux pieds, elle était revêtue d'une stola[1] noire assez lâchement ceinturée sous les seins et au niveau de la taille. Son visage était semblable au paysage : plus noble que beau, animé mais sereinement détaché. Elle parlait d'une voix égale et mesurée. On aurait dit qu'elle pesait chaque parole avant de l'exprimer.

– Mon nom est Gelina. Mon père était Gaius Gelinus. Ma mère était une Cornelius, une parente éloignée du dictateur Sylla. Les Gelinius sont arrivés à Rome il y a longtemps. Ils venaient de l'intérieur de la Campanie. Beaucoup sont morts au cours des guerres civiles récentes. Ils s'étaient rangés du côté de Sylla contre Marius et Cinna. Nous sommes une vieille et fière famille, mais ni riche ni particulièrement prolifique.

Elle s'arrêta pour prendre une coupe d'argent sur la petite table et en boire une gorgée. Le vin était presque noir. Il laissa une éclatante teinte magenta sur ses lèvres. Elle nous indiqua d'un geste les autres coupes, qui avaient été remplies à notre intention.

– N'ayant aucune dot à offrir, continua-t-elle, j'ai eu beaucoup de chance de trouver un mari comme Lucius Licinius. Nous avons choisi de nous marier. Ce n'était pas un arrangement familial. Vous devez comprendre que cela se passait avant la dictature de Sylla, pendant les guerres. Les temps étaient durs, cruels. Le futur était très incertain. Nos familles étaient aussi pauvres l'une que l'autre et aussi peu enthousiastes vis-à-vis de nos projets, mais elles acceptèrent. Hélas, en vingt ans de mariage, nous n'avons pas eu d'enfant et mon mari n'est pas devenu aussi riche que vous pourriez l'imaginer au regard de cette demeure. Mais, à notre façon, nous avons prospéré.

---

1. Vêtement typique des femmes romaines comme la toge était celui des hommes. C'était une longue robe, à manches, tombant jusqu'aux pieds. *(N.d.T.)*

Elle commença à arranger négligemment les plis de sa robe près du genou. J'interprétai cela comme une volonté de changer de sujet.

– Tu dois te demander comment je te connais, Gordien. J'ai entendu parler de toi par un ami commun, Marcus Tullius Cicéron. Il est très élogieux à ton endroit.

– Vraiment ?

– Vraiment. Je n'ai rencontré Cicéron que l'hiver dernier. Lucius et moi étions assis près de lui lors d'un dîner à Rome. C'est un homme tout à fait charmant.

– C'est un terme que certains emploient pour le décrire, confirmai-je.

– Je l'ai interrogé sur son activité auprès des tribunaux. Les hommes sont toujours heureux de parler de leur métier, dit Gelina. Généralement je n'écoute qu'à moitié. Mais quelque chose dans sa manière de s'exprimer attira mon attention.

– C'est aussi l'un des orateurs les plus attirants.

– Oh ! ça oui, il l'est très certainement. Tu l'as probablement entendu parler du haut des Rostres [1], au Forum ?

– Assez souvent.

Gelina plissa les yeux. Elle apparaissait aussi sereine que le profil du Vésuve juste au-dessus de sa tête.

– Il m'a captivée avec son histoire de Sextus Roscius. Ce riche fermier, accusé de parricide, avait appelé Cicéron pour le défendre, lorsque personne à Rome ne voulait venir à son aide [2]. Ce fut la première affaire de meurtre de notre ami. Et, si je comprends bien, elle a aussi fait sa réputation [3]. Cicéron me raconta qu'un homme l'avait assisté. Il se nomme Gordien, surnommé le Limier. À ses yeux, tu es

---

1. Tribune de l'orateur, au Forum. Elle était ornée des éperons de navire *(rostra)* pris sur l'ennemi à la victoire d'Antium (338 av. J.-C.). *(N.d.T.)*

2. Voir le discours de Cicéron *Pour S. Roscius d'Améria* (80 av. J.-C.). *(N.d.T.)*

3. Voir Steven Saylor, *Du sang sur Rome*, 10/18, n° 2996.

absolument inestimable : « Aussi brave qu'un aigle et aussi têtu qu'une mule », disait-il.

— Ah bon ? Il a dit ça ? Eh bien, c'était il y a huit ans. J'étais encore jeune. Et Cicéron était plus jeune encore [1].

— Depuis, il a eu l'ascension d'une comète. Il n'est pas d'avocat dont on parle davantage à Rome. Pour un homme d'extraction aussi modeste, c'est quasiment un exploit. Et je compris qu'il avait fait appel à tes services plusieurs fois.

Je confirmai :

— Oui, il y a eu cette affaire de la femme d'Aretium, peu de temps après le procès de Sextus Roscius. Sylla vivait encore. Et puis, au cours du temps, divers procès pour meurtres, extorsions ou litiges patrimoniaux... Sans parler des affaires privées mettant en cause des personnes dont je ne peux mentionner les noms.

— Cela doit être très gratifiant de travailler pour un tel homme.

Parfois j'aimerais être muet comme Eco, pour ne pas avoir à me mordre la langue. Je me suis brouillé et réconcilié si souvent avec Cicéron qu'aujourd'hui je suis assez las de sa personne. Est-il honnête ou simplement opportuniste ? Est-il le défenseur des pauvres gens ou celui de la noblesse riche ? S'il était clairement une chose ou une autre, comme la majorité des gens, mon opinion serait faite. Au lieu de cela, il est l'homme le plus exaspérant de Rome. Sa prétention, son attitude supérieure – qu'elle soit légitime ou non – n'est pas faite pour me plaire. Et je n'aime pas davantage sa propension à ne dire que des demi-vérités, même quand ses motifs sont honorables. Cicéron me donne la migraine.

Gelina but une gorgée de vin.

— Quand cette affaire a éclaté, je me suis demandé qui je pouvais appeler. Il fallait un homme de confiance, discret, étranger à la baie ; un homme tenace qui s'accrocherait à

---

1. Cicéron, né en 106 av. J.-C., avait vingt-six ans. *(N.d.T.)*

trouver la vérité et qui ne se laisserait pas effrayer. « Brave comme un aigle », disait Cicéron...

– « Et têtu comme une mule. »

– Et intelligent. Surtout intelligent...

Gelina soupira et regarda vers l'eau. Elle semblait rassembler ses forces.

– Tu as vu le corps de mon époux ?

– Oui.

– Il a été assassiné.

– Oui.

– Brutalement assassiné. C'est arrivé il y a cinq jours. La nuit des nones de septembre[1], bien que son corps n'ait été découvert que le lendemain matin.

Sa sérénité s'évanouit soudain. Sa voix trembla et son regard se perdit dans le vide.

Mummius se rapprocha d'elle et lui prit la main.

– Courage, lui murmura-t-il.

Gelina hocha la tête et inspira profondément. Elle serra sa main, puis la relâcha.

– Si je peux t'aider, dis-je tranquillement, je dois tout savoir.

Pendant un long moment, Gelina regarda le paysage. Quand elle reposa ses yeux sur moi, son visage s'était recomposé ; comme si elle avait absorbé la sérénité du panorama, simplement en le contemplant. Sa voix était redevenue calme et posée.

– Comme je l'ai dit, il a été découvert tôt le lendemain matin.

– Découvert ? Où ? Par qui ?

– Dans l'atrium, près de l'entrée principale. Non loin de l'endroit où son corps repose maintenant. C'est un des esclaves qui l'a trouvé.

– Qui ?

– Meto, le petit garçon qui porte les messages et réveille

---

1. Le 5 septembre. *(N.d.T.)*

les autres esclaves pour qu'ils commencent leurs tâches matinales. Il faisait encore sombre. Les coqs n'avaient même pas chanté, d'après l'enfant. Et le monde entier semblait aussi immobile que la mort.

— Tu connais la disposition exacte du corps ? Tu devrais peut-être appeler Meto...

— Non. Je peux te le dire moi-même. Meto est venu directement me chercher et rien n'a été touché avant mon arrivée. Lucius reposait sur le dos, les yeux ouverts.

— À plat sur le dos ?

— Oui.

— Et ses bras et ses jambes, comment étaient-ils ?

— Ses jambes étaient parfaitement droites et ses bras tendus au-dessus de la tête.

— Comme Atlas portant le monde ?

On peut dire cela.

— Et l'arme qui a servi à le tuer, était-elle à proximité ?

— Elle n'a jamais été retrouvée.

— Ah bon ? Il y avait forcément une pierre avec du sang, ou un morceau de métal. Si ce n'est dans la maison, peut-être dans la cour.

— Non. Mais un vêtement a été trouvé.

Elle frissonna. Mummius se redressa sur sa chaise. Manifestement ce détail était nouveau pour lui.

— Un vêtement ? dis-je.

— Une cape d'homme, pleine de sang. On ne l'a trouvée qu'hier. Et pas dans la cour, mais à près d'un mille au nord, vers la route qui va à Cumes et à Pouzzoles. C'est un des esclaves se rendant au marché qui l'a vue dans un buisson et me l'a rapportée.

— Était-ce la cape de ton mari ?

Gelina fronça les sourcils.

— Je l'ignore. Il est difficile de savoir à quoi elle ressemblait. En fait, sans l'examiner attentivement, il est même difficile de reconnaître une cape. Elle est toute froissée et raide de sang, tu comprends ?

Elle inspira de nouveau profondément.

— Elle est en laine ordinaire, teinte en brun sombre, presque noir. Elle pourrait avoir appartenu à Lucius. Il possédait de nombreuses capes. Mais elle pourrait avoir appartenu à n'importe qui.

— Probablement pas. Était-ce la cape d'un riche ou d'un esclave ? Était-elle neuve ? Vieille ? Comment était sa coupe ? De belle facture ? Grossière ?

Gelina haussa les épaules.

— Je ne saurais dire.

— Je dois la voir.

— Naturellement. Demande à Meto... plus tard. Je ne supporte pas sa vue.

— Je comprends. Mais dis-moi encore ceci. Y avait-il beaucoup de sang sur le sol, en dessous de la blessure ? Ou seulement un petit peu ?

— À mon avis, seulement un petit peu. Oui, et je me suis même demandé comment une aussi terrible blessure pouvait avoir aussi peu saigné.

— Alors nous pouvons déduire que le sang de cette cape est celui de Lucius Licinius. Que peux-tu me dire d'autre ?

Gelina fit une longue pause. Visiblement, elle avait une déclaration désagréable mais inévitable à me faire.

— Le matin de la découverte du meurtre, deux esclaves de la maison furent portés disparus. Ils ne sont pas réapparus depuis. Mais je ne peux croire que l'un des deux ait assassiné Lucius.

— Qui sont ces esclaves ?

— Ils s'appellent Zénon et Alexandros. Zénon est – était – le comptable de mon époux et son secrétaire. Il écrivait les lettres, faisait les comptes, gérait ceci et cela. Cela faisait presque six ans qu'il était avec Lucius. Avant même que Crassus ne commence à nous aider et que notre destin change. C'était un esclave grec éduqué, tranquille, très gentil, à la voix douce, au corps frêle et à la barbe blanche. Si j'avais eu un fils... j'aurais souhaité que Zénon fût son premier précepteur. Pour moi, c'est absolument inconcevable qu'il ait pu assassiner Lucius. La simple idée qu'il soit l'assassin de qui que ce soit est grotesque.

– Et l'autre ?

– Alexandros ! Un jeune Thrace. Nous l'avons acheté il y a quatre mois au marché de Pouzzoles, pour travailler aux écuries. Il savait merveilleusement bien s'y prendre avec les chevaux. Il savait aussi lire et faire quelques additions simples. Zénon l'utilisait de temps en temps dans la bibliothèque de mon mari, pour additionner quelques chiffres ou recopier des lettres. Alexandros apprend très vite. Il est très intelligent. Il n'a jamais montré de signe d'insatisfaction. Au contraire, il me semblait être l'un des esclaves les plus heureux de la maison. Je ne peux croire, là encore, qu'il soit l'assassin de Lucius.

– Pourtant, ils ont tous les deux disparu la nuit du meurtre.

– Oui. Je ne me l'explique pas.

Mummius, resté jusque-là silencieux, s'éclaircit la gorge.

– Ce n'est pas tout. Il y a aussi la preuve la plus accablante de toutes.

Gelina détourna le regard, puis hocha la tête, résignée. Elle lui fit signe de continuer.

– Sur le sol, aux pieds de Lucius, quelqu'un a utilisé un couteau pour graver six lettres. Elles sont grossières, superficielles, hâtivement tracées, mais on peut les lire assez clairement.

– Quel mot forment-elles ?

– Le nom d'un célèbre village grec, dit Mummius tristement. Mais quelqu'un d'aussi intelligent que toi pourra penser que le graveur a été interrompu dans son travail et n'a pas eu le temps de l'achever.

– Quel village ? Je ne comprends pas.

Mummius plongea ses doigts dans son gobelet et, avec le vin, il traça les lettres anguleuses, rouge sang, sur le marbre de la table :

– Je vois, dis-je. Un village de Grèce.

Ou alors un hommage interrompu adressé au roi des esclaves en fuite, le meurtrier des propriétaires d'esclaves, le gladiateur thrace fugitif Spartacus.

6

– Cette nuit-là personne n'aurait vu ou entendu quelque chose ?

– Non, répondit Gelina.

– Pourtant, si le nom Spartacus est resté inachevé, cela semble indiquer que le graveur a été dérangé et contraint de fuir. Très curieux.

– Ils ont peut-être simplement paniqué, suggéra Mummius.

– Peut-être. Le lendemain matin, manquait-il autre chose, en dehors des deux esclaves ?

Gelina réfléchit un moment, puis secoua la tête.

– Non, rien !

– Rien ? Tu en es sûre ? Ni pièces de monnaie ? Ni armes ? Pas même des couteaux de cuisine ? J'aurais imaginé que des esclaves en fuite voleraient de l'argent et des armes.

– Sauf, comme tu l'as dit, s'ils ont été dérangés, dit Mummius.

– Et les chevaux ?

– Oui, expliqua Gelina, deux chevaux *avaient* disparu ce matin-là. Mais dans la confusion qui régnait alors, on ne l'aurait même pas remarqué s'ils n'étaient pas revenus tout seuls l'après-midi même.

– Sans chevaux, ils n'ont pu aller loin, murmurai-je.

Gelina secoua de nouveau la tête.

– Tu crois aussi ce que tout le monde pense : que Zénon et Alexandros ont tué Lucius et ont rejoint Spartacus.

– Et que puis-je croire d'autre ? Le maître de maison est découvert assassiné dans l'atrium de sa demeure. Deux esclaves ont disparu. Ils se sont manifestement enfuis à cheval. Et l'un des deux est un jeune Thrace, comme Spartacus. Si fier de son compatriote tristement célèbre, il a insolemment gravé son nom aux pieds du cadavre de son maître. Tu n'as vraiment pas besoin de mes talents pour conclure toi-même. Au cours des mois qui viennent de s'écouler, cette histoire – avec bien des variantes – s'est répétée dans toute l'Italie. En quoi puis-je t'être utile ? Comme je l'ai dit à Faustus Fabius cet après-midi, je ne traque pas les esclaves en fuite. Je regrette que tu aies déployé en pure perte tous ces efforts absurdes pour me faire venir ici, mais je ne vois vraiment pas ce que tu attends de moi.

– La vérité ! s'écria Gelina désespérée. Cicéron dit que tu as du flair pour la trouver, comme un sanglier trouve les truffes.

– Ah, maintenant je comprends pourquoi Cicéron m'a traité avec autant de mépris, pendant toutes ces années. Aigle, mule, et maintenant sanglier ! Pour lui, je suis un animal, pas un homme !

Les yeux de Gelina se mirent à jeter des éclairs. Mummius grimaça, l'air sombre. Du coin de l'œil, je vis Eco sursauter. Discrètement, sous la table, je lui donnai un coup de pied, pour lui faire savoir que j'avais la situation bien en main. Il m'adressa un regard complice et laissa échapper un soupir de soulagement. J'avais suffisamment l'expérience des entretiens avec des clients riches, et dans tous les types de circonstances. Même ceux qui avaient sincèrement le plus besoin de mon aide étaient souvent extraordinairement lents à en venir au vif du sujet. Je préfère de loin m'entretenir avec des marchands ordinaires ou de simples boutiquiers, des hommes qui vont droit au fait et vous disent immédiatement ce qu'ils attendent de vous. Le riche semble attendre que je devine son besoin sans qu'il l'exprime. Parfois un peu de brusquerie, voire de grossièreté feinte, accélère les choses.

– Tu ne comprends pas, dit Gelina, voyant tout espoir s'éloigner.

– Non, je ne comprends pas. Que veux-tu de moi ? Pourquoi m'as-tu amené ici si mystérieusement, et d'une manière si extravagante ? À quel jeu étrange joues-tu, Gelina ?

Son visage sembla se vider de toute vie, comme un masque. Sa sérénité se transforma en simple résignation, engourdie par un petit excès de vin.

– J'ai dit tout ce que je pouvais dire. Je n'ai pas assez de force pour tout t'expliquer. Mais, sauf si quelqu'un découvre la vérité...

Elle s'arrêta net et se mordit la lèvre :

– Ils vont tous mourir. Tous !

Sa voix n'était plus qu'un murmure rauque :

– La souffrance, le gaspillage... Je ne peux pas le supporter...

– Que veux-tu dire ? Qui va mourir ?

– Les esclaves, répondit Mummius. Tous les esclaves de la propriété.

Je sentis un grand froid m'envahir. Eco frissonna, et je vis qu'il éprouvait la même chose que moi. Pourtant l'air était doux.

– Explique-toi, Marcus Mummius.

Il se redressa calmement, comme un commandant qui va expliquer sa stratégie à son lieutenant.

– Tu sais que Marcus Licinius Crassus est le vrai propriétaire de cette maison.

– Oui.

– Bien. La nuit du meurtre, Crassus et son escorte, y compris Fabius et moi-même, venions d'arriver de Rome.

83

Sur la plaine près du lac Lucrin, à quelques milles d'ici, nous étions occupés à dresser le camp avec nos recrues.

– Vos recrues ?

– Des soldats. Beaucoup sont des vétérans qui ont servi sous les ordres de Crassus pendant les guerres civiles.

– Combien d'hommes ?

– Six cents.

– Toute une cohorte ?

Mummius me regarda avec un air de suspicion.

– Après tout, tu pourrais aussi bien le savoir. Certains événements transpirent déjà à Rome. Marcus Crassus a commencé à manœuvrer pour que le Sénat l'autorise à lever sa propre armée et à marcher contre Spartacus.

– Mais c'est le rôle des préteurs et des consuls, des officiels élus...

– Les officiels élus ont échoué et ont été disgraciés. Crassus possède l'art de la guerre et les moyens financiers pour liquider les rebelles une fois pour toutes. Il est descendu de Rome pour rassembler des recrues et consolider ses soutiens politique et financier. Quand il sera prêt, il poussera le Sénat de Rome à le charger de cette mission spéciale.

– C'est exactement ce dont la République a besoin, dis-je, un autre seigneur de la guerre avec son armée privée.

– Exactement ce dont Rome a besoin, rectifia Mummius. Ou préfères-tu voir des esclaves en maraude dans toute la campagne ?

– Mais qu'est-ce que cela a à voir avec le meurtre du cousin de Crassus... et avec ma présence ici ?

– Je vais te le dire. La nuit de l'assassinat, nous campions donc près du lac Lucrin. Le lendemain matin, Crassus rassembla son état-major pour aller à Baia. Nous sommes arrivés à la villa quelques heures seulement après la découverte du corps. Crassus était indigné, naturellement. J'ai moi-même organisé des équipes pour aller à la recherche des esclaves disparus. En mon absence, la traque a continué, mais ils n'ont pas été retrouvés, tu le sais.

Il soupira.

– Et maintenant vient le point crucial. Les funérailles de Lucius Licinius auront lieu le septième jour du deuil. Autrement dit, après-demain. Et Crassus a décrété que le lendemain il y aurait des jeux funéraires avec des gladiateurs, dans l'esprit de l'ancienne tradition[1]. Ce sera le jour des ides de septembre[2], mais c'est aussi la date de la pleine lune, un moment propice pour des jeux sacrés.

– Et après les combats de gladiateurs, que doit-il se passer ? demandai-je en soupçonnant déjà la réponse.

– Tous les esclaves de la maison seront publiquement exécutés.

– Peux-tu l'imaginer ? murmura Gelina. Tous tués ! Même les vieux et les innocents. Tous ! As-tu déjà entendu parler d'une telle loi ?

– Oh oui ! répondis-je. Une loi très ancienne et très vénérée, promulguée par les pères de nos pères. Si un esclave tue son maître, tous les esclaves de la maison doivent mourir. Ce sont de telles mesures qui maintiennent les esclaves à leur place. Et certains prétendent qu'un esclave – même le plus doux – qui a vu un autre esclave tuer son maître sera définitivement contaminé par ce souvenir. On ne pourra plus jamais lui faire confiance. Mais il est vrai que ces derniers temps l'application de cette loi a été discrète. Il faut dire que le meurtre d'un maître par son esclave est une atrocité rare. Tout au moins l'était-elle avant Spartacus. Et puis, confrontés au choix de tuer tous les esclaves ou de ne punir que les

---

1. Les premiers jeux de gladiateurs (à partir de 264 av. J.-C. à Rome) auraient été organisés dans le cadre de funérailles publiques. Il s'agissait d'honorer et d'amadouer les mânes des défunts. Ensuite, ils devinrent de pures distractions. *(N.d.T.)*

2. 13 septembre. *(N.d.T.)*

coupables, la plupart des propriétaires préféreront préserver leurs biens. Crassus est très réputé pour sa cupidité. Alors pourquoi veut-il sacrifier tous les esclaves d'une de ses maisons ?

– Il veut faire un exemple, dit Mummius.

– Mais cela signifie la mort de vieilles femmes et d'enfants ! protesta Gelina.

– Laisse-moi t'expliquer, Gordien. Ainsi tu vas comprendre.

Mummius avait l'air d'un commandant morne s'adressant à ses troupes avant une bataille mal engagée.

– Crassus est donc venu en Campanie, et particulièrement dans la baie, pour réunir des appuis en vue d'obtenir ce commandement militaire censé marcher contre Spartacus. Jusqu'à maintenant, la campagne sous autorité du Sénat n'a été qu'un long désastre : les armées romaines ont été défaites, les généraux humiliés et disgraciés, les consuls ont été démis de leurs fonctions, et l'État n'a plus de chef. Tous ces désastres sont dus à cette racaille, à cette armée d'esclaves et de criminels évadés. Toute l'Italie tremble de peur et d'indignation.

« Crassus est un bon commandant. Il l'a prouvé sous les ordres de Sylla. Avec sa fortune – et la défaite de Spartacus à son crédit –, il sera en bonne voie pour le consulat. Tandis que des hommes de moindre envergure fuient cette fonction, Crassus voit le commandement comme une opportunité. Le Romain qui arrêtera Spartacus sera un héros. Crassus veut être cet homme.

– Parce que autrement cet homme sera Pompée.

Mummius eut un rictus.

– Probablement. La moitié des sénateurs de Rome ont fui vers leurs villas pour tenter de sauver leur propriété, tandis que l'autre moitié se ronge les ongles et attend que Pompée rentre d'Espagne, en priant que l'État survive jusque-là. Comme si Pompée était un autre Alexandre ! Tout ce qu'il faut pour mettre un terme à l'épisode Spartacus, c'est un commandant qualifié. Crassus peut le faire en très peu de mois si le Sénat donne son accord. Il peut rassembler les restes des légions en Italie et y adjoindre sa propre armée. Du jour au lendemain, Crassus est en mesure de devenir le sauveur de la République.

Je regardai la baie et le Vésuve.

— Je vois. C'est pourquoi le meurtre de Lucius Licinius est plus qu'une simple tragédie.

— C'est une question épineuse, un embarras, voilà ce que c'est ! dit Mummius. Réfléchis : des esclaves d'une de ses propriétés assassinent et s'enfuient, au moment même où il demande au Sénat de lui octroyer un glaive pour aller châtier Spartacus... Sur le Forum, ils vont en pleurer de rire. Voilà pourquoi il se sent obligé d'appliquer le châtiment le plus sévère possible et de revenir à la tradition et à l'ancienne loi qui stipule que « la voie la plus dure est la meilleure voie ».

— En fait, il veut exploiter la situation à son avantage.

— Exactement. Ce qui aurait pu être un désastre peut devenir la victoire dont il a besoin. « Pas assez dur envers des esclaves fugitifs, Crassus ? Vous n'y pensez pas ! Il a fait exécuter tous les esclaves d'une de ses propriétés à Baia : hommes, femmes, enfants. Il n'a témoigné d'aucune clémence et au contraire a fait de l'événement un spectacle public, un jour de fête. C'est le type d'homme en qui nous pouvons avoir confiance pour affronter Spartacus et sa clique d'assassins ! » Voilà ce que les gens diront.

— Oui. Je vois.

— Mais Zénon et Alexandros sont innocents, dit Gelina tristement. Je sais qu'ils le sont. Quelqu'un d'autre doit avoir assassiné Lucius. Aucun des esclaves ne devrait être puni. Mais Crassus refuse d'écouter. Grâce aux dieux, Marcus Mummius comprend, lui. Ensemble, nous avons au moins obtenu de Crassus qu'il te fasse venir de Rome. Il n'existait qu'un moyen de te faire arriver ici à temps : la *Furie*. Crassus s'est montré très généreux en permettant qu'on l'utilise. Et il a même offert de payer tes services, simplement pour me faire plaisir. Je ne peux pas lui réclamer d'autres faveurs, et en tous les cas pas d'ajournement. Il nous reste donc très peu de temps. À peine trois jours avant les jeux funéraires. Et alors...

– Sans compter Zénon et Alexandros, combien y a-t-il d'esclaves en tout ? demandai-je.

– La nuit dernière, ne trouvant pas le sommeil, je les ai comptés. Il y en a quatre-vingt-dix-neuf. Cent un, en comptant Zénon et Alexandros.

– Autant, pour une villa ?

– Nous avons des vignes au nord et au sud, et naturellement des oliveraies, des écuries, un abri à bateaux à entretenir...

– Les esclaves sont au courant ?

Mummius regarda Gelina, qui tourna ses yeux vers moi, les sourcils levés.

– La plupart des esclaves sont enfermés sous bonne garde dans l'annexe, à l'autre bout des écuries, dit-elle tranquillement. Crassus ne permet pas aux esclaves des champs de sortir travailler et il ne me laisse que les esclaves strictement nécessaires ici dans la maison. Ils sont sous surveillance, ils le savent. Mais personne ne leur a dit l'exacte vérité. Et tu ne dois pas leur dire. Qui sait ce qui pourrait se passer si les esclaves soupçonnaient...

Je hochai la tête, mais le secret me semblait parfaitement inutile. En dehors du jeune Apollonius, je n'avais pas vraiment vu le visage d'un seul esclave dans la maison. Seulement des têtes baissées et des regards fuyants. Même si on ne le leur avait pas dit, d'une manière ou d'une autre ils savaient !

Nous prîmes congé de Gelina. L'entretien était terminé. En sortant de la pièce en demi-lune, je jetai un dernier regard vers la silhouette sur la terrasse. Gelina tendait le bras vers l'aiguière pour se resservir une coupe de vin.

Mummius nous ramena dans l'atrium et nous montra l'endroit où les lettres SPARTA avaient été gravées sur le dallage. Chaque lettre avait la taille de mon doigt. Comme Mummius l'avait signalé, elles paraissaient avoir été hâtivement et grossièrement grattées plutôt que gravées soigneusement. Lorsque Fabius nous avait introduits dans la maison, j'étais passé sans les voir. Dans la lumière faible du corridor, elles passaient aisément inaperçues. Soudain le corridor et l'atrium me semblèrent étranges, avec les masques mortuaires des ancêtres trônant dans leurs niches, le faune crachant de l'eau et caracolant dans sa fontaine, le défunt sur sa bière d'ivoire et le nom de l'homme le plus redouté et le plus méprisé d'Italie griffonné sur le sol.

Dans l'atrium, la lumière commençait à se voiler. Il serait bientôt l'heure d'allumer les lampes. Mais il restait assez de temps avant le dîner pour aller faire un tour à cheval. Je voulais voir l'endroit où la cape ensanglantée avait été trouvée. Mummius appela le petit Meto, qui revint avec la cape et l'esclave qui l'avait trouvée. Nous repassâmes entre les deux colonnes à tête de taureau. Puis nous lançâmes nos chevaux sur la route du nord.

La cape était dans l'état décrit par Gelina : un vêtement en lambeaux, sombre, couleur vase, ni franchement usé, ni neuf. On ne trouvait aucune décoration ou broderie permettant de savoir si elle avait été réalisée sur place ou non, et si elle avait appartenu à un riche ou à un pauvre. Le sang en recouvrait une bonne partie. Mais il ne formait pas une seule grande tache. En fait il y en avait un peu partout. Et un coin du vêtement avait été arraché. Pour supprimer une marque distinctive ou un insigne ?

L'esclave avait trouvé la cape le long d'une portion étroite et isolée de la route, à un endroit où celle-ci s'accrochait au flanc d'une falaise surplombant la baie. Quelqu'un devait l'avoir jetée du haut de la falaise. La cape froissée s'était prise dans un arbre squelettique, qui sortait de la roche, plusieurs pieds sous la route. Un homme à pied ou à cheval n'aurait pu la voir, sauf s'il marchait juste au bord du précipice et regardait dans cette direction. L'esclave se trouvait dans un chariot. Il l'avait aperçue à l'aller, alors qu'il se rendait au marché. Mais il l'avait laissée là. En revenant de Pouzzoles, il s'était arrêté un instant, avait regardé plus attentivement et s'était dit que cette découverte pouvait être importante.

– L'imbécile dit qu'il n'avait pas cherché à la récupérer, parce qu'il voyait bien qu'elle était tachée de sang, dit Mummius à voix basse. Comme elle était abîmée, elle ne lui aurait servi à rien. Puis il a pensé que le sang pouvait être celui de son maître.

– Ou celui de Zénon ou d'Alexandros, dis-je. Dis-moi qui sait que cette cape a été découverte ?

– L'esclave qui l'a trouvée, Gelina, le petit Meto. Et maintenant toi, Eco et moi-même.

– Bien. Alors je pense, Marcus Mummius, que nous pouvons avoir des raisons d'espérer.

– Ah ?

Ses yeux s'éclairèrent. Pour un militaire endurci, capable de traiter si durement les galériens, il semblait étrangement soucieux de sauver les esclaves de la maison de Gelina.

– Je ne dis pas ça parce que j'ai une solution à proposer d'ores et déjà, mais parce que, telles qu'elles se présentent, les choses sont plus compliquées qu'elles ne devraient l'être. Par exemple, bien que l'arme n'ait pas été trouvée, le tueur a manifestement utilisé une sorte de gourdin ou de massue pour assassiner Lucius Licinius. On peut se demander pourquoi, dès lors qu'il disposait d'un couteau.

– Un couteau ?

– Ou une lame quelconque. Avec quoi d'autre veux-tu qu'il ait gravé les lettres ? Et pourquoi le corps a-t-il été traîné jusqu'à l'endroit où on l'a trouvé ? Pourquoi n'a-t-il pas été abandonné là où il est tombé ?

– Pourquoi penses-tu qu'il a été traîné ?

– La posture, Mummius. La posture que Gelina nous a

décrite. Souviens-toi : les jambes droites, les bras tendus au-dessus de la tête. Ce n'est pas la position d'un homme qui s'effondre sur le sol après avoir été frappé à la tête. En revanche, c'est exactement celle d'un corps que l'on a traîné par les pieds. Mais traîné depuis où ? Et pour quelle raison ? C'est là qu'intervient la cape.

– Continue.

– Nous n'avons aucun moyen de savoir à qui appartenait le sang qui la macule. Mais dès maintenant, et en raison de la quantité de sang, nous pouvons déduire qu'il s'agit bien de celui du défunt. Gelina nous a elle-même dit qu'il y avait peu de sang sous la blessure. Pourtant, il suffit de voir celle-ci, Lucius a forcément abondamment saigné. Il est donc probable que la cape a servi à absorber une bonne partie du sang. Par ailleurs, cette cape n'appartenait sûrement pas à Lucius.

– Pourquoi cela ? demanda Mummius.

– Il suffit de voir dans quel luxe extravagant il vivait. Regarde sa maison. Je ne crois pas vraisemblable qu'il ait choisi un vêtement aussi terne. Non, c'est le manteau type de l'homme ordinaire ou de l'homme riche qui voudrait faire croire qu'il est partisan des vieilles vertus romaines. Mais c'est aussi, tout simplement, la cape sombre, commune, qu'un homme ou une femme choisirait pour se déplacer la nuit sans être repéré, une cape d'assassin.

« D'une manière ou d'une autre, ce manteau doit être compromettant. Sinon, pourquoi l'éloigner de la scène du crime et essayer de le jeter à la mer ? Et pourquoi arracher un coin de celui-ci ? Si les esclaves en fuite avaient vraiment tué Lucius, ils auraient été assez courageux pour s'en vanter en inscrivant le nom de Spartacus sur le sol. Alors pourquoi se seraient-ils préoccupés de supprimer cette cape après avoir si impudemment affiché leur allégeance ? Oui, pourquoi ne l'auraient-ils pas laissée derrière eux afin de plonger les témoins dans l'horreur de cette découverte sanglante ? Je pense qu'il faut veiller attentivement à ce que personne d'autre n'apprenne que ce manteau a été découvert. Le véritable assassin doit continuer de croire qu'il a réussi à le jeter à l'eau. Je vais le prendre et le dissimuler dans mes propres affaires.

Eco avait écouté attentivement. Il tira sur ma tunique. Devant son insistance, je lui tendis la cape ensanglantée. Il la regarda et indiqua du doigt les différentes taches de sang. Puis il mima une série de mouvements avec sa paume ouverte.

Mummius observait la scène, déconcerté.

– Que dit-il ?

– Il fait une excellente remarque ! Vois ici, où le sang est le plus concentré. La tache forme presque un cercle, comme si le vêtement avait été placé sous la blessure afin de recueillir le sang. Mais, ailleurs, le sang est étalé. Regarde ces traînées de la largeur d'une main. On dirait que la cape a été utilisée pour essuyer le sang, peut-être sur le sol.

Eco mima de nouveau. Il se pencha en arrière et mit ses mains derrière la tête. Puis il étendit ses deux bras, comme s'il tirait un lourd objet. Il mettait tant d'enthousiasme dans sa démonstration que je craignis qu'il tombe de cheval.

– Et qu'explique-t-il maintenant ? demanda Mummius.

– Eco évoque la possibilité que la cape ait d'abord été placée sous la tête du mourant. Ainsi elle recueillait le sang tandis que le corps était traîné sur le sol. Puis l'assassin a pu utiliser une partie propre du vêtement pour nettoyer les traces de sang dans la pièce où les coups avaient réellement été portés et partout où il en était tombé pendant le déplacement.

Mummius croisa ses bras.

– Il dit vraiment tout ça ?

– Je dois lui rendre cette justice. Et voilà pour la cape. Le plus troublant de tout, c'est le retour des chevaux manquants, l'après-midi. Zénon et Alexandros ne les ont sûrement pas abandonnés volontairement. Sauf s'ils en ont trouvé d'autres ailleurs.

Mummius secoua la tête.

– Mes hommes ont enquêté. Aucun cheval n'a été volé dans le secteur.

– Alors Zénon et Alexandros en ont été réduits à continuer à pied. Dans une région aussi civilisée que celle-ci, avec autant de trafic sur les routes, avec la peur qui règne dans la population vis-à-vis des esclaves évadés, et vos hommes à leur recherche, il me semble peu probable qu'ils aient pu s'enfuir.

Eco croisa les mains et imita le mouvement d'une voile sur la mer. Un instant, Mummius eut l'air intrigué, puis il gronda :

– Naturellement, nous avons cherché du côté des propriétaires de bateaux. Aucun des bacs se dirigeant vers Pompéi ou Herculanum n'aurait pris deux esclaves en fuite. Et aucune embarcation n'a été volée. De toutes les manières, ces deux-là ne connaissaient absolument rien à la navigation.

– Alors il ne reste pas beaucoup de possibilités, dis-je.

Mummius haussa les épaules :

– Non. Ils sont toujours dans le secteur et ils se cachent.

– Ou alors, et c'est plus probable, ils sont morts tous les deux.

La lumière commençait à baisser rapidement. La falaise projetait une grande ombre sur l'eau. Je regardai en direction de la villa. Au-dessus des arbres, je ne pouvais voir que les tuiles du toit et quelques volutes de fumée. Les feux du soir étaient allumés. Je fis faire demi-tour à mon cheval.

– Dis-moi, Mummius, qui réside actuellement à la villa ?

– En dehors de Gelina, seulement une poignée de personnes. C'est la fin de la saison estivale à Baia. Mais il n'y a pas eu beaucoup de visiteurs cette année, même au printemps. Je suis déjà passé en mai, avec Crassus, Fabius et quelques autres. Baia n'était que l'ombre d'elle-même. À cause de Spartacus et des pirates, tout le monde a peur de quitter Rome.

– Oui, mais qui s'y trouve en ce moment ?

– Attends. Gelina, bien sûr. Et Dionysius, son philosophe à demeure. Il se présente lui-même comme un esprit universel ; il écrit des pièces et des histoires et il prétend avoir de l'humour. Mais il m'endort. Il y a aussi Iaia, l'artiste-peintre.

– Iaia ? D'après son nom c'est une femme ?

Il acquiesça.

– Elle est originaire de Cyzique[1]. Crassus dit qu'elle avait la cote lorsqu'il était enfant. Elle avait des peintures dans les meilleures maisons de Rome et de la baie. Elle s'est spécialisée dans les portraits, surtout de femmes. Elle ne s'est jamais mariée, mais semble avoir eu pas mal de succès. Aujourd'hui elle est retirée et ne peint plus que pour le plaisir, avec l'élève qu'elle forme. Par amitié pour Gelina, elle est ici pour réaliser un projet ambitieux : exécuter une grande fresque dans le vestibule des bains des femmes.

– Et qui est l'élève de Iaia ?

– Olympias. Elle vient de Naples, de l'autre côté de la baie.

– Une fille ? demandai-je.

– Une très belle jeune femme, compléta Mummius, ce qui fit pétiller les yeux d'Eco. Iaia la traite comme sa fille. Elles ont leur propre petite villa plus haut sur la côte, à Cumes. Mais elles résident souvent ici pendant plusieurs jours, travaillant le matin et tenant compagnie à Gelina la nuit.

– Étaient-elles dans la maison la nuit du meurtre ?

– En fait, non. Elles étaient à Cumes.

– Est-ce loin ?

– Pas très. Une heure à pied. Moins à cheval.

---

1. En Propontide, sur la mer de Marmara ; aujourd'hui en Anatolie, Turquie. (N.d.T.)

— En dehors du philosophe et de la femme peintre, y a-t-il d'autres invités dans la villa ?

Mummius réfléchit.

— Oui, deux.

— Et ils étaient là cette fameuse nuit ?

— Oui, dit lentement l'officier, mais aucun d'eux ne peut être soupçonné du meurtre.

— Mais donne-moi quand même leur nom.

— Très bien. Le premier est Sergius Orata. J'ai déjà parlé de lui, souviens-toi. Il a construit les bains de l'aile sud. Il vient de Pouzzoles et possède des villas tout autour de la baie. Mais, le plus souvent, il réside ailleurs. C'est la manière de faire ici : les riches aiment à jouer les invités dans les villas de leurs amis. Selon Gelina, il était venu parler affaires avec Lucius, quand ils ont appris que Crassus était en route pour rejoindre Baia et que celui-ci voulait les consulter tous les deux. Orata a donc décidé de prolonger son séjour, pour qu'ils puissent directement traiter ensemble, tous les trois, en un seul lieu. Il se trouvait donc là la nuit du meurtre et n'est pas reparti depuis. Il occupe une suite dans l'aile nord.

— Et le dernier invité ?

— Metrobius. Il a une villa de l'autre côté de la baie, à Pompéi.

— Metrobius ? J'ai l'impression que son nom m'est familier.

— C'est un célèbre acteur de Rome. Il fait partie des favoris de Sylla. C'est comme ça qu'il a eu sa villa. Quand Sylla est devenu dictateur, il a récompensé ses plus fidèles partisans en leur distribuant les propriétés qu'il avait confisquées à ses ennemis.

— Je sais. Et je me souviens maintenant d'avoir vu Metrobius jouer.

— Je n'ai jamais eu ce privilège, dit Mummius avec une intonation sarcastique. Tu l'as vu interpréter Plaute ou l'une de ses propres créations ?

– Ni l'un ni l'autre. Il rendait hommage à Sylla en jouant une saynète assez lubrique. C'était il y a plusieurs années, lors d'une fête privée chez Chrysogonus.

– Et tu te trouvais là ?

Mummius avait l'air sceptique à l'idée que je puisse pénétrer dans des cercles aussi fermés et débauchés.

– Oh, je n'étais pas invité. Vraiment pas invité. Mais que fait Metrobius ici ?

– C'est un grand ami de Gelina. Ils peuvent bavarder des heures tous les deux, notamment pour échanger des potins locaux. C'est en tous les cas ce que l'on m'a dit. Entre nous, je suis incapable de rester plus de quelques minutes dans la même pièce que lui.

– Tu n'aimes pas Metrobius ?

– J'ai mes raisons.

– Mais tu ne le soupçonne pas du meurtre.

Mummius fronça les sourcils.

– Laisse-moi te dire une chose, Gordien. J'ai tué plus que mon compte, mais toujours honorablement, au combat, tu comprends ? Mais quelle que soit la manière, tuer, c'est tuer. J'ai tué avec un glaive. J'ai tué avec une massue. J'ai même tué à mains nues. Je sais ce que cela fait de prendre la vie d'un homme. Crois-moi : Metrobius n'aurait pas eu le courage nécessaire pour fracasser le crâne de Lucius. Même s'il avait eu des raisons de le faire.

– Et Zénon et Alexandros, les deux esclaves ?

– Cela me semble très improbable.

– Mais pas impossible ?

Il haussa les épaules.

– Donc, résumai-je, nous savons que ces personnes se trouvaient dans la maison la nuit du meurtre. Dionysius, le résident permanent ; Sergius Orata, l'homme d'affaires de Pouzzoles ; et l'acteur en retraite Metrobius. Iaia l'artiste et Olympias son élève sont souvent ici. Mais ce n'était pas le cas cette nuit-là.

– À ma connaissance, c'est bien cela. Et, selon leur dire,

toutes les personnes présentes étaient seules et endormies dans leur lit. Elles affirment ne pas avoir entendu quoi que ce soit, et c'est parfaitement vraisemblable, vu la distance qui sépare les pièces. Et tous les esclaves disent pareillement n'avoir rien entendu. C'est aussi plausible ; leurs quartiers sont de l'autre côté des écuries.

– Mais il y a au moins un esclave qui monte la garde, la nuit, dis-je.

– Oui, mais dehors, pas à l'intérieur de la villa. Il est censé effectuer un circuit, garder un œil sur la route devant la maison et l'autre sur la côte. On sait que des pirates ont déjà attaqué certaines villas du littoral, même si ce n'est jamais arrivé à Baia. Quand les esclaves se sont enfuis, le veilleur devait être ailleurs. Il n'a rien vu.

– Bon, mais finalement soupçonnes-tu quelqu'un ? Un des résidents de la villa ? Un invité de Gelina ? Quelqu'un qui, selon toi, aurait plus de chances d'être l'assassin que les esclaves ?

En réponse, il se contenta de hausser les épaules et de grimacer.

– Je te pose cette question, Mummius, parce que je me demande vraiment pourquoi tu dépenses tant de temps et d'énergie à aider Gelina pour prouver l'innocence de ses esclaves.

– J'ai mes raisons, répondit-il sèchement, le regard perdu droit devant lui.

Il éperonna sa monture et s'élança seul vers la villa.

Deuxième partie

Dans la gueule d'Hadès

1

Le dîner commença à la douzième heure du jour[1], juste après le coucher du soleil. La pièce était modestement meublée. Elle se trouvait à l'étage dans le coin sud-est de la maison. Les fenêtres donnaient sur Pouzzoles à l'est et le Vésuve plus au sud. Une équipe d'esclaves s'activait discrètement dans la pièce et le vestibule adjacent. Ils allumaient des braseros pour lutter contre la légère fraîcheur de l'air et des lampes pour illuminer les murs somptueusement peints. Il n'y avait pas un souffle de vent, pas un chant d'oiseau. Comme un lointain soupir, le vague murmure de la mer était le seul bruit qui parvenait du monde extérieur. Par la fenêtre sud, je vis une étoile solitaire scintiller au-dessus du Vésuve dans un ciel profond. Une discrète atmosphère de luxe envahissait la maison, cette sensation particulière de confort caractéristique des maisons des riches au crépuscule.

Déjà allongée sur son divan, Gelina accueillait ses invités à mesure qu'ils arrivaient, seuls ou en couple. Tous étaient

_____

1. Peu après dix-sept heures de notre comput moderne, en cette période de l'année. La douzième heure du jour tombe précisément à dix-sept heures au moment des équinoxes : à quinze heures quarante-deux au solstice d'hiver et à dix-huit heures dix-sept au solstice d'été. Voir note 1 p. 11. *(N.d.T.)*

habillés de noir ou de bleu foncé. Onze personnes étaient prévues pour le dîner. Un grand nombre pour un repas, mais Gelina avait fait disposer les divans en carré. Devant chaque divan, les petites tables étaient déjà dressées, garnies de coupes de vin doux, d'olives noires et vertes, et comme amuse-gueules des oursins au cumin.

Iaia et sa protégée Olympias, voisines de Dionysius, étaient assises à l'opposé de Gelina. Marcus Mummius, Faustus Fabius et Sergius Orata se trouvaient à sa droite. Et nous, avec l'acteur Metrobius, à sa gauche. Gelina nous présenta simplement comme Gordien de Rome et son fils, sans davantage d'explications. D'après l'expression de leur visage, je devinai que les invités avaient déjà quelque idée sur les raisons de ma présence. Dans leurs yeux, je lus plus ou moins de scepticisme, de suspicion ou d'indifférence.

Dans sa stola d'un noir de jais, avec ses bijoux d'argent et sa volumineuse coiffure magenta (probablement teinte), Iaia attirait les regards. Dans sa jeunesse, elle avait indéniablement été d'une grande beauté. Aujourd'hui, elle exhalait cette subtile et consciente séduction des femmes qui ont perdu leur jeunesse, mais pas leur charme. Ses hautes pommettes étaient généreusement fardées, ses sourcils épilés et artistement dessinés.

Iaia me lançait des regards froids, alors que sa jeune protégée, une blonde éblouissante, me dévisageait impudemment, comme si ma présence était une sorte d'affront. Olympias pouvait se permettre de jouer négligemment de sa beauté : sa chevelure s'épanouissait, pareille à une crinière de fils d'or et d'argent à la lumière des lampes. Ses yeux étaient d'un bleu étincelant rehaussé d'ombres violettes. Le moindre maquillage – si tant est qu'elle en utilisât parfois – aurait semblé pâle et vulgaire sur cette peau parfaite. Sa stola était d'un bleu sombre, toute simple. Plus simple même que les tuniques qu'Eco et moi portions, car elle n'avait ni bordure, ni discrète broderie. Olympias ne portait aucun bijou.

Dionysius était un vieil homme décharné à la barbe grise et à l'expression hautaine. Tout en piochant quelques olives de la main gauche, il m'observait de son regard fuyant. Pendant la première partie de la soirée, il resta quasiment silencieux, comme s'il tenait ses mots en réserve pour une autre occasion. Il me donnait l'impression d'un homme gardant un secret. Mais peut-être était-ce simplement dû à l'air suffisant qu'il affectait... comme tant d'autres philosophes.

Le visage aigre et réservé de Dionysius offrait un contraste saisissant avec celui de l'ingénieur et homme d'affaires local, qui se trouvait à côté de lui. Orata était presque chauve. Seule une vague frange de cheveux orange ornait son front comme une couronne de victoire. Il avait la corpulence des hommes que les réussites ont engraissé. Son visage potelé et enjoué faisait presque déplacé au milieu de la morosité ambiante. Quand il regarda de mon côté, je fus incapable de dire s'il m'appréciait d'emblée ou s'il me souriait habilement pour dissimuler une autre réaction. Mais, pour l'essentiel, il ne me prêtait pas vraiment attention, trop occupé à donner des ordres aux esclaves qui lui avaient été attribués. Il fallait qu'ils lui dénoyautent ses olives, qu'ils aillent lui chercher de cette sauce au cumin, et ainsi de suite.

Le vieil acteur Metrobius, allongé à ma droite, m'adressa un petit signe de tête lorsque Gelina me présenta. Puis il se retourna aussitôt vers elle. Il était couché sur le flanc droit ; elle, sur le flanc gauche. Leurs têtes étaient donc toutes proches. Ils pouvaient tranquillement se parler à voix basse. De temps en temps, Metrobius tendait la main et prenait celle de son amie, comme pour la rassurer. Sa longue robe flottante le couvrait de la tête aux pieds. À première vue, le lin finement tissé paraissait d'un noir funèbre mais, à bien y regarder, je constatai qu'il s'agissait d'un pourpre très sombre. Il portait des bijoux d'or autour du cou et des poignets. Une imposante bague incrustée de pierres précieuses ornait sa main gauche. Elle étincelait dans la lumière chaque fois qu'il levait sa coupe. Selon la rumeur, Metrobius avait été le grand amour de Sylla, son compagnon et son ami tout au long de sa vie, malgré les nombreux mariages et liaisons du dictateur. Sa jeunesse l'avait depuis longtemps quitté. Mais sa grande crinière blanche conservait une incontestable dignité et les rides de son visage créaient une sorte de beauté tranquille. Je me souvins de cette nuit où je l'avais vu jouer pour Sylla. C'était dix ans plus tôt. Je me rappelai le charme dégagé par sa seule présence. Alors même qu'il ne s'intéressait qu'à Gelina, je pouvais sentir ce charme charismatique qu'il exhalait, aussi palpable que les effluves de myrrhe et de rose qui parfumaient son vêtement. Il exécutait chacun de ses mouvements avec une grâce innée. Sa voix calme et posée avait une qualité apaisante, comme le bruit de la pluie une nuit d'été ou le murmure du vent dans les arbres.

En dehors de ma présence et de celle d'Eco, nous avions là les hôtes typiques d'un dîner dans une villa de Baia : un militaire et un patricien, une artiste et sa protégée, un lettré et un architecte, un acteur et leur hôtesse. L'hôte était absent – ou, plus exactement, il reposait sur sa bière d'ivoire, en bas, dans l'atrium. Mais pour le remplacer, nous attendions l'homme le plus riche de Rome. Cependant, Marcus Crassus n'avait pas encore daigné paraître.

Au regard d'une assemblée aussi étincelante, les discussions étaient étonnamment décousues. D'un côté, Mummius et Faustus parlaient tranquillement des affaires quotidiennes et de l'approvisionnement du camp de Crassus sur le lac Lucrin. Plus loin, Olympias et Iaia échangeaient d'inaudibles murmures. Le philosophe couvait des yeux sa nourriture, alors que l'homme d'affaires savourait chaque bouchée. Perdus dans leurs bavardages, Gelina et Metrobius semblaient avoir oublié les autres convives.

Au bout de quelque temps, le petit Meto entra et vint

chuchoter quelque chose à l'oreille de sa maîtresse. Elle hocha la tête et le renvoya.

– Je crains que Marcus Crassus soit dans l'impossibilité de nous rejoindre ce soir, annonça-t-elle.

Jusque-là, j'avais pensé que la vague tension qui régnait dans la pièce était due à ma présence ou à l'atmosphère funèbre de la villa. Mais, à cet instant, tout le monde sembla pousser un soupir de soulagement collectif.

Est-il retenu par ses affaires à Pouzzoles ? demanda Mummius, la bouche pleine d'oursins.

– Oui. Il me fait dire qu'il s'occupe de son propre dîner et qu'il rentre ensuite. Nous n'avons donc plus besoin de l'attendre.

Elle fit un signe aux esclaves, qui débarrassèrent instantanément les amuse-gueules et servirent les plats principaux : un ragoût de jambon et de pommes aux cédrats, des boulettes de fruits de mer épicées de céleri et de poivre, et des filets de poisson avec des poireaux et de la coriandre, le tout servi sur des plateaux d'argent. Comme accompagnement, on nous apporta une soupe d'orge, de chou et de lentilles, que nous consommâmes dans de petits bols d'argile.

Progressivement, les conversations s'animèrent. Le sujet principal était la nourriture. La mort et les catastrophes latentes, l'ambition politique et la menace de Spartacus étaient négligées au profit des mérites relatifs du lièvre et du porc. On débattait du bœuf, pour le déclarer carrément immangeable. Faustus Fabius estimait que les bœufs n'avaient aucune utilité, en dehors de leur peau. Le philosophe Dionysius, qui parlait d'un ton sentencieux, prétendit que, dans le Nord, les pirates préféraient le lait de vache au lait de chèvre.

Sergius Orata semblait avoir une connaissance experte du commerce des épices et d'autres douceurs venant d'Orient. Il serait allé jusque chez les Parthes pour étudier les potentialités du marché. Et sur l'Euphrate, on l'avait aimablement persuadé de boire une boisson locale obtenue à partir d'orge fermentée. Les Parthes la préféraient au vin.

– Elle avait exactement la couleur de l'urine, rit-il, et son goût !

– Mais comment le sais-tu ? As-tu l'habitude de boire de l'urine ? demanda Olympias, en baissant timidement son visage.

Une mèche de cheveux blonds lui tomba sur l'œil. Iaia la regarda de biais, en contenant un sourire. Le crâne rose d'Orata rosit, tandis que Mummius riait bruyamment.

– Mieux vaut de l'urine que des haricots ! s'exclama Dionysius. Vous connaissez le conseil de Platon : il faut se préparer chaque nuit pour le royaume des rêves avec un esprit pur.

– Et quel rapport avec les haricots ? demanda Fabius.

– Vous devez connaître l'opinion des pythagoriciens. Les haricots produisent d'importantes flatulences, ce qui crée une situation conflictuelle avec une âme en quête de vérité.

– Vraiment ? Comme si c'était l'âme et non le ventre qui se remplit de vent ! s'exclama Metrobius.

Puis il se pencha vers moi et à voix basse :

– Ces philosophes... Aucune idée n'est trop absurde pour eux. Et celui-là est certainement un sac à vent, mais je pense que dans son cas tout le vent sort de sa bouche et pas d'ailleurs !

Gelina paraissait indifférente tant aux propos crus qu'aux doctes commentaires. Elle mangeait en silence, piochant sans arrêt de la nourriture et réclamant plus souvent du vin frais dans sa coupe que n'importe quel autre convive.

Metrobius voulut m'éclairer sur les différences entre la cuisine de Rome et celle de Baia.

– Sur les marchés, ici, on trouve naturellement une très grande variété de produits de la mer frais et de nombreuses spécialités marines totalement inconnues à Rome. Mais les vraies différences sont beaucoup plus subtiles. Par exemple, tous les cuisiniers vous diront que les meilleures marmites sont faites avec une argile spéciale, que l'on ne trouve qu'autour de Cumes.

« À Rome, de tels pots sont précieux et difficiles à remplacer, mais ici, même le pêcheur le plus humble en possède un. Et ainsi nous avons toute une cuisine paysanne aussi sublime que simple. Cette soupe d'orge, par exemple. Ensuite, il y a nos célèbres haricots verts de Baia, les plus tendres et les plus doux du pays. Le cuisinier de Gelina concocte un plat de haricots verts, de coriandre et de ciboulette hachée idéal pour une bacchanale. Ah, mais les esclaves ont commencé à débarrasser les plats, ce qui signifie que le second service va arriver.

Les esclaves revinrent, portant des plateaux d'argent qui étincelaient à la lumière des lampes. Ils déposèrent sur nos tables des poires cuites, fourrées de cannelle, des châtaignes grillées et du fromage assaisonné au jus de baies fermentées.

— C'est vraiment dommage que Marcus Crassus ne soit pas là pour une telle fête, dit Metrobius, prenant une poire fourrée et humant son arôme. Naturellement, si Crassus avait été présent, le seul et unique sujet de discussion aurait été la politique, rien que la politique.

Mummius lui jeta un regard noir :

Sujet dont certains ignorent tout. Si on parlait de politique, ceux-là pourraient se taire pour changer.

Il écrasa une châtaigne dans sa bouche et se lécha les lèvres.

— Barbare, marmonna Metrobius à voix basse. Les manières d'un Barbare.

— Que dis-tu ? gronda Mummius, prêt à bondir.

— Je dis que tu as les bonnes manières d'un fermier. Ta famille possède encore des fermes, n'est-ce pas ?

L'officier se rassit lentement, l'air sceptique.

— Nous devrions peut-être parler d'un sujet que nous connaissons tous, suggéra Metrobius. Pourquoi pas l'art ?

Iaia et Olympias le créent, Dionysius le contemple, Orata l'achète. Est-ce vrai, Sergius, qu'un des Cornelius a demandé un nouveau bassin pour ses poissons, à Misène ?

– C'est vrai, répondit Orata.

– Ah ! ces propriétaires de villas et leur amour des bassins décoratifs. Il faut voir comment ils chérissent le moindre de leurs mulets barbus. J'ai entendu parler de sénateurs qui donnaient un nom à chacun de leurs poissons et qui les nourrissaient à la main depuis l'enfance. Et quand les mulets sont grands, ils ne supportent pas l'idée de les manger.

Gelina sourit enfin.

– Oh ! arrête, Metrobius. Personne n'est stupide à ce point.

– Oh que si ! On m'a dit que ces Cornelius voulaient absolument entourer leur nouveau bassin de belles statues. Pas pour le plaisir de leurs invités humains, mais pour l'instruction de leurs poissons.

– Absurde ! gloussa Gelina.

Elle vida sa coupe, puis la leva pour qu'un esclave la remplisse.

Gelina devint soudain loquace.

– Si vous voulez absolument parler d'art, évoquons plutôt la grande œuvre de Iaia, en bas, dans le vestibule du bain des femmes. Elle est absolument merveilleuse ! Du sol au plafond, sur les quatre murs, ce ne sont que dauphins, pieuvres et calmars s'ébattant dans la lumière. Oh, toutes ces nuances de bleu : bleu foncé, bleu pâle, bleu ciel, bleu nuit, bleu-vert des algues. J'adore le bleu, pas vous ? dit-elle d'une voix douce et avec un sourire.

Puis, se tournant vers Olympias :

– Quel bleu merveilleux tu portes ce soir ! Quelle splendeur avec tes superbes cheveux blonds ! Quel talent vous avez, toutes les deux !

Iaia se pinça les lèvres.

— Merci, Gelina, mais je pense que tout le monde ici a déjà vu l'œuvre en cours de réalisation.

— Non ! protesta Gelina. Pas Gordien, ni son charmant fils, Eco. Ils doivent tout voir. Vous comprenez ? On ne doit rien leur cacher, rien du tout. Ils sont là pour ça. Pour voir, pour observer. On dit qu'il a l'œil. Pas l'œil du connaisseur, je veux dire, mais celui du chasseur. Ou du limier. C'est ton surnom, n'est-ce pas ? Demain peut-être, Iaia, tu pourrais lui montrer ton travail et le laisser contempler tes merveilleux poissons volants et tes terribles calmars. Oui, je ne vois pas ce qui pourrait l'empêcher, dès lors qu'il n'y a pas de femmes dans les bains, pas de femmes qui se baignent, je veux dire. Je suis certaine que Gordien apprécie l'art autant que nous tous.

Olympias leva un sourcil et me regarda froidement, avant de dévisager Eco, qui s'agita, gêné. Imperturbable, Iaia sourit et hocha la tête.

Certainement, Gelina. Je serai heureuse de montrer le travail en cours à Gordien. Peut-être le matin, lorsque la lumière est le plus belle. Mais puisque nous parlons d'art, je sais que Dionysius travaille sur une nouvelle pièce. Or il ne nous en a encore jamais parlé.

— C'est parce que Crassus le fait toujours taire, murmura Metrobius à mon oreille.

— En fait, j'ai délaissé la comédie pour m'intéresser à l'actualité.

Les lèvres fines de Dionysius esquissèrent un sourire.

— Les événements des derniers mois, et particulièrement des derniers jours, ont entraîné mes pensées vers des sujets plus sérieux. Je me suis absorbé dans un nouveau travail, un traité sur un sujet de circonstance : l'étude des précédentes révoltes d'esclaves.

— De précédentes révoltes ? interrogea Gelina. Tu veux dire que de telles choses se sont déjà produites avant Spartacus ?

— Oh, oui ! La première dont nous ayons connaissance

s'est produite après la guerre avec Hannibal, il y a environ cent vingt ans. La victoire de Rome s'est soldée par la capture d'un grand nombre de Carthaginois. Ils étaient gardés comme otages et prisonniers de guerre. Les esclaves de ces Carthaginois avaient été capturés en même temps et vendus comme butin. Or, un grand nombre de ces otages et esclaves s'est retrouvé concentré dans la ville de Setia, près de Rome. Les otages fomentèrent un complot pour s'évader. Ils entraînèrent leurs anciens esclaves dans l'entreprise, en leur promettant la liberté s'ils se dressaient contre leurs nouveaux maîtres romains et aidaient leurs anciens maîtres à retourner à Carthage. Des jeux de gladiateurs devaient avoir lieu à peine quelques jours plus tard à Setia. Leur plan prévoyait qu'ils se soulèvent à cette occasion et massacrent la population par surprise. Heureusement, deux des esclaves trahirent la conspiration et allèrent tout révéler au préteur, à Rome. Celui-ci rassembla une force de deux mille hommes et se précipita vers Setia. Les chefs des insurgés furent arrêtés. Mais beaucoup d'esclaves s'échappèrent. Finalement, ils furent tous recapturés ou massacrés, non sans avoir semé la terreur dans la région. Les deux esclaves qui avaient sagement dévoilé le projet furent récompensés par vingt-cinq mille pièces de bronze et, surtout, par la liberté.

– Ah ! J'aime les histoires qui finissent bien, approuva Gelina, qui avait écouté avec beaucoup d'intérêt et d'étonnement.

– La seule chose qui soit plus ennuyeuse que la politique, c'est l'Histoire, dit Metrobius dans un bâillement. En temps de grande crise, comme celle que nous vivons en ce moment, il me semble que Dionysius rendrait un grand service en écrivant une bonne comédie plutôt qu'en ressassant le passé.

– Par les dieux, qu'est-ce qu'un homme comme Sylla pouvait bien trouver à raconter à un personnage comme toi ? murmura Mummius.

Metrobius le regarda d'un air menaçant.

– Je pourrais poser la même question sur toi et ton...

– S'il vous plaît, pas de dispute après le repas, insista Gelina. Cela perturbe la digestion. Mais toi, Dionysius, continue. Comment as-tu découvert une histoire aussi fascinante ?

– J'ai souvent remercié Minerve et les mânes[1] d'Hérodote pour la magnifique bibliothèque rassemblée par feu ton époux, dit délicatement Dionysius. Pour un homme comme moi, résider dans une maison pleine de Savoir est une source d'inspiration aussi grande que vivre dans une maison pleine de Beauté. Et ici, dans cette villa, je n'ai par bonheur jamais eu à choisir entre les deux.

Gelina sourit. Un murmure général d'approbation ponctua ce joli compliment.

– Mais je vais poursuivre, puisque vous m'y invitez. Le soulèvement avorté de Setia est donc le premier exemple que j'ai pu trouver de révolte générale ou de tentative d'évasion impliquant un grand nombre d'esclaves organisés. Il y en eut quelques autres au cours des années suivantes, en Italie ou ailleurs. Mais la documentation les concernant est assez fragmentaire. Et, en tous les cas, ces révoltes sont sans comparaison avec les deux guerres serviles siciliennes. La première a éclaté il y a environ soixante ans, en fait, l'année même de ma naissance. J'en ai souvent entendu parler dans mon enfance.

« À cette époque, il semble que les propriétaires terriens de Sicile avaient commencé à accumuler une grande richesse et un nombre considérable d'esclaves. Cette richesse rendit les Siciliens arrogants. En raison de l'arrivée

---

1. Le terme *manes*, bien que toujours pluriel et désignant à l'origine les morts divins, puis les morts d'une famille (*di manes* devenant équivalent de *di parentes*), finit par être employé pour désigner un seul esprit d'une certaine manière ; on s'adressait à l'esprit divin, ou aux esprits divins, d'un individu. *(N.d.T.)*

constante d'esclaves en provenance des provinces conquises d'Afrique et d'Orient, ils avaient très peu d'égards pour cette main-d'œuvre : un esclave rendu invalide par l'excès de travail ou la malnutrition était aisément remplacé. En fait, beaucoup de propriétaires auraient par exemple envoyé leurs esclaves garder les bêtes dehors sans vêtements corrects et même sans nourriture. Quand ceux-ci se plaignaient de leur nudité ou de la faim, leurs maîtres leur conseillaient de voler des habits ou de la nourriture à des voyageurs sur la route ! Ainsi, malgré – ou à cause de – toute cette richesse, la Sicile dégénéra et se transforma en une région sans loi et désespérée.

« Un certain propriétaire en particulier était connu pour son excessive cruauté. Il s'appelait Antigenes. Il fut le premier de l'île à marquer ses esclaves au fer rouge pour les reconnaître. La pratique se répandit bientôt dans toute la Sicile. Les esclaves qui venaient l'implorer pour de la nourriture ou des vêtements étaient battus, enchaînés et humiliés en public avant d'être renvoyés à leur travail, aussi nus et affamés qu'avant.

« Cet Antigenes avait un favori : un esclave qu'il aimait tour à tour choyer et humilier. Ce Syrien répondant au nom d'Eunus se prenait pour un grand magicien et un thaumaturge. Il racontait que les dieux venaient lui parler en rêve. Les gens adorent toujours écouter de telles histoires, même de la bouche d'un esclave. Bientôt Eunus commença à voir les dieux en plein jour. Du moins était-ce ce qu'il prétendait. Il conversait avec eux, disait-il, dans d'étranges langues, tandis que les autres l'observaient, émerveillés. Il pouvait aussi cracher le feu.

– Le feu ?

– Oh, c'est un vieux truc de théâtre, expliqua Metrobius. Vous faites des trous dans une noix ou quelque chose de semblable, vous la remplissez de liquide combustible, vous l'allumez, la mettez dans votre bouche, et le tour est joué.

Des flammes et des étincelles vont jaillir de la bouche. N'importe quel illusionniste de Subure peut le faire.

– Mais ce fut précisément cet Eunus qui amena ce tour de Syrie, poursuivit Dionysius. Son maître Antigenes lui demandait de se produire lorsqu'il avait des invités à dîner. Eunus entrait en transe, crachait du feu et ensuite révélait l'avenir. Plus l'histoire était exotique, plus elle plaisait. Par exemple, il raconta à Antigenes et à ses invités qu'une déesse syrienne lui était apparue. Elle lui aurait promis que lui, un esclave, deviendrait roi de toute la Sicile. Mais ils n'avaient pas à le craindre, parce qu'il serait très tolérant envers les propriétaires d'esclaves. Les hôtes d'Antigenes trouvèrent cette histoire très amusante. Ils le récompensèrent en lui offrant des mets délicats et en lui demandant de se souvenir de leur gentillesse quand il serait roi. Ils étaient loin d'imaginer le tour sombre qu'allaient prendre les événements.

« Les esclaves d'Antigenes finirent par décider de se révolter contre leur maître. Mais d'abord, ils consultèrent Eunus, lui demandant si les dieux allaient favoriser leur entreprise. Eunus leur répondit que la révolte serait couronnée de succès, mais seulement s'ils frappaient brutalement et sans hésitation. Les esclaves étaient environ quatre cents. Ils organisèrent une cérémonie dans un champ, cette nuit-là, échangeant des serments et exécutant les rites et sacrifices qu'Eunus avait prescrits. Ils entrèrent dans une sorte de frénésie meurtrière et se précipitèrent alors sur la ville voisine, tuant les hommes, violant les femmes, et massacrant même les bébés. Antigenes fut capturé, déshabillé, battu et décapité. Les esclaves revêtirent Eunus de riches habits et d'une couronne de feuilles d'or. Puis ils le proclamèrent roi.

« La nouvelle de leur rébellion se répandit comme le feu grégeois dans toute l'île, incitant d'autres esclaves à se révolter. Des groupes rivaux de rebelles apparurent. On espérait qu'ils s'affronteraient. Mais, au contraire, ils s'allièrent, intégrant dans leur armée toutes sortes de bandits et de hors-la-loi. On entendit très vite parler de leur succès hors de Sicile et l'affaire commença à prendre des proportions impressionnantes. À Rome, cent cinquante esclaves conspirèrent ; à Athènes, plus de mille se soulevèrent ; et l'on vit des troubles éclater dans toute l'Italie et la Grèce. Tous les foyers séditieux furent très rapidement anéantis mais, en Sicile, en revanche, la situation se détériora.

« Plongée dans un formidable chaos, l'île fut submergée par les rebelles. Tous reconnaissaient Eunus comme leur roi. Le peuple, dans un accès de haine contre les riches, se rangea du côté des esclaves. Malgré son apparente folie, la révolte était conduite avec une certaine intelligence. Ainsi, alors que de très nombreux propriétaires étaient torturés avant d'être tués, les esclaves pensaient à l'avenir et veillaient à ne pas détruire les cultures ni les propriétés qui leur seraient utiles.

– Et comment cette histoire a-t-elle fini ? demanda Gelina, impatiente.

– Rome envoya des armées. Il y eut toute une série de batailles dans toute la Sicile. Pendant un moment, les esclaves semblèrent invincibles. Mais le gouverneur romain finit par manœuvrer astucieusement et les enferma dans la ville de Tauromenium. Le siège fut interminable. Les insurgés commencèrent à souffrir d'une faim atroce. Ils se livrèrent au cannibalisme. D'abord, ils mangèrent leurs enfants, puis leurs femmes. Puis ils s'entre-dévorèrent.

– Quelle horreur ! Et le magicien ? murmura Gelina.

– Il parvint à s'enfuir de Tauromenium et à se cacher dans une grotte. Rupilius réussit à le débusquer. Et si les esclaves s'étaient entre-dévorés, leur roi fut découvert à moitié mangé par les vers. Oui, ces mêmes vers dont on a dit qu'ils avaient tourmenté Sylla pendant ses dernières années, avant qu'il ne meure d'une attaque d'apoplexie. Ce qui montre que ces vers gloutons, comme les classes d'humains les plus inférieures, tirent subsistance des chefs, grands ou petits. Eunus fut extrait de sa grotte, hurlant et labourant sa propre chair avec ses ongles. Il fut enfermé dans une tour à Morgantina. Or le magicien continuait d'avoir des visions. Elles étaient de plus en plus horribles. À la fin, il délirait. Et finalement les vers eurent raison de lui et achevèrent de le dévorer. Voilà comment finit misérablement la première grande révolte servile.

Un lourd silence pesa sur la pièce. Les visages des hôtes de Gelina étaient impassibles, sauf celui d'Eco, assis yeux écarquillés, et celui de la jeune Olympias, qui semblait avoir la larme à l'œil. Mummius s'agitait nerveusement sur son canapé. Le silence fut rompu par le pas discret d'un esclave qui se retirait vers les cuisines avec un plateau vide. Des yeux, je fis le tour de la pièce pour observer la physionomie des esclaves présents. Ils se tenaient raides, à leurs postes, derrière les invités. Le regard d'aucun d'eux ne croisa mes yeux. Ils ne s'entre-regardaient pas davantage, mais fixaient le sol.

Tu vois, Dionysius, dit Metrobius, d'une voix qui résonnait étrangement après le silence, tu as sous la main tous les éléments pour une divine comédie. Appelle-la *Eunus de Sicile* et je serai le metteur en scène.

Enfin, Metrobius ! protesta Gelina.

– Mais je suis sérieux. Tout ce que tu as besoin de faire, c'est de distribuer les rôles principaux. Voyons : un propriétaire sicilien grincheux et son fils, qui tombera naturellement amoureux de la fille d'un voisin. Ajoute le précepteur du fils, un bon esclave qui sera tenté de rejoindre la révolte, mais choisira la vertu et sauvera son jeune maître de la foule hystérique. Nous pouvons faire intervenir Eunus dans quelques scènes grotesques, jouant la comédie, crachant le feu et jacassant. Il faudra aussi trouver le général Rupilius, le fanfaron grandiloquent. Il prend le bon esclave, le précepteur, pour Eunus et veut le crucifier. Au dernier instant, le jeune maître sauve son professeur de la mort et ainsi rembourse sa dette puisque l'esclave lui a sauvé la vie. La révolte est anéantie hors scène et tout s'achève dans de joyeuses chansons. Vraiment, Plaute lui-même n'a jamais conçu meilleure intrigue.

– Je pense que tu n'es qu'à moitié sérieux, dit Iaia malicieusement.

– Oui, toute cette histoire est assez déplaisante au regard des circonstances présentes, déplora Gelina.

– Tu as peut-être raison, admit Metrobius. Je suis sans doute resté trop longtemps éloigné de la scène.

– Assez d'histoires lugubres ! s'exclama abruptement Gelina. Changeons de sujet. Il est temps de s'amuser. Metrobius, un poème, s'il te plaît !

L'acteur secoua sa tête blanche. Gelina n'insista pas.

– Peut-être une chanson, alors. Oui, c'est cela : nous avons besoin de chanter pour nous donner le moral. Meto... Meto ! Meto, va me chercher ce garçon qui chante si divinement. Vous savez qui ? Oui, ce talentueux Grec au doux sourire et aux boucles noires.

Je notai qu'une étrange expression passait sur le visage de Mummius. Tandis que nous attendions l'arrivée de l'esclave, Gelina but une nouvelle coupe de vin. Elle insista pour que nous fassions tous de même. Seul Dionysius s'abstint. A la place, un esclave lui apporta un liquide mousseux et vert, servi dans une coupe d'argent.

– Par Hercule, qu'est-ce que c'est ? demandai-je.

Olympias se mit à rire.

– Dionysius boit cette mixture deux fois par jour : avant le déjeuner et après le dîner. Il voudrait nous convaincre tous d'en faire autant. Elle a l'air répugnante, n'est-ce pas ? Mais enfin, naturellement, si Orata est capable de boire de l'urine...

Il porta la coupe à ses lèvres, puis la baissa. Ses lèvres étaient vertes.

– Ce n'est pas non plus une potion. Il n'y a rien de magique dedans. C'est une simple purée de cresson et de feuilles de vigne, agrémentée d'un mélange d'herbes médicinales :

de la rue pour la vue, du silphium [1] pour le souffle, de l'ail pour l'endurance...

— Ce qui explique, dit Fabius d'un ton affable, la capacité de Dionysius à lire pendant des heures, à parler pendant des jours, sans jamais faiblir... même si le public s'endort !

Un rire parcourut l'assistance. Le jeune Grec arriva avec sa lyre. Je reconnus Apollonius, l'esclave qui accompagnait Mummius aux bains. Je jetai un œil vers l'officier. Il bâillait et semblait montrer peu d'intérêt. Mais son bâillement paraissait trop emprunté et son regard absent forcé. Les lumières furent baissées. La pièce fut plongée dans la pénombre. Gelina réclama une chanson grecque.

— Une chanson joyeuse, nous assura-t-elle.

Le garçon commença.

Il chantait dans un dialecte grec dont je ne saisissais que quelques mots ou expressions. Peut-être une chanson de berger : il était question de prairies vertes et de « hautes montagnes de nuages laineux ». Ou alors c'était une légende : sa voix d'or prononça le nom d'Apollon et il évoqua l'éclat du soleil sur les eaux scintillantes des Cyclades, « lapis-lazuli sur une mer d'or, chantait-il, comme les yeux de la déesse sur le visage de la lune ». À moins qu'il ne se soit agi d'une chanson d'amour : il parlait de chevelure noire de jais et d'un regard perçant comme une flèche. Ou encore d'un chant nostalgique, car le refrain reprenait à l'infini « Plus jamais ! Plus jamais ! Plus jamais ! ».

Était-ce la chanson attendue par Gelina ? Celle-ci écoutait avec une intensité solennelle. Puis son expression changea lentement. Elle avait l'air aussi désespérée qu'au cours de notre entretien de l'après-midi. On ne voyait plus aucun

---

1. Plante connue pour avoir été utilisée médicinalement par les Grecs. On ne sait pas exactement quelle était cette plante, peut-être de la famille des lasers, espèce d'ombellifères d'Europe dont les racines ont des vertus diurétiques et toniques. On donne aujourd'hui ce nom *silphium* (ou *silphion*) à une plante décorative provenant d'Amérique du Nord qui n'est naturellement pas l'herbe évoquée par Dionysius. *(N.d.T.)*

sourire sur les lèvres des convives. Même Metrobius écoutait avec une sorte de respect, les yeux mi-clos. Une chanson aussi triste, émouvante, avait de quoi arracher des pleurs. Curieusement, je vis couler une seule larme sur la joue grisonnante de Mummius. Scintillante traînée de cristal à la lumière pâle de la lampe, elle disparut rapidement dans sa barbe... mais fut rapidement suivie par une autre.

Je regardai Apollonius. Ses lèvres tremblantes s'entrouvraient pour exhaler une note chargée de tout le chagrin et de tout le désespoir du monde. J'eus soudain la chair de poule et un frisson parcourut mon échine. Non pas à cause du caractère pathétique de la chanson, ni même en raison de la brise de mer qui envahissait brusquement la pièce. Non : je venais de songer que dans trois jours il serait mort avec tous les autres esclaves. Son chant s'éteindrait à jamais.

Non loin de moi, dissimulé par la pénombre, Mummius avait plongé son visage dans ses mains. Il pleurait silencieusement.

Le logement mis à notre disposition était généreux. La petite pièce de l'aile sud contenait deux canapés somptueusement capitonnés et un épais tapis. À l'est, une porte donnait sur une petite terrasse. Eco regretta de ne pas voir la baie.

— Nous avons de la chance que Gelina ne nous ait pas mis dans les écuries, lui répondis-je.

Il enleva sa tunique et garda son gilet de corps. Puis il essaya son lit, en rebondissant dessus jusqu'à ce que je lui donne une petite tape sur le front.

— Mais qu'as-tu dans la tête, Eco ? Où te crois-tu ?

Il fixa un moment le plafond, puis écrasa sa paume ouverte contre son nez.

— Oui, je suis assez d'accord. Cette fois, nous nous heurtons à un mur. Je pense être payé quoi qu'il arrive, mais qu'est-ce que cette femme attend que je fasse en trois jours ? Et même en deux jours seulement, en réalité : demain et la journée des funérailles. Après, ce sera celle des jeux et, si Crassus va jusqu'au bout, de l'exécution des esclaves. À bien y songer, nous ne disposons même que d'un seul jour, car que pourrons-nous faire pendant les funérailles ? Alors, Eco, as-tu vu un meurtrier au dîner ?

Eco évoqua les longs cheveux d'Olympias.

— La protégée de la femme peintre ? Tu n'es pas sérieux.

Il sourit et, avec les doigts, mima une flèche perçant son cœur.

Je ris doucement en enlevant ma tunique sombre.

– Un de nous au moins fera des rêves agréables cette nuit.

J'éteignis la lampe et restai assis un long moment sur le bord du lit. Mes pieds nus reposaient sur le tapis moelleux. Dehors, les étoiles étaient froides et la lune croissante. Près de la fenêtre se trouvait une petite malle. J'y avais déposé la cape ensanglantée au milieu de nos propres affaires, y compris les poignards, que nous avions apportées de Rome. Au-dessus du coffre, un miroir était accroché au mur. Je me levai et allai contempler le reflet de mon visage, à peine éclairé par la lune.

Je vis un homme de trente-huit ans, étonnamment en bonne santé malgré ses nombreux voyages et son métier dangereux ; un homme aux épaules larges, à la taille assez forte et aux mèches blanches mêlées à ses boucles noires. Entre deux âges, le visage n'était pas particulièrement beau, mais pas non plus laid. Le nez était droit, à peine busqué, la mâchoire large et les yeux marron, graves. Un homme très chanceux, en somme. Dame Fortune ne l'avait pas flatté, mais ne l'avait pas davantage négligé. Et il possédait une maison à Rome, un travail stable, une superbe femme pour partager sa couche et administrer la maison, et un fils pour porter son nom. Peu importait que la maison fût une vieille masure héritée de son père, que son travail fût souvent mal considéré et dangereux, que la femme fût une esclave et pas une épouse, et que le fils ne fût pas de son sang et muet. À tout prendre, l'homme avait quand même beaucoup de chance.

Et je songeai aux esclaves, sur la *Furie*, à l'immonde puanteur de leur corps, à la misère effrayante dans leurs yeux, à l'immensité infinie de leur désespoir. Ils appartenaient à un homme qui ne verrait jamais leurs visages et ne connaîtrait pas leurs noms, un homme qui ne saurait même jamais s'ils étaient vivants ou morts, sauf quand un secrétaire viendrait lui demander de les remplacer. Je pensai au jeune garçon qui m'avait rappelé Eco, celui sur lequel le gardien s'était acharné pour le punir et l'humilier. Je me souvins de sa façon de me regarder avec son sourire pathétique, comme si je possédais quelque moyen de l'aider, comme si, étant un homme libre, j'étais une sorte de dieu.

J'étais las, mais le sommeil ne semblait pas vouloir venir. J'allai chercher une chaise dans un coin, m'assis devant le miroir et contemplai mon visage. Cette fois, mes pensées allèrent au jeune esclave Apollonius. Des bribes de son chant se répercutaient dans ma tête. Puis je me souvins de l'histoire du philosophe, celle de l'esclave magicien Eunus qui crachait le feu et entraîna ses compagnons dans une révolte folle. Je dus commencer à rêver parce que, soudain, j'eus l'impression de voir Eunus dans le miroir, avec une couronne de feu, de petites flammes sortant de ses narines et de sa bouche. Dans le reflet de la glace, je vis par-dessus mon épaule le visage cadavérique de Lucius Licinius, avec son œil mi-clos et couvert de sang. Il se mit à parler dans un vague murmure, mais trop bas pour que je le comprenne. Alors il tapa sur le sol. On aurait dit une sorte de code. Je secouai la tête, perplexe, et lui demandai de parler plus fort. Mais, à la place, du sang coula de ses lèvres. Quelques gouttes tombèrent sur mon épaule, puis sur ma cuisse. Je baissai les yeux. Par terre était étalée une cape ensanglantée. Elle frémissait et chuintait. Des milliers de vers grouillaient, les vers mêmes qui avaient dévoré un dictateur et un esclave-roi. Je voulus éloigner la cape, mais restai paralysé.

Puis une main lourde et puissante se posa sur mon épaule. Une vraie main. J'ouvris les yeux en sursaut. Dans le miroir, j'aperçus le visage d'un homme brusquement surgi d'un rêve profond. Sa mâchoire tombait et ses yeux étaient lourds de sommeil. Le reflet d'une lampe me fit cligner des yeux. Dans la glace, je vis plus précisément l'homme qui la tenait : un géant menaçant en tenue de soldat. Son visage était sale et laid. Il ne respirait pas l'intelligence. On aurait presque dit un masque de comédie. Un garde du corps, pensai-je en reconnaissant instantanément le type d'individu, un assassin entraîné. Il me semblait cruellement injuste qu'un meurtrier ait déjà été envoyé pour m'assassiner. Je n'avais encore rien fait.

— Je te réveille ?

Sa voix était rauque, mais étonnamment courtoise.

— J'ai frappé et je jurerais t'avoir entendu me répondre. Alors je suis entré. Comme tu étais assis sur cette chaise, je pensais que tu ne dormais pas.

Il leva un sourcil. Je le dévisageai stupidement, me demandant encore si je dormais ou non.

— Que fais-tu ici ? demandai-je enfin.

Le visage hideux esquissa un sourire aimable.

— Marcus Crassus te réclame dans la bibliothèque, en bas. Si tu n'es pas trop occupé, bien sûr.

Il ne me fallut qu'un instant pour trouver mes sandales. Je commençai à chercher une tunique décente à la lumière de la lampe. Mais le garde me dit de venir comme j'étais. Pendant tout ce temps, Eco n'avait cessé de ronfler doucement. La journée l'ayant épuisé, son sommeil était exceptionnellement profond.

Un long corridor nous ramena dans l'atrium central. Nous descendîmes les marches pour traverser le jardinet intérieur. Les lumières de petites lampes posées sur le sol projetaient d'étranges ombres sur le corps de Lucius Licinius. Pour atteindre la bibliothèque située dans l'aile nord, nous remontâmes encore un petit couloir. En passant, le garde indiqua une porte sur notre droite et porta son index à ses lèvres.

— Gelina dort, expliqua-t-il.

Quelques marches plus loin, il ouvrit une porte sur notre gauche et me poussa à l'intérieur.

— Gordien de Rome, annonça-t-il.

Nous tournant le dos, un homme en manteau était assis à une table carrée. Un autre garde du corps se tenait debout à ses côtés. L'homme pivota légèrement sur son fauteuil sans dossier. Suffisamment en tous les cas pour me voir du coin de l'œil. Puis il retourna à ses occupations et, d'un geste, congédia ses deux gardes.

Au bout d'un long moment, il se leva et retira son manteau. Une chlamyde[1] grecque, comme en portent souvent les Romains. Il se tourna enfin pour me saluer. Il portait une tunique unie à la coupe simple mais à la texture résistante. Il était légèrement échevelé, comme après une longue chevauchée. Son sourire était las, mais pas hypocrite.

— Ainsi c'est toi Gordien, dit-il en s'appuyant sur la table recouverte de documents. J'imagine que tu sais qui je suis.

— Oui, Marcus Crassus.

Il était à peine plus vieux que moi, mais beaucoup plus grisonnant. Cela n'avait rien d'étonnant, étant donné les difficultés et les tragédies de sa jeunesse. Il avait même dû s'enfuir en Espagne après le suicide de son père et l'assassinat de son frère par les troupes hostiles à Sylla. Je l'avais souvent vu discourir au Forum ou s'occuper de ses affaires sur les marchés. Malgré sa grande richesse, il restait un homme ordinaire, après tout. « Crassus, Crassus, riche comme Crésus », disait la ritournelle, et l'imagination populaire, à Rome, le dépeignait comme un excentrique. Mais ceux qui étaient assez puissants pour évoluer dans son cercle d'intimes livraient une autre image, attestée par son apparente simplicité présente. C'était l'image d'un homme avide de richesse non par goût du luxe, mais par appétit de pouvoir ; un pouvoir qu'il pouvait conquérir grâce à son or.

— C'est incroyable que nous ne nous soyons jamais ren-

---

1. Grand manteau que les Grecs portaient à la guerre ou en voyage (à ne pas confondre avec la *chlanide*, manteau d'été), en forme de cape et agrafé sur l'épaule. *(N.d.T.)*

contrés, dit-il de sa voix limpide d'orateur. Je te connais.
Je me souviens de cette affaire des vestales, l'année dernière. À mon sens, tu as contribué à sauver la peau de
Catilina. Je sais aussi que Cicéron loue ton travail, même
s'il le fait de manière détournée. Je l'ai entendu de mes
propres oreilles. Je suis sûr de t'avoir vu sur le Forum. Je
reconnais ton visage. Généralement je ne fais pas appel aux
gens de l'extérieur. Je préfère utiliser les hommes que je
possède.

– Ou posséder les hommes que tu utilises ?

– Ah ! Ah ! Tu m'as exactement compris. Si je veux,
disons, construire une nouvelle villa, il est plus efficace
pour moi de chercher un esclave instruit ou de former un
esclave brillant qui m'appartient déjà, plutôt que d'aller
embaucher un architecte à la mode qui me demandera un
prix exorbitant. Je préfère acheter un architecte, plutôt que
les services d'un architecte. De cette manière, je peux réuti-
liser sans fin mon employé sans que cela me coûte un sesterce de plus.

– J'ai certaines aptitudes qu'un esclave ne pourrait avoir,
dis-je.

– Oui. Je pense que c'est le cas. Par exemple, jamais un
esclave ne pourrait dîner avec les invités de Gelina et les
questionner à loisir. As-tu appris quelque chose d'intéressant depuis ton arrivée ?

– À dire vrai, oui.

– Oui ? Alors parle. Après tout, je suis ton employeur.

– Je pensais que c'était Gelina qui avait fait appel à moi.

– Mais c'est mon navire qui t'a amené et c'est ma bourse
qui va te payer. Je suis donc bien ton employeur.

– D'accord, mais, si tu permets, je préfère conserver mes
découvertes par-devers moi encore quelque temps. Parfois,
les informations sont comme le jus d'une grappe que l'on
a pressée. Elles ont besoin de fermenter dans l'obscurité et
le calme.

– Je vois. Eh bien, je ne veux sûrement pas te presser. Et si tu me permets à moi aussi de parler franchement, je pense que je gaspille mon argent et que tu gaspilles ton temps. Mais Gelina a insisté, et comme c'est son mari qui a été assassiné, j'ai accepté de céder à son caprice.

– Tu ne veux pas savoir qui a tué Lucius Licinius ? Il était quand même ton cousin et le régisseur de ta propriété depuis plusieurs années.

Crassus haussa les épaules.

– Crois-tu réellement que la question de l'identité des meurtriers se pose ? Gelina t'a sans doute parlé des deux esclaves manquants et des lettres gravées aux pieds de Lucius ? Que cela arrive à l'un de mes proches dans une de mes villas est scandaleux. On ne peut laisser passer cela.

– Mais il y a peut-être des raisons de penser que les esclaves sont innocents du crime.

– Quelles raisons ? Ah oui, j'oubliais, ta tête est comme un tonneau dans lequel la vérité fermente.

Il sourit amèrement.

– Metrobius trouverait sans aucun doute quantité de calembours à faire sur ce thème, mais moi, je suis trop fatigué. Ces livres de comptes sont un autre scandale.

Il se retourna vers la table pour étudier les parchemins étalés. Apparemment je ne l'intéressais plus.

– J'ignore pourquoi Lucius est devenu si désordonné, si négligent. Et maintenant que Zénon a disparu, je suis incapable de comprendre ces documents...

– En as-tu fini avec moi, Marcus Crassus ?

Il était absorbé dans les bordereaux. Apparemment, il ne m'avait même pas entendu. Je jetai un coup d'œil sur la pièce. Un épais tapis à motifs géométriques noirs et rouges recouvrait le sol. À droite et à gauche, des étagères chargées de rouleaux occupaient les murs. Certains parchemins étaient simplement empilés en vrac, d'autres soigneusement rangés dans des casiers. Sur le mur opposé à la porte, deux fenêtres étroites donnaient sur la cour devant la maison.

Comme il faisait froid, de lourdes draperies rouges avaient été tirées.

Entre les fenêtres, au-dessus de la table sur laquelle travaillait Crassus, le mur était orné d'une grande peinture représentant Gelina. C'était un portrait d'une haute distinction, « animé par la vie », disent les Grecs. À l'arrière-plan se dressait le Vésuve avec un ciel bleu au-dessus et une mer verte en dessous. Au premier plan, Gelina rayonnait. Une profonde sérénité émanait d'elle. La portraitiste était naturellement fière de son œuvre, car dans l'angle droit elle avait signé IAIA CYZICENA. Sa lettre A avait une forme excentrique, la barre transversale s'inclinait nettement vers la droite.

De chaque côté de la table, de lourds piédestaux soutenaient de petites statues de bronze. Je ne pouvais voir celle de gauche, parce que Crassus avait négligemment posé sa chlamyde dessus. Celle de droite était un *Hercule*. Le demidieu était nu à l'exception d'une peau de lion dont la tête lui servait de capuche. Les pattes de la bête étaient nouées sous sa gorge. Le héros tenait une massue sur ses épaules. C'était un choix étrange pour une bibliothèque, mais le travail de l'artisan ne pouvait être critiqué. La fourrure du lion était finement ciselée. Sa texture contrastait avec la chair lisse et musclée du personnage. Lucius était aussi négligent avec ses œuvres d'art qu'avec ses livres de comptes, pensai-je, car on pouvait voir des traces de rouille sur la tête du lion.

— Marcus Crassus... insistai-je.

Il soupira sans lever la tête de ses documents.

— Oui, oui. Vas-y. Tu as compris, je pense, que je n'ai pas d'enthousiasme pour ton entreprise. Mais je t'aiderai quels que soient tes besoins. Va voir d'abord Fabius ou Mummius. Et si tu n'obtiens pas d'eux une réponse satisfaisante, viens me voir. Je ne te garantis pas que tu me trouveras à chaque fois. J'ai beaucoup de choses à faire avant de rentrer à Rome, et peu de temps. Tout ce qui m'intéresse, c'est qu'à la fin de cette affaire on ne puisse pas dire que tout n'a pas été mis en œuvre pour trouver la vérité et que justice n'a pas été faite.

Je sortis et refermai la porte derrière moi. Le garde proposa de me guider vers ma chambre. Je déclinai son offre en répondant que j'étais parfaitement réveillé. Je m'arrêtai un instant dans l'atrium pour regarder le corps de Lucius Licinius. On avait ajouté de l'encens, mais l'odeur de décomposition, comme celle des roses, semblait plus forte la nuit. J'étais à mi-chemin de ma chambre, quand soudain je fis volte-face et retournai vers la bibliothèque.

Le garde fut surpris et légèrement soupçonneux. Il insista pour pénétrer le premier dans la pièce et consulta Crassus avant de m'autoriser à rentrer. Il ressortit dans le corridor et referma la porte, nous laissant de nouveau seuls.

Crassus était toujours plongé dans ses parchemins. Mais il s'était assis et ne portait plus que son gilet. Il avait jeté sa tunique de cheval sur l'*Hercule*. Dans l'intervalle de mon absence, un esclave avait déposé un plateau garni d'une coupe fumante. L'odeur de l'infusion de menthe envahissait la pièce.

— Oui ? fit-il impatiemment en levant un sourcil. As-tu oublié quelque chose ?

— Une petite chose, Marcus Crassus. Je suis peut-être totalement dans le faux, dis-je en soulevant la tunique posée sur l'*Hercule*.

Le vêtement était encore chaud du corps de Crassus. Ce dernier me jeta un regard sombre. Manifestement, il n'avait pas l'habitude que des étrangers touchent à ses affaires personnelles.

— Très intéressante, cette statue, remarquai-je, en l'observant du dessus.

— Sans doute. C'est la copie d'un original qui se trouve dans ma villa de Falerii. Lucius l'avait admirée lors d'une de ses visites. J'ai fait réaliser cette copie pour la lui offrir.

— Quelle ironie, alors !

– Quoi ?

– Qu'elle ait servi à l'assassiner.

– Que veux-tu dire ?

– Nous sommes tous deux suffisamment habitués à la vue du sang pour le reconnaître quand nous en voyons. N'est-ce pas, Marcus Crassus ? Alors que penses-tu de cette rouille emprisonnée dans les interstices de la fourrure ?

Il se leva et s'approcha de la statue. Après l'avoir observée négligemment, il la prit à deux mains et l'amena sous une lampe. Enfin il la reposa sur la table et me regarda.

– Tu as d'excellents yeux, Gordien. Mais il me semble improbable qu'on ait voulu transporter une telle masse jusque dans l'atrium, simplement pour tuer mon cousin, avant de la replacer ici.

– Ce n'est pas la statue qui a été déplacée, mais le corps.

Crassus eut l'air interloqué.

– Considère la posture du corps lorsqu'il fut découvert. C'est exactement celle d'un homme que l'on a traîné. D'ici à l'atrium, la distance n'est pas grande. Un homme fort n'aurait sans doute aucune peine à traîner un corps jusque là-bas.

– Et deux hommes forts, encore moins, dit-il.

Je savais naturellement à qui il faisait allusion.

– Mais où est le reste du sang ? Il devrait y en avoir davantage sur la statue. Et un corps traîné laisse une trace.

– Pas si un morceau de tissu a été placé sous la tête et qu'il a été utilisé pour nettoyer le sang répandu.

– Quelle sorte de morceau de tissu ?

J'hésitai.

– Pardonne-moi, Marcus Crassus, de te demander de ne révéler ce secret à personne. Gelina, Mummius et deux esclaves seulement sont au courant. Oui, un morceau de tissu a été trouvé le long de la route, maculé de sang. Quelqu'un avait essayé de le jeter à l'eau.

Il me regarda avec une lueur dans les yeux.

– Ce tissu ensanglanté fait-il partie des découvertes que

tu as mentionnées tout à l'heure ? Serait-ce un de ces secrets que tu préférais me dissimuler tandis que l'enquête fermentait dans ta tête ?

– Oui.

Je m'accroupis et cherchai des traces sur le sol. Une cape n'aurait pas permis de nettoyer du sang sur un tapis, mais dans la faible lumière il était impossible de voir la moindre trace.

– Pourquoi les assassins auraient-ils déplacé le corps ?

Il reprit la statue avec la main gauche et, de son index droit, gratta un peu le sang incrusté. Puis il reposa l'objet sur la table avec une grimace.

– Tu as dit *les* assassins, Marcus Crassus, pas *l'*assassin.

– Les esclaves... tu le sais bien.

– Le corps a peut-être été déplacé et le nom de Spartacus gravé précisément pour impliquer les esclaves et nous détourner de la vérité.

– À moins que les esclaves n'aient déplacé le corps vers la partie la plus fréquentée de la maison précisément pour impressionner. Ainsi ils étaient sûrs que tous verraient et le cadavre et le nom gravé.

Je ne savais que répondre. Mais un doute en entraîna un autre.

– Il semble improbable que le meurtre ait pu se produire dans cette pièce sans que personne n'entende quoi que ce soit. Surtout s'il succédait à une dispute ou si Lucius avait fait du bruit. Gelina dort juste de l'autre côté du corridor. Le bruit l'aurait sûrement réveillée...

Crassus esquissa un sourire sardonique.

– Ne tiens pas compte de Gelina dans tes calculs.

– Pourquoi ?

– Elle a un sommeil de plomb. As-tu remarqué la quantité de vin qu'elle boit ? Ce n'est pas un penchant récent. Des jeunes filles avec des cymbales pourraient danser dans le corridor, Gelina ne tressaillirait pas.

– Alors, une question se pose : pourquoi Lucius a-t-il été tué dans sa bibliothèque ?

– Non, Gordien, la seule question reste la même qu'avant : où sont les esclaves fugitifs ? Zénon était le secrétaire de Lucius. Qu'il ait tué son maître dans la pièce où ils travaillaient souvent ensemble n'a rien d'étonnant. Et le jeune garçon d'écurie pouvait parfaitement se trouver ici avec eux. Je sais qu'il savait lire et compter un peu. Il aidait parfois Zénon. Alexandros est peut-être le meurtrier. Un garçon d'écurie est assez fort pour traîner un corps jusqu'à l'atrium. Et un Thrace aurait eu l'impudence de graver le nom de son compatriote sur le sol. Quelqu'un l'a dérangé dans son travail et il s'est enfui avant d'avoir terminé.

– Mais personne ne les a dérangés.

– Ah bon ? Pourquoi ?

– Parce que le corps n'a été découvert que le lendemain matin. Tu le sais bien.

Crassus haussa les épaules.

– Une chouette hululait ou un chat jouait avec un caillou. Qui sait ? Ou cet esclave thrace n'avait peut-être tout simplement pas appris la lettre *c* et se retrouva coincé, ajouta-t-il malicieusement, en se frottant les yeux de l'index et du pouce droits. Pardonne-moi, Gordien, mais je pense que c'est assez pour ce soir. Même Marcus Mummius est allé se coucher. Il est temps pour nous d'en faire autant.

Il prit l'*Hercule* sur la table et alla le reposer sur son piédestal.

– J'imagine que c'est là un autre de tes secrets qui a besoin de fermenter. Je ne manquerai pas de le mentionner à Morphée dans mes rêves.

La lampe qui illuminait le corridor avait faibli. Je passai devant la porte de Gelina, marchant sur la pointe des pieds, même si Crassus prétendait que rien ne pourrait la réveiller. Dans l'obscurité, j'éprouvai de l'angoisse : c'était l'itinéraire même qu'avait suivi le corps de Lucius. Je jetai un coup d'œil par-dessus mon épaule, espérant presque avoir accepté l'offre du garde de me reconduire. Mais j'étais seul.

Dans l'atrium simplement éclairé par la lune, je m'arrêtai de nouveau un long moment. L'endroit était paisible, mais pas totalement silencieux. La fontaine continuait de couler. Le bruit se répercutait dans l'atrium. Il suffisait certainement à couvrir le déplacement d'un homme à la dérobée. Mais pouvait-il dissimuler le crissement aigu d'un couteau gravant des lettres sur le dallage ?

Du coin de l'œil, j'entr'aperçus une forme étrange, comme un voile blanc flottant près de la bière funéraire. Je tournai la tête, le cœur battant, mais réalisai qu'il ne s'agissait que de volutes de fumée d'encens, un instant éclairées par un rayon de lune. Je frissonnai.

Je montai l'escalier menant à l'étage supérieur. À un moment, je dus prendre le mauvais couloir : je ne savais plus où je me trouvais. A intervalles, de petites lampes éclairaient le passage. Les fenêtres laissaient entrer des rayons de lune. Mais j'étais bel et bien incapable de me repérer. J'essayai de déterminer la direction de la baie en tendant l'oreille. Seulement je ne captais que le faible gargouillis de l'eau chaude qui coulait dans les canalisations d'Orata. Derrière une porte close, j'eus la vague impression d'entendre rire. J'aurais juré qu'il s'agissait de la voix profonde de Mummius. Et une voix plus douce lui répondait. Je poursuivis jusqu'à une porte ouverte, par laquelle s'échappait un ronflement rauque et régulier. Je fis un pas à l'intérieur, tentant de percer la pénombre. Je distinguai une masse corpulente, celle d'Orata, allongé sur un large divan surmonté d'un dais presque transparent. Je revins sur mes pas et continuai d'errer. Je finis par me retrouver dans la pièce semi-circulaire où Gelina nous avait accueillis l'après-midi même.

Gordien dit le Limier, pensai-je, honteux, en remerciant les dieux que personne ne soit là pour se moquer de moi. Je me trouvais donc à l'extrémité nord de la maison, exactement à l'opposé de l'endroit où je voulais aller. Je m'étais trompé de direction en haut de l'escalier de l'atrium. J'allais repartir, quand j'eus envie de sortir sur la terrasse pour prendre l'air et m'éclaircir les idées.

Au-dessous du croissant de lune, la baie, immense étendue d'argent parsemée de petites vagues noires, était cernée de montagnes aussi sombres. Ici ou là, un point lumineux indiquait une lampe dans une maison lointaine. Le ciel était rempli d'étoiles. Fasciné par ce spectacle, je manquai presque d'apercevoir l'infime reflet d'une lampe près du rivage, en bas, là où la terre se jetait dans l'eau.

Gelina avait mentionné un abri pour bateau. Une masse rocheuse et les sommets des grands arbres me gênaient la vue. Mais juste en dessous, je pouvais voir un morceau de toit et ce qui devait être une jetée. À cette distance, elle paraissait très petite. Par moments, l'éclat minuscule d'une flamme allait et venait. J'écoutai plus attentivement. J'eus rapidement la ferme impression que chaque apparition de la lueur coïncidait avec un léger « plouf », comme si quelque chose était jeté dans l'eau.

Du regard, je fouillai les alentours enténébrés à la recherche d'un escalier. J'aperçus un large sentier qui partait du bout de la terrasse sur laquelle je me trouvais. Je m'y dirigeai avec précaution.

Au début, le chemin était une rampe pavée, puis il se rétrécissait pour se transformer en escalier raide. Celui-ci rejoignait un autre escalier qui descendait d'un autre point de la demeure. Les marches se rétrécissaient encore pour devenir un étroit sentier pavé qui serpentait le long de la pente sous une voûte d'arbres et de grands buissons. Rapidement, la villa disparut derrière moi. Pendant un moment, je ne fus pas en mesure de voir l'abri à bateaux en bas.

Enfin, après un coude, je vis le toit juste en dessous de moi. Au-delà, l'extrémité de l'embarcadère s'avançait dans l'eau. Une lampe étincela sur la jetée. Il y eut un nouveau « plouf », et la lumière disparut aussitôt. Au même instant, je sentis mes pieds glisser sous moi. Je dérapai sur le sentier, projetant une pluie de gravillons sur le toit de la cabane.

Dans le silence qui suivit, je restai totalement immobile, retenant ma respiration et écoutant. Je regrettai de ne pas avoir pris mon poignard. La lumière ne reparut point, mais j'entendis soudain un nouveau bruit de chute dans l'eau. Puis le silence. Un bruit anima les broussailles comme le bond d'un cerf effrayé. Je me remis sur pied et continuai mon chemin. Entre la fin du sentier et l'abri à bateaux s'étendait une zone plongée dans les ténèbres, plantée d'arbres et de vignes. Je m'avançai lentement, écoutant le bruit de mes propres pas sur l'herbe et le doux clapotement de l'eau contre la jetée.

Au-delà du cercle des ténèbres, la cabane et l'embarcadère étaient illuminés par le clair de lune. La passerelle avait une longueur d'environ cinquante pieds[1]. Elle n'avait pas de rambarde, mais de chaque côté se dressaient des poteaux d'amarrage. La jetée était déserte. Aucun bateau n'y était amarré. Quant à l'abri, c'était un bâtiment simple et carré dont l'unique porte donnait sur l'embarcadère. Elle était ouverte.

Je fis quelques pas sous la lune en direction de la porte. Je regardai à l'intérieur en écoutant attentivement. Pas un bruit. Une haute fenêtre laissait filtrer une lumière suffisante pour me montrer les rouleaux de cordages sur le sol, les quelques rames empilées à côté de la porte, et un matériel hétéroclite suspendu au mur opposé à celui de la fenêtre. Les angles de la salle étaient plongés dans des ténèbres impénétrables. Au cœur de l'imposant silence, je pouvais entendre ma propre respiration, mais rien d'autre. Je m'éloignai lentement de l'abri et m'avançai vers l'embarcadère.

Mes pas me portèrent jusqu'au bout de la passerelle. Là, le disque de la lune semblait flotter sur l'eau. De chaque

---

1. Environ quinze mètres. *(N.d.T.)*

côté, la côte incurvée était parsemée de petits points brillants, les lumières des villas distantes. De l'autre côté de l'eau immobile, les lampes de Pouzzoles étaient comme des étoiles terrestres. Au bout du môle, je regardai dans l'eau noire. Mais il n'y avait rien à voir, si ce n'est le reflet de mon visage grimaçant. Je m'apprêtai à repartir et me retournai.

Le coup sembla venir de nulle part. Il me frappa en plein front. Je chancelai en arrière. Je ne ressentis pas de douleur, mais un vertige me submergea. Le maillet invisible jaillit à nouveau de l'obscurité. Cette fois, je le vis. C'était une rame courte mais épaisse. J'évitai le second coup. Des éclairs de couleurs dansaient devant mes yeux. Et derrière la rame j'entr'aperçus le personnage sombre et encapuchonné qui l'agitait.

Alors je tombai à l'eau. Mes employeurs me demandent parfois si je sais nager. Généralement je leur réponds par l'affirmative ; mais c'est un mensonge. Je hurlai et touchai l'eau avec un grand « floc ». Je ne sais comment je parvins à maintenir ma tête hors de l'eau et à rejoindre la jetée, même si l'inconnu m'attendait, rame levée.

Je tendis le bras vers l'un des poteaux d'amarrage. Mes doigts glissèrent sur la mousse. La rame fouetta l'air pour venir frapper ma main. Je parvins miraculeusement à l'attraper. Je tirai dessus, davantage pour m'extraire de l'eau que pour y attirer l'autre. C'est pourtant ce qui arriva. Mon agresseur perdit l'équilibre. Un instant plus tard, dans une grande éclaboussure, il me rejoignait dans l'eau noire.

Il s'approcha de moi et me donna un grand coup de coude à la poitrine. Puis il parvint à atteindre la jetée. Je m'accrochai à son manteau, essayant frénétiquement de prendre appui sur lui pour me hisser sur l'embarcadère. Nous luttions. Nous nous battions comme des vauriens. Le sel me piquait les yeux. J'avalais de l'eau salée. La gorge me brûlait. Je le frappais aveuglément de mes poings.

134

Je pense qu'il comprit que, si nous nous battions, ce serait notre mort à tous les deux. Alors il rompit le combat et s'éloigna de la jetée. Il nagea vers le rivage couvert de broussaille au-delà de l'abri. Je m'agrippai à un poteau d'amarrage et le regardai s'éloigner comme un monstre marin pesant, alourdi par son vêtement trempé. Sa tête encapuchonnée apparaissait et disparaissait, apparaissait et disparaissait encore. Quand il fut suffisamment loin, je me hissai sur la jetée. Là je m'allongeai un instant pour reprendre ma respiration. Il disparut dans les ténèbres derrière la cabane. Je l'entendis sortir de l'eau, glisser et patauger. Puis il traversa les broussailles.

De nouveau, tout fut silencieux. Je me relevai et me tâtai le front. La douleur, cuisante, m'arracha un gémissement. Mais je ne sentis pas de sang. Je fis un pas en vacillant. Si mes jambes tremblaient, ma tête était claire.

Jamais je n'aurais dû descendre seul et sans armes. J'aurais dû emmener Eco avec moi, et prendre une lampe et un bon coutelas aiguisé. Il était trop tard pour regretter. En me penchant, je récupérai la rame dans l'eau. Au besoin, elle me servirait d'arme. Puis je me hâtai vers le sentier. Le chemin du retour était dur et raide. Mais je courus jusqu'en haut, inspectant des yeux la moindre zone obscure et balançant la rame en direction de l'assassin invisible qui aurait pu s'y tapir. Enfin le sentier redevint marches, les marches redevinrent rampe, et je fus de retour sur la terrasse. Là seulement je me sentis en sécurité. Je m'arrêtai un long moment pour reprendre ma respiration. Je sentis le froid commencer à traverser ma tunique mouillée. Je traversai rapidement la maison enténébrée, tremblant et toujours armé de la rame. Et je finis par retrouver la porte de ma chambre.

J'y pénétrai et refermai derrière moi. Eco ronflait paisiblement. Je tendis la main pour toucher les cheveux qui barraient son front. Je ressentis soudain à son endroit un grand élan de tendresse et un besoin impérieux de le protéger. Mais de qui ? de quoi ? Par-dessus tout, j'avais froid et j'étais trempé. Ma fatigue était telle que je ne pouvais quasiment pas faire un pas de plus ni même penser. J'enlevai ma tunique mouillée et m'essuyai tant bien que mal avec une couverture. Puis je tirai le dessus-de-lit et me laissai tomber sur le dos, pressé de dormir.

Quelque chose de dur et d'acéré se planta dans mon dos. Je bondis sur mes pieds. Les surprises de la nuit n'étaient pas terminées. En regardant le sommier, je ne pus voir qu'une forme sombre. Je sortis nu de la chambre pour aller chercher une lampe dans le couloir. À la lueur blafarde, j'étudiai la chose qu'un inconnu avait déposée dans mon lit. C'était une figurine, grande comme la main, taillée dans une pierre noire poreuse : une créature grotesque, au visage hideux. En guise d'yeux, de petits tessons de verre rouge étincelaient dans la lumière. C'était son nez pointu, en forme de bec, qui m'avait blessé le dos.

– As-tu déjà vu quelque chose de plus hideux ? murmurai-je.

Eco fit un bruit de gorge et se tourna vers le mur. Il avait l'air profondément endormi. Comme Gelina, même une farandole de danseuses avec cymbales n'aurait pu le réveiller. Ne sachant qu'en faire et trop fatigué pour y songer sérieusement, je posai le monstre sur le rebord de la fenêtre.

Je mis la lampe sur une table et la laissai brûler, non parce que sa lumière me rassurait, mais parce que j'étais trop fatigué pour l'éteindre. Une fois dans mon lit, je m'endormis quasi instantanément. Juste avant que Morphée ne m'emporte, je compris soudain avec un frisson pourquoi l'objet avait été mis dans mon lit. Amical ou non, cadeau, avertissement ou mauvais sort, c'était un acte de sorcellerie. Nous étions venus là où la terre exhale des vapeurs sulfureuses, où les habitants d'autrefois pratiquaient la magie

chthonienne et où les colons grecs avaient amené de nouveaux dieux et oracles. Cette prise de conscience perturba
mes rêves et assombrit mon sommeil, mais rien, pas même
des danseuses dans le couloir, n'aurait pu me tenir éveillé
un instant de plus.

Une douleur aiguë dans la tête me fit grimacer. On aurait dit que quelqu'un me frappait avec une ortie. J'ouvris les yeux et vis Eco au-dessus de moi. Il me regardait, intrigué, les lèvres pincées. De nouveau, il avança la main pour toucher l'endroit, juste à la naissance de mon cuir chevelu. Je grommelai et repoussai sa main. Sa grimace exprimait une totale sympathie. Il recula en secouant la tête.

– C'est aussi moche que ça ? dis-je, en me mettant debout.

Je me dirigeai vers le miroir. Même dans la clarté grisâtre de l'aube, je voyais clairement : une belle bosse rouge. Eco prit ma tunique encore mouillée d'une main et la rame de l'autre. Son regard désapprobateur réclamait une explication.

Je la lui donnai en commençant par l'entretien avec Crassus. Les taches de sang sur l'*Hercule*, qui prouvaient que Lucius Licinius avait été tué dans la bibliothèque, le peu d'intérêt que témoignait notre employeur. Je mentionnai ensuite la lampe qui se déplaçait près du hangar, le bruit régulier d'objets tombant dans l'eau, la descente raide, l'embarcadère désert et le coup de rame que je reçus sur la tête et enfin le combat dans l'eau.

Eco secoua la tête. Il était en colère contre moi et frappait du pied par terre.

– Oui, Eco. J'ai été stupide et j'ai eu de la chance. J'aurais dû venir te tirer du lit pour m'accompagner au lieu de me précipiter là-bas. Ou, mieux encore, j'aurais dû emmener Belbo pour me servir de garde du corps et te laisser à Rome avec Bethesda.

Cette suggestion le fâcha encore davantage.

– Qui était mon agresseur ? Je n'en ai pas la moindre idée. Et comme je déteste l'eau !

Le goût de l'eau salée me revint dans la bouche, avec le souvenir de la lutte. Mes mains se mirent à trembler et ma respiration se fit plus difficile. La colère d'Eco s'évanouit. Il passa son bras autour de moi et me serra. Je repris ma respiration normale et tapotai gentiment sa main.

– Mais ce n'est pas tout. Comme si l'aventure de l'embarcadère n'était pas suffisante, je suis remonté pour trouver ça dans mon lit.

Je ramassai la figurine. La pierre noire poreuse semblait moite au toucher. Je m'étais réveillé pendant la nuit, et la créature m'observait depuis le rebord de la fenêtre, son visage hideux étrangement éclairé par la lumière de la lampe. Ses yeux rouges brillaient. À un moment, je crus réellement le voir bouger et entamer une sorte de danse. Ce n'était qu'un rêve... naturellement.

– Cela te rappelle quelque chose ?

Eco haussa les épaules.

– J'ai déjà vu quelque chose de semblable : un dieu égyptien domestique, précisément un dieu du Plaisir. Ils l'appellent Dès [1]. C'est un personnage très laid qui apporte la félicité mais aussi la frivolité dans la maison. Il est si hideux que si tu ignores qu'il est amical, il peut fort bien

---

1. Personnage souvent représenté sous la forme d'un gnome masqué, parfois ceint d'une couronne de plumes et portant une crinière de lion. On disait que cet étrange dieu de la Famille était lié aux arts domestiques comme la danse et la musique, et protecteur des femmes enceintes. *(N.d.T.)*

t'effrayer. Il a une immense bouche ouverte, des yeux qui fixent, un nez pointu. Mais cette créature, ici, n'est pas Bès. Elle est hermaphrodite. Regarde les petits seins ronds et le petit pénis. Par ailleurs, la facture n'est pas égyptienne. Je dirais même que la pierre vient de la région. On trouve cette matière noire, douce, poreuse, sur les pentes du Vésuve. Elle est trop friable pour être facile à travailler. Alors je ne peux dire si le travail est grossier ou habile. Qui peut avoir fait une telle chose ? Et pourquoi l'avoir mise dans mon lit ?

« Je sais que la pratique de la sorcellerie est très populaire dans cette région. En tout cas, beaucoup plus qu'à Rome. Les familles qui ont toujours vécu ici ont conservé pas mal de pratiques magiques indigènes. Leur race est antérieure à celle des Romains. Puis les Grecs se sont installés et ont apporté leurs oracles. Quoi qu'il en soit, j'ai envie de faire deux constats. D'abord cette chose me semble assez orientale dans sa forme, et ensuite je dirais qu'il est plus probable qu'une femme l'ait sculptée. Qu'en penses-tu, Eco ? Un des esclaves essaye-t-il de me jeter un sort ? Ou se pourrait-il que...

Eco tapa dans ses mains et fit un geste vers la porte, derrière moi. Le petit esclave Meto attendait là. Il portait un plateau de pain et de fruits. Ses yeux scrutaient nerveusement la pièce. Je cachai la figurine derrière mon dos en me retournant. Je souris au garçon. Il me sourit de même. Puis, brusquement, je fis apparaître la créature et la déposai sur le plateau qu'il tenait dans ses mains.

Il sursauta.

– Tu as déjà vu cette chose ? demandai-je, accusateur.

– Non ! murmura-t-il.

À sa manière de l'éviter du regard, je devinai qu'il disait vrai.

– Mais tu sais ce que c'est et d'où elle vient, n'est-ce pas ?

Il resta silencieux et se mordit les lèvres. Le plateau

tremblait. Une pomme vacilla et alla rouler au milieu d'un bouquet de figues. Je pris le plateau et allai le déposer sur le lit. Récupérant la statuette, je la lui mis sous le nez. Il la regarda en louchant, avant de fermer les yeux.

– Alors ? insistai-je.

S'il te plaît... si je te dis... peut-être que cela ne marchera pas...

– Quoi ? Parle clairement.

– Si je t'explique, l'épreuve n'aboutira peut-être à rien.

– Tu entends ça, Eco ? Quelqu'un cherche à me mettre à l'épreuve. Mais qui ? Et pourquoi ?

Meto recula sous l'effet de mon regard furieux.

– S'il te plaît, je ne comprends vraiment pas tout moi-même. C'est juste quelque chose que j'ai surpris.

– Surpris ? Quand ?

La nuit dernière.

– Ici, dans la maison ?

– Oui.

– Je suppose que tu surprends beaucoup de choses, à aller et venir comme tu le fais.

– Parfois, mais jamais volontairement.

– Et qui as-tu surpris cette nuit ?

– S'il te plaît !

Je le fixai un bon moment. Puis je reculai et abandonnai l'expression sévère de mon visage.

– Tu comprends pourquoi je suis ici, n'est-ce pas, Meto ?

Il hocha la tête.

– Je pense.

– Je suis ici parce que toi et bien d'autres courez un très grave danger.

Il me regarda avec un air de doute.

– Si j'étais certain de cela... murmura-t-il de sa petite voix.

– Sois-en sûr, Meto. Je pense que tu connais l'importance de ce danger.

141

Ce n'était qu'un enfant, beaucoup trop jeune pour saisir les sinistres projets de Crassus à son endroit. Avait-il déjà vu un homme mis à mort ? Était-il assez grand pour comprendre ?

– Crois-moi, Meto. Dis-moi d'où vient cette statue.

Il me regarda un long moment, puis regarda la forme grotesque que retenaient mes mains.

– Je ne peux pas te le dire, chuchota-t-il finalement.

Eco s'avança vers lui avec un mouvement d'exaspération. Je l'arrêtai du bras.

– Mais je *peux* te dire...

– Oui, Meto ?

– Que tu ne dois montrer cette figurine à personne. Et tu dois n'en parler à personne. Et...

– Oui ?

Il se mordit la lèvre inférieure.

– Quand tu quitteras cette pièce, ne la prends pas avec toi. Laisse-la ici. Mais pas sur la table ou la fenêtre...

– Où, alors ? Où je l'ai trouvée ?

Il me regarda, soulagé, comme si son honneur était moins compromis parce que j'avais trouvé seul.

– Oui, seulement...

– Meto, parle plus fort !

– Seulement, retourne-la par rapport à la position dans laquelle tu l'as trouvée.

– Tu veux dire : face contre le lit ?

– Oui, et...

– Avec ses pieds vers le mur ?

Il acquiesça de la tête, puis regarda rapidement la statue. Il mit sa main sur sa bouche et recula.

– Vois comme elle me fixe ! Oh ! qu'ai-je fait ?

– Tu as fait ce qu'il fallait, le rassurai-je, en éloignant la statuette de sa vue. Tiens, j'ai une mission pour toi : rapporte cette rame à l'abri à bateaux. Maintenant, va-t'en. Ne dis à personne que nous avons parlé ensemble. À personne !

Et arrête de trembler, sinon les gens vont le remarquer. Tu as fait ce qu'il fallait, répétai-je.

Je refermai la porte derrière lui en ajoutant :

– Du moins, j'espère.

Après un petit déjeuner rapidement avalé, je partis avec Eco vers la bibliothèque. Les esclaves allaient et venaient, balayaient, portaient des plateaux tout droit sortis des cuisines. De bonnes odeurs se répandaient. Quelques lampes brûlaient encore dans le corridor, et les ombres s'attardaient dans les coins les plus reculés. Mais une douce lumière bleue se glissait partout dans la maison. Nous passâmes devant une grande fenêtre donnant à l'est. Derrière le Vésuve, le soleil n'était pas encore apparu. Mais il projetait déjà un halo d'or pâle sur les flancs de la montagne. C'était la première heure du jour. À Rome, la plupart des citoyens vaquaient déjà à leurs occupations. Mais ici, le rythme de vie était beaucoup plus nonchalant.

La bibliothèque était vide. J'ouvris les volets pour laisser pénétrer le plus de lumière possible. Eco s'avança vers la droite de la table. Il étudia les traces de sang séché sur l'*Hercule* pour confirmer ce que j'avais dit. La fraîcheur matinale le fit frissonner. Il souleva la chlamyde que Crassus avait laissée sur l'autre statue – un *Centaure* – et l'enroula autour de ses épaules.

– Si j'étais toi, Eco, je n'emprunterais pas ce vêtement. Je ne suis pas certain qu'un homme comme Crassus aime que des gens de notre condition touchent à ses affaires.

Eco se contenta de hausser les épaules et parcourut lentement la pièce. Il observa la multitude de parchemins. La plupart étaient soigneusement glissés dans de longs fourreaux de toile ou de cuir et identifiés par de petits onglets. Nous constatâmes que les travaux plus littéraires, destinés au plaisir ou à l'instruction, traités philosophiques, récits grecs pittoresques, pièces de théâtre, chroniques historiques, avaient des onglets verts ou rouges. Ils étaient rangés un peu au hasard, entassés sur de hauts et étroits

143

rayonnages. En revanche, les documents relatifs aux affaires et aux transactions étaient soigneusement rangés dans des casiers. Les onglets étaient de couleur jaune ou bleue. Il y avait des centaines de parchemins, couvrant deux murs du sol au plafond.

Eco siffla doucement.

– Oui, c'est assez impressionnant, remarquai-je. Je ne pense pas avoir déjà vu autant de rouleaux dans le même endroit, pas même chez Cicéron. Maintenant, j'aimerais que tu regardes attentivement le sol. Si jamais un tapis fut destiné à dissimuler du sang, c'est bien celui-là, avec tous ses motifs sombres, rouge et noir. Mais si l'assassin s'est seulement servi d'un vêtement pour nettoyer, il reste forcément des traces dessus.

Eco se joignit à moi pour scruter les motifs géométriques. Au fur et à mesure, la lumière du matin croissait. Mais plus nous l'étudiions, plus le tapis sombre nous déroutait. À nous deux, nous en examinions chaque pouce. Eco finit même par se mettre à quatre pattes, comme un chien. Sans résultat. Si jamais du sang était tombé dessus, les dieux l'avaient changé en poussière et balayé.

Sur les bords du tapis, le carrelage ne révéla rien. Je soulevai un coin du tapis et le repliai. Peut-être avait-il été déplacé pour recouvrir une tache de sang. Mais non. Il n'y avait rien.

– Après tout, Lucius n'a peut-être pas été tué dans cette pièce, soupirai-je. Il faut bien qu'il ait saigné quelque part. Et le sang ne peut s'être répandu que par terre. Sauf...

Je me précipitai vers la table.

– Sauf s'il se trouvait ici. Oui, c'est cela. Il devait forcément se tenir ici, devant sa table. Le coup l'a atteint par-devant. Donc il devait faire face à son assaillant. Et le coup est à droite, pas à gauche. Donc il faisait face au nord. Son flanc gauche était tourné vers la table et son flanc droit était exposé. Pour frapper la tempe droite, l'agresseur a dû employer sa main gauche. Retiens bien cela, Eco, cela peut être important. Pour soulever un tel poids et s'en servir comme d'une massue, on se sert forcément de sa main la plus forte. Donc, j'en déduis que l'assassin était gaucher. Lucius aurait été frappé légèrement de biais et se serait affalé sur la table...

Eco se laissa tomber sur la table au milieu des documents épars abandonnés la nuit précédente par Crassus. Il atterrit face contre la table, un bras sous lui et l'autre tendu.

– Oui, c'est cela. Et le sang a dû se répandre sur la table et sur le mur. Dans un cas comme dans l'autre, il pouvait être aisément nettoyé. Je ne vois plus de sang. Sauf s'il a giclé plus haut.

Je montai sur la table. Eco se déplaça pour me rejoindre. Et nous nous mîmes à détailler le portrait de Gelina.

– La peinture est recouverte d'encaustique. Et le cadre, encastré dans le mur, est en bois noir avec des incrustations de nacre. Très facile à nettoyer. Si du sang avait aspergé la peinture, le meurtrier n'aurait sans doute pas osé frotter la cire trop vigoureusement de peur de l'endommager. Si tant est qu'il ait vu le sang au milieu de toutes ces couleurs. À cette distance, on pourrait croire que la signature rouge de Iaia est faite avec du sang, mais c'est plus vraisemblablement du cinabre. Les plis de la stola de Gelina sont constitués de centaines de petites taches rouges et noires. Sans aucun doute ce tapis a-t-il été choisi pour être assorti à la robe du tableau. Rouge ici, noir là, et... Eco, tu vois ça ?

Le garçon acquiesça anxieusement. Sur un fond vert, là où aucun peintre n'aurait eu l'idée d'en projeter, de petites gouttes rouge sombre étaient disséminées : la couleur exacte du sang séché. Eco se rapprocha encore et montra d'autres taches : il y en avait à l'arrière-plan, sur la stola, partout au bas de la peinture, et même sur la première lettre de la signature. Plus nous regardions attentivement, plus nous en trouvions. Dans la lumière croissante du jour, les gouttelettes séchées se multipliaient sous nos yeux, comme si le tableau pleurait du sang. Eco fit une grimace. Je fis de même. Quel coup terrible avait dû être porté pour projeter autant de sang. Je m'éloignai du tableau, écœuré.

– Quelle ironie du sort ! murmurai-je. Lucius a sali de son propre sang la peinture de la femme qu'il a épousée par amour et c'est ici qu'il a fini sa vie, prostré devant son image. Aurait-on affaire à un amoureux jaloux, Eco ? Lucius aurait-il été intentionnellement tué devant la peinture ? Quel tableau ! Le mari affalé sans vie au pied de l'image sereine de sa femme. Oui, mais si quelqu'un a eu cette intention, pourquoi avoir ensuite déplacé le corps et pourquoi avoir invoqué le spectre de Spartacus ?

Je redescendis de la table, immédiatement suivi par Eco.

– Il y a forcément eu du sang sur la table. Mais il a été aisément nettoyé. Cela signifie aussi qu'il n'y avait pas de documents sur la table à ce moment-là... Ou alors... Ou alors ils ont été maculés de sang eux aussi. On peut nettoyer le sang sur du bois laqué, mais pas sur un parchemin ou un papyrus. Je me demande si... Aide-moi à éloigner la table du mur.

Ce fut plus facile à dire qu'à faire. La table était lourde, trop lourde sans doute pour qu'un homme seul la soulève. Même en la poussant chacun à un bout, ce fut difficile. Mais nous fûmes récompensés : du sang ! Il y en avait sur le mur et à l'arrière de la table. Partout où le vêtement n'avait pu l'atteindre, il en restait des traces brunâtres. Le sang de Lucius s'était répandu sur la table et avait coulé dans l'espace étroit entre le meuble et le mur.

Eco fronça le nez.

– Encore des preuves que Lucius a bien été assassiné ici, si nous en avions besoin, dis-je. Mais en quoi cela nous avance-t-il ? Bien sûr, il semble absurde que les esclaves disparus aient nettoyé le sang, surtout s'ils étaient fiers de leur crime. Seulement il faudra des preuves plus solides pour que Crassus modifie ses projets. Viens, Eco ; aide-moi à remettre la table en place. J'entends des pas.

À l'instant même où je redressai la chaise et où Eco

146

finissait d'aplatir le tapis, une tête inquisitrice apparut au coin de la porte.

— Meto ! tu tombes à pic. Entre et ferme la porte derrière toi.

Il obtempéra, non sans hésitation.

— Es-tu sûr que nous pouvons entrer ici ? murmura-t-il.

— Meto, ta maîtresse l'a dit clairement : je dois pouvoir aller partout, dans les moindres recoins de la propriété.

— Oui, c'est vrai. Mais personne n'a jamais eu le droit d'entrer dans cette pièce sans l'autorisation du maître.

— Personne ? Pas même les femmes de ménage ?

— Seulement quand le maître l'autorisait. Et encore, il voulait toujours que lui ou Zénon soit dans la pièce.

— Mais il n'y a rien à chaparder ici : ni pièces de monnaie, ni bijoux, même pas de petits objets.

Je sais. Mais quand même. Un jour, je suis entré simplement parce que je voulais regarder le cheval.

— Le cheval ? Ah oui, le *Centaure*.

— Oui, et le maître s'est précipité sur moi. Il est entré instantanément dans une grande colère. Normalement, le maître n'était pas un homme colérique. Mais là, son visage est devenu tout rouge. Il me criait dessus. J'ai cru mourir tellement mon cœur battait dans ma poitrine.

En évoquant ce souvenir, Meto avait les yeux exorbités. Il gonflait les joues et secouait la tête, comme un homme qui tente de se réveiller d'un rêve effroyable.

— Il a appelé Alexandros et lui a ordonné de me frapper, dans cette salle. Normalement, c'est la fonction de Clito. Il travaille aussi aux écuries et adore donner la bastonnade. Mais j'ai eu de la chance, parce que ce jour-là Clito était à Pouzzoles. J'ai dû me pencher et toucher le sol des mains, tandis qu'Alex me donnait dix coups de canne. Il ne l'a fait que parce que le maître l'avait ordonné. Il aurait pu me frapper plus fort, j'en suis sûr. Mais je pleurais quand même.

— Je vois. Tu aimes Alexandros.

147

Les yeux de l'enfant pétillèrent.

– Naturellement. Tout le monde adore Alex.

– Et Zénon ? Tu l'aimais aussi ?

Il haussa les épaules.

– Personne n'aimait Zénon. Mais pas à cause de sa cruauté ou de sa brutalité, comme Clito. Il vous prend de haut et parle des langues que l'on ne comprend pas. Et puis il pense qu'il vaut bien mieux que n'importe lequel des autres esclaves. Il est très prétentieux.

– C'est un personnage très désagréable que tu me décris là. Mais, dis-moi, la nuit du meurtre de ton maître, est-ce que quelqu'un était debout et se promenait dans la maison ? Toi ou un autre esclave ?

Il secoua la tête.

– Tu en es sûr ? Personne n'a vu ou entendu quoi que ce soit ?

– Tout le monde en a parlé, naturellement. Mais personne ne sait ce qui s'est passé. Le lendemain, la maîtresse est venue nous dire que si quelqu'un savait quelque chose, il fallait aller le dire à maître Crassus, ou à Mummius ou à Fabius. Je suis certain que si quelqu'un avait eu quelque chose à dire, il l'aurait dit.

– Et entre les esclaves eux-mêmes, il n'y a pas de rumeurs ? Pas de murmures ?

– Non, rien. Et si quelque chose s'était dit, je suis celui qui aurait eu le plus de chances de l'entendre. Non pas parce que j'espionne...

– Oui, oui, je sais. Ton travail t'oblige à aller d'un point à un autre, de pièce en pièce, de l'aube au crépuscule, alors que les cuisiniers, les garçons d'écurie, les femmes de ménage, ne restent pratiquement qu'à un seul endroit toute la journée et bavardent entre eux. Entendre et voir n'a rien de honteux, Meto. C'est mon gagne-pain. Quand je t'ai vu la première fois, j'ai immédiatement compris que tu étais les yeux et les oreilles de cette demeure.

Il me regarda, étonné. Puis il sourit prudemment, comme si personne n'avait compris cela auparavant.

– Dis-moi, Meto, cette nuit-là Zénon devait se trouver dans cette pièce avec ton maître, non ?

– C'est possible. Ils venaient souvent ici pour travailler ensemble après le coucher du soleil. Parfois, ils y restaient jusqu'à une heure très avancée, surtout si un navire était arrivé de Pouzzoles ou allait partir. Ou encore si maître Crassus était en route.

– Et Alexandros aurait pu se trouver également ici ?

– C'est possible.

– Mais cette nuit-là tu n'as vu personne entrer ou sortir de cette pièce ? Tu n'as rien entendu du côté des écuries ou de l'atrium ?

– Je dors dans une petite pièce, avec d'autres, dit-il lentement. Dans l'aile est de la maison, derrière les écuries. Généralement, je suis le dernier à aller me coucher. Ça fait rire Alex. Il dit qu'il n'a jamais vu un garçon qui a aussi peu besoin de dormir. J'aurais pu me promener dans la maison à cette heure-là. Et ainsi j'aurais pu voir bien des choses. Mais ce jour-là je n'ai cessé de courir toute la journée et de porter des messages. J'étais si fatigué que je me suis endormi tout de suite.

Sa voix commença à trembloter.

– Je suis désolé.

Je posai ma main sur ses petites épaules.

– Tu n'as pas à l'être, Meto. Mais réponds encore à une question. La nuit dernière, t'es-tu promené tard dans la villa ?

– Hier, j'ai été très occupé avec ton arrivée et celle de Mummius, répondit-il, songeur. J'ai eu beaucoup de travail en plus pour le dîner.

– Donc tu es allé te coucher tôt.

– Oui.

– Et tu n'as rien vu d'anormal ? Tu n'as entendu personne marcher dans les couloirs ou descendre vers l'abri à bateaux ?

Il haussa les épaules d'impuissance et se mordit les lèvres, attristé de ne pouvoir m'aider.

— C'est bon. Je me disais que tu pouvais connaître un détail que j'ignore. Mais avant de partir, je voudrais que tu regardes quelque chose.

Ma main posée sur son épaule, je le guidai vers la statue du *Centaure*.

— Regarde-la tant que tu veux. Touche-la si tu le désires.

Il tourna les yeux vers moi, histoire de se rassurer. Puis il tendit des doigts tremblants vers la statue ; il avait une flamme dans les yeux. Mais, brusquement, il se rétracta et se mordit les lèvres.

— Non, non. Tout va bien, lui dis-je. Je ne laisserai personne te punir.

Et je ne laisserai pas Marcus Crassus te détruire, pensai-je. Mais je n'osai pas faire à voix haute un serment aussi risqué. Fortune elle-même aurait pu entendre et me frapper pour avoir fait une promesse que même un dieu n'aurait pas été certain de pouvoir tenir.

4

– Quand j'étais jeune, je ne me serais jamais abaissée à peindre une fresque. On peignait à l'encaustique sur des toiles ou sur des panneaux de bois, posés sur un chevalet. Jamais une fresque sur un mur. C'est ce que mon maître m'a enseigné : « Les peintures murales sont des travaux d'hommes ordinaires, disait-il. Tandis qu'un peintre sur chevalet, ah ! un peintre sur chevalet, il est considéré comme la main même d'Apollon ! Toute la gloire et l'or vont aux peintres sur chevalet. » Oh ! mais dis-moi, tu as une sale bosse au front.

Iaia était très différente de la femme que j'avais vue au dîner la veille. Plus de bijoux ni de robe élégante. À la place, elle avait enfilé un vêtement informe à manches longues, qui descendait jusqu'au sol. Le lin grossier était couvert de taches de peinture multicolores. Sa jeune assistante portait la même tenue. Elle était encore plus belle à la lumière du jour. Toutes les deux, elles ressemblaient à des prêtresses de quelque culte féminin étrange, portant leur maquillage sur leurs vêtements et non sur leur visage.

L'ouverture dans le plafond remplissait la petit salle circulaire d'un cône de lumière jaune. Tout autour tourbillonnait une sorte d'univers sous-marin bleu et vert, peuplé de bancs de poissons argentés et d'étranges monstres des grands fonds. Les créatures étaient extraordinairement fluides, et les ombres superbement rendues. L'eau elle-même offrait l'illusion d'une invraisemblable profondeur. En nous donnant la main, Eco et moi aurions pu tendre les bras d'un mur à l'autre.

– J'ai fait fortune il y a bien longtemps, poursuivit Iaia. Sais-tu que, dans ma jeunesse, j'étais mieux payée que Sopolis ? C'est vrai. Toutes les riches matrones de Rome voulaient avoir leur portrait peint par l'étrange jeune femme de Cyzique. Aujourd'hui je peins ce que je veux, quand je veux. Ce travail est un hommage à Gelina. L'idée est née un jour où nous quittions les bains. Nous nous sentions fraîches et détendues. Elle s'est plainte que cette pièce soit si nue. Soudain j'eus la vision de poissons, ici, là, partout ! Des poissons volant au-dessus de nos têtes, des pieuvres rampant à nos pieds. Et des dauphins au milieu des algues. Qu'en penses-tu ?

– Fascinant, dis-je simplement.

Eco contemplait la pièce en secouant la tête comme s'il s'ébrouait. Iaia rit.

– C'est presque terminé. Toutes les scènes sont achevées. Il ne reste plus qu'à fixer la peinture à l'eau avec un vernis encaustique. Ces esclaves nous aident, car cela ne réclame pas de talent particulier. Il faut simplement étaler soigneusement le vernis avec un pinceau. Mais je dois les surveiller pour que rien ne soit abîmé. Olympias, secoue un peu celui-ci, en haut de l'échafaudage. Il est en train de mettre trop de vernis. Les couleurs ne se verront jamais au travers.

Perchée au-dessus de nos têtes, la jeune fille nous regarda et sourit. Je pinçai discrètement Eco : s'il restait bouche bée, ce n'était pas à cause de l'œuvre d'art qui nous encerclait.

– Ah oui, jadis, je n'aurais jamais pu entreprendre un travail comme celui-là, continua Iaia. Mon maître ne m'y aurait pas autorisée. J'imagine sa réaction. « Trop vulgaire, aurait-il dit. Trop *exclusivement* décoratif. Peindre des histoires ou des fables pour illustrer une morale, c'est une chose, mais peindre des poissons... Les portraits sont ton point fort, Iaia, et particulièrement les portraits de femmes. Aucun homme n'a la moitié de ton talent pour peindre une femme. Mais si jamais une matrone voit ces têtes de poissons avec leurs yeux qui vous fixent, plus aucune ne te commandera de portraits. » Oui, mon vieux maître aurait parlé comme ça. Mais aujourd'hui, si je veux peindre des poissons, par Neptune ! eh bien je le fais. Je pense qu'ils sont superbes.

Elle semblait très admirative de son propre talent, une immodestie sans doute pardonnable chez un artiste qui achève une œuvre.

— Je comprends pourquoi tu es devenue si célèbre, dis-je. J'ai vu ton tableau de Gelina dans la bibliothèque.

Elle eut un sourire hésitant.

— Il date de l'an dernier. Gelina voulait l'offrir à Lucius pour son anniversaire. Nous y avons passé des semaines, sur sa terrasse privée, à l'extrémité nord de la maison. Lucius n'entrait jamais dans cette pièce réservée à sa femme. Ainsi la surprise pouvait être totale.

— L'aimait-il ?

— Franchement, non. Il fut conçu spécialement pour le mur au-dessus de sa table dans la bibliothèque. Eh bien ! il a dit clairement qu'il n'en voulait pas là. Si tu as vu la pièce, tu connais ses goûts, ces horribles statues, *Hercule* et *Centaure*. Le tableau qui se trouvait alors au-dessus de la table était encore pire. Cette hideuse chose prétendait représenter les Argonautes attaqués par des Harpies[1]. Monstrueux ! Je ne comprends pas comment il osait faire entrer des visiteurs dans cette pièce. Quelque tâcheron inconnu de Naples était l'auteur de cette confusion de seins nus, de pattes griffues et de guerriers raides, mal peints, qui brandissaient des glaives. Je n'exagère vraiment pas en

---

1. Démons féminins, représentés comme des oiseaux à tête de femme. *(N.d.T.)*

153

disant que la peinture était effroyable, n'est-ce pas, Olympias ?

La fille détourna les yeux de son travail pour nous regarder et rit :

– Oui, c'était vraiment une croûte, Iaia.

– Finalement Lucius céda. L'horrible tableau fut enlevé pour que nous puissions mettre le portrait de Gelina à la place. Mais Lucius fut très discourtois. Gelina avait commandé un tapis assorti au tableau. Il ne cessa de se plaindre de la dépense. Au cours de cet épisode, je peux vous dire que Gelina a pleuré plus d'une fois. Tu sais sans doute que les problèmes d'argent sont une vieille histoire dans cette maison. Ah ! Lucius, quel raté ! Quel imposteur ! À quoi sert-il de vivre dans une telle villa si on doit compter chaque sesterce avant de le dépenser ?

Une soudaine tension envahit la pièce. L'un des esclaves renversa un pot de vernis et jura. Même les poissons semblaient trembler, mal à l'aise. Iaia baissa la voix.

– Passons du côté des bains. Les pièces sont vides. Et la lumière, à cette heure du jour, est délicieuse. Laisse ton fils ici à regarder Olympias travailler.

Sous les rayons du soleil levant, la baie brillait de milliers de minuscules lumières argentées. Nous fîmes le tour du bassin circulaire. La vapeur montait dans l'air vif du matin. Sous la coupole, nos voix basses résonnaient curieusement.

– Je pensais que Lucius et Gelina formaient un couple heureux, dis-je.

– T'a-t-elle semblé heureuse ?

– Son mari a connu une mort horrible il y a quelques jours à peine. Je ne m'attendais pas à la voir sourire.

– Son humeur n'était pas vraiment différente avant. À cause de lui, elle était très triste. Et elle l'est encore aujourd'hui.

– Elle n'a pas l'air triste sur la peinture. Le portrait ment-il ?

– Le portrait l'a saisie telle qu'elle était. Et pourquoi a-t-elle l'air si heureuse et en paix sur le portrait ? Souviens-toi qu'elle posait dans l'unique pièce où Lucius ne mettait jamais les pieds.

– On m'a dit qu'ils s'étaient mariés par amour.

– C'est vrai. Et tu vois ce qui est arrivé. J'ai connu Gelina alors qu'elle n'était qu'une enfant. Sa mère et moi avions à peu près le même âge et nous étions de grandes amies. Lorsque Gelina a épousé Lucius, je n'avais pas à lui faire des reproches, mais je savais qu'il n'en résulterait que de la tristesse.

– Comment pouvais-tu être si sûre de toi ? Était-il aussi mauvais que ça ?

Elle resta silencieuse un moment.

– Je ne prétends pas être un grand juge des caractères, Gordien. Tout au moins, pas quand il s'agit des hommes. Sais-tu comment on m'appelait autrefois ? Iaia Cyzicena, l'Éternelle Vierge. Voilà le surnom que l'on me donnait, et pas sans raison. J'ai peu d'expérience des hommes et je ne prétends donc pas avoir sur eux un jugement particulièrement fiable, en tout cas sûrement pas meilleur que celui des autres femmes. Mais le jugement fondé sur l'expérience ne va pas assez loin, à mon sens. Il existe des manières plus sûres de prévoir l'avenir.

Elle regarda les volutes de vapeur qui montaient de l'eau.

– Et que prévoit le futur pour cette maison et ses habitants ?

– Quelque chose de sombre, d'effrayant, quoi qu'il arrive.

Elle frissonna.

– Mais, pour répondre à ta question, non, Lucius n'était pas foncièrement mauvais. Il était simplement faible. Il n'avait pas de vision d'avenir, pas d'ambition, pas d'énergie. Sans Crassus, lui et Gelina seraient morts de faim depuis longtemps.

155

— Une villa dotée de cent un esclaves ne respire pas la famine.

— Mais Lucius lui-même ne possédait rien. D'après ce que je sais, tous ses revenus lui servaient à entretenir ce palais. Tout autre homme aurait depuis longtemps pris son indépendance vis-à-vis de Crassus et assuré sa fortune personnelle. Pas Lucius. Il était content de sa petite vie, prenant ce qu'on lui donnait et ne réclamant rien de plus. Comme un chien qui attend sous la table qu'on lui jette des restes. Au demeurant, la main qui l'avait secouru s'assurait bien qu'il ne s'élève pas trop haut. Crassus veillait à ce que Lucius demeurât un parent sans ambition et éternellement reconnaissant. Surtout pas un égal et encore moins un rival. Crassus dispose de moyens pour maintenir les gens à leur place. Gelina méritait beaucoup mieux. Maintenant, elle est totalement à la merci de Crassus. Elle n'a même pas la possibilité de sauver ses propres esclaves.

— Et que va-t-il se passer s'ils sont effectivement exécutés ?

Iaia regarda la vapeur sans répondre. Nous fîmes le tour du bassin en silence.

— Quels que soient leurs différends, je pense que Gelina a beaucoup souffert de la mort de son mari, dis-je d'un ton calme. Elle souffrira encore davantage si Crassus met son sinistre projet à exécution.

— Oui, répondit Iaia d'une voix lointaine. Et elle ne sera pas la seule à souffrir.

— Certainement. Si l'assassin est de la maison, il aura sûrement beaucoup de mal à supporter de voir tant de personnes massacrées à sa place.

— Pas des personnes, corrigea-t-elle. Des esclaves.

— Et alors...

— Pour des esclaves, même quatre-vingt-dix-neuf esclaves, mourir en servant les intérêts d'un grand homme riche, n'est-ce pas se conduire en vrai Romain ?

Je n'avais rien à répondre. Je la laissai près du bassin, plongée dans la contemplation des profondeurs sulfureuses.

Dans le vestibule, je retrouvai Eco debout sur l'échafaudage, un pinceau de crin de cheval à la main. Olympias se tenait derrière lui, la main posée sur celle d'Eco, pour guider ses gestes.

— Juste un balayage, comme ça, disait-elle. Il faut en appliquer régulièrement une mince couche.

— Eh bien, Eco, m'exclamai-je, j'ignorais totalement tes dons pour la peinture.

Il sursauta. Olympias tourna la tête et sourit gaiement.

— Il a la main très sûre, dit-elle.

— Je le crois volontiers. Mais nous devons prendre congé. Viens, Eco.

Il sauta agilement en bas des échelles. Le rouge lui était monté aux joues et il avait l'air un peu perdu. Lorsque nous franchîmes le portique pour sortir, il jeta un regard emprunté derrière lui.

— Est-ce toi qui t'es approché d'elle ou elle qui t'a demandé de la rejoindre sur l'échafaudage ?

Eco confirma la dernière hypothèse.

— Ah ! et c'est elle qui s'est approchée jusqu'à mettre son bras autour de ta taille ?

Il acquiesça, rêveur. Puis il fronça le sourcil en voyant que je pinçais les lèvres.

— Je ne ferais pas entièrement confiance à cette jeune femme, Eco. Mais, non, ne sois pas stupide : je ne suis pas jaloux de toi. Elle a une façon de sourire qui me met mal à l'aise.

Derrière nous, une voix nous héla. Je me retournai pour apercevoir Metrobius et Sergius Orata, chacun accompagné d'un esclave.

— Vas-tu aussi aux bains ? demanda l'homme d'affaires en bâillant.

— Oui, dis-je. Pourquoi pas ?

Tandis qu'Orata et Eco se détendaient dans le bain

chaud, j'acceptai l'offre de Metrobius de profiter des talents de son masseur. Nous nous déshabillâmes dans le vestiaire, puis nous allongeâmes côte à côte sur des paillasses. L'esclave allait de lui à moi, nous massant les épaules et la colonne vertébrale ; c'était un homme grand, sec, aux mains extraordinairement fortes.

— Si j'étais riche, murmurai-je, je crois que je me ferais masser tous les jours.

— Je suis riche, dit Metrobius, et c'est mon plaisir quotidien. Mais comment t'es-tu fait cette horrible bosse ?

— Oh ! ce n'est rien. Une porte trop basse. Oui ! C'est agréable ! Oui, oui, là sous les épaules... Ces bains sont vraiment merveilleux, n'est-ce pas ? Eco et moi sommes déjà venus ici hier. Mummius voulait nous montrer les canalisations. Un esclave l'a massé. Tu sais, le garçon qui chantait hier soir. Apollonius, je crois. Je ne pense pas qu'il soit aussi habile masseur que le tien.

— Je n'en sais rien, répondit prudemment Metrobius.

Couché sur le flanc, la tête dans une main, il me regardait soudain avec suspicion.

— Vraiment ? Dans la mesure où tu as l'habitude de cette maison, je pensais que tu aurais déjà eu recours aux services de cet Apollonius.

Metrobius leva un sourcil.

— Seul Mollio me masse. Sylla me l'a offert il y a des années. Il connaît chaque muscle de mon pauvre vieux corps, chaque articulation douloureuse. Un jeune sans expérience comme Apollonius me ferait probablement mal.

— Oui, je suppose que Mummius peut prendre ce risque. Il n'est pas vraiment fragile. Il donne plutôt l'impression d'être fort comme un bœuf.

— Et presque aussi malin !

— Oh ! Recommence, Mollio. J'ai l'impression, Metrobius, que tu n'aimes guère Mummius.

— Il me laisse indifférent.

– Tu le détestes.

– C'est vrai. Je l'admets. Allez, Mollio, occupe-toi seulement de moi maintenant.

Je m'allongeai, dans un état de suprême félicité, complètement détendu. Je fermai les yeux. Je vis des pieuvres et des étoiles de mer surgir de toutes parts.

– Pourquoi ta rancœur est-elle si profonde ?

– Je n'ai jamais aimé Mummius. Dès l'instant où je l'ai vu, il m'a été antipathique.

– Mais il a bien dû se passer quelque chose, un incident, une offense ?

– Tu as raison, soupira-t-il. Cela date d'il y a dix ans. C'était le début de la dictature de Sylla. Il faisait placarder des listes de proscription sur le Forum et offrait des récompenses à ceux qui lui apportaient la tête de ses ennemis.

– Oui, je m'en souviens très bien.

– C'était une méthode horrible, mais ces mesures étaient indispensables. Pour restaurer l'ordre et mettre un terme à des années de guerre civile, il fallait éliminer l'opposition.

– Quel est le rapport avec Mummius et ta querelle ?

– Les domaines des ennemis de Sylla devinrent propriété de l'État. Ils furent vendus aux enchères. Les premiers servis dans ces prétendues enchères publiques furent les amis proches de Sylla et ses fidèles. Sinon, comment un vulgaire acteur comme moi aurait-il pu devenir propriétaire d'une villa dans la baie ? Mais j'étais moins bien placé que Mummius.

– Je suppose donc que Mummius est passé avant toi à un propos quelconque et que Sylla a pris son parti.

– Nous convoitions la même chose.

– Un domaine, ou un être humain ?

– Un esclave.

– Je vois.

– Non, tu ne vois pas. Auparavant le garçon appartenait à un sénateur de Rome. Un jour, je l'ai entendu chanter

159

dans une soirée. Il venait de ma ville natale d'Étrurie et chantait dans le dialecte de mon enfance. J'en ai pleuré. Quand j'ai appris qu'il allait être vendu dans un lot avec les autres esclaves de la maison, je me suis précipité au Forum. Le commissaire aux enchères était un proche de Crassus. Il a appris que Mummius voulait aussi le garçon, mais pas parce qu'il chantait bien.

« Finalement Marcus Mummius s'est vu attribuer tout le lot d'esclaves pour le prix d'une tunique usagée. Quelle suffisance il a affichée en passant devant moi ! Nous avons échangé des menaces. J'ai sorti un couteau. Les partisans de Crassus étaient nombreux. J'ai dû fuir pour sauver ma peau. Je suis allé voir Sylla, pour réclamer justice. Mais il a refusé d'intervenir. Mummius était trop proche de Crassus, m'a-t-il répondu et, à ce moment-là, il ne pouvait se permettre d'offenser ce dernier.

– Donc Mummius a obtenu le garçon.

– L'affaire ne s'achève pas là. En moins de deux ans Mummius s'est lassé de l'esclave. Il décida de s'en séparer, mais refusa de me le vendre, par pure méchanceté. Sylla était déjà mort. Je n'avais plus aucune influence à Rome. Alors j'écrivis une lettre à Mummius, lui demandant aussi humblement que possible de me vendre le garçon. Savez-vous ce qu'il a fait ? Il fit circuler la lettre dans une soirée et s'en moqua. Puis, c'est le garçon qu'il a fait circuler. Et il fit en sorte que je sois au courant.

– Et qu'est devenu ce garçon ?

– Mummius l'a vendu à un marchand d'esclaves qui partait pour Alexandrie. Il a disparu pour toujours. Mollio ! cria-t-il. Applique-toi donc !

– Patience, maître, roucoula l'esclave, ta colonne est dure comme du bois. Et tes épaules sont rouillées.

La porte s'ouvrit. J'entendis la voix haut perchée de Sergius Orata.

– Et d'autres conduites passent sous ce sol et le long de

ces deux murs, disait-il. Tu peux voir les sas qui libèrent l'air chaud. Ils sont espacés régulièrement de chaque côté.

Metrobius grommela car son esclave Mollio lui pinçait et écrasait les chairs.

– Sergius Orata n'est pas aussi simple et pur qu'il le prétend, dit Metrobius avec une sorte d'ironie désabusée. Il a la tête sur les épaules. Il passe son temps à calculer et à additionner ses profits. Il est sûrement déjà riche. Mais on lui prête une certaine faiblesse pour le jeu et les jeunes danseuses. Néanmoins, ici, il peut aisément passer pour un parangon de vertu : il n'a ni l'avidité de Crassus, ni la cruauté de Mummius, loin s'en faut.

– En réalité, je sais très peu de choses de Crassus, avouai-je. Seulement ce que l'on dit derrière son dos au Forum.

– Et tu peux croire tout ce que l'on raconte. Je vais te dire : je suis même étonné qu'il n'ait pas encore volé la pièce dans la bouche du défunt.

– Et je ne sais pas grand-chose non plus de Mummius...

– Le porc !

– Il me fait l'effet d'un homme mystérieux, doté de plusieurs personnalités. Je ne t'apprendrai rien en te disant qu'il peut être extrêmement dur. J'ai été témoin de sa cruauté pendant ma traversée. Pour un simple exercice, il a poussé ses galériens à leur maximum. Je n'avais jamais rien vu d'aussi terrifiant.

– Oui, cela ressemble bien à Mummius. La discipline est une déesse pour lui. Elle sert d'alibi à sa conduite. De la même manière, Crassus justifie tous ses crimes au nom de la déesse Acquisition. Ils sont les deux côtés d'une même pièce, opposés de bien des manières, mais fondamentalement semblables.

De telles critiques m'étonnèrent dans la bouche d'un homme qui avait été si proche de Sylla. Mais, comme disent les Étrusques, l'amour rend aveugle alors que la jalousie révèle tous les vices.

– Et pourtant, dis-je, je pense avoir repéré chez tous les deux une certaine faiblesse, une tendresse qui transparaît sous la cuirasse. L'armure de Mummius est d'acier, celle de Crassus d'argent. Mais pourquoi revêt-on une cuirasse, si ce n'est pour masquer sa vulnérabilité ?

Metrobius leva un sourcil et me dévisagea malicieusement.

– Eh bien, Gordien de Rome, finalement tu es peut-être plus observateur que je ne l'imaginais. Quelles sont les faiblesses de Crassus et de son lieutenant ?

Je haussai les épaules.

– Je n'en sais pas encore assez sur eux pour le dire.

Metrobius hocha la tête.

– Cherche et tu trouveras peut-être. Mais maintenant nous avons assez parlé de ces deux-là.

– Tu pourrais me parler de Gelina et de Lucius. Tu sembles très bien les connaître.

– C'est vrai, nous sommes très amis.

– Et Lucius ?

– Tu as vu la fresque de Iaia ?

– Oui.

– Alors tu as vu son portrait.

– Que veux-tu dire ?

– La méduse, juste au-dessus de la porte.

– Quoi ? Tu plaisantes ?

– Pas du tout. Regarde bien, la prochaine fois. Le corps est celui d'une méduse, mais le visage est incontestablement celui de Lucius. Iaia était considérée comme la meilleure portraitiste de Rome. À juste titre !

– Alors, Lucius était une méduse ?

Il renifla.

– L'homme le plus incapable que j'aie jamais rencontré. Un vulgaire instrument entre les mains de Crassus. Crois-moi : il est mieux mort que vivant.

– Mais Gelina l'aimait.

– J'imagine qu'elle l'aimait. « L'amour est aveugle », disent les Étrusques.

– Je pensais précisément à ce proverbe il y a un instant. Je suppose que Gelina est une femme sensible. Elle a l'air de s'inquiéter particulièrement du sort réservé à ses esclaves.

Il haussa les épaules.

– Si Crassus les fait vraiment tuer, c'est du gaspillage. Mais je suis certain qu'il lui en donnera d'autres. Crassus possède davantage d'esclaves qu'il n'y a de poissons dans la mer.

– J'ai été impressionné que Gelina soit parvenue à convaincre Crassus d'envoyer un bateau pour venir me chercher.

– Gelina ?

Metrobius esquissa un étrange sourire.

– Oui, c'est Gelina qui, la première, a mentionné ton nom. Mais je doute fort qu'elle soit parvenue seule à convaincre Crassus de faire tant d'efforts et de dépenser tant d'argent pour des esclaves.

– Que veux-tu dire ?

– J'étais persuadé que tu savais déjà.

– Quoi ?

– Qu'il y a une autre personne qui tient particulièrement à voir les esclaves échapper aux mâchoires d'Hadès.

– Qui ?

– À ton avis, qui a fait un long voyage à Rome, simplement pour aller te chercher ?

Pourquoi cet homme cruel lèverait-il le petit doigt pour sauver les esclaves de Gelina ? Surtout contre la volonté de Crassus.

Metrobius continuait de me regarder d'un air étrange.

– J'étais vraiment convaincu que tu étais au courant. Tu me déçois, Limier. Finalement, comme je le supposais, tu n'es peut-être pas aussi fin que ça. Tu étais pourtant assis à côté de moi hier soir, au dîner. Tu as vu comme moi les larmes de Mummius quand l'esclave chantait. Un homme tel que Mummius pleure seulement lorsqu'il a le cœur brisé.

— C'est-à-dire...

— L'autre jour, quand Crassus a décidé que les esclaves mourraient, ils ont discuté à n'en plus finir. Mummius était quasiment à genoux. Il implorait Crassus de faire une exception. Mais celui-ci est resté inflexible : tous devaient mourir, y compris Apollonius. Que le garçon soit innocent et que Mummius le désire ne changeait rien à l'affaire. Ainsi, après les funérailles de Lucius, Marcus Mummius va regarder ses propres hommes pousser le jeune homme dans l'arène, puis le mettre à mort avec tous les autres esclaves. Je ne sais s'ils vont les décapiter un par un. À mon avis, non. Cela prendrait tout l'après-midi. Et même le public blasé de Baia commencerait à s'agiter. Ils vont peut-être demander aux gladiateurs de faire le sale travail, emprisonner les esclaves dans leurs filets et se précipiter sur eux avec leurs lances...

— Alors Mummius essayerait de les sauver tous, simplement pour les beaux yeux d'un seul ?

— Exactement. Il serait prêt à faire n'importe quoi pour ce garçon. Tout a commencé lors de sa dernière visite ici, au printemps dernier. Il a eu le coup de foudre pour Apollonius. Au cours de l'été, de retour à Rome, il lui a écrit une lettre. Lucius l'a interceptée et a été écœuré.

— La lettre était... pornographique ?

— De la pornographie ? Venant de Mummius ? Je t'en prie. Il n'a sûrement ni imagination ni talent littéraire. Au contraire, elle était chaste et prudente, un peu comme une épître de Platon à l'un de ses étudiants. Il louait la sagesse spirituelle d'Apollonius et son étonnante beauté...

— Mais Lucius s'est marié par amour. Il aurait dû comprendre.

— C'est l'inconvenance de la situation qui a scandalisé Lucius. Un citoyen qui fraye avec un ou une de ses propres esclaves, c'est une chose. Personne n'a besoin de le savoir. Mais un citoyen qui écrit des lettres à l'esclave d'un autre, cela gêne tout le monde. Lucius s'est plaint à Crassus, qui en a probablement fait la remarque à Mummius, puisqu'il n'y a plus eu de lettre. Mais Mummius est resté sous le choc. Il a voulu acheter Apollonius. Pour cela, il devait passer par Lucius et Crassus. L'un ou l'autre refusa. Peut-être Lucius, pour embêter Mummius, ou peut-être Crassus, soucieux d'éviter qu'un de ses lieutenants soit source d'éventuels problèmes.

– Et maintenant Mummius sait que l'esclave va mourir.

– Oui. Il a essayé de cacher son angoisse. Mais tout le monde est au courant. Les rumeurs se répandent très rapidement dans une petite armée privée. Ah, c'était un vrai spectacle, l'autre jour, de l'entendre s'aplatir devant Crassus dans la bibliothèque, en utilisant les arguments les plus ridicules pour sauver Apollonius...

– Cela s'est déroulé à huis clos, je pense ?

– Mais je peux te dire qu'on entendait tout par la fenêtre qui donne sur la cour. Mummius plaida pour que l'esclave ait la vie sauve. Crassus invoqua la loi romaine dans toute sa sévérité. Je me demande comment Mummius réagira lorsqu'une lame romaine entaillera la tendre jeune chair d'Apollonius et que l'esclave répandra son sang...

Metrobius ferma lentement les yeux.

– Tu souris, murmurai-je.

– Pourquoi pas ? Mollio est le meilleur masseur de la région. Je me sens délicieusement bien et tout à fait prêt pour prendre un bain.

Il se redressa et leva les bras pendant que l'esclave lui nouait une longue serviette autour des reins.

– Si je ne me trompe pas, dis-je tranquillement, certaines personnes ici se réjouissent à l'idée d'assister à l'exécution des esclaves. Un vrai Romain recherche la justice, non la vengeance.

Metrobius ne répondit pas. Il pivota lentement sur ses talons et quitta la pièce.

– C'est vraiment regrettable que tu ne nages pas mieux que moi, dis-je à Eco en quittant les bains.

Il me regarda, l'air peiné, mais ne contesta pas ce fait.

– En tout cas, nous devons maintenant inspecter les eaux autour de l'abri à bateaux. Je dois découvrir ce que l'on a jeté depuis l'embarcadère, cette nuit, et pour quelle raison.

De la terrasse, je pouvais voir l'abri à bateaux et une bonne partie de la jetée. Il n'y avait personne. Des rochers escarpés dentelaient le rivage. La profondeur apparente de l'eau avait de quoi décourager.

– Je me demande si le petit Meto sait nager. Tous les garçons de la région, y compris les esclaves, doivent savoir plonger et nager. Si nous le trouvons rapidement, nous pourrons peut-être explorer l'abri et ses environs avant le déjeuner.

Nous le trouvâmes à l'étage supérieur. Quand il nous vit, il sourit et se précipita vers nous.

Je commençai à lui parler, mais il me prit la main.

– Retourne dans ta chambre, murmura-t-il.

J'essayai d'obtenir quelques explications, mais il se contenta de secouer la tête. Il partit en courant. Nous le suivîmes.

La pièce était inondée de lumière. Personne n'était encore venu faire notre lit. Pourtant je sentis que quelqu'un était entré dans la chambre. Je jetai un coup d'œil à Meto, qui m'observait depuis la porte. Je tirai mon couvre-lit.

La hideuse petite figurine avait disparu. À sa place, je trouvai un fragment de parchemin sur lequel était inscrit un message en lettres rouges :

Consulte la sibylle de Cumes. Hâte-toi.

– Eh bien, Eco, voilà qui change tous nos plans. Pas de natation ce matin. Quelqu'un est intervenu pour que les dieux m'adressent directement un message.

Eco regarda le fragment de parchemin, puis me le rendit. Il n'avait apparemment pas noté la forme excentrique des E, avec leurs barres transversales nettement inclinées vers le bas.

Quand je demandai à Meto s'il pouvait nous indiquer le chemin qui mène à l'antre de la sibylle, ou du moins à Cumes, il recula et refusa d'un signe de tête. Comme j'insistais, il pâlit.

– Pas moi, murmura-t-il. J'ai peur de la sibylle. Mais je connais quelqu'un qui pourrait t'aider.

– Ah oui ?

– Olympias se rend tous les jours à Cumes à peu près à cette heure-ci. Elle va chercher des affaires chez Iaia et s'assurer que tout y est en ordre.

– Ce serait parfait pour nous, dis-je. Y va-t-elle en carriole ou préfère-t-elle le luxe d'une litière ?

– Elle y va à cheval, comme un homme. Elle doit déjà être à l'écurie. Si vous vous dépêchez...

– Viens, Eco.

Mais il courait déjà dans le couloir.

Pour tout dire, j'étais presque certain qu'Olympias nous attendait dans les écuries. Pourtant, quand je la hélai depuis la cour, elle eut l'air réellement surprise. Elle était sur un petit cheval blanc et avait échangé sa longue robe de peintre contre une stola qui lui permettait de monter à califourchon. Eco faisait semblant d'admirer le cheval. En fait, il ne quittait pas des yeux la courbe parfaite des mollets hâlés de la jeune fille, pressés contre les flancs de l'animal.

Après quelques hésitations, Olympias accepta de nous guider vers Cumes. Quand je lui dis que nous voulions voir la sibylle, elle eut d'abord l'air effrayé, puis sceptique. Son trouble m'étonna. J'étais persuadé qu'elle était impliquée dans le plan obscur visant à m'attirer à Cumes. Pourtant elle parut contrariée par ma demande. Elle nous attendit, pendant que nous allions chercher des chevaux. Puis, tous trois, nous nous élançâmes vers Cumes.

– Le petit Meto m'a dit que tu fais ce trajet tous les jours. N'est-ce pas une longue chevauchée aller et retour ?

– Je connais un raccourci, répondit-elle.

Nous laissâmes derrière nous les deux colonnes à tête de taureau et tournâmes à droite pour nous engager sur la voie publique. C'était cette même route que nous avions suivie la veille avec Mummius, quand l'esclave nous avait indiqué l'endroit où l'on avait découvert la tunique sanglante. Nous continuâmes plein nord. Sur notre gauche, les collines étaient couvertes d'oliveraies. Il n'y avait pas le moindre esclave en vue. Après les oliveraies vinrent des vignes, des parcelles de champs cultivés puis des bois.

– La terre, autour de la baie, est d'une fertilité remarquable, observai-je.

– Il n'y a pas que la fertilité qui soit remarquable, répondit Olympias, énigmatique.

La route commença à redescendre. Devant nous, à travers les arbres, j'aperçus ce qui devait être le lac Lucrin, un long lagon séparé de la baie par une étroite plage.

– C'est là que Sergius Orata a bâti sa fortune, expliquai-je à Eco. Il élevait des huîtres qu'il revendait aux riches.

Eco roula les yeux et haussa les épaules.

La perspective s'élargit. Devant, je pouvais maintenant voir le tracé de la route, qui suivait la langue de terre entre le lac et la baie, puis tournait vers l'est. Elle traversait alors de petites collines avant de redescendre et d'entrer dans Pouzzoles. Je distinguai les nombreux quais et entrepôts du port. Mais, comme l'avait dit Faustus Fabius, il y avait peu de gros navires.

Olympias quitta brusquement la route et s'engagea sur un étroit sentier coupant à travers des broussailles. Les buissons firent place aux arbres. Puis la piste déboucha sur une crête dégagée : elle avait tout du sentier de chèvres. Sur notre gauche, des collines ondulaient. Mais à droite, du côté du lac Lucrin, la pente était raide. À nos pieds dans la grande plaine autour du lac campait l'armée privée de Crassus.

Les tentes parsemaient le rivage. Des panaches de fumée montaient des feux. Des cavaliers parcouraient la plaine en soulevant des nuages de poussière. Les soldats manœuvraient en formation de marche ou s'entraînaient au glaive par groupes de deux. Le choc des armes sur les boucliers résonnait jusqu'à nous. Une voix caverneuse beugla. Elle était trop indistincte pour être intelligible, mais facile à reconnaître : Marcus Mummius hurlait ses ordres à un groupe de soldats impeccablement rangés. Non loin de là, devant la plus grande tente, Faustus Fabius, reconnaissable à sa chevelure rousse, s'adressait à Crassus, assis sur un pliant. Le patricien portait sa tenue militaire complète. Son armure d'argent scintillait sous le soleil. Sa grande cape rouge resplendissait.

– On dit qu'il s'apprête à demander au Sénat le commandement des opérations contre Spartacus, dit Olympias, l'air maussade.

Elle aussi contemplait le spectacle qui se déroulait plus bas.

– Le Sénat a ses propres armées, bien sûr, mais leurs rangs ont été dévastés par les défaites du printemps et de l'été. Alors Crassus lève son armée personnelle. Il y a six cents hommes autour du lac Lucrin, selon Fabius. Et Crassus disposerait de cinq fois plus de soldats dans un camp situé près de Rome. Si le Sénat donne son accord, il lèvera autant d'hommes qu'il voudra. Un homme ne peut se dire

170

riche tant qu'il ne peut s'offrir sa propre armée, affirme Crassus.

Des cymbales se mirent à battre. Les soldats commencèrent à se rassembler pour le déjeuner. Les esclaves se hâtaient autour de marmites bouillantes.

– Tu reconnais les tuniques ? Ces esclaves cuisiniers viennent de la maison de Gelina, poursuivit Olympias. Ils s'activent pour nourrir ces mêmes hommes qui, dans deux jours, vont leur couper la gorge.

Eco me toucha le bras et désigna l'autre extrémité de la plaine, où la terre nue faisait place aux bois. Une grande trouée avait entamé la forêt. Avec les arbres abattus on allait construire une arène provisoire. On avait déjà creusé une profonde cuvette dans la terre. Des hommes s'y entraînaient au combat avec des glaives, des tridents et des filets.

– C'est pour les jeux funéraires, murmurai-je. Les gladiateurs sont déjà arrivés. C'est là qu'ils vont combattre après-demain en l'honneur de Lucius Licinius. Et c'est aussi là, probablement, que...

– Oui, dit Olympias. C'est là que les esclaves vont être exécutés.

Son visage se durcit.

– Les hommes de Crassus n'auraient pas dû utiliser ces arbres. Ils appartiennent à la forêt du lac Averne, personne n'en est propriétaire. Le bois Avernin est sacré. Quelle qu'en soit la raison, abattre un seul de ses arbres est un acte impie. En avoir abattu autant pour satisfaire sa propre ambition est une manifestation d'orgueil abominable de la part de Marcus Crassus. Il n'en ressortira rien de bon. Tu verras. Si tu ne me crois pas, interroge la sibylle...

Nous poursuivîmes en silence notre route le long de la crête. Puis, au moment où nous pénétrâmes de nouveau dans la forêt, le sentier se mit progressivement à redescendre. Le bois s'épaissit. Les arbres eux-mêmes changèrent d'allure. Leurs feuilles n'étaient plus vertes, mais presque noires. Les hautes futaies feuillues nous entouraient, elles semblaient agiter leurs branches torturées. Le sous-bois devenait de plus en plus dense, les buissons épineux de plus en plus touffus. Du lichen pendait aux arbres. Des champignons surgissaient sous nos pas. Le sentier avait totalement disparu. J'avais l'impression qu'Olympias s'orientait en suivant son instinct. Un lourd silence nous enveloppait, à peine rompu par le bruit des sabots de nos montures et le cri lointain d'un oiseau étrange.

— Tu fais cette route seule ? demandai-je. Tu n'as pas peur dans un lieu aussi isolé ?

— Qui pourrait m'attaquer dans ces bois ? Des bandits, des voleurs, des esclaves en fuite ?

Olympias regardait droit devant elle. Je ne pouvais voir son visage.

— Ces bois sont consacrés à la déesse Diane. Cela fait plus de mille ans qu'ils lui appartiennent. Avant même l'arrivée des Grecs. Diane possède un grand arc pour veiller sur son domaine. Quand elle vise, aucun cœur ne peut échapper à sa flèche. Quand je suis ici, je n'ai pas plus peur que si j'étais une biche ou un faucon. Seul l'homme qui pénètre dans ces bois avec de mauvaises intentions a des raisons d'avoir peur. Il devra affronter maints périls. Les hors-la-loi le savent et n'y entrent jamais. As-tu peur, Gordien ?

Un nuage obscurcit le soleil. Sous les frondaisons, la lumière disparut. La fraîcheur envahit la forêt. Je fus la proie d'une illusion étrange. La nuit régnait, le soleil voilé avait été remplacé par la lune, des ombres montaient du creux des arbres morts et des amas de branches tombées. Tout était silencieux. Seuls les pas de nos chevaux continuaient de marteler le sol. Mais même ce bruit paraissait étouffé. Je commençais à m'assoupir. Je n'avais pas vraiment l'impression de m'endormir ; plutôt de me réveiller lentement dans un monde où tous mes sens étaient désorientés.

— As-tu peur, Gordien ?

Je regardai sa nuque, sa délicate chevelure dorée. Je me mis à imaginer les choses les plus singulières : si elle se retournait, son splendide visage aurait disparu ; à la place, il y aurait un visage terrible, si terrible que cette vision serait insoutenable, un masque dur, grimaçant, avec des yeux cruels, le visage d'une déesse courroucée.

— Non, je n'ai pas peur, chuchotai-je d'une voix enrouée.

— Bien. Alors tu as le droit d'être ici, et tu y es en sécurité.

Elle se retourna. C'était bien le visage innocent et souriant d'Olympias. Je soupirai de soulagement.

Les bois s'assombrirent encore. Une brume épaisse, lourde, tomba. Elle s'accrochait aux arbres de la forêt. La senteur des embruns se mêlait à l'effluve moite des feuilles mortes et des écorces pourries. C'est alors qu'une autre odeur nous agressa : la puanteur du soufre en ébullition.

Olympias désigna une clairière sur notre droite. Nous poussâmes nos chevaux jusqu'à une grande pierre plate et nue. Au-dessus de nous flottaient des lambeaux de brume venus de la mer. Au-dessous s'ouvrait un immense gouffre, une cuvette gigantesque, encerclée d'arbres sombres et menaçants. Des fumerolles tourbillonnaient. À travers la vapeur, j'entrevis la surface d'un énorme cloaque qui bouillonnait et fumait.

La gueule d'Hadès[1], murmurai-je.

Olympias acquiesça.

— Certains disent que c'est ici que Pluton a entraîné Proserpine vers le Monde inférieur. Sous cette mare de boue sulfureuse en ébullition, dans les entrailles tourmentées de la Terre, des fleuves souterrains coulent, séparant le royaume des vivants de celui des morts. Il y a l'Achéron, le fleuve de la Douleur, le Cocyte, le fleuve des Lamentations, le Phlégéthon, le fleuve du Feu, et le Léthé, le fleuve

---

1. Le poète Virgile notamment, dans l'*Énéide*, situe l'entrée des Enfers, de l'Hadès, près du lac Averne. *(N.d.T.)*

de l'Oubli. Tous convergent vers le Styx, sur lequel Charon transporte les esprits des morts vers les terres désolées du Tartare. On dit aussi que Cerbère, le chien de garde de Pluton, se libère fréquemment de ses liens et sort dans le Monde supérieur. Un jour, à Cumes, j'ai parlé avec un fermier qui avait entendu le chien dans le bois Avernin ; ses trois têtes hurlaient simultanément au clair de lune. D'autres nuits, ce sont les terrifiants lémures qui s'échappent du lac Averne, les esprits malveillants des morts qui hantent les bois sous forme de loups. Mais Pluton les fait toujours rentrer avant le matin. Personne ne peut s'évader longtemps de son royaume.

Olympias détourna les yeux du gouffre sinistre pour regarder Eco. Il la regarda à son tour les yeux écarquillés.

– C'est étrange, continua-t-elle, de penser que tout cela existe si près de l'univers policé et confortable de Baia et de ses villas. Chez Gelina, le monde semble être un espace de lumière, où le soleil danse sur la mer, et où l'on sent l'air marin. Il est facile d'oublier les dieux qui vivent sous des pierres suintantes et froides, et les lémures qui résident dans des crevasses sulfureuses. L'Averne était déjà là avant les Romains, avant même les Grecs. Ce bois était là, et aussi toutes les fumerolles et les gouffres nauséabonds en ébullition qui entourent la baie. C'est ici que le Monde inférieur est le plus proche du monde des vivants. Toutes les magnifiques maisons et les lumières qui encerclent la baie sont comme un masque, une illusion. En dessous, le soufre gronde, le soufre bout, comme il l'a toujours fait. Bien après l'effondrement des belles maisons et l'extinction des lumières, la gueule d'Hadès sera encore grande ouverte pour recevoir les ombres des morts.

Je la regardai émerveillé, fasciné que de telles paroles puissent sortir des lèvres d'une créature si jeune et si pleine de vie. Elle rencontra mes yeux un instant et esquissa son sourire énigmatique. Puis elle fit pivoter son cheval.

– Il n'est pas bon de contempler trop longtemps ce gouffre ou de respirer ses vapeurs.

Nous reprîmes la descente vers Cumes. Au bout d'un moment, nous quittâmes les bois pour déboucher au milieu de petites collines herbeuses, parsemées de rochers blancs déchiquetés. Plus nous nous rapprochions de la mer, plus le vent balayait avec force les collines et plus celles-ci devenaient arides. Le brouillard se leva. Les rochers avaient maintenant la taille de maisons. On en voyait, éparpillés autour de nous, comme les os brisés de géants, érodés par les intempéries. Avec leurs arêtes pointues, ils prenaient des formes fantastiques.

Enfin nous parvînmes à une faille, dissimulée dans le flanc raide d'une colline. L'étroit défilé était envahi d'arbres et de rochers effondrés, étrangement sculptés par le vent.

– Je vous laisse ici, dit Olympias. Attachez vos chevaux où vous pouvez et attendez. La prêtresse va venir.

– Mais où est le temple ?

– La prêtresse vous y emmènera.

– Mais je pensais qu'un grand temple marquait le site du sanctuaire de la sibylle.

Olympias hocha la tête.

Vous voulez dire le temple que Dédale construisit quand il revint sur Terre, ici même, après son long vol ; un temple qu'il aurait décoré de panneaux d'or et recouvert d'un toit pareillement en or [1]. Oui, c'est ce que l'on raconte, à Cumes. Mais le temple d'or n'est qu'une légende. Ou alors la Terre l'a englouti depuis longtemps. Cela arrive parfois. La Terre s'entrouvre et dévore des maisons entières. Aujourd'hui, en tout cas, le temple est un lieu caché

---

1. Virgile, dans le livre VI de l'*Énéide*, raconte la légende du temple d'or de Dédale à Cumes. *(N.d.T.)*

dans les rochers, près de l'antre de la sibylle[1]. Mais ne t'inquiète pas : la prêtresse viendra. As-tu apporté un présent d'or ou d'argent ?

– J'ai quelques pièces.

– Ça suffira. Maintenant adieu.

Elle tira impatiemment sur les rênes de son cheval.

– Mais attends ! Comment allons-nous te retrouver ?

– Pour quoi faire ?

Je sentis une intonation déplaisante dans sa voix.

– Je vous ai amenés ici, comme tu me l'avais demandé. Ne peux-tu retrouver ton chemin tout seul ?

Je contemplai l'enchevêtrement de rochers. Le brouillard descendait en tourbillonnant au-dessus de nos têtes. Un petit vent gémissait entre les pierres.

– Très bien, dit-elle. Quand la sibylle en aura fini avec toi, chevauche sur une courte distance en direction de la mer. Au sommet d'une colline herbeuse, vous arriverez à Cumes. La maison de Iaia est au bout du village. L'un des esclaves vous laissera entrer, si...

Elle hésita.

– ... si je ne suis pas là. Attendez-moi.

– Mais où pourrais-tu être ?

Elle s'éloigna sans répondre et disparut rapidement au milieu des rochers.

– Quelle affaire vitale l'amène à Cumes tous les jours ? me demandai-je. Et pourquoi est-elle si pressée de nous quitter ? Eh bien, Eco, que penses-tu de cet endroit ?

Eco frissonna... mais pas de froid.

---

1. Aujourd'hui, à Cumes, l'un des sites les plus réputés est précisément l'antre de la Sibylle. Il s'agit d'une petite pièce comportant trois niches, au bout d'un long couloir creusé dans le tuf. L'ensemble se trouve en contrebas de l'acropole antique, légèrement à l'écart de la ville. Les spécialistes attribuent en fait à ce lieu précis, daté du Ve siècle av. J.-C., une fonction plus militaire que religieuse. Ce qui n'empêche pas la sibylle, dont l'existence est largement attestée, d'avoir vaticiné peut-être en ce lieu ou ailleurs. *(N.d.T.)*

J'observai à nouveau le labyrinthe de roches tout autour. Les gémissements du vent redoublèrent. Il sifflait en s'engouffrant dans les trous des rochers. Où que l'on regardât, on ne pouvait voir à plus de quelques pieds, à cause de ces pierres. Toute une armée pouvait être tapie là, invisible ; un assassin derrière chaque rocher. L'écorce d'une branche tordue était usée sur une petite longueur, indiquant l'endroit où de nombreux cavaliers avant nous avaient attaché leurs chevaux. Tandis que j'attachais les rênes à l'arbre, je sentis Eco me tirer la manche.

Je m'arrêtai net. Sortie de nulle part aurait-on dit, une silhouette à cheval passait entre deux rochers proches. Elle empruntait la même route qu'Olympias quelques instants plus tôt. Le brouillard de plus en plus dense étouffait complètement le bruit des sabots. Pareil à un fantôme silencieux, le personnage, revêtu d'un long manteau à capuchon, ne fut visible qu'un instant. Puis il disparut.

– Qu'en dis-tu ? murmurai-je.

Eco sauta sur le rocher le plus haut et grimpa jusqu'à son sommet, en s'aidant de toutes les prises et cavités qu'il trouva. Je le vis scruter les alentours immédiats. Un instant, son visage s'illumina, puis il s'assombrit de nouveau. Il me fit un signe sans quitter des yeux l'enchevêtrement des roches. Après avoir pincé son menton entre l'index et le pouce droits, il les baissa pour esquisser la pointe d'un triangle.

– Une longue barbe ? demandai-je.

Eco acquiesça.

– Tu veux dire que le cavalier est Dionysius, le philosophe ?

Il acquiesça de nouveau.

– Comme c'est étrange ! Tu le vois encore ?

Eco secoua la tête. Puis son visage s'illumina de nouveau. Avec le doigt, il mima le vol d'une flèche, formant un arc ascendant puis descendant : il voulait indiquer quelque chose qui se trouvait beaucoup plus loin. Il fit un signe pour évoquer les cheveux d'Olympias.

– Tu vois la fille ?

Il fit oui de la tête, puis non lorsqu'elle disparut.

– Et le philosophe ? Tu as l'impression qu'il la suit ?

Eco regarda quelque temps encore, avant de baisser les yeux vers moi et de hocher la tête en signe d'acquiescement. Son visage reflétait une grave inquiétude.

– Comme c'est étrange ! Vraiment très étrange. Si tu ne vois plus rien, redescends.

Eco continua de scruter le vide. Puis il s'assit sur le rocher et sauta par terre avec un grognement. Il se précipita vers les chevaux et indiqua les rênes.

– Tu veux galoper après eux ? Ne sois pas ridicule. Il n'y a aucune raison d'imaginer que Dionysius lui veuille le moindre mal. Après tout, il ne la suit peut-être pas du tout.

Les mains sur les hanches, Eco me toisa comme si j'étais un enfant stupide.

– Oui, c'est curieux qu'il ait pris ce même chemin obscur, quelques instants seulement après nous. Mais peut-être était-ce nous qu'il suivait, et pas Olympias. Dans ce cas, nous lui avons faussé compagnie.

L'explication ne satisfaisait pas Eco. Il croisa les bras et grommela.

– Non, dis-je fermement. Nous n'allons pas les suivre. Et toi, tu n'iras pas non plus tout seul. En ce moment, Olympias est probablement déjà dans Cumes. En outre, je doute qu'une jeune femme forte et intelligente comme elle ait besoin de protection face à un vieux barbu comme Dionysius.

Eco fronça les sourcils et donna un coup de pied dans une pierre. Les bras toujours croisés, il commença à retourner vers le rocher, comme s'il voulait le gravir de nouveau. Soudain il se figea et se retourna... comme moi.

La voix était déconcertante, bourrue, rauque, on avait peine à l'identifier comme une voix de femme. L'apparition portait un grand manteau rouge sang à capuche. Elle se tenait les mains jointes sous son vêtement, si bien qu'aucune partie du corps n'était visible. La voix surgissait de l'ombre noire, de sous la capuche, pareille au gémissement d'un fantôme sorti de la gueule d'Hadès.

— Reviens, jeune homme ! La fille est en sécurité. Vous, en revanche, vous êtes des intrus ici. Vous courez donc un danger permanent tant que le dieu n'aura pas vu vos visages nus. Alors seulement, il décidera de vous frapper de sa foudre ou d'ouvrir vos oreilles à la voix de la sibylle. Rassemblez votre courage, vous deux, et suivez-moi. Tout de suite ! ‑

6

Il y a très longtemps régnait sur Rome Tarquin le Superbe [1].
Un jour, une prophétesse quitta son antre à Cumes pour
aller le voir à Rome. Elle lui proposa neuf livres de savoir
occulte. Ces livres étaient constitués de feuilles de palmier.
Ils n'étaient pas reliés comme un manuscrit, pour que les
pages puissent être remises dans l'ordre que l'on voulait.
Tarquin trouva cela très étrange. Les textes étaient écrits
en grec, pas en latin, pourtant la prophétesse prétendait
que ces livres prédisaient l'avenir de Rome. Ceux qui les
étudieraient, dit-elle, comprendraient tous les phénomènes
étranges par lesquels les dieux font connaître leur volonté
à la Terre : par exemple, quand des oies sauvages volent
vers le nord en hiver, ou quand l'eau s'enflamme, ou encore
quand des coqs chantent à midi.

Tarquin considéra son offre, mais estima qu'elle réclamait trop d'or. Il la congédia, en disant que le roi Numa [2],
cent ans plus tôt, avait établi le clergé, les cultes et les rites
des Romains, et que grâce à eux on avait toujours déchiffré
la volonté des dieux.

---

1. Septième roi légendaire de Rome, il aurait régné de 534 à 509 av.
J.-C. *(N.d.T.)*
2. Numa Pompilius, dit le Pieux, deuxième roi légendaire de Rome,
aurait régné de 715 à 672. *(N.d.T.)*

Cette nuit-là, trois boules de feu furent aperçues, tournoyant au-dessus de l'horizon. Le peuple prit peur. Alors Tarquin convoqua immédiatement les prêtres pour qu'ils expliquent le phénomène. Hélas, à leur grand regret, ils ne trouvèrent aucune explication.

Le lendemain, la prophétesse revint voir Tarquin. Cette fois, elle dit qu'elle n'avait plus que six livres de savoir à vendre. Mais elle réclamait le même prix que la veille. Tarquin voulut savoir ce qu'il était advenu des trois autres livres. Elle répondit qu'elle les avait brûlés pendant la nuit. Comme elle réclamait pour six livres ce qu'il avait refusé de payer pour neuf, le roi, se sentant insulté, la renvoya de nouveau.

Cette fois, pendant la nuit, trois colonnes de fumée s'élevèrent au-dessus de l'horizon. Soufflées par le vent et éclairées par la lune, elles montaient en spirale et prenaient des formes grotesques de mauvais augure. De nouveau le peuple s'alarma. On prit ce signe comme la manifestation d'un dieu en colère. Alors, de nouveau Tarquin convoqua les prêtres. Et, une nouvelle fois, ceux-ci durent avouer leur impuissance.

Le lendemain, la prophétesse rendit une troisième visite au roi. Elle avait, dit-elle, brûlé trois autres livres pendant la nuit. Elle ne proposait donc plus que les trois derniers. Et, naturellement, toujours pour le même prix, celui qu'elle avait réclamé pour les neuf livres. Bien qu'il fût couronné, Tarquin paya à la femme la somme demandée.

C'est ainsi, parce que Tarquin avait hésité, que les Livres sibyllins ne nous sont parvenus que sous forme fragmentaire. L'avenir de Rome ne peut être lu et déchiffré qu'imparfaitement. La réputation de sagesse de la sibylle de Cumes devint légendaire. Elle fut respectée non seulement parce qu'elle était une grande prophétesse, mais parce qu'elle s'était montrée habile en affaires, en vendant trois livres pour le prix de neuf.

Les Livres sibyllins furent élevés au rang d'objets de très

grande vénération. Ils ont survécu à la royauté romaine pour devenir la propriété la plus sacrée du peuple romain. Le Sénat décréta qu'ils seraient conservés dans un coffre de pierre, dans le profond souterrain du temple de Jupiter, sur la colline du Capitole, au-dessus du Forum. Les Livres étaient consultés dans les périodes de grandes calamités ou lorsque les présages semblaient inexplicables. Les prêtres chargés d'étudier les Livres devaient, sous peine de mort, garder leur contenu secret. Ils n'avaient même pas le droit de le révéler au Sénat. Cependant, on finit par apprendre un curieux fait concernant les strophes des Livres. Elles étaient écrites en acrostiches : lues verticalement, les initiales de chaque vers donnaient le sens de la strophe. Une telle habileté, susceptible d'échapper à un mortel, était certainement un jeu d'enfant pour la volonté divine.

Ainsi les Livres demeurèrent toujours très mystérieux. C'est pour cela que très peu de personnes savent exactement ce qui a été perdu, lorsque, il y a dix ans, dans les dernières convulsions de la guerre civile, un grand feu dévasta le Capitole. Le temple de Jupiter fut ravagé. Les flammes parvinrent à pénétrer dans le coffre de pierre et à réduire les Livres sibyllins en cendres. Sylla a rendu ses ennemis responsables du feu ; ses ennemis ont accusé Sylla. Dans un cas comme dans l'autre, les trois ans de règne du dictateur ne commençaient pas sous un jour favorable. Sans les Livres sibyllins, Rome avait-elle un avenir ?

Dans la baie de Naples, la sibylle est encore vénérée, surtout par les habitants des vieilles cités grecques, où l'on préfère la chlamyde à la toge et où l'on parle plus souvent grec que latin, non seulement sur les marchés, mais dans les temples et les tribunaux.

On lui apporte des présents, du bétail et des pièces de monnaie. Mais l'élite romaine en vue, qui habite les grandes villas du bord de mer, ne s'intéresse pas à elle. Les riches Romains préfèrent rechercher la sagesse auprès des philosophes en villégiature et accorder leurs dons aux temples respectables de Jupiter et de Fortune dans les forums de Pouzzoles, de Naples et de Pompéi.

La prêtresse marchait devant nous avec un sens de l'équilibre parfait. Jamais son pied ne trébuchait, alors que moi et Eco, nous ne cessions de glisser, projetant des graviers au bas de la colline tout en essayant de nous rattraper aux branches.

L'emplacement du temple d'Apollon attaché au sanctuaire de la sibylle était protégé du vent. Un silence paisible régnait. Au-dessus de nos têtes, le brouillard tentait de recouvrir le sommet de la colline.

Une fois dans le temple, la prêtresse se retourna vers nous. Sous sa capuche, ses traits demeuraient dans l'ombre. Sa voix émergea, aussi étrange qu'auparavant.

– Manifestement, dit-elle, vous n'avez pas amené de vache.

– Non.

Ni de mouton ou de chèvre.

– Non.

– Seulement vos chevaux, qu'on ne peut sacrifier au dieu. Avez-vous de l'argent, afin d'acheter une bête pour le sacrifice ?

– Oui.

Elle demanda une somme qui ne me parut pas exagérée. La sibylle de Cumes n'était apparemment plus la redoutable négociatrice qu'elle avait été. Je tirai l'argent de ma bourse en me demandant si Crassus accepterait que la dépense soit incluse dans mes frais.

Elle tendit la main droite pour prendre les pièces. C'était la main d'une vieille femme couverte de taches de vieillesse. Je m'y attendais. Ni bagues ou anneaux à ses doigts, ni bracelet au poignet. Cependant, je notai une trace de peinture bleu-vert sur son pouce. Une couleur que Iaia aurait fort bien pu utiliser le matin même pour retoucher sa fresque.

Vit-elle la tache de peinture ? Que ce soit pour cette raison ou par goût du lucre, elle s'empara des pièces et rentra prestement la main dans sa manche. Je remarquai aussi que l'ourlet de ses manches était d'un rouge plus sombre que le reste du vêtement.

C'était du sang !

– Damon ! appela-t-elle. Apporte un agneau !

Soudain, un petit garçon surgit. Il passa la tête entre deux colonnes puis disparut aussitôt. Quelques instants plus tard, il revint portant sur les épaules un agneau bêlant. L'animal ne venait pas d'une ferme, c'était un animal élevé dans le temple, engraissé pour le sacrifice rituel ; sa toison était propre et soigneusement brossée. L'enfant déposa l'agneau sur un petit autel, devant la statue d'Apollon. Il bêla de plus belle au contact du marbre froid. Le garçon le calma en le caressant et en lui chuchotant quelques mots à l'oreille, alors qu'il lui liait les pattes.

Il repartit en courant et réapparut bientôt avec un long poignard en argent. Le manche était incrusté de lapis-lazuli et de grenats. La prêtresse prit l'arme sacrificielle et vint se placer au-dessus de l'agneau, en nous tournant le dos. Elle leva le poignard et se mit à marmonner des incantations.

La prêtresse était habile, et possédait plus de force que je ne l'imaginais. Sans doute la lame avait-elle frappé le cœur, tuant instantanément l'agneau. Je vis quelques convulsions, un peu de sang gicler, mais pas un cri, pas le moindre gémissement alors qu'il offrait sa vie au dieu. Les esclaves de Gelina mourraient-ils aussi facilement ?

La prêtresse ouvrit le ventre de l'animal. Elle fouilla ses entrailles. Je compris alors pourquoi ses manches étaient imprégnées de sang. Elle chercha encore un moment, puis trouva ce qu'elle voulait. Elle se retourna vers nous, tenant le cœur encore palpitant de l'animal et une partie des entrailles. Elle se dirigea vers le bas-côté du temple. Nous la suivîmes. Un brasero rudimentaire était taillé dans la paroi de pierre. L'enfant avait déjà allumé le feu.

La prêtresse jeta les organes sur la pierre brûlante. La

chair grésilla. Les volutes de vapeur montèrent en tourbillons puis furent aspirées dans les fissures entre les pierres. Avec un bâton, la prêtresse remua les entrailles. L'odeur de chair grillée me rappela que nous n'avions pas déjeuné. Mon estomac gargouilla. La sibylle jeta quelque chose sur la pierre chauffée. Un parfum étrange, semblable à celui du chanvre qui brûle, emplit l'air. Je ressentis des vertiges. Près de moi, Eco vacillait, je tendis le bras pour le retenir. Mais quand je lui attrapai l'épaule, il me regarda si curieusement que j'eus l'impression que c'était moi seul qui avais chancelé. Du coin de l'œil, je vis quelque chose qui bougeait et tournai les yeux vers le grand mur de pierre qui se dressait devant nous. Des visages avaient commencé à apparaître au milieu des fissures et des ombres.

De telles apparitions ne sont pas exceptionnelles dans les sanctuaires. J'en avais déjà vu. Mais lorsque le monde invisible commence à se manifester, on éprouve toujours un soudain et violent sentiment de terreur et de doute.

Même si je ne pouvais discerner son visage, je savais que la prêtresse me regardait. Elle vit que j'étais prêt. Nous la suivîmes de nouveau. Elle nous entraîna sur un sentier pierreux au flanc de la colline. Puis elle descendit dans un ravin sombre. De plus en plus sombre et de plus en plus profond. Le trajet semblait interminable. Le sentier était si difficile à suivre que je dus m'asseoir à plusieurs reprises et m'aider des pieds et des mains. Derrière moi, Eco faisait de même. La prêtresse, en revanche, parvenait à rester debout, avançant à pas parfaitement réguliers.

Nous parvînmes devant l'ouverture d'une grotte. Lorsque nous pénétrâmes à l'intérieur, un vent humide et froid nous fouetta le visage. Il apportait une étrange senteur, comme la fragrance de fleurs fanées. Je levai les yeux. La grotte n'était pas un tunnel, mais une salle aérée, haute, fissurée de tous côtés. Ces ouvertures laissaient filtrer une lueur crépusculaire. En s'y engouffrant, le vent faisait naître une cacophonie permanente. Parfois c'était presque de la musique ; à d'autres moments, on aurait dit des gémissements. De temps en temps, j'entendais les accents fugitifs de la flûte d'un satyre, la voix forte d'un acteur célèbre, ou encore le soupir que Bethesda pousse le matin avant son réveil.

La prêtresse nous fit descendre encore plus profondément dans la grotte, jusqu'à un endroit où les murs se rapprochaient. Elle leva son bras pour que nous nous arrêtions. Dans la pénombre, sa robe rouge sang était devenue noire comme du jais. Elle s'avança vers une saillie rocheuse qui ressemblait à une scène. Un moment, je pensai qu'elle s'était mise à danser. La robe noire ondulait, virevoltait, se repliait sur elle-même. Un long hurlement plaintif me fit dresser les cheveux sur la tête. Les contorsions n'étaient pas une danse, mais les convulsions de la prêtresse, alors que la sibylle prenait possession de son corps.

La robe noire tomba sur le sol. Ce n'était plus qu'une masse de tissu. Eco fit un pas en avant pour la toucher, mais je l'arrêtai. Un instant plus tard, le vêtement recommença à s'animer, à se remplir, et il se redressa. Sous nos yeux, la sibylle de Cumes prenait forme. Elle paraissait plus grande que la prêtresse. Elle leva les mains et rejeta sa capuche en arrière.

Dans la pénombre, son visage était à peine discernable. Pourtant il me semblait que je pouvais distinguer ses traits avec précision. Il fallait d'abord que je fasse le vide, que je ne m'imagine pas que la prêtresse était Iaia. Certes, elle avait le visage d'une vieille femme et, certes, elle pouvait vaguement ressembler à l'artiste. Elles avaient peut-être la même bouche, les mêmes pommettes saillantes et le même front hautain. Mais aucune mortelle ne possédait des yeux dont l'éclat était aussi vif que celui de la lumière qui passait par les fissures de la grotte.

Elle commença à parler. Ses seins se soulevèrent. Un bruit de crécelle sortit de sa gorge alors que le dieu se mettait à respirer à travers elle. Soudain un vent violent se leva dans notre dos et fit voler ses cheveux. Pas encore soumise au dieu, elle luttait et essayait de le chasser de son esprit, comme un cheval tente de se débarrasser de son cavalier. Sa bouche écumait. Des sons montèrent de sa gorge, d'abord semblables au vent dans une grotte, puis au gargouillis de l'eau dans une canalisation. Petit à petit, le dieu la maîtrisa, puis la calma. Elle dissimula son visage dans ses mains, avant de se redresser lentement.

— Le dieu est avec moi, dit-elle d'une voix qui n'était ni celle d'un homme ni celle d'une femme.

Je jetai un coup d'œil à Eco. Son front était couvert de sueur, ses yeux grands ouverts, ses narines dilatées. Je lui pris la main pour le réconforter.

— Pourquoi viens-tu ? demanda la sibylle.

Je voulus parler, mais ma gorge était trop sèche. Je déglutis et réessayai.

— On... on nous a dit... de venir.

Même ma propre voix me paraissait irréelle.

— Que cherches-tu ?

— Je... veux connaître... certains événements... à Baia.

Elle hocha la tête.

— Tu viens de la maison du mort, Lucius Licinius.

— Oui.

— Tu cherches la réponse à une énigme.

— Je veux savoir comment il est mort... et quelle main l'a tué.

— Pas celle des accusés, répondit-elle.

— Mais comment le prouver ? Il faudrait que je puisse désigner le vrai coupable... Tous les esclaves de la maison vont être exécutés. C'est une tragédie cruelle, sauf si... Peux-tu me dire qui a tué Licinius ?

La sibylle demeura silencieuse.

— Peux-tu au moins me montrer son visage en rêve ?

La sibylle posa ses yeux sur moi. Un frisson me glaça les os. Elle secoua la tête.

— Mais je dois absolument le savoir ! protestai-je.

De nouveau, la sibylle secoua la tête.

– L'oracle n'est pas là pour accomplir la tâche des hommes à leur place.

« Mais que puis-je faire pour toi, Gordien de Rome ? Il t'appartient de découvrir la connaissance. Si je te donne la réponse que tu cherches, je te prive du moyen même qui te permettra d'aboutir. Si tu vas voir Crassus en lui donnant un nom, sans autre preuve, il se contentera de se moquer de toi, il te punira même peut-être pour avoir porté de fausses accusations. Si tu ne la trouves pas toi-même, en utilisant tes talents, la connaissance que tu cherches te sera inutile. Ce que tu affirmes, tu dois pouvoir le prouver. C'est la volonté du dieu que je t'aide, mais je ne ferai pas le travail pour toi.

Je secouai la tête. À quoi pouvait bien me servir la sibylle si elle refusait de me livrer un nom ? Peut-être ne le connaissait-elle tout simplement pas ? Je me sentis coupable d'avoir des pensées aussi impies et les chassai de mon esprit. Un voile sembla se lever lentement devant mes yeux. De nouveau, la sibylle parut me regarder d'un air soupçonneux, comme Iaia.

Eco toucha ma manche pour attirer mon attention. D'une main il leva deux doigts, et de l'autre il en baissa deux, sa façon de dire « homme » : *deux hommes*. Il attrapa son poignet gauche avec la main droite, pour symboliser une entrave, sa manière de dire « esclave » : *deux esclaves*. Je me retournai vers la sibylle.

– Les deux esclaves disparus, Zénon et Alexandros, sont-ils vivants ou morts ? Où puis-je les trouver ?

La sibylle hocha la tête, l'air grave.

– Tes questions sont sages. L'un d'eux est caché, l'autre est parfaitement visible.

– Vraiment ?

– Après s'être enfuis de Baia, ils se sont d'abord arrêtés ici.

– Ici ? Ils sont venus dans ta grotte ?

– Ils sont venus chercher les conseils de la sibylle. Ils sont venus le cœur innocent.

– Et maintenant, où puis-je les trouver ?

– Celui qui est caché, tu le trouveras le moment venu. Quant à l'autre, celui qui est visible, tu le rencontreras en rentrant à Baia.

– Dans les bois ?

– Pas dans les bois.

– Alors où ?

– Il y a une grande pierre plate qui surplombe l'Averne...

– Olympias nous a montré l'endroit.

– À gauche du précipice, un sentier étroit descend jusqu'au lac. Protège ta bouche et ton nez avec tes manches et approche-toi de la bouche du gouffre. Il t'attendra là.

– Quoi ? L'ombre d'un mort s'échappant du Tartare ?

– Tu le reconnaîtras quand tu le verras. Il te saluera les yeux grands ouverts.

C'est un bon endroit pour se cacher, car il offre toutes les garanties. Mais quelle sorte d'homme pouvait établir son camp sur les rives mêmes de l'Averne, au milieu des vapeurs de soufre et des fantômes répugnants ? Je n'aurais pas voulu m'approcher davantage de l'endroit. Maintenant, je frissonnai à l'idée de descendre au bord du lac. À sa manière d'agripper mon bras, je pouvais dire qu'Eco n'appréciait pas davantage cette perspective.

– Le garçon, dit sèchement la sibylle, pourquoi ne parle-t-il pas ?

– Il ne peut pas.

– Tu mens !

– Non, il est muet.

– Est-il né ainsi ?

– Non. Il a contracté une mauvaise fièvre quand il était tout petit. Cette même fièvre a emporté son père. Depuis ce jour, Eco n'a plus jamais parlé. C'est ce que sa mère m'a dit, juste avant de l'abandonner.

– S'il essayait, il pourrait parler, aujourd'hui.

Comment pouvait-elle dire une telle chose ? Je voulus contester, mais elle m'interrompit.

– Laisse-le essayer. Dis ton nom, mon garçon !

Eco la regarda craintivement. Puis une lueur d'espoir brilla dans ses yeux. Ce fut encore un étrange moment dans une journée qui devait en compter bien d'autres. Je crus presque que l'impossible allait se produire, là, dans la grotte de la sibylle. Eco dut le croire aussi. Il ouvrit la bouche. Sa gorge frémit, ses joues se crispèrent.

– Dis ton nom ! répéta la sibylle.

Eco se tendit. Son visage s'assombrit. Ses lèvres tremblèrent.

– Dis-le !

Eco essaya. Mais le son qui sortit de sa gorge n'était pas humain. C'était un bruit sourd, un son qui écorchait les oreilles. Affligé pour lui, je fermai les yeux, puis je l'attirai, contre ma poitrine, il tremblait et pleurait. Je le serrai fort, et me demandai pourquoi la sibylle avait réclamé un prix aussi cruel – l'humiliation d'un garçon innocent – en échange d'aussi peu d'informations.

J'inspirai profondément et emplis mes poumons de la fragrance des fleurs fanées. Je rassemblai mon courage et ouvris les yeux, décidé à tancer la sibylle, qu'elle fût le réceptacle du dieu ou pas. Mais elle avait disparu.

Nous quittâmes la grotte de la sibylle. La caverne pleine d'échos de voix ne semblait plus aussi mystérieuse. C'était toujours un endroit curieux, certes, mais pas aussi effrayant qu'à notre arrivée. Le chemin de retour vers le temple était toujours aussi difficile, mais nous ne fûmes pas obligés de ramper. Il fut même plus court qu'à l'aller. Le monde paraissait se réveiller après un rêve bizarre. Même les nappes de brouillard avaient disparu. C'était l'après-midi et la colline était inondée de soleil.

Dans le temple, le feu du brasero s'était éteint. Les entrailles noircies continuaient de grésiller. L'odeur de chair calcinée me rappela une nouvelle fois que nous n'avions pas mangé depuis des heures. Dans un petit renfoncement, derrière le temple, Damon avait accroché et dépouillé la carcasse de l'agneau. Il la découpait d'une main étonnamment experte.

Nous redescendîmes vers nos chevaux. Le soleil éclatant se réfléchissait sur les enchevêtrements de rochers. L'endroit était toujours aussi déroutant, mais moins menaçant. Nous nous dirigeâmes vers la côte. Une immensité scintillante s'offrit à nos yeux : la mer, sans limites, s'étendait de la Sardaigne aux Colonnes d'Hercule. L'ancien village de Cumes se trouvait à nos pieds.

Tandis que nous chevauchions, je ne trouvais rien à dire. Entre nous, un silence lourd s'était installé, chargé d'une indicible mélancolie.

Un charretier nous indiqua la maison de Iaia, perchée sur une falaise à l'autre extrémité du village, surplombant la mer. Elle en imposait moins qu'une autre villa, mais elle était probablement la plus grande maison de Cumes. Les teintes de la façade frappaient par leur originalité : mélange de safran et d'ocre, rehaussés de touches de bleu et de vert. Tout d'abord la maison semblait trancher audacieusement sur la toile de fond de l'océan, puis on se rendait compte qu'elle s'intégrait dans le paysage. L'œil et la main de Iaia transformaient tout en œuvre d'art.

À la porte, un esclave nous informa qu'Olympias était sortie, mais qu'elle serait bientôt de retour. Elle avait laissé des ordres pour que l'on s'occupe de nous. L'esclave portier nous entraîna donc vers une petite terrasse qui donnait sur la mer et nous apporta à boire et à manger. Devant un bon bol de bouillie d'avoine fumante, Eco redevint lui-même. Il mangea avec plaisir et je fus soulagé de voir disparaître sa tristesse. Après nous être sustentés, nous prîmes quelque repos sur les divans alignés face à la mer. Mais, très vite, je commençai à m'agiter. J'interrogeai les esclaves : savaient-ils où était Olympias ? Quand allait-elle revenir ? S'ils savaient quoi que ce soit, ils n'en dirent rien. Laissant Eco sommeiller, je m'aventurai dans la maison.

Iaia avait rassemblé beaucoup d'objets magnifiques au cours de sa carrière : des tables et des chaises finement ouvragées, de petites sculptures si délicatement modelées et peintes qu'elles semblaient presque respirer, des objets précieux en verre, des figurines d'ivoire, des peintures de différents artistes et, naturellement, les siennes.

Mon odorat me conduisit vers la pièce où Iaia et Olympias fabriquaient leurs couleurs. Je m'étais laissé guider par un mélange d'odeurs. Au bout d'un couloir, j'avais trouvé une chambre encombrée de pots, de braseros, de mortiers, de pilons. Il y avait des dizaines de pots de terre, des grands et des petits, partout dans la pièce. J'ôtai des couvercles et examinai les différentes plantes séchées et les poudres minérales. J'en reconnus certaines : le sinople brun-rouge obtenu à partir du fer oxydé de Sinope ; le cinabre espagnol, de la couleur du sang ; le sable pourpre foncé de Pouzzoles ; le bleu indigo fait à partir d'une poudre obtenue en raclant les roseaux égyptiens.

D'autres récipients ne contenaient apparemment pas de pigments, mais des herbes médicinales : de l'ellébore blanc et du noir réduits en une poudre toxique mais qui sert à de multiples usages ; des graines de gesse blanche ou lathyrus, bonnes pour guérir l'hydropisie et chasser la bile. Je replaçai le couvercle d'un tout petit pot plein d'aconit, également appelé tue-panthères, quand quelqu'un toussota derrière moi. Depuis le corridor, l'esclave portier m'observait d'un air désapprobateur.

— Tu devrais être très prudent avant de mettre ton nez dans les pots, dit-il. Certains peuvent contenir des poisons violents.

— Oui, acquiesçai-je, comme celui-là. L'aconit. On dit qu'il sortit de la bouche écumante de Cerbère, quand Hercule le remonta du Monde inférieur. Il est excellent pour tuer les panthères, m'a-t-on dit, ou les hommes. Je me demande pourquoi ta maîtresse en a.

— Contre les piqûres de scorpion, répondit l'esclave sèchement. On le mélange à du vin pour faire un cataplasme.

— Ah ! ta maîtresse doit s'y connaître en plantes.

Je remis le pot à sa place sur l'étagère et quittai la pièce.

Je décidai d'aller me promener le long des falaises au-delà du village. Le soleil de l'après-midi était chaud, le ciel clair comme du cristal. Quelques nuages filaient sur l'horizon, au-dessus de nos têtes, des mouettes tournoyaient en piaillant. La brume qui recouvrait encore la côte une heure plus tôt avait disparu. La sibylle de Cumes commença à me paraître irréelle, comme les vapeurs qui montaient du lac Averne. Je finissais par me demander si tout ce qui s'était passé depuis le matin et mon départ de Baia n'avait pas été qu'un rêve éveillé. Soudain, j'en eus assez de la villa de Licinius et de tous ses mystères. J'avais hâte de revoir Rome, de marcher dans les rues grouillantes de monde de Subure, de regarder les bandes de garçons qui jouent au trigone sur les places. Je me languissais du calme de mon jardin, du confort de mon lit et de la bonne odeur des petits plats de Bethesda.

C'est alors que je vis Olympias. Elle remontait un sentier étroit du bord de mer, un petit panier à la main. Elle se trouvait encore à une certaine distance. Elle souriait. Ce n'était pas ce sourire ambigu qu'elle arborait chez Gelina, mais un sourire rayonnant et heureux. Je notai aussi que le bas de sa courte stola d'équitation était sombre, comme si elle avait marché dans l'eau jusqu'aux genoux.

Je regardai la pente derrière elle en essayant de comprendre d'où elle venait. Le sentier disparaissait dans les rochers. Et aucune plage n'était visible. Si elle avait voulu ramasser des coquillages ou des fruits de mer, les parages immédiats de Cumes auraient été bien préférables et plus sûrs.

Je me cachai derrière un rocher alors qu'elle se rapprochait. Soudain, du coin de l'œil, je perçus un mouvement : à une centaine de pas Dionysius le philosophe se cachait lui aussi. Il était tapi derrière un rocher au bord de la falaise et épiait Olympias.

Il ne m'avait pas vu. Je m'éloignai aussi vite que possible sans être vu. Je me précipitai dans la maison de Iaia pour aller rejoindre Eco sur la terrasse.

Olympias apparut bientôt. L'esclave portier vint lui parler à voix basse. La jeune fille passa dans une autre pièce. Quand elle ressortit, quelques instants plus tard, elle avait enfilé une stola sèche et laissé son panier.

– Ta visite à la sibylle a-t-elle été fructueuse ? demanda-t-elle avec un joli sourire.

Eco fit une grimace et évita son regard.

– Peut-être, dis-je. Nous le saurons bientôt.

Olympias avait l'air intrigué, mais manifestement rien ne pouvait assombrir son humeur joyeuse. Elle allait de-ci de-là sur la terrasse, caressant les fleurs qui s'épanouissaient dans des pots.

– Veux-tu que nous retournions à Baia sans tarder ? demanda-t-elle.

– Oui. Nous avons encore du travail, Eco et moi. Et il doit y avoir beaucoup d'agitation dans la maison de Gelina, en cette veille de grandes funérailles.

– Ah, oui, les funérailles, chuchota Olympias, l'air sombre.

Elle hocha la tête, pensive. Son sourire s'évanouit presque de ses lèvres gracieuses, alors qu'elle se penchait vers les fleurs pour les sentir.

Elle paraissait plus belle que jamais, ses yeux resplendissaient de lumière et ses cheveux dorés avaient été gonflés par le vent.

– Tu as fait une petite promenade sur la plage ?

– Oui, une petite promenade, dit-elle en détournant les yeux.

– Quand tu es remontée, tout à l'heure, n'avais-tu pas un panier ? Tu ramassais des oursins ?

– Non.

– Des coquillages, alors ?

Elle avait l'air mal à l'aise.

– En fait, je ne suis pas allée sur la plage.

Ses yeux s'assombrirent.

– J'ai longé le rivage. Et, si tu veux tout savoir, j'ai ramassé de jolies pierres. Iaia s'en sert pour décorer le jardin.

– Je vois.

Nous partîmes peu après. En traversant le vestibule, je

195

remarquai qu'Olympias n'avait pas cherché à dissimuler le panier. Tandis qu'elle franchissait la porte, je traînai un peu en arrière. Faisant un pas vers le panier, je soulevai son couvercle du pied. Aucune pierre. À part un petit couteau et quelques croûtons de pain, le panier était vide.

La traversée du labyrinthe de rochers et des collines chauves balayées par le vent sembla très différente en plein soleil. En revanche, quand nous pénétrâmes de nouveau dans les bois autour du lac Averne, je ressentis la même atmosphère angoissante qu'auparavant. De temps en temps, je jetais un coup d'œil en arrière. Si Dionysius nous suivait, il prenait garde de ne jamais se montrer.

Ce n'est qu'en arrivant à la hauteur du gouffre que j'avertis Olympias que je voulais m'y arrêter.

– Mais, je t'ai déjà montré la vue, protesta-t-elle. Pourquoi veux-tu la revoir ? Pense comme il doit faire beau, en bas, à Baia.

– Je veux la revoir, insistai-je.

Tandis qu'Eco attachait les chevaux, je repérai la naissance du sentier sur la gauche du surplomb. C'était comme la sibylle me l'avait dit. Le sentier était à peine visible, totalement à l'abandon. Je ne découvris pas la moindre trace récente de passage, pas une seule empreinte de pied sur le sol détrempé. J'écartai les branches. Eco était derrière moi. Olympias protesta, mais suivit le mouvement.

Nous descendîmes une piste raide, très accidentée, le sol était rocailleux et dénudé. Portée par un courant d'air chaud ascendant, l'odeur du soufre devenait de plus en plus forte. Nous fûmes finalement contraints de nous couvrir le visage avec nos manches. Enfin, nous atteignîmes une large plage de vase jaunâtre. Contrairement à ce qu'on voyait d'en haut la surface du lac n'était pas uniforme. En réalité, il s'agissait d'une succession de mares sulfureuses reliées les unes aux autres et recouvertes de vapeur. Des ponts de roche les séparaient. Ils permettaient sans doute de gagner l'autre

196

rive, si tant est qu'on ait voulu prendre ce risque et qu'on ait survécu à la chaleur et à l'odeur. La puanteur du soufre en ébullition était presque insoutenable.

Je levai les yeux. Nous nous trouvions presque exactement en dessous de la plate-forme de pierre d'où nous étions partis. Sur le flanc de la falaise, je ne voyais ni grotte ni abri possible. Je secouai la tête, doutant plus que jamais des paroles de la sibylle.

– Comment rencontrer quelqu'un ici ? grommelai-je. À mon avis, on a plus de chances de voir le Minotaure se promener sur cette plage qu'un des esclaves de Gelina en fuite.

Éco parcourait la plage des yeux, pour autant que les vapeurs le permettaient. Puis il leva les sourcils et montra du doigt quelque chose au bord de l'eau, à quelques pas à peine.

À dire vrai, j'avais déjà vu cette forme, mais je n'y avais pas prêté attention, pensant qu'il s'agissait d'un morceau de bois mort ou de quelque déchet rejeté par le lac. Mais maintenant que je l'observais plus attentivement, je réalisai soudain ce que cela devait être.

Nous nous approchâmes prudemment. Olympias suivit à quelques pas. Auparavant, la majeure partie de la chose avait dû se trouver immergée et brûlée par le soufre. Ce qui en restait était couvert de boue, sans couleur et presque décomposé. Nous regardions ce qui restait d'une tête humaine, encore attachée à des épaules où l'on voyait des lambeaux de tissu décoloré. Le visage était plongé dans la vase. À l'arrière de la tête, une couronne de cheveux gris entourait un crâne chauve. Éco recula d'effroi.

Avec un bâton, je poussai sur les épaules du cadavre pour le retourner. De l'autre main, je me couvris le nez. La chair du visage semblait s'être, d'une certaine manière, liquéfiée. Quand je retournai le corps, le spectacle fut presque insoutenable. Pourtant les traits étaient suffisamment visibles pour qu'Olympias reconnaisse de qui il s'agissait. Elle frissonna et gémit dans sa manche :

– Zénon !

Je n'eus même pas le temps de penser à ce qu'il convenait de faire. Olympias décida pour moi. Avec un cri perçant, elle se baissa, ramassa la tête en la prenant par une touffe de cheveux et la jeta dans le lac. Elle traversa les nappes de brume, faisant des remous sur son passage. Puis elle frappa l'eau. Pas un bruit d'éclaboussure, mais un son mat. Pendant un instant sinistre, le temps s'arrêta. La tête demeurait à la surface du chaudron bouillonnant. Un tourbillon de vapeur se forma en sifflant sous la tête. Les yeux ouverts nous regardaient, comme ceux d'un homme en train de se noyer regardent désespérément vers le rivage. Puis la tête s'enfonça dans la boue et disparut.

– La gueule d'Hadès l'a engloutie pour toujours, murmurai-je.

Olympias courait déjà vers le sentier, trébuchant et pleurant, et Eco, à genoux, vomissait sur la plage.

Troisième partie

La mort dans la coupe

– Cette journée ne s'achèvera-t-elle jamais ?

Fixant le plafond, je me frottai le visage des deux mains.

– Après cette chevauchée, je suis sûr d'avoir mal au dos demain.

Chaque fois que je fermais les yeux, je voyais le visage horriblement décomposé de Zénon entouré de flammes dévorantes.

– Eco, pourrais-tu m'apporter une coupe d'eau, s'il te plaît ? De cette aiguière, sur la fenêtre.

Je me frappai le front.

– J'oubliais. Nous devons encore trouver quelqu'un qui puisse aller plonger du côté de l'abri à bateaux. Il faut que l'on sache ce qui est tombé à l'eau la nuit dernière.

Je m'assis pour prendre la coupe qu'Eco me tendait et regardai par la fenêtre. Le soleil était encore haut, mais plus pour longtemps. Le temps que je trouve Meto, qui conviendrait parfaitement pour ce travail, et que nous descendions au bord de l'eau, les ombres se seraient sans doute allongées. Et la fraîcheur du soir serait déjà là. Si nous voulions trouver quelque chose au fond, nous avions besoin de beaucoup de soleil pour que la lumière perce l'eau. Il était trop tard. Cette tâche allait devoir attendre.

Je gémis en me frottant les yeux. Mais j'écartai précipitamment les mains dès que le souvenir du visage de Zénon se dessina devant moi.

– Pas le temps, Eco. Vraiment pas le temps. À quoi bon toute cette précipitation ? Il est pratiquement impensable que notre enquête aboutisse avant que Crassus ne mette en œuvre son projet. Si seulement Olympias n'avait pas jeté la tête dans le lac avant de rentrer précipitamment seule à la villa... Au moins nous aurions quelque chose à montrer à Crassus. La preuve que nous avons retrouvé l'un des deux esclaves. Enfin, après tout, à quoi cela aurait-il servi ? Crassus n'y aurait vu qu'une preuve supplémentaire de la culpabilité de Zénon. Je l'entends d'ici.

« Malgré tous nos efforts, les questions sans réponses sont de plus en plus nombreuses, Eco. Qui m'a attaqué la nuit dernière sur l'embarcadère ? Qu'a fait Olympias aujourd'hui ? Pourquoi Dionysius la suivait-il ? Quel rôle joue Iaia dans tout cela ? Que cherche-t-elle au bout du compte ? Et pourquoi toute cette magie ?

Je m'étirai. Et soudain je me sentis lourd comme du plomb. Eco se laissa tomber sur son lit, le visage tourné vers le mur.

– Nous ne devrions pas être là à nous prélasser, murmurai-je. Nous avons si peu de temps. Je n'ai pas encore parlé à Sergius Orata, l'homme d'affaires. Ni d'ailleurs à Dionysius. Si je pouvais le prendre au dépourvu...

Je fermai les yeux... Juste un instant, pensai-je. Autour de moi, la pièce semblait soupirer. J'étais allongé là, sur le lit, épuisé, attentif à toutes les sensations... et je commençai à sommeiller.

Le rêve survint. Je somnolais. Apparemment, je ne me trouvais plus chez Gelina, j'étais de retour chez moi, à Rome. Couché sur le côté, je sentais Bethesda contre moi, ventre contre ventre. Je ne voulais pas ouvrir les yeux. Ma main remonta le long de ses cuisses chaudes, puis le long de son ventre. J'étais stupéfait que sa peau soit encore aussi ferme et souple que lorsque je l'avais achetée à Alexandrie.

Elle ronronnait comme une chatte sous mes caresses ; son corps frémit contre le mien et je sentis mon sexe se raidir. Je m'apprêtai à pénétrer en elle, mais elle me repoussa brutalement.

J'ouvris les yeux dans mon rêve. Bethesda n'était pas là. En revanche, Olympias me regardait avec dédain.

– Pour qui me prends-tu ? murmura-t-elle avec une intonation hautaine. Pour une esclave dont tu pourrais abuser ainsi ?

Elle se leva du lit, nue, baignée par la douce lumière rougeoyante du soir venue de la terrasse. Ses cheveux formaient une auréole dorée autour de son visage. Les formes arrondies et les creux subtils de son corps se mariaient harmonieusement. Sa beauté était presque insupportable à regarder. Je voulus l'éteindre. Elle recula. Je crus qu'elle se moquait de moi. Mais soudain elle enfouit son visage entre ses mains et s'enfuit de la chambre en pleurant et en claquant la porte derrière elle.

Je sautai du lit pour la suivre. Au moment où j'ouvris la porte, un pressentiment m'assaillit. Un souffle d'air chaud balaya mon visage. La porte ne donnait pas sur un couloir, mais sur la grande pierre plate surplombant le lac Averne. Je n'aurais pu dire s'il faisait jour ou nuit. Tout était embrasé d'une lumière rouge sang. Au bord du vide, assis sur une chaise basse, un homme, drapé dans une cape militaire rouge, se penchait en avant. Son menton reposait sur sa main et son coude sur son genou, comme s'il suivait les évolutions d'une bataille beaucoup plus bas. Je regardai par-dessus son épaule et vis que tout le lac était une vaste mare qui crachait des flammes. Une multitude d'hommes, de femmes et d'enfants enfoncés jusqu'à la taille se débattait dans la vase. Leurs bouches étaient tordues par la souffrance, mais on entendait à peine les hurlements. Je reconnus le petit Meto et le jeune Apollonius.

Crassus tourna la tête pour me regarder.

– La Justice romaine, dit-il avec une satisfaction maca-
bre. Tu ne peux rien contre elle.

Il me dévisagea bizarrement et je réalisai que j'étais nu.
Je me retournai pour rentrer dans ma chambre, mais ne
trouvai plus la porte. Dans la confusion de l'instant, je
m'approchai trop près du bord. Une partie de la roche s'effondra. Crassus ne sembla pas s'apercevoir que je basculais
en arrière. J'essayai désespérément de m'agripper à la roche
qui tomba avec moi dans le vide...

Je me réveillai pour de bon. Ce rêve m'avait donné des
sueurs froides et quand je vis Meto se tenant près de moi
son visage reflétait une vive inquiétude. De l'autre côté de
la pièce s'élevait le ronflement d'Eco, doux et régulier. Au-
delà de la terrasse, le ciel était bleu sombre. Les premières
étoiles du soir scintillaient. Meto tenait à la main une lampe
qui projetait une pâle lumière dans la pièce.

– Ils t'attendent, dit-il finalement avec quelque hésitation, en levant ses sourcils.

– Qui ? Pour quoi ?

Complètement désorienté, je regardai la lumière danser
au plafond.

– Tout le monde est là, sauf toi.

– Où ?

– Dans le triclinium[1]. Ils t'attendent pour commencer à
dîner. Mais je ne sais pas pourquoi ils sont si pressés, poursuivit-il.

– Pourquoi dis-tu ça ?

– Parce que le dîner n'est même pas digne d'esclaves !

Une grande tristesse pesait sur le triclinium. Elle venait
en partie de la gravité de la situation. C'était le dernier
repas avant les funérailles. Pendant la nuit et toute la jour-

---

1. La salle à manger. Littéralement, *triclinium* signifie « trois lits »,
parce que traditionnellement les lits (trois ou davantage) étaient disposés en U. *(N.d.T.)*

née suivante, jusqu'au festin qui suivrait l'inhumation de Licinius, tout le monde dans la maison jeûnerait. La tradition prescrivait un repas d'une rigoureuse simplicité : du pain ordinaire et des lentilles, du vin coupé d'eau et de la bouillie d'avoine. Le cuisinier de Gelina avait tout de même préparé de rares mets plus délicats, tous de couleur noire : des œufs de poisson noirs servis sur des croûtons de pain noir, une marinade d'œufs colorés en noir, des olives noires, et du poisson poché dans de l'encre de poulpe.

Mais la tristesse avait une autre origine. Ce soir, Marcus Crassus était là, et sa présence semblait annihiler toute spontanéité. Ses lieutenants Mummius et Fabius, allongés l'un à côté de l'autre à sa droite, étaient taciturnes comme à l'ordinaire. De l'autre côté, à leurs regards gênés et à leurs visages crispés, on voyait bien que ni Metrobius ni Iaia ne se sentaient à l'aise en présence du grand homme. Olympias avait l'esprit ailleurs ; ce qui s'expliquait après le choc subi au lac Averne. J'étais même surpris qu'elle se trouvât parmi nous. Son expression hagarde ne faisait qu'accentuer sa beauté à la lueur pâle des lampes. Eco ne pouvait détacher ses yeux d'elle.

Gelina se trouvait dans un état de vive agitation. Elle ne cessait d'appeler les esclaves. Lorsqu'ils arrivaient près d'elle, elle ne savait plus pourquoi elle les avait fait venir. Loin de détourner les yeux, elle posait son regard impénétrable sur chaque visage, nous fixant l'un après l'autre intensément. Même Metrobius avait perdu sa verve.

Crassus lui-même était préoccupé et distant. Il conversait presque exclusivement avec Mummius et Fabius. Sur un ton cassant, ils échangeaient des remarques sur l'état des troupes. Ne prêtant pas grande attention à qui que ce soit d'autre, il aurait aussi bien pu dîner seul. Il mangeait de bon cœur, mais il avait l'air pensif.

Seul le philosophe Dionysius paraissait échapper à cette morosité. Ses yeux pétillaient et ses joues étaient légèrement colorées. Son petit tour à Cumes l'a revigoré, pensai-je.

Ou alors il avait trouvé ce qu'il cherchait en espionnant Olympias, ce dont il se réjouissait au plus haut point. Mais après tout, me dis-je soudain, il était peut-être tout simplement subjugué par sa beauté, comme nous tous. Qui sait, un désir sénile le poussait peut-être à suivre la jeune fille. En le regardant, je le revis, au-dessus de la falaise, épiant Olympias. L'imaginer en train de se masturber me fit frissonner. Si ce soir son sourire traduisait l'assouvissement de ses appétits sexuels particuliers, les dieux me donnaient l'occasion de pénétrer plus intimement son âme que je ne l'aurais espéré.

Pourtant, Dionysius paraissait ignorer Olympias, allongée à sa droite. Il concentrait toute son attention sur Crassus. Comme la nuit précédente, il s'empara finalement des rênes de la conversation. Il chercha à nous divertir ou au moins à nous impressionner par son érudition.

– Hier soir, nous avons quelque peu évoqué l'histoire des révoltes serviles, Marcus Crassus. J'étais désolé que tu ne sois pas là. Peut-être t'aurais-je appris quelque chose ?

Crassus prit son temps pour finir de mastiquer un morceau de pain avant de répondre.

– J'en doute fort, Dionysius. J'ai mené mes propres recherches sur le sujet au cours des tout derniers mois. J'ai particulièrement étudié les erreurs commises par les commandants romains impuissants face à des forces certes importantes mais indisciplinées.

– Ah ! fit Dionysius en hochant la tête. Le grand homme ne s'intéresse pas seulement à ses ennemis, mais aussi, dirais-je, à leur héritage... et à la tradition historique qu'ils invoquent, aussi peu reluisante et mal famée soit-elle.

– Je ne comprends rien à ce que tu racontes ! s'exclama sèchement Crassus.

– Je veux dire que Spartacus n'a pas exactement surgi du néant. À mon avis, des légendes ont circulé parmi ces esclaves, des histoires à propos de l'esclave magicien

Eunus dont la fin fut tragique. Ils ont embelli ces récits de faits héroïques composés de leurs propres rêves.

— C'est absurde, intervint Faustus Fabius en rejetant une mèche rebelle de cheveux roux. Les esclaves n'ont pas plus de légendes ou de héros qu'ils n'ont de femmes, de mères ou d'enfants à eux. Les esclaves ont des devoirs et des maîtres. Rien d'autre. Les dieux ont conçu ainsi l'ordre du monde.

Un murmure d'approbation parcourut l'assistance.

— Mais l'ordre du monde peut être perturbé, reprit Dionysius. Nous ne le voyons que trop clairement depuis deux ans. Spartacus et sa bande parcourent l'Italie de long en large, dévastent tout et incitent un nombre croissant d'esclaves à les rejoindre. Ces hommes font un pied de nez à l'ordre naturel des choses.

— Exactement. Aussi est-il plus que temps qu'un Romain puissant restaure cet ordre ! tonna Mummius.

— Certes, mais il serait sûrement très utile, insista Dionysius, de comprendre les motivations et les aspirations de ces esclaves rebelles.

Fabius fit une moue méprisante et croqua une olive.

— Leurs motivations ? Échapper à la vie de labeur à laquelle la Fortune les a destinés. C'est tout simple. Et leurs aspirations ? Devenir des hommes libres, même s'ils n'ont pas la force morale requise, surtout ceux qui sont nés esclaves.

— Et ceux qui ont été réduits en esclavage à la suite d'une guerre ou d'une déchéance civique ?

La question venait d'Olympias, qui rougit en la posant.

— Un individu réduit au rang d'esclave peut-il vraiment redevenir pleinement un homme, même si son maître l'affranchit ?

Fabius redressa la tête.

— Quand la Fortune a fait d'un homme un bien, une simple chose qui s'achète et se vend, il est impossible que cet

207

homme retrouve sa dignité. Peut-être rachètera-t-il son corps, mais jamais son âme.

— Et si la loi... commença Olympias.

— Les lois varient.

Fabius lança un noyau d'olive sur la petite table devant lui. Il rebondit sur le plateau d'argent et tomba sur le sol, où un esclave se dépêcha d'aller le ramasser.

— Oui, un esclave peut racheter sa liberté, mais seulement si son maître le permet. Le fait même de permettre à un esclave de réunir la somme nécessaire à son rachat est un leurre, puisqu'un esclave ne peut rien posséder en propre ; tout ce qu'il peut posséder appartient à son maître. Et même après son émancipation, un affranchi peut redevenir esclave s'il témoigne de l'impertinence à l'endroit de son ancien maître. La bienséance lui interdit de s'introduire par le mariage dans une famille respectable. Un affranchi peut être citoyen ; il ne sera jamais vraiment un homme.

— Tout ce qu'a dit Fabius est l'exacte vérité, intervint Crassus. Quant à Dionysius, il a tort : évoquer une sorte de vague continuité entre les révoltes d'esclaves est absurde. Les esclaves n'ont aucun lien avec le passé. Comment pourrait-il en être autrement, ils ignorent même le nom de leurs ancêtres ? Ils sont comme les champignons qui surgissent de la terre en grand nombre selon le plaisir des dieux. À quoi servent-ils ? Les esclaves sont les instruments humains mis à notre disposition par la volonté divine ; cette volonté qui inspire les grands hommes et enrichit une grande République comme la nôtre. Ils n'ont pas de passé, et le passé ne les intéresse en rien. Ils n'ont pas davantage de sens de l'avenir.

— Bravo ! Bravo ! s'exclama Mummius légèrement ivre.

Metrobius lui décocha un regard méprisant et voulut dire quelque chose, mais il se ravisa.

— L'esclave ordinaire qui travaille dans les champs vit au jour le jour, poursuivit Crassus. Au-delà de ses besoins immédiats et de la nécessité de satisfaire son maître, il est conscient de très peu de choses. Voilà la condition naturelle de l'esclave : être satisfait de son sort ou, à défaut, s'y résigner. Pour de tels hommes, se révolter et tuer leurs supérieurs est contre nature. La révolte de Spartacus – comme celle du sorcier Eunus et d'une poignée d'autres – est une aberration, une perversion, un accroc dans la grande toile du cosmos tissée par les Parques.

Dionysius, penché en avant, buvait les paroles de Crassus.

– Tu es vraiment l'homme du moment, Marcus Crassus. Non seulement un homme d'État et un général, mais également un philosophe. La loi et l'ordre seront restaurés et Spartacus sera oublié.

– Bien dit ! s'exclama Mummius.

Dionysius se rallongea avec un sourire faussement timide.

– Je me demande où se trouve cet infâme Spartacus en ce moment.

– Il est terré du côté de Thurii, dit Mummius.

– Oui, mais que fait-il précisément alors que nous parlons ? Est-il en train de se repaître de victuailles volées, en jubilant avec ses hommes à propos de leurs victoires ? Est-il déjà allé se coucher ? Après tout, que peuvent vouloir se raconter des esclaves incultes pour veiller après le crépuscule ? Est-il couché sous une tente empestant de son infecte odeur ? Ou sur des pierres dures sous le ciel étoilé ? Non, pas sous le ciel étoilé, car les dieux, qui le méprisent, ne l'accepteraient pas. Non, un tel homme doit dormir dans une grotte, à même le sol humide et froid, comme la bête sauvage qu'il est.

Mummius s'esclaffa.

– Dormir dans une grotte n'a rien d'effrayant. Et nous pourrions parler d'épisodes de jeunesse d'un certain grand homme.

Il jeta un regard entendu vers Crassus, qui sourit à contrecœur. Dionysius, quant à lui, pinça les lèvres pour dissimuler un sourire de triomphe. De toute évidence, il était arrivé là où il voulait en venir et Mummius s'était prêté involontairement à la manœuvre. Le philosophe hocha la tête.

– C'est vrai. Comment ai-je pu oublier une histoire aussi merveilleuse ? C'était aux heures sombres avant que Sylla soit dictateur ; les tyrans Cinna et Marius, ennemis des Licinius, semaient la terreur dans la République. Ils avaient poussé le père de Crassus au suicide et tué son frère. Quant au jeune Marcus – tu avais quoi ? vingt-cinq ans ? – il dut fuir en Espagne pour avoir la vie sauve.

– Vraiment, Dionysius, je pense que tout le monde ici a déjà entendu maintes fois cette histoire.

Crassus s'efforçait de paraître ennuyé, mais le sourire, au coin de ses lèvres, le trahissait. L'évocation de son histoire le réjouissait visiblement et il ne résistait pas au plaisir de l'entendre une nouvelle fois.

Dionysius insista :

– Non, non. Tout le monde ne l'a pas entendue. Gordien, notamment, et son fils Eco.

« Et Iaia et sa jeune protégée. Elles ne connaissent sûrement pas l'histoire de Crassus et de la grotte marine.

Dionysius se tourna vers les deux femmes avec un regard concupiscent. Olympias rougit jusqu'aux oreilles tandis que Iaia devint pâle comme la mort.

– Je connais parfaitement cette histoire, protesta-t-elle.

– Eh bien alors, je vais la raconter pour Gordien.

Et il commença :

– Quand le jeune Crassus arriva en Espagne, fuyant les persécutions et les destructions de Marius et Cinna, il pouvait s'attendre à un accueil chaleureux. Sa famille y avait des attaches déjà anciennes ; son père y avait servi comme préteur et Marcus y avait passé pas mal de temps dans sa jeunesse. Au lieu de cela, il trouva des colons romains totalement terrorisés par Marius. Personne ne voulait lui parler et encore moins l'aider. Pire, il risquait d'être trahi et livré aux partisans de Marius. Alors il a quitté la ville. Mais pas seul. Tu étais arrivé avec des compagnons, je crois ?

— Oui. Trois amis et dix esclaves, dit Crassus.

— C'est cela. Donc Crassus a quitté la ville avec ses trois amis et ses dix esclaves. Il a longé la côte et a fini par atteindre la propriété d'une vieille connaissance de son père. Son nom m'échappe...

— Vibius Paciacus, dit Crassus, avec un sourire mélancolique.

— Ah oui, Vibius. Or, dans sa propriété il y avait une grande grotte, juste au bord de la mer, que Crassus avait visitée lorsqu'il était enfant. Il décida de s'y cacher avec les siens, sans le dire à Vibius. Il ne voyait aucune raison de mettre en danger son vieil ami. Mais bientôt, les vivres vinrent à manquer. Crassus envoya donc un esclave à Vibius afin de savoir ce qu'il pouvait faire pour lui. Le vieil homme fut ravi d'apprendre que Crassus avait pu s'échapper. Il demanda à son intendant de préparer chaque jour de la nourriture et de la déposer en un point isolé, sur les falaises.

— Oh ! cette grotte ! l'interrompit Crassus. J'y avais joué enfant. Elle me semblait alors aussi mystérieuse et envoûtante que celle de la sibylle. Entourée de falaises abruptes, elle était tout près de l'eau, mais suffisamment en hauteur pour être sûre. Un sentier y descendait, raide, étroit, difficile à trouver. À l'intérieur, la voûte s'élevait à une hauteur impressionnante. À la base des falaises, une source pure jaillissait, aussi disposions-nous de toute l'eau que nous voulions. Des fissures dans la paroi nous déversaient la lumière du jour ; tout en étant protégés de la pluie et du vent. Grâce à l'épaisseur de la roche, l'endroit n'était ni humide ni froid. L'air restait sec et pur. Je me sentais aussi heureux que lorsque j'étais enfant, libre de toutes contraintes, dissimulé, en sécurité.

« Un matin, l'esclave envoyé pour nous apporter nos provisions me parut très agité, il pouvait à peine parler. Il a fini par nous expliquer que deux déesses, une blonde et une brune, avaient surgi de la mer et qu'elles se promenaient sur la plage. Elles se dirigeaient même vers notre grotte. J'ai alors rampé vers l'ouverture pour essayer de les voir de derrière les rochers. Si elles sortaient de la mer, elles étaient curieusement sèches de la tête aux pieds. Et si elles étaient des déesses, leurs robes étaient étrangement ordinaires et beaucoup moins belles que les jeunes femmes elles-mêmes.

« Je me suis montré à elles. Elles se sont avancées vers moi sans hésitation. La blonde m'a dit qu'elle s'appelait Alethea, qu'elle était esclave et me demanda si j'étais son maître. Je réalisai alors que Vibius les envoyait. Le vieil homme savait que je n'avais pas connu de femme depuis mon départ de Rome et il voulait être le meilleur hôte possible pour un jeune homme de vingt-cinq ans. Alethea et Diona m'ont rendu beaucoup plus agréable mon séjour.

– Et comment cela s'est-il terminé ? demandai-je.

– La nouvelle de la mort de Cinna finit par circuler. Marius étant enfin vulnérable, je rassemblai mes fidèles et rejoignis Sylla.

– Et les esclaves, les deux jeunes filles ? demanda Fabius.

Crassus sourit.

– Quelques années plus tard, je les ai achetées à Vibius. Leur beauté n'était pas encore fanée ; ma jeunesse non plus. Nous nous sommes retrouvés avec beaucoup de plaisir. Je leur ai trouvé une place dans ma maison de Rome. Elles m'y servent depuis lors. Je me suis assuré qu'elles ne manquent jamais de rien.

– Charmant épisode dans une vie aussi turbulente et exaltante ! dit Dionysius en battant des mains. À dire vrai, cette histoire m'a toujours fasciné. Elle ressemble presque trop à une fable pour être réelle. Penses-tu qu'une telle chose puisse se reproduire ? Que des circonstances aussi étranges puissent être de nouveau réunies, en d'autres lieux et en d'autres temps ?

Dionysius rayonnait. Mais ce n'est pas lui que je regardais. J'avais tourné mes yeux vers Olympias, qui frissonnait, et vers Iaia.

— Dis-moi, Dionysius, est-ce une devinette que tu poses ? demanda Crassus, de nouveau agacé.

— Peut-être, répondit le philosophe. Ou peut-être pas. Il se passe plein de choses curieuses dans le monde aujour d'hui ; de ces choses inquiétantes qui surviennent quand la volonté des dieux est contrariée et que la frontière entre les esclaves et les hommes libres devient floue. Au cœur d'un tel chaos, des alliances contre nature se forment et les trahisons choquantes naissent. Et c'est ainsi qu'un homme comme Gordien se retrouve parmi nous. N'est-il pas ici pour découvrir la vérité ? Ne doit-il pas vaincre notre méfiance ? Dis-moi, Gordien, verrais-tu une objection à ce que je devienne ton rival dans cette recherche de la vérité ? Le philosophe contre le limier ? Qu'en dirais-tu, Crassus ?

Crassus fixait Dionysius de son regard sombre, essayant, comme moi-même, de comprendre où ce dernier voulait en venir.

— Tu veux dire que tu peux résoudre le mystère entourant la mort de mon cousin Lucius ?

— Oui. Avec Gordien, parallèlement à lui, pour ainsi dire, j'ai mené ma propre enquête. Enfin, en suivant des pistes quelque peu différentes. Je n'ai rien à révéler pour le moment. Mais je pense pouvoir bientôt répondre à toutes les questions suscitées par ce tragique événement. Je considère que c'est mon devoir, en tant que philosophe, et en tant qu'ami de Marcus Crassus.

Sa bouche esquissa un sourire rigide et sans joie. Il nous dévisagea tous, les uns après les autres.

— Ah ! le repas doit être maintenant terminé, puisque ma préparation est arrivée.

Dionysius prit la coupe des mains de l'esclave qui attendit silencieusement auprès de son divan. Le philosophe but à petites gorgées la mousse verte. À côté de lui, Olympias et Iaia paraissaient nerveuses. Elles faisaient des efforts désespérés, pensai-je, pour dissimuler la panique qui s'était emparée d'elles. En pure perte.

2

– Rien à se mettre sous la dent avant demain soir.

Sergius Orata se tenait seul sur la terrasse du triclinium. Il tourna la tête à mon approche. Puis il contempla les lumières de Pouzzoles.

– Jeûner n'est déjà pas drôle, mais alors jeûner après un repas aussi lugubre... Mon estomac va gargouiller pendant toutes les oraisons funèbres. Lucius Licinius n'aurait jamais voulu cela. Avec lui, chaque nuit était une fête.

Autour de nous, la cime des arbres murmurait dans la brise. À l'intérieur de la villa, les esclaves débarrassaient sans bruit les restes de la cena. Étant donné la solennité de l'heure, il n'y avait pas eu de divertissement [1] après le repas. Dès que Marcus Crassus s'était levé et excusé, tous les autres invités s'étaient dispersés, comme des enfants impatients libérés par leur précepteur. Eco, qui avait du mal à garder les yeux ouverts, était parti se coucher. Il ne restait qu'Orata et moi. On aurait dit que l'homme d'affaires errait autour des restes du dîner comme un amant frustré s'attarde près du lit vide de sa bien-aimée, humant son parfum et essayant de se remémorer l'objet de son désir impossible.

---

1. Les Romains appelaient ces divertissements d'après-cena *comissatio*. Il s'agissait de lectures, de récitations, de chants, de spectacles divers, et l'on buvait force vin, quoique toujours coupé d'eau. *(N.d.T.)*

– Lucius Licinius jetait-il l'argent par les fenêtres ? demandai-je.

– Lucius ?

Orata haussa ses épaules rondes.

– Pas selon les critères de Baia. Mais selon ceux de Rome, je suppose qu'il aurait pu être au nombre de ces gens contre lesquels le Sénat aimerait promulguer une loi somptuaire répressive. Disons qu'il dépensait son argent avec plaisir.

– Tu veux dire l'argent de Crassus.

Orata fronça les sourcils.

– À proprement parler, oui. Et pourtant...

Je me tenais près de lui et appuyé à la balustrade de pierre. Après la première fraîcheur du soir, l'air s'était adouci et même un peu réchauffé.

– Tu étais ici la nuit du meurtre, sans doute ? dis-je doucement. Quel choc considérable cela a dû être de se réveiller le lendemain matin et de trouver...

– Un choc, oui, vraiment. Et quand j'ai appris qu'un nom avait été gravé à ses pieds, et quel nom... Et puis, ces esclaves qui étaient responsables... Rends-toi compte, ils auraient pu nous assassiner tous pendant notre sommeil ! Cela s'est produit il y a quelques semaines à peine, en Lucanie. Spartacus faisait route vers Thurii. Une riche famille fut massacrée pendant la nuit, avec tous ses invités. Les femmes ont été violées ; les enfants ont dû regarder la décapitation de leurs pères. Tout cela me glace le sang.

Je hochai la tête.

– Ta visite ici... était-ce simplement par plaisir ?

Orata sourit.

– Je fais rarement quoi que ce soit par pur plaisir. Même manger satisfait un besoin vital. J'occupe une bonne partie de mon temps à faire des visites. J'adore cela. Mais il y a toujours un moment pour les affaires. La pure oisiveté et la poursuite exclusive du plaisir comme fin en soi sont des comportements décadents. Je suis né à Pouzzoles, tu vois, mais je suis fidèle aux vertus romaines.

– Donc tu étais en affaires avec Lucius Licinius ?

– Il avait des projets en cours.

– Tu as déjà reconstruit les bains. Au demeurant un ouvrage remarquable.

Le compliment lui arracha un sourire.

– Que restait-il à faire ? Un bassin pour les poissons ?

– Pour commencer.

– Mais je plaisantais !

– Ne plaisante pas avec les bassins de Baia. Ici, de grands hommes pleurent toutes les larmes de leur corps lorsque leur mulet meurt, et des larmes de joie lorsqu'il se reproduit.

– Je ne comprends pas Lucius. Était-il riche ou pas ?

– Lucius avait toutes sortes d'améliorations en tête pour cette villa. Des rénovations et des extensions coûteuses. C'est pour cela qu'il m'a demandé de venir passer quelques jours ici. Il voulait discuter de leur faisabilité et du coût de certains projets.

– Mais pourquoi voulait-il dépenser autant d'argent dans une maison qui ne lui appartenait pas ?

– Parce qu'il envisageait de l'acheter à Crassus, très prochainement.

– Crassus était au courant ?

– Je ne pense pas. Lucius m'avait dit qu'il ferait une offre à Crassus d'ici un mois environ. Il semblait assez sûr que Crassus accepte.

Orata baissa la voix.

– Lucius m'avait dit que la chance de se rendre indépendant de Crassus était enfin arrivée. Il voulait que nous établissions une sorte de partenariat, lui et moi. Mon sens des affaires ferait pendant à son capital, disait-il. Je dois admettre qu'il avançait aussi quelques bonnes idées.

– Mais tu restais circonspect.

– Le mot « partenariat » me rend toujours circonspect. J'ai appris tôt à me débrouiller seul.

– Mais si Lucius apportait l'argent...

– Voilà justement la question : d'où sortait cet argent ? Quand j'ai reconstruit les bains ici, c'est Crassus qui a signé le contrat final. Et c'est Crassus qui, toujours, a veillé à ce que je sois payé en temps et en heure. Parfois, il y avait des frais imprévus. Lucius ne voulait pas déranger Crassus, alors il réglait lui-même. Mais, chaque fois, on avait l'impression que c'était un sacrifice formidable pour lui.

Orata fronça le sourcil.

– Je t'ai dit que Lucius servait toujours des dîners somptueux. En fait, ce n'était le cas que depuis un an ou deux. La soudaine richesse de Lucius demeure une énigme pour moi.

– Et pour Crassus ?

– À mon avis, Crassus n'en a pas eu connaissance.

– Mais qu'a pu faire Lucius, à l'insu même de Crassus ? Suggères-tu quelque affaire louche...

– Je ne suggère rien, coupa Orata d'un air faussement affable.

Il détourna son regard de la baie et observa la maison. Les reliefs du dîner avaient disparu ; même les petites tables avaient été emportées. Orata soupira et sembla soudain se désintéresser totalement de notre conversation.

– Je pense qu'il est temps pour moi d'aller me coucher.

– Mais, dis-moi, Sergius Orata, tu as certainement quelque idée, quelque soupçon...

– Je sais seulement qu'une des raisons de la venue de Marcus Crassus ici était son désir d'examiner les livres de comptes de Lucius. Il voulait évaluer ses biens dans la baie. À mon avis, s'il les étudie attentivement, Crassus risque d'avoir quelques surprises déplaisantes.

Pour me rendre dans la bibliothèque, j'évitai de passer par l'atrium, où la dépouille de Lucius Licinius était expo-

218

sée. Si une partie de ma mission consistait maintenant à découvrir quelques transactions gênantes, voire des activités criminelles de sa part, je ne tenais pas à croiser son fantôme au milieu de la nuit. Je me munis d'une lampe pour m'orienter dans le labyrinthe des corridors. Mais je n'en eus pas vraiment besoin. Le clair de lune répandait une lumière argentée par les fenêtres et les ouvertures du toit.

J'espérais trouver la bibliothèque vide, mais en m'approchant je vis que le même garde du corps attendait là, devant la porte. En m'entendant, il tourna la tête avec une précision militaire et me fixa de son œil perçant. Son regard s'adoucit lorsqu'il me reconnut. Le masque froid de son visage se détendit. En vérité, plus je m'approchais, plus il avait l'air gêné. Quand je fus suffisamment près pour entendre les voix, je compris son embarras.

Ils devaient parler assez fort car le son traversait les lourdes portes en chêne. La voix de Crassus était la plus claire. L'autre avait un timbre plus sourd, plus grave, et elle était moins facile à comprendre. Mais cela ne m'empêcha pas de reconnaître indubitablement le ton grandiloquent de Marcus Mummius.

– Pour la dernière fois, il n'y aura pas d'exceptions !

C'était Crassus. Mummius répliqua d'une voix trop sourde pour que j'en saisisse davantage que des bribes :

– ... toujours loyal, même quand... tu me dois cette faveur...

– Non, Marcus, pas même comme faveur ! hurla Crassus. Cesse d'évoquer le passé. Il s'agit ici d'une question de politique ; il n'y a rien de personnel là-dedans. Si j'autorise ne serait-ce qu'une exception pour des raisons d'ordre sentimental, cela ne finira plus. Gelina voudra les sauver tous ! À ton avis, cela ressemblera à quoi, à Rome ? Non, je ne me laisserai pas tourner en dérision parce que...

Un instant plus tard, la porte s'ouvrit brusquement, si violemment même que le garde recula et tira son glaive.

Mummius sortit, rubicond, les yeux exorbités, la mâchoire serrée. Il se retourna vers la pièce, les poings sur les hanches. Les veines de ses avant-bras saillaient comme celles de son front.

– Si toi et Lucius, vous m'aviez laissé l'acheter, cela ne serait pas arrivé ! Si Jupiter lui-même touche à un cheveu de sa tête, je... je...

Il s'étrangla et se mit à trembler, incapable de poursuivre. Il parut soudain remarquer la présence de quelqu'un d'autre dans le corridor. Le regard vide, il se tourna d'abord vers le garde puis vers moi. Il avait toujours l'air courroucé mais ses yeux étaient embués de larmes.

Plus loin dans le couloir, du côté de l'atrium, une porte s'ouvrit. Gelina, les cheveux défaits, nous regardait sans comprendre.

– Lucius ? murmura-t-elle d'une voix rauque.

Même à une telle distance, je pouvais sentir son haleine avinée.

Crassus sortit de la bibliothèque. Il y eut un moment de silence tendu.

– Gelina, retourne dans ton lit, dit Crassus sévèrement.

Elle obéit humblement. Crassus respira profondément et leva le menton. Pendant un long moment, Mummius soutint son regard. Puis il pivota sur lui-même et, sans un mot, s'éloigna à grandes enjambées. Le jeune garde rengaina silencieusement son glaive, serra les dents et regarda droit devant lui. J'ouvris la bouche, cherchant quelque explication à fournir à ma présence en ce lieu, mais Crassus m'épargna cette peine.

– Ne reste pas là à bâiller dans le couloir. Entre !

Fidèle aux bonnes manières de la noblesse, Crassus ne dit rien de la discussion orageuse que je venais de surprendre. Comme la nuit précédente, il portait une chlamyde grecque plutôt qu'un manteau pour se protéger du froid. Apparemment l'altercation l'avait suffisamment réchauffé, puisqu'il ôta ce vêtement et le jeta sur la statue du *Centaure*.

– Du vin ? proposa-t-il en prenant une coupe sur l'étagère.

Il y avait déjà deux coupes sur la table ; l'une pour lui, l'autre pour Mummius. Toutes deux étaient vides.

– Ne devons-nous pas respecter le jeûne ?

Crassus leva un sourcil.

– Je tiens de bonne source qu'il n'est pas indispensable de s'abstenir de vin pendant un jeûne en l'honneur d'un défunt. De toute façon, la coutume peut s'adapter, m'a-t-on dit, et, selon mon expérience, il est toujours meilleur d'adapter la coutume à nos besoins.

– De bonne source, dis-tu ?

J'acceptai la chaise que Crassus m'offrait, tandis qu'il s'appuyait contre la table, couverte de parchemins.

Crassus sourit et but une gorgée de vin. Il ferma les yeux et passa les doigts dans ses cheveux clairsemés. Il parut soudain très las.

– Dionysius s'efforce de résoudre tout seul l'énigme du meurtre de Lucius. Il s'imagine pouvoir m'impressionner ainsi. Tu comprends ce qui se passe ? Maintenant que Lucius n'est plus, il a besoin d'un nouveau maître et d'une nouvelle résidence.

– Et il voudrait s'attacher à toi ?

Crassus rit sans entrain et but quelques gorgées de vin.

– J'imagine que je devrais être flatté. Il pense manifestement que je suis en pleine ascension. Spartacus n'a humilié que deux consuls romains et il a défait toutes les armées qu'on a envoyées contre lui. De quoi devrais-je avoir peur ?

– Es-tu si certain d'obtenir le commandement contre Spartacus ?

– Qui d'autre l'accepterait ? Tous les politiciens de Rome ayant une expérience militaire tremblent de peur. Ils veulent que quelqu'un d'autre règle le problème.

– Et cet autre pourrait être...

221

– Ne prononce jamais son nom ! Si je pouvais ne plus jamais l'entendre, je mourrais heureux.

Crassus s'appuya de nouveau contre la table. Son expression s'adoucit.

– En réalité, je ne hais pas Pompée. Nous étions de bons camarades, à l'époque de Sylla. Personne ne peut dire que sa gloire n'est pas méritée. L'homme est brillant : grand tacticien, chef admirable, politicien superbe. Et beau comme un demi-dieu. Et il est riche ! On dit que je suis riche, mais on oublie que Pompée est aussi riche que moi, peut-être plus riche encore. Pompée, dit-on, est brillant ; Pompée est beau... Mais riche, on ne le dit que de moi : « Crassus, Crassus, riche comme Crésus. » Et Pompée est occupé en Espagne à maîtriser ce rebelle de Sertorius. Il ne peut pas être de retour à temps pour en finir avec Spartacus. Ou, plus exactement, il pourrait, mais cela n'arrivera pas. J'aurai déjà fait tout le travail. Et toi, que sais-tu de Spartacus ?

– Ce que tous les marchands de Subure savent : leurs prix ont triplé à cause d'un dénommé Spartacus.

– Tout revient à ça finalement. Les rebelles peuvent brûler une ville entière et pendre les notables de la ville par les chevilles, on ne s'inquiète vraiment de Spartacus et de sa détestable petite révolte qu'au moment où ils commencent à rendre la vie du peuple de Rome moins facile. C'est comme un cauchemar qui ne se termine pas. Sais-tu où tout cela a commencé ?

– À Capoue ?

Crassus acquiesça.

– À quelques heures de cheval d'ici, si l'on emprunte la voie consulaire[1] à partir de Pouzzoles. Un imbécile du nom de Batiatus dirigeait une école de gladiateurs à l'entrée de

---

1. *Via Consularis.* Nom générique des grandes voies publiques. En l'occurrence, il devait s'agir de la voie Annienne qui allait de Capoue à Regium (au bout de la botte italienne), via Naples. *(N.d.T.)*

la ville. Il achetait ses esclaves par lots, éliminait les faibles, entraînait les forts et les revendait à des clients dans toute l'Italie. Les Thraces étaient nombreux parmi eux ; de bons combattants, mais notoirement instables. Batiatus prétendait les remettre d'emblée à leur place. Aussi les enfermait-il dans des cages comme des bêtes et ne leur donnait-il rien d'autre à manger que du gruau et de l'eau. Il ne les sortait que pour l'entraînement. L'idiot ! Comment ces hommes, qui ne songeraient jamais à battre un cheval ou à répandre du sel sur une parcelle de bonne terre, peuvent être aussi imprudents avec leurs esclaves ! Un esclave est un outil : utilisez-le avec sagesse et vous en tirerez bénéfice, utilisez-le stupidement et vous aurez gaspillé vos efforts.

« Mais je parlais de Spartacus. Dans l'ordre normal des choses, ces Thraces auraient dû être matés et soumis à la volonté de Batiatus, d'une manière ou d'une autre. Sinon ils auraient pu se révolter contre lui, mais alors ils auraient été tués sur place. Mais parmi ces Thraces, il y avait un homme qui s'appelait Spartacus. Il arrive parfois que même au milieu d'esclaves, on trouve un homme ayant une forte personnalité, une brute capable de rassembler autour de lui d'autres brutes qui lui obéiront. Il n'y a là rien de surnaturel. Je suppose que Dionysius t'a parlé de cette histoire du soi-disant magicien Eunus et de la révolte servile en Sicile, il y a soixante ans. On raconte des choses semblables sur Spartacus. Par exemple, qu'avant d'être vendu comme esclave, il prétendait qu'il dormait avec des serpents enroulés autour de la tête. On dit aussi que l'esclave qu'il appelle sa femme est une sorte de prophétesse qui entrerait en transe et parlerait au nom du dieu Bacchus.

— Oui, c'est ce qu'on dit sur les marchés du Subure, admis-je.

Crassus grimaça.

— Comment peut-on accepter de vivre dans le Subure quand il y a tant de quartiers décents dans Rome ?...

– Mon père m'a laissé une maison sur l'Esquilin, expliquai-je.

– Suis mon conseil : vends tout ce que tu peux posséder sur l'Esquilin et achète une nouvelle maison hors des murs de la ville ; sur le champ de Mars [1], au-delà du Forum, on bâtit beaucoup en ce moment près de l'ancien secteur portuaire. Bel endroit : près de la rivière, avec un bon air, une valeur qui ne fera que croître. Désires-tu encore du vin ?

J'acceptai. Crassus se frotta les yeux. Je vis au mouvement de sa mâchoire qu'il n'était pas endormi.

– Mais nous parlions de Spartacus, reprit-il. Au début, ils n'étaient que soixante-dix. Imagine soixante-dix misérables gladiateurs thraces décidant d'échapper à leur maître ? Ils n'avaient même pas de plan, mais comptaient attendre une occasion. Seulement, l'un d'entre eux trahit. Ils agirent alors par impulsion. Ils s'emparèrent de haches et de broches dans les cuisines en guise d'armes. Il faut croire que la déesse Fortune eut envie de s'amuser : sur leur route, alors qu'ils quittaient la ville, ils croisèrent une pleine charrette d'armes, qui se dirigeait précisément vers la ferme de Batiatus. À partir de ce moment-là, rien n'a pu les arrêter. C'est sûr, la menace a été mal estimée au départ. Personne à Rome n'aurait pu prendre une révolte de gladiateurs au sérieux. Alors on envoya Clodius avec une demi-légion d'irréguliers. Ce devait être la fin des révoltés. Ha, ha ! Ce fut simplement la fin de la carrière politique de Clodius, oui. Les victoires appellent les victoires. Chaque fois que Spartacus triomphait d'une armée romaine, il lui était encore plus facile d'inciter des esclaves à le rejoindre. On dit qu'il commande maintenant une armée de plus de cent mille hommes, femmes et enfants. Et pas seulement des esclaves : des bergers, des pâtres nés libres se sont joints à lui. Tu sais ce qui les attire ? On raconte qu'il

---

1. *Campus Martius. (N.d.T.)*

répartit le butin sans tenir compte du grade ou de la fonction : les fantassins reçoivent autant que les généraux.

Crassus contracta les lèvres comme si le vin venait de tourner à l'aigre.

– Toute cette affaire est ridicule ! Pense donc ! Je suis en train de ramper pour obtenir l'honneur d'aller affronter un esclave, un gladiateur. Et si je gagne, le Sénat ne m'offrira pas de triomphe. Pourtant Spartacus représente peut-être une plus grande menace pour la République que ne l'ont jamais été Jugurtha[1] ou Mithridate[2]. J'aurais de la chance si j'obtenais au moins une couronne. Et si jamais je devais perdre...

Une ombre obscurcit son visage. Il murmura une supplique aux dieux, plongea les doigts dans sa coupe de vin et jeta les gouttes par-dessus son épaule.

C'était le bon moment pour changer de sujet.

– L'histoire que Dionysius a racontée ce soir, cette histoire de grotte marine... Était-elle vraie ?

Crassus sourit, comme lors du dîner.

– Tout à fait vraie. Oh, bien sûr, à force d'être racontée, les années l'ont peut-être un peu enjolivée. À bien des points de vue, ce fut un moment terrible pour moi, des mois misérables d'attente anxieuse. Et de chagrin.

Il fit tourner sa coupe et étudia son contenu.

Pour un jeune homme, c'est une épreuve très dure de perdre son père, surtout après un suicide. Ses ennemis l'y avaient poussé. Et mon frère a été assassiné simplement parce que Cinna et Marius essayaient de détruire les meilleures familles de Rome. Ils auraient liquidé toute la noblesse s'ils avaient pu. Grâce aux dieux, et surtout à la Fortune, Sylla est apparu pour nous sauver.

---

1. Roi de Numidie à partir de 118 av. J.-C., livré en 104 av. J.-C. aux Romains et mis à mort. (N.d.T.)
2. Roi du Pont (rive sud de la mer Noire) qui régna de 120 à 63 av. J.-C. et fut sans doute l'un des plus farouches ennemis de Rome. (N.d.T.)

Crassus renifla.

– Maintenant Lucius est mort, et moi... Moi, je suis soit l'homme providentiel, comme Dionysius te le dira volontiers, soit un homme qui marche sans la moindre hésitation à son anéantissement... à cause d'un esclave. Je préférerais voir toute ma fortune disparaître plutôt que d'entendre des murmures derrière mon dos sur le Forum : « Il a été terrassé par un vulgaire gladiateur... »

Alors que je m'agitais, mal à l'aise sur ma chaise, il s'arrêta de boire.

– Tu penses que je devrais épargner les esclaves, n'est-ce pas, Gordien ?

– Si je peux te prouver qu'ils ne doivent pas mourir.

Il secoua tristement la tête.

– Tous les hommes doivent mourir un jour. Pourquoi cette idée te choque-t-elle tant ? La richesse et les biens, la joie et la douleur, même le corps – surtout le corps – tout finit par disparaître, à la longue. L'honneur est au bout du compte la seule chose qui importe. Ou le déshonneur.

Une telle philosophie résume toute la différence entre les nobles et les gens ordinaires, pensai-je. Elle excuse les atrocités les plus horribles et laisse passer les occasions de montrer un peu de charité ou de pitié.

– Mais tu es probablement venu ici pour une bonne raison, dit Crassus. À moins que tu n'écoutes simplement aux portes. As-tu quelque chose à me dire, Gordien ?

– Nous avons trouvé le corps de l'un des deux esclaves disparus.

– Vraiment ?

Il leva un sourcil.

– Lequel ?

– Le vieux secrétaire, Zénon.

– Où donc ? Mes hommes ont fouillé la moindre cachette dans un rayon d'une journée à cheval.

– Il était parfaitement visible. Ou tout au moins ce qu'il en restait. Il a fini ses jours dans le lac Averne. Nous avons retrouvé ses restes sur le rivage. Son visage était encore suffisamment reconnaissable pour qu'Olympias l'identifie.

– L'Averne ! Je sais qu'avant de partir pour Rome Mummius a envoyé un groupe fouiller tout le secteur du lac, y compris ses rives. Combien de temps Zénon est-il resté là ?

– Au moins plusieurs jours.

– Alors ils l'ont manqué. L'un des soldats a dû voir un nuage prendre la forme de sa défunte épouse ou le lac s'est mis à vomir comme un bébé qui a la colique. Alors, ils ont tourné les talons et se sont mis à courir. Ils ont donc menti en disant qu'il n'y avait rien. Ils vont être punis. Avant le début des combats, les soldats doivent apprendre à respecter mon autorité.

Il se tourna, las, vers la table et fouilla au milieu des documents éparpillés. Il trouva une tablette de cire et un stylet. Après avoir griffonné une note, il jeta la tablette sur la table.

Et maintenant, où est le corps de Zénon ou ce qu'il en reste ?

– Il en restait vraiment très peu, comme je te l'ai dit. Malheureusement, mon fils Eco a glissé dans la vase alors qu'il portait la tête. Elle est tombée dans une mare en ébullition...

Je haussai les épaules. Je ne savais pas vraiment pourquoi j'avais menti. Instinctivement je préférais ne pas attirer l'attention sur Olympias.

– Veux-tu dire que tu n'as rien à me montrer ?

Crassus parut soudain à bout de patience.

– Toute cette affaire est absurde. Tu ferais mieux d'aller te coucher maintenant.

– Tu as raison.

Je me levai et m'apprêtai à sortir lorsque brusquement je m'arrêtai.

– Encore une chose, si tu me permets d'abuser de ta

patience encore un instant. Je vois que tu examines les documents de Lucius Licinius.

– Oui ?

– Je me demandais si tu n'étais pas tombé sur quelque chose de... de louche ?

– Qu'entends-tu par là ?

– Je ne suis pas sûr. Quelquefois, les archives peuvent révéler des choses inattendues. Peut-être y a-t-il quelque chose dans ces documents qui a un lien avec ma propre enquête.

– Je ne vois pas. La vérité, c'est que Lucius tenait impeccablement ses registres. C'est ce que je lui demandais. Quand je suis venu ici au printemps, j'ai consulté ses livres de comptes. Tout y était mentionné, selon la méthode que j'avais prescrite. Maintenant c'est un vrai casse-tête.

– Dans quel sens ?

– Certaines dépenses sont inscrites, mais sans la moindre explication. Je trouve des informations contradictoires concernant la *Furie*, sa fréquence d'utilisation, ses missions... Et encore plus étrange : certains documents semblent manquer. J'ai d'abord cru pouvoir m'y retrouver. Mais je dois avouer mon impuissance. Si j'avais su, j'aurais amené avec moi mon chef comptable de Rome. Mais je n'aurais jamais pu imaginer que les affaires de Lucius se trouvaient dans un tel état.

– Et tu as trouvé quelque chose d'intéressant ?

Il me regarda, perplexe, puis renifla.

– Avec toi, tout a un rapport avec le meurtre. Je pense à une chose : le vieux secrétaire Zénon avait mis tous ces registres dans un tel désordre que Lucius voulut probablement le réprimander durement, en le battant peut-être. Voyant cela, le jeune garçon d'écurie, le bouillant Alexandros, est entré dans une rage typiquement thrace et a tué son maître. Alors les deux esclaves ont fui dans la nuit et ont été engloutis par Hadès. Voilà, j'ai fait ton travail, Gordien. Tu peux aller te coucher satisfait.

Au ton de sa voix, je compris que Crassus entendait avoir mis un point final à la discussion. J'étais devant la porte, prêt à pousser la poignée, quand ma main s'immobilisa. Depuis l'instant où j'étais entré dans cette pièce, quelque chose m'avait troublé. La sensation était si vague, que je l'avais sans arrêt repoussée, comme on chasse un grain de poussière. Mais maintenant, je savais ce que c'était. Et je n'avais cessé de l'avoir sous les yeux, tout le temps que j'écoutais Crassus et que je promenais mon regard dans la pièce.

Je me précipitai vers l'*Hercule*.

— Marcus Crassus, un garde est-il resté dans cette pièce pendant la journée ?

— Bien sûr que non. Mes gardes du corps m'accompagnent en permanence. La pièce était vide, pour autant que je le sache. D'ailleurs je suis le seul à avoir des raisons valables d'aller dans cette bibliothèque.

— Mais quelqu'un pourrait être entré.

— Peut-être. Pourquoi cette question ?

— Marcus Crassus, as-tu parlé à quelqu'un du sang sur cette statue ?

— Non. Pas même à Morphée, dit-il avec lassitude, que j'ai fini par rencontrer tard dans la nuit.

— Pourtant quelqu'un était au courant. Depuis notre entretien d'hier soir, quelqu'un est venu effacer le sang séché qui se trouvait sur la crinière du lion.

— Quoi ?

— Regarde. La nuit dernière, des traces de sang étaient encore emprisonnées dans les rainures. Quelqu'un les a délibérément et soigneusement frottées pour les faire disparaître. Regarde : on voit très bien les endroits où le métal a été récemment gratté.

Il pinça les lèvres.

— Et alors ?

— La pièce n'a pas été nettoyée depuis un moment. J'aperçois de la poussière sur les étagères, et là une coupe a laissé un cercle de vin sur la table. La trace n'est pas récente. Il serait invraisemblable qu'un esclave soit venu nettoyer aussi soigneusement cet objet précis et néglige tout le reste de la salle. Surtout à un moment où il y a tant de travail pour les funérailles. En outre, je pense que n'importe quel domestique aurait su comment nettoyer cette statue sans rayer le métal. Oui, j'en suis certain. Quelqu'un est venu ici pour effacer précipitamment les traces de sang. Il ignorait que nous l'avions déjà repéré et voulait nous empêcher de le voir. Ce « quelqu'un » n'est pas Alexandros et, en tous les cas, n'est sûrement pas Zénon. J'en déduis qu'il y a ici, parmi nous, quelqu'un qui s'efforce de supprimer toute trace du meurtre ; soit l'assassin de Lucius Licinius, soit une personne qui sait quelque chose.

— Possible, admit Crassus, d'un ton las.

— Marcus Crassus, je pense qu'il serait judicieux de placer un garde dans cette pièce en permanence. Il faut s'assurer que rien d'autre ne soit pris ou modifié à notre insu.

— Si tu veux. Et maintenant, y a-t-il encore autre chose ?

— Non, rien, Marcus Crassus, dis-je tranquillement.

Je quittai la pièce à reculons, m'inclinant avec respect.

Pourquoi toi ? demanda Eco, en exprimant le doute par une mimique.

À peine levé, je venais de lui raconter ma conversation de minuit avec Crassus. J'interprétai ainsi sa question : Pourquoi un si grand homme s'est-il autant confié à un homme comme toi ?

— Et pourquoi pas ? répondis-je en me passant de l'eau fraîche sur le visage. À qui d'autre pourrait-il se confier dans cette maison ?

Eco releva les épaules pour suggérer une forte carrure et avec les mains il esquissa la forme d'une barbe.

— Marcus Mummius est son vieil ami et son confident, c'est vrai, mais en ce moment ils sont en conflit à cause de l'esclave Apollonius.

Eco redressa fièrement la tête et dessina dans l'air des mèches de cheveux tombant de son front.

— Oui, il y a Faustus Fabius, mais je ne peux pas imaginer Crassus montrant sa faiblesse à un patricien, surtout à un patricien qui est aussi son subordonné.

Avec ses bras, Eco forma un cercle devant lui et gonfla ses joues. Je secouai la tête.

— Sergius Orata ? Non. Crassus aurait encore moins envie de montrer sa faiblesse à un homme d'affaires qui, de plus, est son associé. Il aurait pu choisir un philosophe, mais si Crassus en a un dans sa clientèle, il l'a laissé à Rome, et il méprise Dionysius. Donc Crassus a désespérément besoin de quelqu'un, de n'importe qui, pour l'écouter. Le doute l'assaille heure après heure, à chaque instant. Il n'y a pas que la décision d'attaquer Spartacus qui le trouble. Au fond de lui, il se demande s'il a raison de faire massacrer tous les esclaves de Gelina. Crassus aime les décisions claires, il aime un décompte précis des profits et pertes. Le passé le hante. Maintenant il s'engage dans un avenir sombre et incertain. C'est un terrible pari qu'il prend, mais l'enjeu en vaut la peine. S'il gagne, il deviendra si puissant que personne ne pourra plus jamais lui nuire.

« Alors pourquoi ne pas tout dire à Gordien le Limier, qui recueille les confidences de tout le monde ? De plus, ma discrétion est légendaire. Tout le monde sait que je tiens aussi bien ma langue que toi.

Eco prit de l'eau dans ses mains et m'éclaboussa.

Je ne sais pourquoi, il y a des personnes, proches ou pas, à qui on livre aisément ses secrets les plus intimes ; j'en fais partie. Je me regardai dans le miroir. Si ce pouvoir de recueillir les révélations des autres résidait dans les traits de mon visage, je ne voyais rien. C'était un visage quelconque, pensais-je, avec un nez donnant l'impression d'avoir été cassé – ce qui n'était pas le cas –, des yeux marron parfaitement communs et des boucles noires tout aussi ordinaires, au milieu desquelles venaient se glisser des fils d'argent toujours plus nombreux chaque année.

Aussi paradoxal que cela puisse paraître, il n'y a rien de plus vivant qu'une maison romaine un jour de funérailles. La villa était pleine d'invités, qui envahissaient l'atrium et les couloirs. Ils se répandaient jusque dans les bains. Tandis que le barbier nous rasait, des étrangers nus se détendaient au bord des bassins. Venant d'endroits aussi éloignés que Capoue ou que l'autre versant du Vésuve, ils se rafraîchissaient après une rude chevauchée matinale. D'autres avaient traversé la baie en bateau depuis Sorrente, Stabia et

Pompéi. Après mes ablutions je me dirigeai vers la terrasse des bains. M'approchant de la balustrade, je regardai du côté de l'abri à bateaux. La jetée était trop modeste pour un tel trafic. Les petits voiliers et les barges devaient s'amarrer les uns aux autres. Ainsi, les derniers arrivés étaient contraints de parcourir une ville flottante d'embarcations avant de parvenir au débarcadère.

Drapé dans une grande serviette, Metrobius me rejoignit sur le balcon.

– Lucius Licinius était manifestement populaire, dis-je.

– N'imagine pas qu'ils viennent simplement pour le pauvre Lucius. Non, tous ces riches marchands, propriétaires ou nobles en vacances sont ici pour une tout autre raison. Ils veulent se faire voir de tu sais qui.

Il regarda du côté de la piscine chauffée. L'esclave Apollonius aidait un vieil homme à sortir de l'eau.

– J'ai dû jouer des coudes à travers toute la maison pour arriver jusqu'ici. L'atrium est déjà si encombré que j'ai eu toutes les peines du monde à le traverser. On aperçoit du noir partout. Je n'en ai pas vu autant en un seul endroit depuis la mort de Sylla à Pouzzoles. Mais j'ai noté, dit-il en fronçant le nez, que la plupart des visiteurs prenaient bien garde de ne pas s'approcher du corps.

Il rit doucement.

– Certains murmurent déjà des plaisanteries. Généralement cela ne commence pas avant la fin de la cérémonie.

– Des plaisanteries ?

– Bah ! tu sais, ils s'avancent vers le corps, regardent dans la bouche, puis soupirent : « Tiens, l'obole est encore là ! Vous vous rendez compte, alors que Crassus est dans la maison ! » Oh ! mais ne va pas lui répéter ça, ajouta-t-il rapidement. Ou au moins ne lui dis pas que c'est de moi que tu le tiens.

Il s'éloigna avec un sourire forcé. Apparemment, il ne se rappelait plus avoir lui-même fait cette plaisanterie la veille devant moi.

Je jetai à nouveau un coup d'œil par-dessus le balcon. Comment allais-je faire pour fouiller les alentours de la passerelle et découvrir ce qui avait été immergé avec tous ces bateaux amarrés ? La plupart des rameurs restaient dans leur embarcation ou se promenaient autour de l'abri, en attendant que leur maître revienne.

Finalement je retrouvai Eco, qui avait disparu entretemps. Il avait voulu prendre un bain froid après son bain chaud. Nous revêtîmes les vêtements noirs qui avaient été préparés pour nous le matin même. L'esclave Apollonius nous aida à arranger tous les plis. Il avait l'air grave qui convenait à l'occasion, mais ses yeux d'un bleu clair, lumineux, n'étaient pas obscurcis par la peur qu'on devinait dans le regard des autres esclaves. Mummius était-il parvenu, d'une manière ou d'une autre, à lui dissimuler le sort funeste qui l'attendait peut-être le lendemain ? L'hypothèse la plus probable était que l'officier lui avait promis de le sauver. Savait-il que Mummius n'était pas parvenu à fléchir Crassus ?

Alors qu'Apollonius m'habillait, j'en profitai pour l'examiner plus attentivement. Au premier coup d'œil, sa beauté frappait. Mais plus on le regardait, plus cette beauté resplendissait. Sa perfection était presque irréelle, comme si le célèbre *Discobole* de Myron[1] s'était mis à vivre. Alors que beaucoup de jeunes de son âge ont une démarche hésitante, il se déplaçait comme un athlète ou un danseur, avec une aisance naturelle. Ses mains étaient agiles ; il exécutait chacun de ses gestes avec une grâce innée. Quand il se tenait près de moi, je sentais la chaleur de ses mains et la caresse tiède de son souffle.

Il existe des moments rares où l'on ne perçoit plus l'exté-

---

1. Sculpteur grec du Ve siècle av. J.-C., contemporain de Phidias et Polyclète. Ce n'était qu'une copie de son *Discobole* que l'on pouvait voir à l'époque à Rome – elle s'y trouve toujours, au musée des Thermes. *(N.d.T.)*

rieur des autres êtres, mais la force vitale qui les anime. J'avais perçu cette force à l'occasion d'intenses moments de passion avec Bethesda. Je l'avais aussi ressentie parfois avec d'autres hommes ou femmes dans des cas extrêmes, par exemple au moment d'un orgasme ou dans les affres de l'agonie. C'est une chose effrayante, impressionnante, que de découvrir l'âme sous les voiles de la chair. D'une manière ou d'une autre, la force vitale d'Apollonius était si forte qu'elle se manifestait à travers l'enveloppe charnelle, qu'elle resplendissait dans l'être physique. C'était difficile de le regarder et d'imaginer qu'une créature vivante, si parfaite, pouvait vieillir et mourir, et, encore plus, disparaître en un instant pour satisfaire simplement les ambitions d'un politicien.

Je ressentis soudain une grande pitié pour Marcus Mummius. Pendant le voyage depuis Rome, à bord de la *Furia*, je l'avais durement jugé en pensant que son âme était dépourvue de toute poésie. J'avais parlé inconsidérément. Mummius s'était approché du visage d'Éros et il était tombé amoureux. Qu'il veuille maintenant sauver le garçon d'une mort insensée n'avait rien d'étonnant.

Peu à peu, les invités quittaient la maison et s'alignaient le long de la route devant la villa. Ceux qui avaient été les plus proches de Gelina ou de Lucius se rassemblaient dans la cour pour former le cortège. L'ordonnateur des pompes funèbres, un petit homme décharné que Crassus avait engagé et fait venir de Pouzzoles, indiquait sa place à chacun. Eco et moi n'en avions pas dans le cortège. Nous partîmes en avant, afin de trouver un endroit ensoleillé le long de la route bordée d'arbres.

Au loin, nous entendîmes soudain les accents d'une musique mélancolique. La procession apparut. Les musiciens venaient en tête, soufflant dans des cornes et des flûtes [1] ou agitant des sistres de bronze. À Rome, par déférence

---

1. Le *tibia* romain (correspondant à l'*aulos* grec), ou flûte des céré-

envers l'opinion publique et la loi des Douze Tables[1], le nombre de musiciens aurait été limité à dix. Mais ici, Crassus en avait engagé au moins le double. Il comptait impressionner.

Derrière la musique suivaient les pleureuses, un chœur de femmes – elles aussi recrutées pour l'occasion – qui marchaient en traînant les pieds, les cheveux défaits. Elles chantaient une mélopée qui paraphrasait la célèbre épitaphe du dramaturge Naevius : « Si la mort d'un mortel attriste le cœur des immortels, alors les dieux là-haut doivent pleurer cet homme... » Regardant droit devant elles, sans prêter attention à la foule, elles tremblaient et versaient des torrents de larmes.

Un espace séparait ces femmes du groupe suivant. Il fallait que la mélopée des pleureuses s'éteigne avant qu'arrivent les pitres et les mimes. Les yeux d'Eco s'illuminèrent en les voyant approcher. Mais moi, intérieurement, je m'inquiétai. Il n'y a rien de plus agaçant qu'un cortège funèbre gâché par des comédiens incompétents. Heureusement, ceux-là étaient finalement assez bons. La plupart se livraient à des farces grossières qui arrachaient des rires polis aux spectateurs. Mais il y en avait un qui, d'une voix bouleversante, récitait des poèmes tragiques. Les vers qu'il déclamait étaient nouveaux pour moi. Ils étaient d'inspiration épicurienne :

Pourquoi craindre la mort,
Si l'âme peut mourir comme le corps ?
Quand l'enveloppe mortelle sera en lambeaux,
Quand la vie aura quitté la chair,

monies religieuses, n'est pas, littéralement, une flûte au sens moderne, car ces instruments avaient des anches et étaient plus proches du hautbois ou de la clarinette modernes. *(N.d.T.)*

1. Premier code romain, rédigé en 451-450 av. J.-C., à la demande des plébéiens. *(N.d.T.)*

De la douleur et de la peine nous serons libérés...
Nous ne sentirons plus, car nous ne serons plus.
Et si après avoir rencontré le Destin
L'âme séparée du corps éprouve encore des sensations,
Quelle importance ? Car nous n'existons
Qu'aussi longtemps que l'âme et le corps sont réunis.

Le récitant fut brusquement interrompu par l'un des bouffons.

– Que d'absurdités ! Mon corps, mon âme, mon corps, mon âme, répétait le pitre, agitant la tête en tous sens. Que d'absurdités épicuriennes ! J'avais jadis un philosophe épicurien chez moi, mais je l'ai chassé avec un bon coup de pied. Donne-moi plutôt un stoïcien terne, comme ce clown de Dionysius, par exemple.

Quelques gloussements parcoururent la foule, qui avait repéré l'allusion. Je compris qu'il devait s'agir de l'auteur à la tête de la troupe, chargé par l'ordonnateur des pompes funèbres d'interpréter une affectueuse parodie du défunt.

– Et ne crois pas un instant que je vais te payer la moitié d'un as [1] pour une poésie aussi pathétique, poursuivit-il, ou pour ce prétendu divertissement. Je veux en avoir pour mon argent, comprends-tu ? Pour mon argent ! L'argent ne tombe pas du ciel, tu sais... en tout cas pas dans mes mains ! Dans celles de mon cousin Crassus, peut-être, mais pas dans les miennes !

Il pinça soudain les lèvres et pivota sur les talons. Les mains dans le dos, il se mit à faire les cent pas.

J'entendis un homme près de moi murmurer :

– Il imite Licinius à la perfection !

– Oui, c'est troublant ! approuva son épouse.

– Mais surtout ne pense pas que je ne *vais pas* te payer parce que je ne *peux pas* te payer, reprit l'acteur. Je pourrais ! Je voudrais ! Seulement j'ai des dettes. Attends, j'ai

_____
1. Monnaie de bronze de peu de valeur. *(N.d.T.)*

un plan. Oh oui, un plan, un bon plan. Un plan pour avoir de l'argent, plus d'argent que vous, riches habitants de Baia. Un plan, un plan. Faites place à l'homme qui a un plan !

– Un plan, murmura l'homme près de moi.

– Mais oui, c'est ce que Lucius répétait sans arrêt, sourit sa femme. Je vais devenir riche... demain !

Elle soupira :

– Et tout ce qui est arrivé, c'est ça. La volonté des dieux...

Je me remémorai les allusions de Sergius Orata à des transactions louches. Un soupçon commença à germer dans mon esprit. Mais il disparut avec l'arrivée des masques de cire.

La branche des Licinius comptait les éminents ancêtres de Lucius. Normalement leurs visages de cire trônaient dans la maison. Mais là ils paradaient devant la bière. Des hommes spécialement loués les arboraient. Ils avaient revêtu le costume authentique de l'ancêtre représenté, le costume de la fonction qu'il occupait de son vivant au service de l'État. Le cortège funèbre de noble romain intègre une telle mise en scène. Les acteurs masqués marchent solennellement, lentement. Ils tournent leur tête de chaque côté pour que tous les spectateurs puissent voir leur visage figé. On a l'impression que les morts ont repris vie. Ainsi, même dans la mort, les nobles se distinguent de la plèbe. Ils exposent fièrement leur lignée à ceux qui n'ont pas d'ancêtres, seulement des parents et des aïeux oubliés.

Ensuite arrivait Lucius Licinius lui-même, allongé sur son lit d'ivoire et entouré de fleurs et de rameaux fraîchement coupés. On l'avait aspergé de parfum qui ne parvenait toutefois pas à couvrir l'odeur de putréfaction. Le premier des porteurs, Crassus présentait un visage fermé, impassible.

La famille suivait. Chez les Licinius, rares étaient ceux de la branche de Lucius à avoir survécu aux guerres civiles.

La plupart étaient âgés. Gelina conduisait le groupe, Metrobius marchait à ses côtés. Dans les rues de Rome, j'ai souvent vu des cortèges funèbres où les femmes, au paroxysme de la douleur, chancelaient ou se déchiraient les joues... Gelina ne pleurait pas. Elle marchait dans une sorte d'hébétude, en regardant ses pieds.

Les esclaves de la maison étaient absents du cortège.

Derrière la famille, les spectateurs massés le long de la route venaient se joindre au cortège. Nous finîmes par atteindre un espace dégagé le long de la route. La trouée entre les arbres permettait d'apercevoir la baie. Un tombeau de pierre s'élevait à hauteur d'homme. Il venait d'être construit. Ses parois étaient parfaitement lisses. Pour ornement, un bas-relief très simple représentant une tête de cheval, le symbole antique de la mort et de l'ultime voyage.

Au centre de la clairière, un bûcher funéraire avait été dressé. Le bois sec empilé formait un autel carré. Mais Lucius fut placé directement sur le bûcher, loin des regards. Il s'agissait sans aucun doute de dissimuler l'horrible blessure qu'il avait à la tête.

Tandis que les gens se groupaient de chaque côté, Marcus Crassus s'approcha du bûcher. Le silence tomba sur l'assemblée. Une mouette cria. Une brise légère agitait la cime des arbres. Crassus commença son oraison. Dans sa voix, il n'y avait plus trace de doute ou d'indécision ; la « faiblesse » de la nuit s'était évanouie. Sa voix était celle de l'orateur maîtrisant parfaitement volume, tonalité et rythme. Il commença d'un ton calme, posé, déférent, puis sa voix prit de l'ampleur.

– Gelina, épouse dévouée de mon bien-aimé cousin Lucius Licinius ; vous, les membres de la famille qui êtes venus de partout ; vous, mânes de ses ancêtres, représentées par leur image vénérée ; et vous, amis et membres de sa maison, connaissances et habitants de Baia et de toutes les villes voisines de Campanie et de la baie : nous sommes tous venus pour inhumer Lucius Licinius.

« Voici une chose simple en apparence : un homme est mort, alors nous livrons son corps aux flammes et nous inhumons ses cendres. C'est un événement ordinaire. Même sa mort violente ne le distingue pas particulièrement. De nos jours, cette violence est devenue monnaie courante. Dans toutes nos familles certainement, la violence a déjà causé tellement de chagrin et de mort, que nous sommes devenus insensibles, indifférents à l'endroit des caprices de la déesse Fortune.

« Pourtant la présence de tant d'entre vous, ici, aujourd'hui, prouve que la mort de Lucius Licinius ne fut pas un événement insignifiant, de même que sa vie ne fut pas insignifiante. Il a été dans les affaires. Qui parmi vous peut dire qu'il n'était pas honnête ? Lucius était un Romain ; il incarnait les vertus romaines. Il était un bon époux. Les dieux n'auront pas eu le temps de bénir son mariage en lui accordant une descendance. Il ne laisse pas de fils derrière lui pour porter son nom et son sang, pour le vénérer comme il vénérait ses ancêtres. Voilà une des choses que cette mort infâme, inattendue, laisse inachevées.

« Comme il ne laisse pas de fils pour veiller sur sa veuve éplorée et pour venger son meurtre insensé, ces devoirs incombent à un autre, à un homme qui était lié à Lucius par des liens de sang et de longues années de respect mutuel. Ces devoirs m'incombent.

« Vous savez déjà dans quelles circonstances Lucius a été tué. La rumeur s'est rapidement répandue. N'en doutez pas, il a courageusement fait face à la mort. Il n'était pas homme à reculer devant un adversaire. Peut-être n'a-t-il commis qu'une faute : celle de placer sa confiance en des êtres qui ne la méritaient pas. Mais comment peut-on prévoir qu'une lame fidèle, qui a longtemps servi, va soudain se briser, ou qu'un chien loyal va devenir méchant sans prévenir ?

« Lucius a été victime de ce fléau, de cette peste qui menace de renverser l'ordre naturel, de balayer la tradition et l'honneur, de pervertir le cours normal des relations humaines.

« Cette peste porte un nom. On n'ose souvent le prononcer qu'à voix basse. Mais moi je ne le crains pas : Spartacus, voilà son nom. Cette peste a même pénétré dans la demeure de Lucius Licinius. Elle a retourné les bras de deux esclaves contre leur maître. Ce qui est arrivé dans cette maison ne peut être ni oublié ni pardonné.

J'observais autour de moi les visages dans l'assistance. Tous regardaient Crassus avec un mélange d'admiration et de tristesse, prêts à entendre la suite – quelle qu'elle fût. Je sentis les affres de l'angoisse m'envahir.

– Certains pourraient dire que, sans aucun doute, Lucius Licinius était un honnête homme, mais pas un grand homme ; il n'a pas occupé d'importantes charges de son vivant et il n'a pas accompli d'actions exceptionnelles. C'est la tragique vérité, je le crains. Il fut assassiné dans la fleur de l'âge, avant que son heure ne soit arrivée. Aussi sa vie aura été moins grande qu'elle aurait pu l'être. Mais sa mort... sa mort ne fut pas une petite mort. S'il existe de grandes morts, alors celle de Lucius le fut : une mort terrible, effroyable, profondément injuste, une offense aux dieux comme aux hommes.

Crassus leva un bras. L'ordonnateur à sa gauche et l'un de ses hommes à sa droite allumèrent leur torche qui s'embrasa instantanément.

– Il y a longtemps, nos ancêtres instaurèrent une tradition : celle d'organiser des combats de gladiateurs en l'honneur des défunts. Normalement cette glorieuse coutume est réservée à la mort des grands et des puissants. Mais je pense que les dieux ne verront pas d'inconvénient à ce que l'on honore les mânes de Lucius Licinius par une journée de jeux. Ils se tiendront donc dès demain sur la plaine bordant le lac Lucrin. Certains, je le sais, réclament d'un ton larmoyant que l'on suspende les jeux de gladiateurs. Ils disent que Spartacus était un gladiateur et qu'aucun esclave ne devrait porter les armes aussi longtemps que ce Thrace est en liberté. Mais je dis qu'il vaut mieux honorer les traditions de nos ancêtres que craindre un esclave. Ces jeux nous donneront non seulement l'occasion de rendre un dernier hommage à Lucius Licinius, mais aussi de commencer à venger sa mort.

Crassus fit un pas de côté. Il prit la torche des mains de son soldat et l'approcha du bûcher. De l'autre côté, l'ordonnateur fit de même. Le bois sec prit feu. Des flammes et des volutes de fumée grise montèrent vers le ciel.

Bientôt le bûcher serait consumé. On verserait du vin sur les braises. Crassus et Gelina rassembleraient les os et les cendres de Lucius Licinius, puis les arroseraient de parfum avant de les placer dans une urne d'albâtre. Un prêtre purifierait la foule ; il se déplacerait au milieu de l'assistance en l'aspergeant d'eau avec une branche d'olivier. Alors les restes de Lucius seraient scellés dans le tombeau et la foule murmurerait : « Adieu, adieu, adieu !... »

Je partis avant tout cela. Je ne fus pas purifié ; je ne dis pas adieu. Je m'éloignai discrètement et retournai à la maison avec Eco. Il restait peu de temps avant le début du massacre.

4

— Où allons-nous trouver le petit Meto ? me demandai-je à voix haute.

L'atrium, qui avait été le matin même envahi par les invités des funérailles et leurs esclaves, était maintenant désert. Nos pas se répercutaient dans ce grand espace vide. L'odeur de l'encens et des fleurs subsistait. Celle du corps en décomposition aussi.

Je me laissai guider par mon nez vers les cuisines où on s'affairait. Il y avait encore beaucoup de choses à préparer pour la fête funéraire.

Nous franchîmes une vaste porte en bois et nous nous retrouvâmes dans un brouhaha indescriptible. La chaleur était étouffante. Avec leur tunique maculée et leur visage couvert de suie, les esclaves des cuisines couraient en tous sens. Des voix rauques hurlaient, les lourds couteaux retombaient sur des planches de bois, les marmites bouillaient et sifflaient. Eco indiqua une silhouette à l'extrémité de la pièce.

Debout sur un tabouret, le petit Meto plongeait la main au fond d'un pot de terre posé sur une table. Il regarda autour de lui pour s'assurer que personne ne l'observait. Puis il remonta sa main et enfourna dans sa bouche ce qui s'y trouvait. Je traversai la pièce en m'efforçant d'éviter les esclaves qui circulaient en tous sens, et j'attrapai Meto par le col de sa tunique.

Il poussa un cri et regarda par-dessus son épaule. Il ouvrit sa bouche dégoulinant de miel, de millet et de noisettes pilées, et poussa un cri de détresse, puis, me reconnaissant, il esquissa un sourire suivi d'un hurlement de douleur. Une cuillère de bois venait de s'abattre violemment sur son crâne.

– Hors de la cuisine ! Ouste ! Ouste ! criait un vieil esclave, dont les manières supérieures et la tenue indiquaient qu'il était le chef cuisinier.

Il semblait prêt à me frapper pareillement lorsqu'il vit l'anneau de fer que je portais.

– Excuse-moi. Ne pourrais-tu pas donner quelque chose à faire à cette petite peste ?

– Je suis précisément venu pour ça, répondis-je.

J'assenai une bonne claque sur les fesses de Meto, qui sauta du tabouret et traversa la pièce en courant. Dans sa course, il bouscula des cuisiniers et leurs aides. Eco l'intercepta à la porte et le retint en attendant que j'arrive. Le garçon en profita pour lécher ses doigts pleins de miel.

– Meto ! criai-je en l'attrapant et en refermant la porte derrière nous. Tu es exactement la personne que je cherchais. Sais-tu nager ?

Il leva tristement les yeux vers moi, tout en finissant de se lécher les lèvres, et secoua lentement la tête.

– Tu ne sais pas du tout nager ?

– Non, pas du tout, m'assura-t-il.

Je secouai à mon tour la tête, contrarié.

– C'est dommage, Meto. Je m'étais persuadé que tu étais le rejeton d'un faune et d'une nymphe des eaux.

Il resta un moment perplexe, puis mon erreur le fit rire bruyamment.

– Je connais quelqu'un qui nage à merveille ! s'exclama-t-il, coopératif.

– Ah bon ? Et qui est-ce ?

– Viens avec moi. Je vais te l'indiquer. Il est avec les autres dans les écuries !

Il se mit à courir, mais Eco le rattrapa. Tenu par le col de sa tunique, il nous conduisit dans l'atrium puis nous accédâmes à la cour. Alors il parvint à s'échapper et se précipita vers les écuries dont les portes étaient ouvertes. Nous le suivîmes. À l'intérieur, l'air était plus frais. Il y avait une odeur de foin et de fumier. Meto courait toujours.

— Attends ! Tu as dit que tu nous emmenais aux écuries, protestai-je.

— Pas à ces écuries, cria-t-il.

Il pointa le doigt en avant et tourna le coin du bâtiment. J'étais persuadé qu'il se moquait de nous. Mais j'aperçus bientôt une longue annexe de bois qui jouxtait les écuries de pierre.

Des soldats montaient la garde. Ils étaient six, assis en tailleur, dans une petite clairière, sous les conifères. Ils ne nous avaient pas vus. Soudain un sifflement aigu transperça l'air. Je levai les yeux et aperçus un septième garde, perché sur le toit de tuile de l'annexe.

Les six se levèrent immédiatement, abandonnant leurs dés dans la poussière et tirant leur glaive. Leur officier – ou tout au moins celui qui avait le plus d'insignes – s'avança vers moi. Il brandissait son glaive et grimaçait sous sa barbe grisonnante.

— Qui es-tu ? Que veux-tu ? demanda-t-il sèchement.

Il ignora Meto, qui passa près de lui et se dirigea vers l'annexe. J'en conclus que le petit esclave était connu des gardes.

— Je m'appelle Gordien. Je suis l'hôte de Gelina et de ton général, Marcus Crassus. Voici mon fils, Eco.

Soupçonneux, le soldat plissa les yeux, puis abaissa son glaive.

— C'est bon, les gars, dit-il en se retournant. C'est l'homme dont Marcus Mummius nous a parlé. Celui qui se dit limier. Que penses-tu trouver par ici ?

Son air de guerrier féroce prêt à tuer avait disparu. Au contraire, il apparaissait plutôt affable et poli. Et surtout il donnait l'impression de s'ennuyer et d'être enchanté que quelque chose vienne rompre la monotonie de la journée.

– Le jeune esclave nous a conduits ici, expliquai-je. J'avais oublié que les écuries avaient une annexe.

– Oui, on ne la voit pas de la cour : les écuries la cachent. En fait, on ne peut pas la voir de la maison. C'est l'endroit parfait pour les dissimuler tous.

– Dissimuler qui ? demandai-je, oubliant ce que Gelina m'avait dit de la situation actuelle des esclaves.

– Va voir par toi-même. Apparemment, le petit Meto semble avoir très envie que vous le suiviez. C'est bon, Fronto, tu peux ouvrir la porte.

Le garde sortit une grande clé de bronze. Il l'introduisit dans un cadenas pendant à une chaîne. La porte s'ouvrit lentement. Meto nous fit signe de le suivre et pénétra dans l'annexe.

L'odeur qui y régnait était assez différente de celle des écuries. C'était une odeur de paille, mais aussi d'urine et d'excréments. Des relents de sueur saturaient l'atmosphère. On percevait aussi une puanteur de nourriture avariée et de vomi.

Eco hésita sur le pas de la porte, mais je pris son bras. La porte se referma derrière nous.

– Cognez contre la porte et appelez quand vous serez prêts à sortir ! cria le garde à travers la cloison.

La chaîne cliqueta et le cadenas se referma dans un claquement.

Mes yeux mirent quelques instants à s'habituer à la pénombre. Par les rares fenêtres à barreaux, en haut des murs, passaient des rayons de soleil chargés de poussière.

– Où sommes-nous ? murmurai-je.

Je n'attendais pas de réponse, mais le petit Meto m'avait entendu.

– Le maître utilisait cette pièce pour stocker toutes sortes de choses, me dit-il à voix basse. Des mors et des selles hors d'usage, des couvertures, des roues de charrette cassées. Quelquefois même des lances, des glaives, et aussi des boucliers et des casques. Mais quand maître Lucius est mort, c'était presque vide. Et quand maître Crassus est arrivé le lendemain, c'est là qu'il a fait mettre presque tous les esclaves.

Quand nous entrâmes le silence se fit. Mais maintenant, des voix commençaient à murmurer dans l'obscurité.

– Meto ! s'exclama une vieille femme. Meto, viens ici que je te serre dans mes bras.

Mes yeux s'habituaient à l'obscurité, je pus voir la femme qui l'embrassait. Elle était assise sur le sol recouvert de paille. Ses cheveux blancs étaient noués en chignon ; ses longues mains pâles tremblaient. Elle caressa la tête de l'enfant. Partout où je regardais, je voyais des hommes, des femmes, des enfants, tous les esclaves retirés des champs ou déchargés des tâches qui n'étaient pas indispensables. Ils avaient été enfermés là dans l'attente du jugement de Crassus.

Ils étaient assis contre les murs. Je passai entre eux, parcourant la pièce étroite, toute en longueur. Eco me suivit, les yeux écarquillés, fixant un visage après l'autre et trébuchant sur le sol inégal. L'odeur d'urine et d'excréments était plus forte encore au fond de la salle. Je me couvris le visage avec un pli de ma toge. Je pouvais à peine respirer.

On tira sur ma toge. Meto leva les yeux vers moi.

– Le meilleur nageur qui ait jamais existé, m'assura-t-il dans un murmure.

Il ne nous servira à rien s'il est enfermé ici, pensai-je. J'aperçus le jeune homme que désignait Meto. A genoux sur la paille, il tenait les mains d'un vieillard et parlait à voix basse. La lumière pâle donnait à son visage le poli du marbre. Ainsi ressemblait-il à une statue vivante.

– Apollonius ! Pourquoi es-tu ici ? demandai-je, pensant que Crassus l'avait peut-être chassé de la maison simplement pour contrarier Mummius.

Mais son explication fut beaucoup plus simple.

— La plupart des esclaves sont enfermés ici depuis la mort du maître. Quelques-uns ont pu rester à leur poste et dorment dans le quartier ordinaire des esclaves, entre les écuries et la maison. Mais, comme Meto, je viens ici aussi souvent que possible, pour voir les autres. Les gardes me connaissent maintenant et me laissent passer.

— C'est ton père ? dis-je en désignant le vieil homme.

Apollonius sourit, mais ses yeux étaient tristes.

— Je n'ai jamais eu de père. Soterus connaît les plantes. Il soulage les autres esclaves quand ils sont malades ; mais aujourd'hui, c'est lui qui est malade. Il crève de soif, mais ne peut pas boire car ses intestins sont dérangés. Regarde, je pense qu'il s'est endormi. Un jour, j'ai attrapé une très forte fièvre. Il m'a veillé nuit et jour. Il m'a sauvé la vie cet été. Et tout ça sans rien demander.

Sa voix était dépourvue d'amertume, et même d'émotion ; elle ressemblait, détachée et mystérieuse, à celle de son homonyme, le dieu Apollon.

— Sais-tu nager ?

Le visage d'Apollonius s'illumina d'un beau sourire.

— Comme un dauphin.

Pour rejoindre l'abri à bateaux, un autre sentier partait juste en dessous de l'annexe. Il sillonnait le flanc raide de la colline, en passant sous l'aile sud et les bains. Le sentier était presque invisible de la maison car il était dissimulé par la haute végétation et l'angle de la pente. Il était encore plus escarpé que celui qui descendait de la terrasse de l'aile nord. Mais il avait été davantage piétiné et, la plupart du temps, était assez large pour que l'on avance à deux de front. Le petit Meto marchait en tête, enjambant les racines des arbres et dévalant les rochers. Eco et moi descendions avec prudence. Quant à Apollonius, il fermait respectueusement la marche.

C'était l'heure la plus chaude du jour, celle où l'on a le plus envie de somnoler. En approchant de l'abri à bateaux, je levai les yeux vers les collines, pensant à tous ces gens obligés de rester des heures à attendre que les flammes consument lentement les restes de Lucius Licinius. Je voyais la petite colonne de fumée épaisse et blanche s'élever au-dessus des arbres. La brise marine la dispersait rapidement et les volutes disparaissaient dans le bleu du ciel.

La flottille était toujours amarrée le long de la jetée. Les bateaux s'entrechoquaient. En m'avançant, je remarquai quelques hommes qui somnolaient dans les bateaux. Leurs jambes pendaient dans l'eau et leur visage était caché par un chapeau à large bord. La plupart des mariniers et des esclaves s'étaient mis en quête de nourriture. D'autres étaient allés dormir tranquillement sous les arbres de la colline ombragée.

– Qu'as-tu perdu ? demanda Apollonius, en sondant des yeux l'eau claire entre deux bateaux.

– Je n'ai pas exactement perdu quelque chose...

– Mais alors, que dois-je chercher ?

– En fait, je ne sais pas vraiment. Quelque chose d'assez lourd pour, en tombant dans l'eau, faire un gros plouf.

Il me regarda d'un air dubitatif, puis haussa les épaules.

– L'eau pourrait être plus claire. Mais je pense que maintenant la vase remuée par l'arrivée de ces embarcations doit être en grande partie retombée au fond. Et avec tous ces bateaux, je risque de ne pas avoir beaucoup de lumière en dessous. Mais si je vois quoi que ce soit d'insolite, je le remonte.

Il défit sa ceinture, enleva sa tunique et son caleçon, et se retrouva tout nu. Ses cheveux ébouriffés avaient des reflets bleu-noir dans le soleil, tandis que des taches de lumière, réfléchies par l'eau, dansaient sur les muscles de sa poitrine et de ses jambes. Eco le regardait avec un mélange de curiosité et d'envie. Soulevant un coin de son chapeau, l'un des marins émit un sifflement grossier, mais laudatif. Apollonius parut l'ignorer. Il devait être habitué depuis longtemps à ce genre de réaction.

Il souleva les épaules et inspira plusieurs fois profondément. Puis il trouva entre deux bateaux un espace assez large pour plonger. La surface de l'eau se rida à peine derrière lui.

J'arpentai la jetée de long en large, scrutant les fonds verts et apercevant par instants la blancheur de sa nudité entre les pierres couvertes d'algues et les pilotis. Dans l'eau, il se mouvait aussi gracieusement que sur terre, poussant avec ses deux jambes simultanément et utilisant ses bras comme des ailes.

Une mouette passa au-dessus de nous. La colonne de fumée du bûcher funéraire au loin continuait de s'élever au-dessus des arbres. Apollonius ne remontait toujours pas. Enfin, je le vis et il émergea.

Impatient, je lui demandai ce qu'il avait vu. Il leva sa main. Il avait d'abord besoin de respirer, pas de parler. Progressivement, sa respiration devint plus lente, plus régulière. Finalement, il ouvrit la bouche... Pour parler, pensai-je. Mais il se contenta d'inspirer profondément. Alors il se plia en deux et... replongea.

Le battement de ses pieds laissa une traînée de bulles derrière lui.

Il plongea verticalement et disparut dans l'obscurité. Je recommençai à arpenter la jetée et à scruter l'eau. La mouette tournait toujours. La fumée montait. Un nuage passa devant le soleil. Maintenant, tous les hommes, sur les bateaux, s'étaient réveillés. Ils nous regardaient, avec curiosité.

– Ça fait un moment qu'il est là-dessous, dit finalement l'un d'eux.

– Oui, un bon moment, dit un autre. C'est long même pour un gars doté d'une si puissante poitrine.

– Bah ! Ce n'est rien, dit un troisième. Mon frère pêche les perles. Il peut rester sous l'eau encore deux fois plus longtemps.

– Tout de même...

Je regardai entre les bateaux, essayant de voir s'il était remonté à notre insu. Peut-être s'était-il heurté la tête sous une coque. Ce n'était vraiment pas le moment de lui demander de plonger, alors que tous ces bateaux étaient amarrés. Apollonius lui-même s'était plaint de l'ombre qu'ils projetaient sur le fond. Même les dauphins ont besoin de lumière pour nager. Le frère du pêcheur de perles avait beau dire, il semblait difficile qu'un homme puisse rester si longtemps sous l'eau.

Je commençai à m'énerver. Eco ne savait pas nager et le jeune Meto non plus, de son propre aveu. Quant à l'idée de descendre moi-même dans l'eau, elle me fit repenser à l'épreuve de l'autre nuit. Le goût de l'eau de mer me revint. Je la sentis brûler mes narines et soudain j'éprouvai un sentiment de panique. Je levai les yeux vers ces marins, dont les visages étaient dissimulés par les grands chapeaux.

– Hé, vous ! dis-je enfin. Il doit bien y avoir un bon nageur parmi vous ! Je paie cinq sesterces à quiconque plonge sous la jetée et peut me dire ce qui est arrivé à l'esclave.

Tous les chapeaux s'agitèrent. Les pieds sortirent de l'eau, les visages apparurent, les corps se redressèrent...

– Vite ! criai-je, sans quitter des yeux les profondeurs verdâtres.

Je sentais ma gorge se serrer sous l'effet de la peur.

– Vite ! Plongez de là où vous êtes ! Dix sesterces...

Mais, à cet instant, je restai muet devant l'étrange apparition qui émergea de l'eau au bout de la jetée. Les marins se figèrent sur place. Tous les regards se mirent à fixer la longue lame étincelante qui se dressait vers le ciel. Recouvert d'algues, le glaive scintillait, lançait des éclairs vert et argent sous le soleil. Un long bras blanc musclé apparut, tenant sa poignée, puis les larges épaules et le visage d'Apollonius, qui suffoquait. Il sourit triomphalement.

5

Apollonius s'était lui-même comparé à un dauphin. Allongé nu sur la jetée avec un bras en travers de son visage, sa large poitrine qui se soulevait en quête d'air, sa peau claire, humide et luisante, il ressemblait à un jeune dieu de l'océan sorti des profondeurs de la mer. Tout autour de lui, les planches mouillées paraissaient sombres et soulignaient d'autant mieux la forme de son corps. De la vapeur d'eau sortait de sa peau tendue et des perles arc-en-ciel étincelaient sur ses flancs.

Près de lui, le glaive brillait au soleil. Je m'agenouillai et retirai les algues. Il n'était pas resté longtemps sous l'eau. Il n'y avait pas la moindre trace de rouille sur la poignée. Je connaissais peu de choses sur la fabrication de telles armes mais, d'après sa décoration, elle paraissait de facture romaine.

Apollonius se redressa pour s'asseoir. Il croisa les jambes et se rejeta en arrière en s'appuyant sur les coudes. Puis il se passa une main dans les cheveux. Une goutte d'eau atteignit l'œil d'Eco. Il regarda Apollonius d'un air tout à la fois maussade et fasciné. Alors il détourna les yeux. Ils avaient à peu près le même âge. Je pouvais imaginer à quel point Eco pouvait se sentir intimidé en présence d'un autre garçon aussi beau, qui pouvait exhiber sa nudité parfaite sans être le moins du monde gêné.

– Est-ce le seul ? demandai-je, en ramassant le glaive pour l'observer de plus près.

– Loin de là. Il y en a plein, tous liés avec des lanières de cuir, comme une botte. J'ai essayé d'en remonter une botte complète, mais elle était trop lourde. Les lanières sont nouées et l'eau les a gonflées, il est impossible de les détacher. J'ai frotté une des cordes de cuir contre une lame pour la couper.

– N'y a-t-il que des glaives ?

Il secoua la tête.

– Des lances aussi, liées de la même manière. Et des sacs pleins, mais je n'ai pu voir ce qu'ils contenaient. Eux aussi étaient trop lourds à remonter.

– Que peut-il bien y avoir dans ces sacs ? dis-je. Quand peux-tu redescendre ?

Apollonius haussa les épaules.

– J'ai récupéré mon souffle. Mais cette fois, je vais prendre un couteau.

Les marins étaient restés à distance, mais suffisamment près pour entendre. L'un d'eux proposa son poignard, une bonne lame, parfaite pour couper des lanières de cuir. Apollonius disparut de nouveau sous l'eau.

Il ne fut pas longtemps absent. Lorsqu'il se hissa sur la jetée, je vis qu'il ne ramenait que le poignard. Il le planta dans le bois de la passerelle, récupéra sa sous-tunique et son caleçon puis s'éloigna à grandes enjambées vers l'abri. Sans un mot ! Meto lui courut après. Et je suivis, avec Eco. J'avais remarqué qu'Apollonius serrait son poing gauche.

Il arriva près de l'abri et s'appuya contre le mur, hors de vue des marins. Je m'approchai de lui, fis un mouvement de tête interrogateur.

– Mets tes mains en coupe, chuchota-t-il.

Il tendit le bras et ouvrit le poing. Les pièces mouillées glissèrent dans mes mains comme un banc de minuscules poissons d'argent.

Ces pièces tintèrent comme du cristal lorsque je les jetai sur la table de la bibliothèque. Crassus venait juste de rentrer de la cérémonie funèbre. Il n'avait pas quitté ses vêtements noirs et sentait le feu de bois. Il leva un sourcil étonné.

– Où les as-tu trouvées ?

– Aux abords de l'embarcadère. Au cours de ma première nuit ici, j'ai vu une silhouette qui jetait quelque chose dans l'eau depuis la jetée. Cet inconnu m'a frappé et a essayé de me noyer. Il y a presque réussi. Je n'ai pu envoyer personne sous l'eau avant aujourd'hui.

– Qui as-tu envoyé ?

– L'esclave Apollonius – oui, le favori de Mummius. Et voici ce qu'il a trouvé. Des sacs et des sacs pleins d'argent, a-t-il dit. Et pas seulement des pièces, mais aussi des bijoux et des objets divers, tous en or ou en argent.

– Et c'est tout ?

– Non. Des armes aussi.

– Des armes ?

– Des faisceaux de glaives et de lances. Pas des armes de gladiateur ou de parade, non, de vraies armes de soldat. J'ai rapporté un des glaives pour te le montrer, mais ton garde me l'a confisqué à la porte. D'ailleurs, en parlant de garde, je te suggère d'en placer immédiatement plusieurs près de l'abri à bateaux. J'y ai laissé Eco et Apollonius pour qu'ils surveillent les marins. Mais il faut qu'une garde armée reste là-bas jour et nuit, tant que tu n'auras pas tout récupéré.

Crassus appela le garde qui veillait de l'autre côté de la porte et donna des instructions. Puis il lui demanda le glaive qu'Apollonius avait remonté du fond.

– Curieux, dit-il. Il a été fabriqué dans une de mes propres fonderies, ici, en Campanie ; quant au métal utilisé, il provient d'une de mes mines d'Espagne ; ce sceau sur le pommeau l'indique. Comment est-il arrivé là où tu l'as trouvé ?

– La question essentielle, dis-je, est celle-ci : quelle était leur destination finale ?

– Que veux-tu dire ?

– Si nous considérons que ces objets ont été entreposés dans l'abri à bateaux, et que Lucius Licinius les y avait mis, quel besoin avait-il d'une telle quantité d'armes ?

– Aucun.

– Est-ce pour toi qu'il les a rassemblées ?

– Si j'avais voulu que Lucius récupère les armes d'une de mes fonderies et les entrepose ici, je lui en aurais donné l'ordre, dit Crassus sèchement.

– Alors ces armes étaient peut-être stockées ici pour quelqu'un d'autre. À ton avis, qui pourrait avoir besoin d'une telle quantité de lances et de glaives ?

Crassus me regarda gravement. Il avait compris, mais n'était pas disposé à prononcer le nom à voix haute.

– Considère encore les objets de valeur, continuai-je. Les pièces, les bijoux, les travaux d'orfèvrerie, tous accumulés dans des sacs comme un butin de pirate. Je suppose que Lucius ne les a pas volés. Mais peut-être les a-t-il reçus en paiement.

– En paiement de quoi ?

– De quelque chose dont il n'avait pas besoin, mais qu'il pouvait se procurer : des armes.

Crassus me dévisagea, le teint blême.

– Tu oses suggérer que mon cousin Lucius faisait du trafic d'armes avec un ennemi de Rome ?

– Raisonnablement, que peut-on imaginer d'autre lorsque l'on tombe sur un énorme stock d'armes et d'objets de valeur, tous cachés au même endroit ? Et l'abri, près de la jetée, n'est peut-être pas le seul endroit où ces objets ont été entreposés. Le petit esclave Meto m'a dit qu'il avait parfois vu des glaives et des lances dans l'annexe, derrière les écuries. Là même où tu as fait emprisonner les esclaves. Certes ce bâtiment était peut-être vide quand tu es arrivé, mais cela ne veut pas dire qu'il n'avait pas abrité des armes auparavant. Et pas seulement des armes : Meto a aussi mentionné des piles de casques et de boucliers. J'ai entendu dire que certains partisans de Spartacus en sont réduits à utiliser des peaux de melon séchées en guise de casque. Spartacus a un très grand besoin de cuirasses de qualité.

Les yeux de Crassus me lançaient des éclairs. Il inspira profondément, mais resta silencieux.

— J'ai aussi entendu dire que Spartacus interdit que ses hommes utilisent des pièces de monnaie. L'argent n'a pas cours chez eux : ils vont prendre directement ce dont ils ont besoin pour vivre. Le superflu, le luxe, ne les intéresse absolument pas. Tout est mis en commun. Spartacus pense que l'argent ne peut que corrompre ses guerriers. Il fait sortir en secret de la zone qu'il contrôle tous ces magnifiques objets et ces pièces volées, et en échange il reçoit ce dont ses guerriers ont vraiment besoin, des épées, des boucliers, des casques et des lances. Qu'en penses-tu, Marcus Crassus ?

Celui-ci médita un moment.

— Lucius n'a pu les jeter lui-même de l'embarcadère, objecta-t-il. Tu viens de me dire que c'est la nuit de ton arrivée que tu as surpris quelqu'un en train de les jeter dans l'eau. Cet inconnu t'aurait attaqué et aurait tenté de te noyer. Ce n'était certainement pas Lucius... Penses-tu que c'était son fantôme qui te poursuivait cette nuit-là ?

— Non, pas son fantôme. Mais peut-être son associé.

— Un associé ? Pour une entreprise aussi répugnante ?

— Peut-être pas. Peut-être que Lucius était totalement innocent dans cette affaire et que tout fut exécuté sous son nez, à son insu. Peut-être a-t-il tout découvert et ce serait pour cela qu'il a été tué.

— Et pourquoi veux-tu absolument lier cette découverte à sa mort ? Tu sais aussi bien que moi qu'il a été assassiné par ces deux esclaves fugitifs, Zénon et Alexandros.

— Le crois-tu vraiment, Marcus Crassus ? L'as-tu jamais

cru un seul instant ? Ou cette théorie s'accorde-t-elle si parfaitement avec tes projets que tu refuses d'en envisager une autre ?

Les mots jaillissaient de ma bouche, beaucoup plus violents que je ne l'aurais voulu. Crassus eut un mouvement de recul. La porte s'ouvrit : le garde regarda ce qui se passait dans la bibliothèque. Je m'éloignai de Crassus en me mordant la langue.

D'un geste, Crassus congédia le soldat. Il croisa les bras et arpenta la pièce. Au bout d'un moment, il s'arrêta devant l'un des rayons et fixa l'une des piles de manuscrits.

– Dans les registres de Lucius, il manque des documents. Pas quelques-uns, dit-il d'une voix basse. Le livre de bord recensant tous les voyages de la *Furie* cet été, les inventaires des cargaisons...

– Tu n'as qu'à faire venir le capitaine, ou l'un des membres d'équipage.

– Lucius l'a renvoyé, lui et son équipage, quelques jours seulement avant mon arrivée. Pourquoi penses-tu que j'ai envoyé Mummius et mes propres hommes te chercher ? J'ai envoyé des messagers chercher le capitaine à Pouzzoles, à Naples... En vain. Quoi qu'il en soit, il est incontestable que le navire a effectué un certain nombre de trajets non répertoriés.

– Quels autres documents manquent ?

– Divers registres de dépenses. Comme j'ignore ce qui se trouvait ici auparavant, il m'est impossible de savoir précisément ce qui a disparu.

– Donc mon hypothèse est plausible. Lucius Licinius a fort bien pu se livrer à quelque trafic clandestin à ton insu. À un trafic qui constitue une trahison.

Crassus marqua un long silence.

– Oui.

– Et quelqu'un sait cela en dehors de nous. Il a essayé d'en dissimuler les preuves en immergeant les armes et le butin, de la même manière qu'il a nettoyé le sang de la statue qui a servi à tuer Lucius. Et c'est toujours cette même personne qui a dû dérober les registres compromettants. Il est beaucoup plus vraisemblable que cette personne soit le meurtrier de ton cousin, et non ces deux esclaves inoffensifs qui auraient soudain décidé de s'enfuir et de rejoindre Spartacus.

– Prouve-le ! dit Crassus, en me tournant le dos.

– Et si j'en suis incapable ?

– Il te reste un jour et une nuit.

– Mais qu'adviendra-t-il si j'échoue ?

– Justice sera faite. Le châtiment sera prompt et terrible. Je l'ai annoncé lors des funérailles et je compte bien tenir ma promesse.

– Mais, Marcus Crassus, la mort de quatre-vingt-dix-neuf esclaves innocents n'a pas de sens...

– Tout ce que je fais a un sens, objecta-t-il en insistant sur chaque mot.

– Oui, je sais.

Conscient de mon échec, j'inclinai la tête. Je cherchais quelque argument ultime. Près d'une fenêtre, Crassus regardait les invités dans la cour.

– Le petit esclave, celui que tu appelles Meto, je crois, est en train de faire le tour des invités pour annoncer que le banquet va commencer, dit-il tranquillement. Il est temps d'aller mettre des vêtements blancs. Excuse-moi, Gordien ; je dois retourner dans ma chambre pour me changer.

– Une dernière chose, Marcus Crassus. Si tes projets se réalisent, prends en considération l'honnêteté de l'esclave Apollonius. Il aurait pu garder secrète sa découverte de l'argent...

– Pourquoi, puisqu'il sait qu'il doit mourir demain ? L'argent n'a aucune valeur pour lui.

– Mais tu pourrais peut-être trouver un moyen de lui pardonner, et peut-être aussi de pardonner au petit Meto...

– Ni l'un ni l'autre de ces esclaves n'a fait quoi que ce soit d'exceptionnel.

– Mais tu pourrais montrer un peu d'indulgence...

– L'humeur de Rome n'est pas à la pitié. Il est grand temps de me laisser, Gordien.

Je me dirigeai vers la porte. Il se tenait toujours près de la fenêtre, bras croisés, les yeux dans le vide. Juste avant de sortir, je le vis se retourner et regarder la petite pile de pièces d'argent que j'avais laissée sur la table. Ses yeux brillèrent et le coin de sa bouche trembla. Il esquissa un sourire.

L'atrium était une nouvelle fois envahi par les invités. Certains étaient encore en noir. D'autres avaient déjà revêtu leurs habits blancs pour le banquet. Je me faufilai en jouant des coudes, gravis les marches et pris la direction de ma chambre.

Au bout du petit couloir désert et silencieux, la porte de mon appartement était légèrement entrouverte. En m'approchant, j'entendis d'étranges bruits provenant de l'intérieur. Je m'arrêtai pour écouter. Quels étaient ces bruits ? On aurait dit la plainte d'un animal qui souffre, ou le babillage insensé d'un idiot dont la langue a été coupée.

À travers l'étroite embrasure, je vis Eco, assis devant le miroir. Il se contorsionnait le visage en émettant des sons frustes. Il s'arrêta, se regarda dans le miroir et recommença.

Il essayait de parler.

Je frappai du coude contre le mur. J'espérais qu'il m'entendrait arriver. Puis je regagnai la chambre.

Eco était là. Non plus devant le miroir, mais assis tout droit sur son lit. Il me regarda entrer et eut un sourire gêné. Puis il grimaça et regarda par la fenêtre. Je le vis avaler sa salive et se tâter la gorge, comme si elle lui faisait mal.

– Des gardes de Crassus sont-ils venus te remplacer près de l'abri à bateaux ? demandai-je.

Il hocha la tête.

– Bien. Tiens ! regarde ici, sur mon lit, on y a déposé à

259

notre intention des vêtements blancs pour le banquet. La fête devrait être somptueuse.

Eco acquiesça. Il regarda une nouvelle fois par la fenêtre. Ses yeux étaient rouges et brillants. Une larme scintilla sur sa joue. Mais d'un revers de la main, il la fit disparaître.

6

Le banquet se déroulait dans trois grandes pièces connexes de l'aile est de la maison. Chaque pièce donnait sur la baie. La foule des invités se pressait. Le murmure de l'assemblée bourdonnait sous les hauts plafonds. On aurait dit le grondement sourd de l'océan.

L'ordonnateur accomplissait sa dernière tâche : assigner sa place à chaque convive. Crassus, resplendissant dans son habit blanc et or, trônait dans la salle septentrionale. Autour de lui s'étaient installés Fabius, Mummius, Orata et les politiciens et hommes d'affaires les plus importants de la baie. Gelina présidait dans la pièce centrale, Metrobius à son côté, tandis qu'Olympias et Iaia les entouraient.

Dans la troisième pièce, la plus grande et la plus éloignée des cuisines, on installa les autres invités : les gens les moins importants et tous ceux qui n'avaient pas de place ailleurs. On nous conduisit dans cette dernière salle. Mais je vis avec beaucoup d'amusement Dionysius nous rejoindre. Il eut un mouvement d'hésitation lorsque l'esclave lui montra son lit. Alors il exigea de voir immédiatement l'ordonnateur qui le renvoya à sa place, dans un recoin, sans aucune fenêtre à proximité. Normalement, le philosophe de la maison aurait dû s'installer près du maître ou de la maîtresse. Pour bien afficher son dédain, Crassus avait dû donner des instructions pour que l'on confine Dionysius dans un endroit sombre.

Comme c'était le milieu de l'après-midi, Dionysius décida de prendre sa potion verte avant le repas. Pour montrer qui il était, il réclama immédiatement et avec ostentation son breuvage et se montra brutal avec la jeune esclave qui courut le chercher aux cuisines. Quelques instants plus tard, elle revint les mains tremblantes et posa la coupe sur une petite table, devant lui.

Je passai en revue les différents lits de la pièce. Je ne connaissais personne. De ma place, je pouvais voir les autres salles. En m'appuyant sur un coude, j'aperçus Crassus qui buvait du vin et discutait avec Sergius Orata. Orata avait été le premier à me parler de la richesse soudaine et inexpliquée de Lucius Licinius. M'avait-il dit tout ce qu'il savait ? Pouvait-il être le mystérieux partenaire impliqué dans les trafics de Lucius ? Avec son visage rond, affable, suffisant, je le voyais mal assassiner. Mais, par expérience, je savais que les riches étaient capables de tout.

Allongé près de Crassus, Marcus Mummius avait l'air nerveux et triste – il y avait de quoi puisque son supérieur avait repoussé toutes ses tentatives pour sauver Apollonius. Étant donné le conflit qui l'opposait aussi à Lucius Licinius à propos du jeune esclave, il me semblait aussi invraisemblable que l'officier fût ce partenaire mystérieux. Certes, pensai-je, Mummius aurait eu le temps de faire l'aller et retour entre le lac Lucrin et la villa la nuit du meurtre. Il aurait pu proposer encore une fois d'acheter le jeune garçon ? Si Lucius était aussi têtu que son cousin, il avait probablement refusé de nouveau. Mummius ne serait-il pas entré dans une rage meurtrière ? Si tel était le cas, il aurait involontairement mis en mouvement le processus de destruction de l'objet même de son désir, Apollonius. Et la seule façon de sauver l'esclave serait d'avouer sa propre culpabilité. Il avait de quoi être désespéré !

Mes yeux tombèrent sur le « bras gauche » de Crassus,

Faustus Fabius, à la mâchoire hautaine et aux cheveux flamboyants. Il avait rencontré Lucius Licinius en même temps que Mummius. L'occasion lui avait donc été donnée d'établir des liens avec Licinius et de devenir son partenaire. Se serait-il embarqué dans cette aventure sans doute fabuleusement lucrative, mais aussi extraordinairement dangereuse ? Fabius venait d'une famille patricienne assez pauvre aujourd'hui, mais je savais en fait très peu de choses de lui. De tels hommes portent des masques plus impénétrables que les moulages en cire de leurs ancêtres défunts. Les Fabius étaient présents à la naissance de la République. Leur famille avait compté certains des premiers consuls élus. Ils avaient aussi été parmi les premiers à porter la toge bordée de pourpre et à s'asseoir sur le trône d'ivoire arraché aux rois. Il semblait présomptueux de soupçonner un homme d'aussi illustre naissance de meurtre. Pourtant cet instinct sanguinaire était dans leur sang de patriciens. Sinon, comment auraient-ils pu, à l'origine, renverser les rois, écraser leurs frères romains et devenir les premiers patriciens ?

Plus proche de nous, dans la pièce centrale, présidait Gelina. Il était peu probable qu'elle fût la coupable. Tout indiquait que son amour pour son époux avait été sincère, et que son chagrin était profond. Quant à Iaia, malgré la piètre opinion qu'elle avait de Lucius, sa culpabilité me paraissait invraisemblable. Sans parler du fait qu'elle et Olympias se trouvaient à Cumes la nuit du meurtre. C'est en tout cas ce qui m'avait été raconté. Au demeurant, est-ce qu'une femme, dont Olympias, aurait eu la force de fracasser le crâne de Lucius avec la lourde statuette puis de traîner son corps vers l'atrium ? Et, *a fortiori*, de transporter des faisceaux d'armes de l'abri à bateaux jusqu'à l'embarcadère, avant de m'assommer à moitié ?

Compte tenu de son âge, la même remarque pouvait s'appliquer à Metrobius. Mais il méritait d'être surveillé. Il avait appartenu au cercle intime de Sylla, et par conséquent

devait avoir peu de scrupules. Cet homme nourrissait a
fond de lui de vieilles rancunes. Sa tirade contre Mummiu
me l'avait prouvé. Retiré de la scène, privé de son bienfai
teur, dépossédé de sa légendaire beauté par le temps qu
passe, à quoi pouvait-il bien consacrer son énergie inépui
sable ? Il était très proche de Gelina et méprisait Lucius
Aurait-il pris prétexte de la détresse de Gelina pour tuer so
mari ? Était-il le partenaire mystérieux ? Même s'il haïssai
Lucius, ce sentiment ne l'aurait peut-être pas empêché d'in
vestir une partie de sa fortune dans les projets du cousin d
Crassus. Il avait même pu prévoir, songeai-je, la décision
de Crassus de faire exécuter tous les esclaves, y compri
Apollonius, pour venger le meurtre. Ainsi, en tuant Luciu
et en laissant les événements suivre leur cours, il pouvai
assouvir une terrible vengeance contre Mummius. Mai
aussi subtil que fût son esprit, était-il capable d'élaborer u
projet aussi pervers et aussi complexe ?

Bien sûr, malgré toutes mes découvertes près de la jetée
malgré toutes les preuves du contraire, il était toujours pos
sible que...

— Ce sont les esclaves qui ont fait le coup ! Ils ont fra
cassé le crâne de Lucius avant de se précipiter chez Spar
tacus !

Pendant un instant, j'eus l'impression qu'un dieu venai
de parler ; un dieu qui aurait voulu me réprimander pou
mes spéculations absurdes et me rappeler l'unique hypo
thèse que je refusais de considérer. Mais c'était l'homme
que j'avais vu discuter avec sa femme aux funérailles. Ils
poursuivaient leur bavardage.

— Rappelle-toi le discours de Crassus : les esclaves fini
ront par être punis. Voilà une bonne chose ! dit la femme,
en humectant ses lèvres. Il faut fixer des limites. On ne
peut plus compter sur ces esclaves : une fois qu'ils ont été
témoins d'une telle atrocité dans la maison de leur maître,
ils sont perdus à tout jamais. Ce Marcus Crassus sait s'y
prendre !

– Oui, il doit certainement savoir s'y prendre pour mener ses propres affaires, admit l'homme. Sa fortune parle d'elle-même. On dit qu'il veut obtenir le commandement pour marcher contre Spartacus. J'espère que ces imbéciles du Sénat auront pour une fois la sagesse de confier la mission idoine à l'homme idoine. Crassus est un dur ; cela ne fait aucun doute. Il faut avoir une sacrée force de caractère pour mettre à mort tous les esclaves d'une de ses maisons. Et c'est bien le type d'homme qu'il nous faut aujourd'hui : une main ferme pour affronter le monstre thrace !

– Tu as raison. Mais il faut être aussi inflexible que Caton pour mettre à mort un cuisinier capable de créer des plats aussi exquis.

L'homme se lécha les lèvres.

– Chut ! Ne prononce pas ce mot.

– Quel mot ?

– « Mort ». Tu ne vois pas que la jeune esclave qui nous sert est là ?

– Et alors ?

– Prononcer ce mot à haute voix lorsqu'un esclave condamné peut l'entendre porte malheur.

Ils restèrent silencieux un moment, puis la femme reprit la parole.

– Quand même, cet ordonnateur hautain aurait pu nous placer dans une meilleure salle, si tu avais eu le courage de le lui demander... comme je te l'avais dit.

– Ma chérie, ne recommence pas sur ce sujet. La nourriture est la même partout, j'en suis certain. Ne te plains pas.

– La nourriture peut-être. Mais pas le voisinage. Tu es deux fois plus riche que n'importe qui dans cette pièce. Nous aurions dû nous trouver plus près de Crassus, ou au moins dans la salle centrale avec Gelina.

– Il fallait bien trouver de la place pour tous ces lits et il n'y a pas cinquante salles, soupira l'homme. Je n'ai jamais vu autant de monde à un banquet funèbre depuis bien des années. Tu te plains des convives de cette pièce.

D'accord, ce n'est pas la crème. Mais regarde là : c'est le philosophe de la maison. Il s'appelle Dionysius, je crois.

– Oui, comme la moitié des philosophes grecs en Italie, grommela la femme. Celui-là n'est pas particulièrement brillant, d'après ce que j'ai entendu.

– Totalement sans intérêt, dit-on. Je me demande pourquoi Licinius le gardait. Je suppose que c'est Gelina qui l'a déniché. Elle n'est pas spécialement réputée pour ses choix, sauf en matière de cuisiniers. Maintenant que Lucius n'est plus là, il aura du mal à trouver une situation aussi confortable. Qui a besoin d'un philosophe sans intérêt dans une maison, surtout un stoïcien, quand il y a tant de bons épicuriens sur le marché ? Quel personnage déplaisant... et vulgaire aussi. Regarde-le ! Regarde ces grimaces, et cette langue qu'il n'arrête pas de sortir. Vraiment, on dirait qu'il n'est qu'à moitié civilisé !

– Oui, je vois ce que tu veux dire. Il se donne en spectacle. Ce Dionysius tient plus du bouffon que du sage.

Pourtant Dionysius n'était pas homme à mal se tenir à table, même s'il n'était pas content de sa place. Je me tournai vers lui pour me rendre compte par moi-même. C'est vrai qu'il faisait des grimaces, fronçant le nez et ne cessant de tirer la langue.

– Mais il a l'air drôle, admit la femme. Comme un de ces masques grotesques de comédie.

Elle se mit à rire et son mari fit de même.

Mais Dionysius ne recherchait pas quelque effet comique. Il se prit la gorge entre les mains. Un spasme le secoua. Il respirait par la bouche comme s'il étouffait. La langue à demi sortie, il essaya de parler. D'où je me trouvais, les mots déformés étaient à peine audibles.

– Ma langue, haleta-t-il. Ça brûle... De l'air, de l'air !

D'autres convives commençaient à le remarquer. Les esclaves s'arrêtèrent de servir. Les invités tournèrent la tête pour voir Dionysius se convulser soudain. Il mit les mains sur sa poitrine, comme s'il essayait d'arrêter ses spasmes. Sa langue semblait le gêner de plus en plus.

Dionysius se plia en deux et se mit à vomir.

Bon nombre d'invités se levèrent précipitamment. L'agitation se propageait progressivement jusqu'à la pièce centrale. Gelina fronça les sourcils, l'air inquiet. Un moment plus tard, les murmures gagnaient la dernière salle. Crassus, qui riait d'une plaisanterie d'Orata, tourna la tête et essaya de comprendre ce qu'il se passait. Il me vit. Je lui fis signe de venir rapidement. Gelina se leva. Elle se hâta vers moi. Crassus la suivit sans hâte.

Ils arrivèrent tous deux à temps pour voir le philosophe vomir une autre giclée verdâtre. Un demi-cercle d'invités, debout, le regardaient, effrayés. Je me frayai un passage. Au moment où j'arrivai à hauteur de Crassus, les convives reculaient d'un pas. Le philosophe venait de s'oublier.

La puanteur fit grimacer Crassus. Gelina s'approcha de Dionysius pour l'aider, mais elle avait peur de le toucher. Soudain, le philosophe eut une convulsion et tomba la tête la première sur la table. La foule battit en retraite afin d'éviter les projections de bile.

La coupe qui avait contenu le breuvage s'envola et vint atterrir à mes pieds dans un fracas métallique. Je m'agenouillai pour la ramasser et examinai l'intérieur. Il n'y avait plus que quelques gouttes vertes. Dionysius avait tout bu.

Crassus attrapa mon bras avec une poigne de fer.

— Par l'Hadès, que se passe-t-il ? demanda-t-il sans desserrer les dents.

— Un meurtre, je pense. Zénon et Alexandros auraient-ils de nouveau frappé ?

Cette remarque n'amusa pas Crassus.

Quatrième partie

Les jeux funéraires

1

– Les catastrophes s'enchaînent !

Crassus cessa de faire les cent pas et me regarda comme s'il me rendait responsable de toutes ces complications.

– Je crois que je vais vraiment être heureux de me retrouver relativement au calme et en sécurité à Rome. Cet endroit est maudit !

Je suis d'accord, Marcus Crassus. Mais maudit par qui ?

Je regardais le cadavre de Dionysius, allongé sur le sol de la bibliothèque. Crassus avait ordonné à ses hommes de l'y porter, pour le soustraire à la vue des invités. Eco observait aussi le visage décomposé du mort. Il était apparemment fasciné par la langue de Dionysius, qui refusait de rentrer dans la bouche.

Crassus se boucha le nez.

– Emporte-le ! hurla-t-il à l'un de ses gardes du corps.

– Où devons-nous le mettre, Marcus Crassus ?

– N'importe où ! Trouve Mummius. Lui te dira ce qu'il faut en faire. Moi, je ne veux simplement plus le voir. Maintenant que je ne suis plus obligé d'écouter cet idiot, je ne vais certainement pas m'imposer sa puanteur.

Il fixa son regard sur moi.

– Alors, Gordien ? Empoisonné ?

– Étant donné les symptômes et les circonstances, on peut le supposer.

– Mais la pièce était pleine de monde en train de manger. Et personne d'autre n'a été touché par le poison.

– Parce que personne n'a bu dans la coupe de Dionysius. Il avait cette habitude, tu sais, de boire une décoction de plantes avant le déjeuner et à l'heure du dîner.

Crassus cligna des yeux et haussa les épaules.

– Ah oui, je me souviens l'avoir entendu vanter les vertus de la rue et du silphium lors d'autres repas. Encore une autre de ses manies exaspérantes.

– Dans ces conditions, il était facile de l'empoisonner : lui seul buvait cette préparation et à des moments précis. Il y a bien un assassin en liberté, ici, dans cette maison, tu dois en convenir. Et il est assez probable que le même individu a tué Lucius, puisque, la nuit dernière, Dionysius avait publiquement promis de livrer son nom. Honnêtement, tu sais que cela ne peut être l'œuvre de Zénon et d'Alexandros.

– Et pourquoi pas ? D'accord, Zénon est mort... peut-être. Mais nous ne savons toujours pas ce qu'il est advenu de l'autre, cet Alexandros. Nous ne savons pas davantage avec qui il pourrait être en contact. Il a sans aucun doute des complices ici parmi les esclaves des cuisines.

– Oui, il a peut-être des amis dans cette maison, répondis-je... mais je ne pensais pas à des esclaves.

– Manifestement, j'ai commis une erreur en laissant un seul de ces esclaves continuer de servir Gelina. Dès que le dîner sera terminé et que tous les invités seront dans leurs quartiers, je les ferai tous enfermer dans l'annexe. De toute manière, il aurait fallu le faire demain matin. Fabius !

Il appela le patricien, qui attendait dans le couloir, et lui donna des instructions. Fabius acquiesça froidement et quitta la pièce sans un regard vers moi.

Je secouai la tête d'un air las.

– Pourquoi penses-tu que l'un des esclaves a empoisonné Dionysius ? demandai-je.

– Qui d'autre a accès aux cuisines sans qu'on le remarque ? Je pense que c'est là que Dionysius conservait ses plantes.

– Toutes sortes de gens sont entrés et sortis des cuisines aujourd'hui. Beaucoup n'en pouvaient plus d'attendre le dîner. Des invités s'y sont rendus pour trouver des choses à grignoter ; ou alors ils ont envoyé des esclaves à leur place bien avant le début du dîner. Les cuisiniers avaient fort à faire. Ils allaient et venaient en tous sens. Je peux te dire qu'ils n'avaient pas le temps de prêter attention aux personnes qui se trouvaient là. Par ailleurs, tu te trompes, Crassus : Dionysius cueillait lui-même ses plantes. Généralement, la première chose qu'il faisait le matin, c'était de les préparer et de les faire porter par un esclave. Mais aujourd'hui il ne les a remises qu'après les funéraires. Donc les plantes ont pu être trafiquées dans sa chambre ce matin.

– Comment sais-tu tout cela ?

– Parce que, pendant que tu faisais transporter le cadavre ici, j'ai posé quelques questions à la jeune esclave qui lui a donné sa coupe ce soir. Elle m'a dit qu'il avait apporté ses plantes à la cuisine à son retour de la cérémonie. Comme à l'ordinaire, elles étaient déjà mélangées, écrasées et enfermées dans un petit linge. Il s'agissait d'une sorte de rituel. Mais l'esclave a dû ajouter elle-même le cresson et les feuilles de vigne, avant de faire bouillir le tout et de filtrer le mélange juste avant le repas.

– Alors elle pourrait très bien avoir ajouté le poison, insista Crassus. Tu dois t'y connaître en poison, Gordien. De quoi s'agissait-il selon toi ?

– D'aconit.

– Le tue-panthères ?

– Oui, certains l'appellent ainsi. On le dit agréable au goût, alors il ne l'a peut-être pas remarqué dans son breuvage. C'est aussi le plus rapide des poisons. Les symptômes correspondent : brûlures de la langue, étouffements, convulsions, vomissements, les intestins qui se relâchent, et enfin la mort. Mais qui, me demandai-je à voix haute, qui s'y connaît assez pour s'être procuré le poison et avoir administré la bonne dose ?

Je regardai Eco. Il dormait lorsque j'avais découvert les plantes et les autres extraits végétaux chez Iaia à Cumes, mais je lui en avais parlé depuis.

Crassus s'étira et grimaça.

– Je hais les funérailles. Et plus encore les jeux funéraires. Enfin, au moins tout sera fini demain.

– Si seulement Dionysius avait pu nous dire ce qu'il savait du meurtre de Lucius... dis-je. S'il savait vraiment quelque chose ! J'aimerais jeter un œil à ses appartements.

– Certainement.

Crassus haussa les épaules. Il pensait déjà à autre chose.

Je retrouvai Meto dans l'atrium et lui demandai de me conduire chez le philosophe. Nous traversâmes les salles du banquet. La mort de Dionysius, immédiatement suivie du départ de l'hôte et de l'hôtesse, avait mis un terme au dîner. Mais de nombreux invités s'attardaient.

– Qui cherches-tu ? demanda Meto.

– Iaia et son assistante, Olympias.

– La dame peintre est déjà partie, répondit-il. Iaia est sortie dès que le philosophe s'est trouvé mal.

– Partie ? Tu veux dire : quitté la pièce ?

– Non, la maison. Elle est retournée chez elle, à Cumes. Je le sais, parce qu'elle m'a envoyé aux écuries voir si ses chevaux étaient prêts.

– C'est vraiment ennuyeux, regrettai-je. J'aurais bien voulu m'entretenir avec elle.

Meto nous fit traverser toutes les salles. Puis, après un angle du couloir, il nous indiqua la porte des appartements de Dionysius.

Il s'agissait de deux petites pièces, simplement séparées par un rideau. Dans la première une table ronde, entourée de chaises, se trouvait près d'une fenêtre. Celle-ci donnait sur les petites collines boisées à l'ouest. Dans un coin, une amphore en terre cuite était posée sur une table basse. En soulevant le couvercle, je sentis monter l'odeur de la rue, du silphium et de l'ail.

– Voilà le mélange de Dionysius. Empoisonné ou pas, il va falloir le brûler ou le jeter dans la mer pour être sûr qu'il ne fera plus de mal.

La seconde pièce, meublée avec austérité, ne renfermait qu'un lit, une lampe suspendue et un grand coffre.

– Pas grand-chose à voir, dis-je à Eco.

Je commençai à tenter d'ouvrir le coffre. Mais il était fermé à clé.

– Nous pourrions fracturer la serrure. Je ne pense pas que Crassus y trouverait à redire et nous pouvons demander aux mânes de Dionysius de nous pardonner. D'ailleurs, j'ai l'impression que quelqu'un a déjà essayé de la forcer, mais en vain. Regarde, Eco, les éraflures et ces entailles. Il nous faudrait une longue barre de métal, bien résistante, pour l'ouvrir.

– Pourquoi ne pas utiliser la clé ? suggéra Meto.

– Parce que nous ne l'avons pas, répondis-je.

L'enfant sourit malicieusement et s'allongea sur le sol. Il se glissa sous le lit et ressortit en serrant une simple clé de bronze dans son petit poing.

Je levai les bras au ciel.

– Meto, tu es inestimable !

Il sourit et tourna autour de moi alors que je me baissais pour introduire la clé dans la serrure.

– Oui, Meto, je crois qu'en grandissant tu vas ressembler à l'un de ces esclaves des pièces de Plaute ; ceux qui savent toujours ce qu'il se passe quand leur maître est trop stupide ou trop amoureux pour voir la vérité.

Je soulevai le couvercle. Eco retint son souffle. Meto recula.

– Du sang ! murmura-t-il.

– Oui, acquiesçai-je, très vraisemblablement du sang.

Au-dessus d'autres manuscrits déroulés et posés à plat au fond du coffre, une bande de parchemin était couverte de minuscules caractères... et d'une grande tache de sang.

– Ce sont les documents qui manquent ? demandai-je.

De retour dans la bibliothèque, Crassus se penchait sur les parchemins et les étudiait un par un. Finalement, il hocha la tête.

– Oui. Ce sont les documents que je cherchais. Et il y en a aussi dont j'ignorais l'existence. Et dans ceux-là je vois toutes sortes d'irrégularités et de références cryptées... Je comprends qu'il s'agit de dépenses et de recettes, mais un code empêche de savoir à quoi elles correspondent. Je vais devoir les rapporter à Rome. Il faudra sans doute du temps pour les étudier et les comprendre. Mon chef comptable parviendra peut-être à les décoder.

– Je vois que la mention « Un ami » revient plusieurs fois. Et elle est toujours associée à une somme d'argent, généralement assez importante. Tu ne penses pas que « l'ami » en question pourrait être le mystérieux partenaire de Lucius Licinius ? Il s'agirait là d'investissements et de débours qui concernent cet associé.

Crassus paraissait de méchante humeur.

– La seule chose que je veux savoir, c'est ce que faisaient ces documents dans la chambre de Dionysius.

– J'ai une idée, avançai-je.

– J'en suis certain.

– Nous savons que Dionysius voulait résoudre l'énigme du meurtre de Lucius, ne serait-ce que pour te prouver son intelligence. Supposons qu'il ait, bien avant nous, repéré le sang sur la statue. Avant même mon arrivée, il devait avoir deviné que le meurtre s'était déroulé dans cette pièce. Supposons maintenant qu'il ait soupçonné les obscurs trafics de Lucius. Après tout, Dionysius vivait ici, et même si ton

276

cousin prenait ses précautions, le philosophe peut très bien avoir remarqué le trafic d'armes et d'argent.

Crassus hocha la tête :

– Continue.

– Bon. Sachant tout cela, il a dû vouloir s'emparer de ces documents avant que tu mettes la main dessus. Ainsi il pouvait les rapporter dans ses appartements et les étudier à loisir.

– Dans quel but ?

– Trouver un indice qui lui aurait permis d'identifier le meurtrier.

– C'est possible. Mais comment expliquer ça ?

Il montrait du doigt le manuscrit ensanglanté.

– Lucius était sans doute penché dessus lorsqu'il a été tué. Le rouleau devait être ouvert ici, sur la table.

– Et le meurtrier, si soucieux de transporter le corps de Lucius dans l'atrium, aurait laissé le document ici pour que Dionysius le trouve à son prochain passage dans la bibliothèque ? La logique aurait voulu que l'assassin le détruise pour que personne ne le trouve. Or comme il ne l'a pas fait, cela indique, selon moi, que ce rouleau n'a rien à voir avec le meurtre.

Crassus me regardait d'un air sinistre, puis il se mit à sourire en voyant que je ne répondais pas. Il secoua la tête et rit doucement :

– Je vais te dire ceci, Gordien : tu es tenace ! Et si cela te réconforte, j'admets que les informations dont nous disposons sur la mort de mon cousin ne me satisfont pas entièrement. Au vu de tes découvertes dans la mer et maintenant de ces documents, il apparaît que mon cher cousin, que mon stupide et maudit cousin, était impliqué dans un trafic d'armes avec quelqu'un... oui, peut-être même avec Spartacus. Mais cela ne fait qu'affaiblir ton hypothèse et renforcer la mienne.

– Je ne vois pas les choses ainsi, Marcus Crassus.

– Vraiment ? Eh bien, voilà comment moi, je les vois.

277

Quand Lucius apprit que j'allais arriver sous peu, il paniqua et voulut rompre ses relations avec les représentants de Spartacus, ceux qui étaient chargés d'acheter les armes pour lui. Voyant qu'ils n'obtiendraient plus rien de Lucius, ils décidèrent de se venger de lui. À ton avis, quelle peut être l'identité de ces agents de Spartacus, de ces criminels ? De qui peut-il s'agir, si ce n'est de Zénon et du Thrace Alexandros, qui étaient les espions de Spartacus dans cette maison même ? Oui, je vois clair maintenant ! Écoute bien, Gordien, l'enchaînement des événements !

« Ils viennent donc ici, dans la bibliothèque, au cœur de la nuit, voir Lucius. Zénon, qui aide son maître à tenir ses registres, lui montre ces différents documents prouvant la perfidie de mon cousin. Le vieil esclave le menace de tout me révéler s'il ne continue pas à livrer des armes à Spartacus. Mais le chantage ne fait pas fléchir Lucius ; il a décidé de couper les ponts avec les rebelles, et il ne se laisse pas intimider. C'est pour ça que Zénon et Alexandros l'assassinent. Le Thrace prend la statue et lui fracasse le crâne, exactement comme tu l'as dit. Et pour donner plus de retentissement à sa mort, ils traînent le corps dans l'atrium et commencent à graver le nom de leur maître, Spartacus.

« Seulement Dionysius a veillé tard, cette nuit-là, à méditer sur un de ces sujets qui ne peuvent intéresser que des philosophes de second ordre. Il a soudain besoin d'un renseignement. Il est persuadé de le trouver dans un des manuscrits de la bibliothèque de Lucius. Sans attendre, il décide de partir à la recherche de ce texte. Sans doute fait-il du bruit, cela dérange les assassins qui s'enfuient en laissant le nom de leur maître inachevé. De son côté, Dionysius pénètre dans la bibliothèque. Il voit le rouleau plein de sang. Il ressort de la pièce, se dirige vers l'atrium, et là... là, il tombe sur le corps. Mais au lieu de donner l'alarme, il imagine un plan dont il puisse tirer profit. Il sait que j'arrive le lendemain. Il n'a plus de patron, alors, s'il peut, d'une manière ou d'une autre, s'attacher à moi, ce sera tout bénéfice pour lui. Il compte m'impressionner en résolvant l'énigme du meurtre. Aussi se met-il à étudier le document sanglant ; il comprend son importance et cherche d'autres documents aussi compromettants. Il en trouve et rapporte le tout dans sa chambre. Là, il pourra les déchiffrer et les reconstituer à loisir.

— Mais pourquoi ne t'aurait-il pas dit tout cela plus tôt ? protestai-je.

— Peut-être envisageait-il de tout révéler à l'occasion des jeux funéraires de demain. Ou peut-être encore n'était-il pas satisfait parce qu'il lui manquait quelques éléments pour reconstituer toute l'affaire. Ou alors...

Les yeux de Crassus s'illuminèrent.

— Oui ! cria-t-il. C'est sûrement cela. Dionysius était sur la piste d'Alexandros et voulait me livrer l'esclave en personne. Oui, et cela résout tout ! Qui d'autre aurait voulu l'empoisonner si ce n'est Alexandros, ou un autre esclave voulant protéger Alexandros ? Dionysius avait sans doute découvert la cachette d'Alexandros. Et il voulait me le livrer publiquement pour l'exécution, demain, en même temps que toutes les preuves qu'il avait réunies.

Crassus hocha tristement la tête.

— Ah, je dois l'admettre, la vieille buse aurait réussi un sacré coup. Quelle occasion pour lui de parader devant toute la foule rassemblée pour les jeux ! Après cela, j'aurais eu du mal à ne pas l'accepter dans ma suite. Ainsi la buse se serait métamorphosée en renard !...

— Un renard foudroyé par la mort, dis-je à voix basse.

— Oui, et hélas ! silencieux pour toujours. C'est regrettable, mais il ne pourra plus dire où se trouve Alexandros. J'aurais vraiment aimé tenir cette canaille entre mes mains demain. Je l'aurais attaché à une croix et brûlé vif pour la plus grande joie du public.

Une lueur cruelle apparut dans ses yeux. Soudain il piqua une colère.

— Vois-tu maintenant, Gordien, à quel point tu as gaspillé mon temps et le tien, à courir après une illusion, l'innocence des esclaves ? Tu aurais mieux fait de consacrer ton intelligence à retrouver Alexandros et à l'amener devant la justice. Au lieu de cela, tu as laissé ce démon commettre un nouveau meurtre sous nos yeux !

Il se remit à arpenter furieusement la pièce.

– Tu es un fou, Gordien, un fou au cœur tendre. J'ai déjà rencontré des types de ton espèce, toujours en train de s'interposer entre un esclave et le châtiment qu'il mérite. Eh bien, tu as fait de ton mieux, dans cette affaire, pour entraver le cours de la justice et, par Jupiter, tu as échoué. Après ça, tu peux prétendre être le « Limier » !...

Il commença à crier.

– C'est à ta stupidité que nous devons la mort de Dionysius et le fait que le meurtrier Alexandros soit encore en liberté. Allez, hors d'ici ! Je n'ai que faire d'une telle incompétence. Quand je rentrerai à Rome, je ferai de toi la risée de la ville. On verra si quelqu'un réclame encore les services du soi-disant limier !

– Marcus Crassus...

– Dehors !

Dans sa fureur, il s'empara des documents qui jonchaient la table, les écrasa entre ses mains et me les jeta à la tête. Ils me manquèrent, mais l'un d'eux atteignit Eco au visage.

– Et ne te présente plus jamais devant moi, sauf si tu m'apportes Alexandros enchaîné, prêt à être crucifié pour ses crimes !

– L'homme doute plus que jamais de lui-même, chuchotai-je à Eco, tandis que nous retournions vers notre chambre. La tension des funérailles, le carnage qui s'annonce demain... Il est à bout.

Mon visage était brûlant, mon cœur battait à tout rompre. Ma bouche était si sèche que je pouvais à peine déglutir. Étais-je en train de parler de Marcus Crassus ou de moi ?

Je fis encore quelques pas, puis m'arrêtai. Eco me regarda, intrigué, et toucha ma manche. Dans son langage, il me demandait ce que nous allions faire maintenant. Je me mordis la lèvre, troublé, désorienté. Eco fronça les sourcils pour me montrer qu'il était soucieux. Mais je n'osai pas croiser son regard.

Maintenant je ne savais plus, j'étais perdu. Crassus avait peut-être raison. Même s'il se trompait, le temps qui m'avait été imparti touchait à sa fin et je n'avais rien à présenter. Sauf une chose : je savais, ou tout au moins je pensais savoir, qui avait empoisonné Dionysius, et aussi où se cachait l'esclave Alexandros. Après tout, si je ne pouvais rien faire d'autre, je voulais au moins découvrir la vérité pour ma propre satisfaction.

Dans notre chambre je récupérai les deux poignards que j'avais apportés de Rome. J'en passai un à Eco. Il me regarda, les yeux écarquillés.

— Les choses peuvent subitement mal tourner, expliquai-je. Il vaut mieux être armé. L'heure est venue de confronter certaines personnes avec *ceci*.

Je sortis le manteau ensanglanté que j'avais caché au milieu de nos affaires. Je le roulai le plus serré possible et le calai sous mon bras.

— Nous devrions nous aussi prendre un manteau. La nuit sera probablement fraîche. Et maintenant, aux écuries.

Nous traversâmes rapidement le corridor et dévalâmes l'escalier pour nous retrouver dans l'atrium. Quelques instants plus tard, la porte d'entrée franchie, nous étions dans la cour. Le soleil commençait à peine à s'enfoncer derrière les petites collines à l'ouest.

Meto se trouvait dans les écuries. Je lui demandai de nous attribuer deux montures.

— Mais il va bientôt faire sombre, protesta-t-il.

— Il fera encore plus sombre avant mon retour.

Nous étions à cheval, devant les écuries, et prêts à partir, lorsque Faustus Fabius et un cordon de gardes armés traversa la cour. Entre les deux rangs de soldats, en colonne, les derniers esclaves de la maison se dirigeaient vers l'annexe.

Ils marchaient en silence, humblement. Certains regardaient par terre. D'autres levaient de grands yeux effrayés. Parmi eux, je vis Apollonius. Il avançait, la mâchoire serrée, et regardait droit devant lui.

J'eus l'impression que la villa s'était vidée de toute sa force vitale. On chassait de ses couloirs tous ceux qui l'animaient de l'aube au crépuscule : les barbiers, les coiffeurs et les cuisiniers, les portiers, les serviteurs et les gardes.

– Eh toi, là, garçon ! hurla Fabius.

Meto recula contre ma monture et s'agrippa à ma jambe. Ses mains tremblaient.

Ma bouche devint sèche.

– Le garçon est avec moi, Faustus Fabius. Crassus m'a confié une mission et j'ai besoin de lui.

Faustus Fabius fit un geste indiquant à la colonne de continuer vers l'annexe et il s'avança vers nous.

– Je ne pense vraiment pas que ce soit vrai, Gordien.

Il m'adressa un de ses sourires patriciens distants.

– J'ai plutôt entendu dire que Marcus et toi vous vous étiez séparés pour de bon. Et qu'il verrait plus volontiers ta tête sur un plateau que sur tes épaules. Je doute même qu'il t'autoriserait à emprunter ses chevaux. Mais où vas-tu donc ?... Juste au cas où Crassus le demanderait.

– À Cumes.

– Est-ce que cela va si mal, Gordien, pour que tu aies besoin de réclamer l'aide de la sibylle alors même que la nuit va tomber ? Ou alors c'est peut-être ton fils qui a envie de jeter un dernier coup d'œil à la splendide Olympias.

Devant mon silence, il haussa les épaules. Une expression curieuse apparut sur son visage. Je réalisai soudain qu'un pan du manteau plein de sang apparaissait sous ma propre cape. Je le recouvris tant bien que mal avec mon coude.

– En tout cas, le garçon vient avec moi, dit Fabius.

282

Il attrapa Meto par l'épaule. L'enfant refusa de lâcher ma jambe. Fabius le tira plus fort et Meto commença à hurler. Les esclaves et les gardes tournèrent leur visage vers nous. Eco s'impatientait ; sa monture se mit à hennir et à piaffer.

Je chuchotai entre mes dents.

– Aie pitié du garçon, Faustus Fabius ! Laisse-le venir avec moi. Il restera ensuite chez Iaia, à Cumes. Crassus ne le saura jamais.

Fabius relâcha son étreinte. Tremblant, Meto libéra ma jambe et s'essuya les yeux. Le patricien esquissa un petit sourire.

– Les dieux te remercieront, Faustus Fabius, murmurai-je.

Je tendis la main à l'enfant pour lui permettre de monter en croupe, mais soudain Fabius s'en empara.

Le patricien secoua la tête.

– L'esclave appartient à Crassus, dit-il.

Il se retourna et poussa devant lui Meto, qui trébucha en regardant désespérément derrière lui. Ils rejoignirent la colonne.

Le crépuscule recouvrait la terre et les premières étoiles scintillaient. Enfin, je talonnai ma monture et m'élançai sur la route. En espérant qu'un dieu m'écoute, je formulai cette prière : « Fasse que l'aube ne se lève jamais ! »

2

Nous aurions été plus avisés, me dis-je *in petto* après coup, de prendre la route normale de Cumes, plutôt que le raccourci par les collines qu'Olympias nous avait montré. J'imagine que par des nuits semblables les lémures sortent de l'Hadès, tout comme les vapeurs de soufre s'échappent de l'Averne. Dissimulés par la brume, ils parcourent la forêt et les collines nues, répandant un froid mortel sur leur passage. En certains lieux et à certains moments, par exemple sur les champs de bataille ou près des accès au Monde inférieur, les esprits des morts sont si nombreux qu'ils deviennent aussi palpables que des vivants... Le phénomène a été décrit de façon plus précise par des personnes plus savantes que moi en la matière. Tout ce que je sais, c'est que la mort hantait les chemins de Cumes cette nuit-là, et que ceux qu'elle réclamait n'auraient pas loin à aller pour disparaître dans la gueule d'Hadès.

Dans un premier temps, nous n'eûmes aucune difficulté à trouver notre chemin. Après avoir quitté la villa, nous rejoignîmes rapidement la route principale et les yeux aiguisés d'Eco repérèrent la piste étroite qui partait vers l'ouest. Même au crépuscule, le chemin me semblait familier. Nous traversâmes un boqueteau pour atteindre la crête dénudée. Au nord, j'apercevais les feux de camp des soldats de Crassus autour du lac Lucrin. Des chants montaient de la vallée. À la lueur de la lune, je pouvais discerner l'énorme masse de l'arène. Son enceinte de bois luisait faiblement, comme la carapace d'un dragon endormi ; demain il se réveillerait et dévorerait sa proie.

Une fois entré dans les bois et les ténèbres, je commençai à ne plus être certain de la route. Et sans la lumière du soleil, il n'y avait aucun moyen de se repérer avec certitude. La lune, pleine, était encore basse dans le ciel. La pâle lueur bleue qu'elle projetait à travers le feuillage créait un chaos d'ombres et de lumières. Des écharpes de brouillard s'enroulaient autour de nous, sans que l'on sache vraiment s'il s'agissait de brumes marines ou de vapeurs montant de la terre humide. Après tout, il s'agissait peut-être d'âmes en peine.

L'odeur de soufre était de plus en plus forte. Au loin, un loup hurla, puis un second et un troisième. Ils étaient si près que je sursautai. La nuit était encore plus froide que je ne m'y attendais. Serrant mon manteau autour de mes épaules, je songeai soudain à la cape que je tenais sous mon bras. Et si les loups sentaient l'odeur du sang ? N'allaient-ils pas s'approcher ? Pendant un bref instant, je crus entendre un bruit de chevaux derrière nous. Ce devait être l'écho de nos propres montures.

Enfin, nous parvînmes à un endroit vaguement familier. Une trouée dans la cime des arbres permettait de voir le ciel. Les sabots de nos chevaux claquaient sur la pierre dure. Ma monture hésita, mais je la poussai. Elle hésita encore. Alors Eco, qui se trouvait derrière moi, m'attrapa le bras et avala bruyamment sa salive. J'eus soudain le souffle coupé.

Nous nous tenions au bord du précipice surplombant le lac Averne. Une vague d'air chaud sentant le soufre me balaya le visage, comme l'haleine fétide de Pluton. Dans le silence j'entendis les sifflements et les gargouillements des fumerolles qui émanaient des profondeurs. J'imaginai les morts infortunés luttant comme des hommes qui se noient pour échapper à la vase en ébullition, tout au fond du lac. La lune passait au-dessus des arbres et répandait sa triste lumière bleu pâle sur cette désolation. Dans cette lueur trompeuse, j'aperçus le visage couvert de cicatrices et de pustules d'un monstre. De l'autre côté du lac apparaissaient les silhouettes déchiquetées des arbres. Des aboiements se firent entendre soudain, les aboiements de trois chiens !

– Cerbère est lâché, cette nuit, murmurai-je. Tout peut arriver.

Eco fit un bruit sourd. Je me mordis la langue, me maudissant de l'avoir effrayé. J'inspirai profondément et me tournai vers lui.

À cet instant, je reçus un coup par-derrière et tombai de mon cheval, la tête la première.

Le bruit sourd d'Eco avait tenté de m'avertir. J'avais été frappé entre les omoplates. En tombant, je me demandai pourquoi l'agresseur avait choisi de me frapper au lieu de me poignarder.

Les paumes de mes mains s'étaient écorchées sur la roche dure. Je rampai jusqu'au bord du précipice.

Je reçus un nouveau coup dans les côtes et me retrouvai en équilibre sur le rebord de la saillie rocheuse. Alors je compris pourquoi je n'avais pas été poignardé, alors qu'il aurait été si facile de le faire en m'attaquant ainsi à l'improviste : pourquoi laisser des traces de meurtre, lorsqu'il est si simple de précipiter quelqu'un du haut d'une falaise ? Et peut-être que la façon de me tuer importait peu, s'ils se débarrassaient de moi en me jetant dans le lac en ébullition, Pluton m'engloutirait.

Je sentis l'haleine du dieu de la Mort sur mon visage, et je m'éloignai du précipice. Je reçus un coup de pied aux fesses. Mais je m'accrochai au sol, puis un autre coup de pied tenta de me faire basculer. Quelque part, derrière moi, j'entendis un bruit semblable au bêlement d'un mouton qu'on égorge : Eco m'appelait.

Je roulai sur le flanc gauche, sans savoir où s'arrêtait la

grande pierre plate, et me préparai à tomber dans le vide. Au lieu de cela, je continuai de rouler et finis par rebondir sur mes pieds. Je pivotai, pour faire face dans le noir à l'assassin. Le métal étincela au clair de lune. Je baissai la tête juste à temps. La lame fouetta l'air juste au-dessus de moi. J'essayai d'attraper le bras de l'agresseur pour le déséquilibrer. Je ne vis ni son visage ni son corps, seulement l'avant-bras que je tenais de mes deux mains et tentais de retourner.

Il haletait et proférait des jurons. De son autre bras, il essaya de récupérer le glaive dans sa main entravée. Je lui décochai un coup de genou dans l'aine. Sa main libre battit l'air sous l'effet de la douleur soudaine. Je le sentis faiblir. Je n'avais aucun moyen d'attraper son poignard ni même d'atteindre le mien. Je titubai en arrière en l'attirant vers moi. Lorsque j'eus l'impression de me trouver au bord de la falaise, je pivotai brusquement. Comme un acrobate qui fait voltiger son partenaire, je rassemblai toutes mes forces pour faire tournoyer l'inconnu.

Je perçus le bruit de ses pieds contre la roche. Puis son avant-bras se libéra de ma prise, comme si une force colossale l'attirait vers le précipice. Ne l'ayant pas lâché assez vite, je me sentis entraîné vers le vide. Sa lame fouetta l'air et m'entailla la main. Je criai et vacillai un long moment, étourdi, au bord du gouffre. J'écartai les bras comme un crucifié, en quête d'équilibre, mes jambes flageolèrent.

À cet instant, le plus infime coup m'aurait projeté pardessus la falaise... Où était donc Eco ?

Je fis tournoyer mes bras dans l'air, je me laissai partir en arrière, et j'atterris sur le dos avec un grognement. Je me remis instantanément à quatre pattes et me redressai. Mon cheval était là, à une bonne distance du précipice. Mais Eco et sa monture étaient invisibles. Et il n'y avait pas non plus trace d'un second agresseur.

Le brouillard avait épaissi, filtrant le clair de lune et obscurcissant le paysage. Je tentai de percer l'opacité et chuchotai :

– Eco ?

Pas de réponse. Je répétai plus fort. Toujours pas de réponse. Alors je criai :

– Eco !

Rien. Il n'y avait que le silence, brisé par les soupirs du vent dans le faîte des arbres.

– Eco ! hurlai-je.

Je crus entendre des bruits dans le lointain, ou peut-être tout près mais assourdis par le brouillard et le feuillage dense : du métal entrechoqué, un cri, le hennissement d'un cheval. Je me précipitai vers le mien et montai en selle.

Je ressentis soudain des vertiges et faillis tomber. Je portai la main à ma tempe et sentis un peu d'humidité. Même dans les ténèbres opaques, je voyais que c'était du sang. Je m'étais heurté la tête sans m'en rendre compte. Ou bien la lame de l'assassin était passée plus près de mon front que je ne l'avais cru.

Le sang me rappela le manteau. Je l'avais laissé tomber au moment de ma chute. Je scrutai la roche mais ne le vis nulle part.

J'avais l'esprit confus. Je lançai mon cheval dans le bois, en direction des bruits lointains. Mais je n'entendais plus rien d'autre qu'un grondement dans ma tête, plus fort que le vent dans les arbres. Le brouillard se refermait autour de moi comme un voile.

– Eco ! criai-je, soudain effrayé par le silence.

Autour de moi, le monde paraissait immense et vide.

Je chevauchai aussi impuissant qu'un aveugle ou un sourd. Le grondement dans ma tête devint intolérable. Le clair de lune faiblit. Des fantômes vaporeux apparaissaient et disparaissaient dans les ténèbres. La mort finit toujours par arriver, pensai-je, en me remémorant un vieux proverbe égyptien que Bethesda m'avait enseigné. La mort était venue pour Lucius Licinius et pour Dionysius, comme pour le père et le frère bien-aimés de Marcus Crassus ; elle était venue pour toutes les victimes de Sylla et les victimes des ennemis de Sylla, comme elle était venue pour Sylla lui-même et pour Eunus le sorcier... Et elle viendra pour Metrobius et pour Marcus Crassus, pour Mummius et même pour le hautain Faustus Fabius. Elle viendra pour le magnifique Apollonius de la même manière qu'elle est venue pour le vieux Zénon, qui a fini le corps à demi consumé sur les rives du lac Averne. La mort viendra pour le petit Meto, qui aura à peine vécu, si ce n'est demain, un autre jour. Ces pensées me réconfortèrent curieusement. La mort finit toujours par arriver...

Puis je me souvins d'Eco.

Je ne pouvais ni le voir ni l'entendre : j'étais aveugle et sourd. Mais je n'étais pas muet. Je hurlai son nom :

— Eco ! Eco !

S'il répondit, je ne l'entendis pas. Mais comment pouvait-il répondre, puisque lui était muet ? Des larmes glissèrent le long de mes joues.

Je plongeai en avant et agrippai mon cheval. Il s'immobilisa. Le hurlement du vent s'apaisa. Le monde n'était encore qu'obscurité, car j'avais les yeux fermés. À un moment, tout sembla vaciller. Je me retrouvai allongé sur le sol au milieu des feuilles et des branchages.

Quelque dieu avait peut-être entendu ma prière, après tout. Cette nuit n'aurait pas de fin. Et l'aube ne se lèverait jamais...

J'ouvris les yeux sur un monde qui n'était ni ténèbres ni lumière. Au-dessus de moi, dans la douce brise précédant l'aube, des branches craquaient et gémissaient. Ou était-ce ma tête qui éclatait ?

Je me redressai lentement et m'assis contre le tronc d'un arbre. Mon cheval cherchait dans les buissons quelque chose à manger. Les élancements dans ma tête me firent gémir. Je touchai le sang coagulé sur mon crâne.

Je frissonnai et inspirai profondément. J'étais reconnaissant – et pas seulement surpris – d'être en vie. Je hurlai le nom d'Eco, suffisamment fort pour que les collines m'en renvoient l'écho. Il commençait à faire jour. Eco ne donnait aucun signe de vie.

J'aurais pu fouiller le bois pour le rechercher, ou retourner à la villa. Mais je décidai de poursuivre vers Cumes, sans Eco et sans le manteau taché de sang. Les jeux funéraires commenceraient dans quelques heures. Il restait un mince espoir d'obtenir la vérité de la bouche de ceux qui la connaissaient.

À mesure que montait la lumière, la forêt semblait rétrécir, se contracter. Je pouvais voir l'endroit où l'assassin m'avait attaqué. Dans la direction opposée, j'apercevais au-delà des arbres les rochers qui entouraient la grotte de la sibylle. J'entrevoyais même la mer. Et pourtant il avait été si facile de se perdre la nuit précédente !

Cette fois, je retrouvai le chemin assez facilement. Au bout de quelques minutes, je quittai le bois et m'engageai dans le labyrinthe rocheux. Je jetai des coups d'œil inquiets à droite et à gauche. J'avais encore plus peur maintenant d'apercevoir Eco que de ne pas le voir. Souvent en voyant une souche d'arbre ou un rocher je croyais que c'était mon fils.

Ce matin, personne n'avait encore emprunté la petite route qui traversait Cumes. Mais des panaches de fumée s'élevaient déjà des maisons. Enfin, au bout du village, j'atteignis la villa de Iaia. Aucun son, aucune lumière ne filtraient de la maison. J'attachai mon cheval et m'avançai.

Je me dirigeai vers l'étroit sentier qui descendait vers la mer, et qu'avait pris Olympias, l'après-midi de notre visite à la sibylle. Il serpentait à travers des buissons, le long d'une pente escarpée, entre de grands rochers. Par endroits, le sentier était à peine visible. Il disparaissait même lorsqu'il était barré par un affleurement rocheux. Je glissai plusieurs fois sur les pierres instables. Ce n'était pas un sentier que l'on aurait emprunté par plaisir. Il convenait mieux à une chèvre aventureuse qu'à un humain... sauf peut-être si on était agile et si on avait une bonne raison de le suivre.

Il s'achevait dans un amas de rochers au bord de l'eau. La falaise longeait le rivage. Les vagues venaient battre la côte et se retiraient en laissant apparaître momentanément une étroite bande de sable noir. Je regardai de tous côtés. Il n'y avait pas trace de fissure ou de grotte. La marque de l'eau sur les roches indiquait que la marée pouvait monter beaucoup plus haut, jusqu'à recouvrir la plage et les rochers.

Si la marée était à ce moment à la moitié de son amplitude, à marée basse le reflux devait découvrir une petite plage sur laquelle on pouvait marcher, du moins en se faufilant entre les rochers. J'inspectai la falaise, mais rien n'indiquait un passage caché.

Pourtant, Olympias était bien remontée par ce sentier,

avec son petit panier presque vide, à l'exception d'un couteau et de quelques croûtons de pain. Et le bas de sa stola était mouillé. J'avais vu sa pâleur lorsque Dionysius avait raconté l'histoire de Crassus qui s'était caché pendant des semaines dans une grotte marine.

M'armant de courage, je franchis les rochers et descendis sur la petite plage. Les vagues suivantes m'éclaboussèrent les pieds, l'eau me monta jusqu'aux genoux. Puis la mer se retira. Je tremblai de froid et m'agrippai à un rocher pour garder l'équilibre. Grelottant, je m'obligeai à lâcher la roche et à progresser sur le sable.

J'avançai dans l'eau jusqu'à la taille. Le mouvement des vagues me tirait vers le large. Sous mes pieds, le sable se dérobait et je devais lutter pour retrouver mon équilibre. Je me dis que, dans un tel endroit, un homme pouvait facilement se faire entraîner vers les grands fonds, pour ne plus jamais revoir la surface.

Qu'espérais-je trouver ? Une grotte miraculeuse qui s'ouvrirait dans le rocher sur mon ordre ? Il n'y avait aucune cachette ici ; rien d'autre que de la pierre et de l'eau. Je fis un pas de plus. Les vagues atteignaient mon estomac. L'eau clapotait contre une arête rocheuse qui émergeait de l'écume comme la tête d'une tortue de mer. Toussant et crachotant, je fis encore un pas. L'eau m'arrivait à la poitrine. Puis elle se retirait avec une telle force que je faillis être entraîné vers le large. Je m'accrochai de nouveau à un rocher, comme une feuille tente de rester accrochée à un rameau dans la tempête. Le froid me coupait la respiration. Un moment, je vis des taches devant mes yeux.

Et je vis la grotte !

Elle n'était visible qu'au moment où les vagues se retiraient. Et seulement un instant. J'aperçus l'entrée noire, déchiquetée, taillée dans la roche tout aussi noire. On aurait dit la gueule ouverte d'une bête édentée. L'écume coulait de ses lèvres. Et puis les vagues venaient la remplir de nouveau. Tant que la mer n'était pas assez basse, il était impossible de pénétrer à l'intérieur. Tout homme raisonnable s'en serait rendu compte. Mais un homme raisonnable ne se serait pas immergé jusqu'au cou dans l'eau froide, n'aurait pas agrippé des doigts un rocher glissant au péril de sa vie, dans la lumière blafarde du matin.

Je lâchai progressivement le rocher et me déplaçai lentement vers la fissure. Je parvins enfin à m'accrocher à ses lèvres écumeuses et me hissai à l'intérieur de la grotte. Les vagues s'engouffrèrent derrière moi. J'étais prisonnier, incapable d'avancer ou de reculer, tant que le flux se précipitait dans l'orifice noir. Des algues me fouettaient le visage et l'eau salée envahissait mes narines. Quand les vagues se retirèrent, je m'élançai le plus vite possible, mais ma tête heurta le plafond du boyau. C'est à ce moment, je pense, que ma blessure recommença à saigner.

Je me retrouvai dans les ténèbres. J'avais l'impression que toute ma force avait été aspirée vers le large. Je me préparai à l'assaut de la vague suivante, qui se précipita sur moi et m'enveloppa comme si elle sortait des narines de Neptune. J'avais le nez plein d'eau salée, et un goût de sang sur la langue. L'eau se retira. J'étais persuadé que j'allais être emporté. Mais je parvins à tenir bon.

J'ouvris les yeux. La vague m'avait entraîné un peu plus loin dans l'antre. Je levai la tête et aperçus un rayon de soleil qui tombait d'une ouverture très loin au-dessus de moi. J'étais dans la grotte. C'était surprenant que je me retrouve là, c'était inimaginable !

Leurs regards stupéfaits en dirent autant. Même dans la faible clarté, je reconnus Olympias. Maintenant je la voyais toute nue. J'en avais rêvé. Sa peau était lisse, immaculée, recouverte d'une mince pellicule de sueur qui faisait luire les parties les plus pâles de son corps comme de l'albâtre dans une lumière sépulcrale. Ses bras et ses jambes étaient plus sombres que le reste de son corps. Le soleil les avait teintés d'or pâle. Elle était svelte mais point frêle. Elle avait même l'air plus robuste, plus débordante de vitalité, que lorsqu'elle était habillée. Ses seins étaient pleins et ronds, avec de larges aréoles étonnamment sombres au regard de sa crinière dorée et de la toison qui courait entre ses cuisses élancées. Hélas ! je n'étais pas vraiment en état d'apprécier cette vision.

Son compagnon semblait avoir beaucoup de plaisir, je m'en rendis compte lorsqu'ils se séparèrent et que j'eus la preuve de son excitation. Lorsqu'il se redressa, sa tête heurta une saillie. Il proféra un juron. Pendant ce temps, Olympias roulait sur le flanc et fouillait dans les coussins et les couvertures étalés sur le sol. Elle trouva ce qu'elle cherchait : un poignard brillant à la lame aussi longue que l'avant-bras d'un homme. D'un air triomphal, elle le brandit et le lança. Le poignard dessina un arc de cercle. La jeune fille voulait probablement le donner à son compagnon, mais dans la hâte et la confusion, elle faillit mettre un point final à l'excitation de son ami. Les deux jeunes gens poussèrent un cri d'effroi alors que la lame frôlait le sexe de l'homme. Alexandros chancela en arrière, se heurta de nouveau la tête contre la roche. Et, de nouveau, il jura. Si je n'avais pas été si glacé et si mouillé, sans oublier ma douleur à la tête, j'aurais sans doute ri.

Ils étaient parfaitement assortis du point de vue physique. Il était peu probable qu'une superbe jeune fille avec son talent et son intelligence soit tombée amoureuse d'un garçon d'écurie thrace qui ne fût pas aussi incroyablement beau et athlétique. Sa crinière hirsute étincelait. Elle semblait châtaine dans le clair-obscur. Son torse et ses membres étaient recouverts d'un duvet de la même couleur. Ses traits étaient d'une grande pureté : des lèvres généreuses, des sourcils épais, qui convergeaient en une ligne unique au-dessus de ses yeux ardents ; sa barbe, vieille de quelques jours à peine, accentuait ses hautes pommettes et son menton puissant. Même en cet instant où son excitation déclinait, son sexe était encore en érection. Il n'était pas aussi beau qu'Apollonius, mais je comprenais pourquoi Olympias l'avait choisi. Apparemment, il avait autant de cerveau que de muscles, puisque Zénon l'utilisait pour tenir ses comptes. Mais à cet instant précis, il avait plutôt l'air amorphe, presque bovin, tandis qu'il se frottait la tête et tâtonnait pour récupérer le poignard d'Olympias.

– Laisse l'arme, dis-je d'un ton las. Je ne suis pas venu en ennemi.

Ils me dévisagèrent, les yeux écarquillés, soupçonneux. Puis le regard de la jeune femme se fit moins dur : elle me reconnut enfin. À quoi pouvais-je ressembler, surgissant du tunnel écumeux, recouvert d'algues et avec du sang dégoulinant sur mon visage ? Alexandros me regardait comme si j'étais un monstre marin.

– Attends ! murmura Olympias.

Elle posa sa main sur le bras d'Alexandros.

– Je le connais.

– Vraiment ? Et qui est-ce ?

Il avait un fort accent thrace. Je perçus une note désespérée, sauvage, dans sa voix, qui m'incita à approcher ma main de mon poignard, sous ma tunique.

– C'est le Limier, dit-elle. De Rome... L'homme dont je t'ai parlé.

– Alors il m'a finalement trouvé.

La lame scintilla comme du mercure dans un rai de lumière. L'esclave recula contre le mur de la grotte en me regardant comme une bête prise au piège.

Olympias me dévisagea avec soupçon.

– Es-tu venu pour le ramener à Crassus ?

Pose ton poignard, murmurai-je.

Je commençai à frissonner sans pouvoir m'arrêter.

– Peux-tu faire un feu ? J'ai très froid et je me sens un peu faible.

Olympias m'observa un moment. Puis elle attrapa une robe de laine et la passa. Elle vint vers moi et tira sur le bord de ma tunique.

– Allez, enlève d'abord tout ça, sinon tu mourras de

froid et non d'un coup de poignard. Nous ne pouvons faire de feu, hélas ! quelqu'un pourrait apercevoir la fumée. Mais enveloppe-toi dans une couverture. Alexandros, tu frissonnes aussi ! Lâche ce poignard et viens te couvrir !

À première vue, la caverne m'avait semblé immense. En fait, elle n'était pas si grande, mais elle s'élevait à une hauteur considérable. Taillée dans la pierre, elle était en pente, ou plus précisément son sol était constitué d'une succession de petites terrasses rocheuses. Rangées ici et là dans les recoins, les affaires d'Alexandros m'apparurent : des couvertures sales, un peu de nourriture, des ustensiles divers, des pichets d'eau fraîche et une outre de vin rebondie. Olympias m'entraîna vers l'une des terrasses et m'enveloppa dans une couverture de laine. Quand mon tremblement s'atténua, elle m'offrit quelques morceaux de pain et de fromage, et même des mets plus délicats – je reconnus ceux du banquet funéraire. Je lui dis que je n'avais pas faim, mais elle insista, et finalement je pus difficilement m'arrêter de manger.

Bientôt je me sentis mieux, même si je continuais à avoir des élancements dans la tête quand je faisais des mouvements brusques.

– Dans combien de temps sera-t-il possible de sortir de la grotte ? Sans risque de noyade, je veux dire.

Alexandros regarda la mer, elle semblait avoir baissé.

– Ce ne sera pas long. La petite plage ne sera pas dégagée avant plusieurs heures, mais tu pourras bientôt passer dans l'eau et retrouver le sentier sans danger.

– Quoi qu'il arrive, je dois me rendre aux arènes. Même si le spectacle s'annonce terrifiant. Et puis je dois retrouver Eco.

– Le garçon ? dit Olympias.

Apparemment elle n'avait même pas retenu son nom.

– Oui. Mon fils. Celui qui te regarde avec tellement d'amour, Olympias.

Alexandros fronça les sourcils avec un air de désapprobation.

– C'est le muet, lui expliqua Olympias. Je t'en ai parlé, souviens-toi. Mais, que veux-tu dire, Gordien, quand tu parles de le retrouver ? Où est-il ?

– La nuit dernière, pour venir à Cumes, nous avons voulu emprunter ton raccourci. Mais près du précipice surplombant l'Averne, nous avons été attaqués.

– Par des lémures ? murmura Alexandros.

– Non, pire : par des hommes vivants. Ils étaient deux, je pense, mais je n'en suis pas certain. Dans la confusion, Eco a disparu. Après je l'ai cherché, mais ma tête...

Je touchai mon crâne et grimaçai. La plaie ne saignait plus. Olympias m'examina.

– Iaia saura ce qu'il faut faire pour ça, dit-elle. Et alors, Eco ?

– Disparu. Je ne l'ai pas retrouvé. Et j'ai perdu connaissance. Quand je me suis réveillé, je suis venu directement ici. S'il est retourné chez Gelina, il peut vouloir se rendre aux jeux funéraires sans moi. Certes, il a déjà vu des gladiateurs combattre à mort, mais le massacre... Quoi qu'il arrive, je dois retourner là-bas avant le début. Je ne veux pas qu'Eco voie cela seul. Les vieux esclaves, et Apollonius... et le petit Meto...

– De quoi parles-tu ?

Alexandros me regardait, perplexe.

– Olympias, qu'entend-il par « massacre » ?

– Tu ne lui as pas raconté ? dis-je.

Olympias serra les dents. Alexandros avait l'air angoissé.

– Qu'entends-tu par « massacre » ? Et cette allusion à Meto, que veut-elle dire ?

– Ils sont condamnés, répondis-je. Tous ! Condamnés à mort ! Tous les esclaves de la propriété, ceux des champs, ceux des écuries, des cuisines, sans exception. Ils vont être exécutés publiquement pour le plaisir du bon peuple de la baie. La politique, Alexandros. Mais ne me demande pas d'expliquer la politique romaine à un esclave thrace. Contente-toi d'écouter ce que je dis. En réponse au crime commis par le véritable assassin qu'il ne peut trouver, Crassus veut mettre à mort tous les esclaves. Même Meto.

– Aujourd'hui ?

– Juste après les combats de gladiateurs. Les hommes de Crassus ont construit une arène de bois dans la plaine, près du lac Lucrin.

Alexandros s'adossa à la paroi, atterré.

– Olympias, tu ne m'as jamais rien dit.

– À quoi cela aurait-il servi ? Tu te serais fait de la bile ; tu aurais ruminé...

– Et peut-être aurait-il fait une action d'éclat en retournant à Baia pour affronter le jugement de Crassus lui-même ? suggérai-je. Et c'est pour cela que tu n'as pas voulu lui en parler, n'est-ce pas ? Tu as préféré lui conseiller de rester tranquillement caché, jusqu'à ce que Crassus reparte. Alors il aurait pu s'échapper et jamais il n'aurait entendu parlé du sort réservé aux esclaves exécutés à sa place.

– Non, pas à sa place, mais avec lui ! cria Olympias en colère. Est-ce que cela fait une différence pour Crassus s'il trouve Alexandros ou pas ? Il *veut* mettre les esclaves à mort. C'est tout. Tu as toi-même dit que cette grande mise en scène était une question de politique. Pour Crassus, il vaut même mieux qu'il ne trouve jamais Alexandros. Ainsi il peut effrayer les gens en leur racontant la fable du monstre thrace qui s'enfuit pour rejoindre Spartacus.

– Ce que tu dis est vrai aujourd'hui, Olympias. Mais, au départ, lorsque Alexandros est venu frapper à la porte de Iaia, était-ce aussi vrai ? Que se serait-il passé si tu lui avais conseillé d'aller tout de suite se présenter à Crassus ? Crassus aurait-il envisagé de venger son cousin de si terrible manière ? Ne te sens-tu pas coupable d'avoir caché son esclave, pour ton plaisir, tandis que tous les autres allaient se faire massacrer ? Les vieux, les femmes, les enfants...

– Mais Alexandros est innocent ! Il n'a jamais tué personne !

– C'est ce que tu dis. C'est peut-être ce qu'il t'a raconté. Mais qu'en sais-tu vraiment, Olympias ?

Elle recula et haleta. Les amants échangèrent un étrange regard.

– Tu sais aussi bien que moi que cela ne fait aucune différence qu'Alexandros soit innocent ou pas, dit-elle. Qu'il soit coupable ou innocent, Crassus le crucifiera s'il l'attrape.

– Pas si je peux prouver qu'il est innocent. Si je peux découvrir qui a tué Lucius Licinius, si je peux le prouver...

– Alors, surtout alors, Alexandros n'aura plus aucune chance d'échapper à Crassus. Et tu l'accompagneras dans la mort.

De la tête, je fis signe que non.

– Tu parles par énigmes... comme la sibylle.

Olympias regarda vers l'ouverture de la grotte. Des reflets de lumière apparaissaient à la surface de l'eau écumeuse.

– La mer s'est suffisamment retirée, dit-elle. Il est temps de remonter à la maison pour aller voir Iaia.

4

Iaia fit toute une histoire à propos de ma blessure à la tête. Elle insista pour préparer un cataplasme avec un mélange de plantes malodorantes qu'elle appliqua sur la blessure. Puis elle me banda la tête. Elle voulut aussi me faire boire une infusion couleur d'ambre. J'hésitai à la porter à mes lèvres, pensant à Dionysius.

– Tu sembles en savoir long sur les plantes et leurs propriétés, dis-je.

– Oui, répondit-elle. Avec le temps, j'ai appris à préparer mes propres couleurs. Et pour cela, j'ai aussi appris à récolter et à préparer les plantes au bon moment de l'année. J'ai fini par m'y connaître. Je ne sais pas seulement quelle racine va me donner un superbe pigment bleu, mais également laquelle va guérir une verrue par exemple.

– Ou tuer un homme ? avançai-je.

Elle eut un petit sourire.

– Peut-être. L'infusion que tu vas boire pourrait peut-être tuer un homme. Mais pas avec cette concentration, ajouta-t-elle. C'est principalement de l'écorce de saule, mélangée à un soupçon de cette substance qu'Homère appelait népenthès [1],

_____

1. Nom d'une plante, et du breuvage magique que l'on obtenait à partir de celle-ci et qui aurait permis de dissiper la douleur, la tristesse et la colère. Littéralement, *nepenthes* signifie « qui dissipe la douleur ». *(N.d.T.)*

et que l'on obtient à partir du pavot égyptien. Cette boisson va soulager ton mal de tête. Alors bois-la.

– Le poète dit que le népenthès fait disparaître la tristesse.

– C'est pourquoi la reine d'Égypte en donna à Hélène pour guérir sa mélancolie.

– Homère dit aussi qu'il fait oublier, Iaia, or je ne veux pas oublier ce que j'ai vu et appris.

– La dose que je t'ai donnée ne te fera pas rêver, mais elle soulagera simplement les élancements.

Alors que j'hésitais encore, elle fronça les sourcils et hocha la tête, déçue.

– Gordien, si nous avions voulu te nuire, Alexandros aurait pu te tuer en bas, dans la grotte, ou sur le sentier de la falaise. Et même maintenant il ne serait pas difficile de te précipiter sur les rochers en contrebas. La mer te balayerait et tu disparaîtrais pour toujours. Aujourd'hui, je te fais confiance, Gordien. Ce n'était pas le cas au départ, je dois l'admettre. Mais mon jugement a changé. Et toi, me fais-tu confiance ?

Je la regardai au fond des yeux. Elle était assise droite sur une chaise sans dossier, vêtue d'une ample stola jaune. Le soleil n'était pas encore apparu au-dessus du toit de la maison et la terrasse était plongée dans l'ombre. Loin en dessous de nous, les vagues se brisaient contre la côte rocheuse. Olympias et Alexandros nous regardaient comme si nous étions deux gladiateurs qui s'affrontent en duel.

Je levai de nouveau la coupe vers mes lèvres, mais la reposai sans l'avoir touchée. Iaia soupira.

– Si seulement tu buvais, la douleur disparaîtrait. Tu me remercierais alors.

– Dionysius ne souffre plus maintenant, mais je ne suis pas sûr qu'il te serait reconnaissant s'il se trouvait parmi nous.

Le regard d'Iaia s'assombrit.

– Qu'insinues-tu, Gordien ?

– Alors admets au moins ce que je sais déjà. Le jour où je me suis rendu chez la sibylle, j'ai vu Dionysius suivre discrètement Olympias. Je pense qu'il connaissait le secret de la grotte et qu'il savait qui s'y cachait, ou au moins le supposait-il. C'est pour ça qu'il insista pour raconter l'histoire de Crassus et de sa grotte en Espagne. J'ai vu comment toi et Olympias, vous avez réagi cette nuit-là. Dionysius était sur le point de livrer votre secret. Dès le lendemain, au banquet des funérailles, on a versé du poison dans la coupe de Dionysius. Dis-moi, Iaia, était-ce bien de l'aconit ?

Elle haussa les épaules.

— Quels étaient les symptômes ?

— Sa langue le brûlait. Il s'est mis à étouffer, il a été pris de convulsions, puis de vomissements. Ses intestins se sont relâchés. Tout s'est passé très vite.

Elle hocha la tête.

— Je dirais que ta supposition est valable. Mais je ne suis pas absolument certaine que l'aconit ait été utilisé. Je n'ai pas mis de poison dans la coupe, et Olympias non plus.

— Alors, qui ?

— Comment puis-je le dire ? Je ne suis pas la sibylle...

— Seulement son réceptacle et sa voix.

Elle pinça les lèvres et serra les dents. Son visage parut tiré. En cet instant, elle faisait bien son âge.

— Parfois, Gordien, parfois seulement. Veux-tu vraiment connaître les secrets de la sibylle ? Il est dangereux pour un homme de les connaître. Pense à cet inconscient de Penthée mis en pièces par les Bacchantes[1]. Certains mystères ne peuvent être vraiment compris que par des femmes. Pour un homme, une telle connaissance est souvent inutile ; elle peut même être très dangereuse.

— Serait-ce moins dangereux si je l'ignorais ? À moins

---

1. Penthée, roi de Thèbes, et sa mère Agavé, ont un jour mal accueilli Dionysos (Bacchus). Le dieu rendit folle Agavé. Elle alla créer une sorte de cénacle orgiaque et mystique avec d'autres femmes. Penthée, qui s'en était trop approché, fut mis en pièces par sa propre mère. C'est le sujet de la pièce d'Euripide *Les Bacchantes*. (N.d.T.)

qu'un dieu se décide à intervenir, je commence à me demander si je reverrai un jour Rome.

– Tu es têtu, dit Iaia, secouant lentement la tête, très têtu. Je vois que tu ne seras pas satisfait tant que tu ne sauras pas tout.

– C'est ma nature, Iaia. Les dieux m'ont ainsi fait.

– Je vois. Par où devons-nous commencer ?

– Par une question simple. Es-tu la sibylle ?

Elle donna l'impression de souffrir.

– Je vais essayer de répondre, mais je ne suis pas sûre que tu comprennes. Non, je ne suis pas la sibylle. Aucune femme ne l'est. Mais la sibylle se manifeste parfois à travers certaines d'entre nous, exactement comme le dieu se manifeste lui-même à travers la sibylle. Nous sommes un cercle d'initiées. Nous entretenons le temple, gardons le foyer allumé, explorons les mystères, transmettons les secrets. Gelina est des nôtres. Elle m'est beaucoup plus chère que tu ne peux l'imaginer, mais elle est trop frêle pour être directement utilisée comme réceptacle par la sibylle. Elle a d'autres tâches. Olympias est aussi une initiée. Elle est encore trop jeune et trop inexpérimentée pour que la sibylle s'exprime à travers elle, mais cela viendra. Je ne suis pas la seule femme à servir de réceptacle à la sibylle. Il y en a d'autres qui vivent ici à Cumes, à Pouzzoles et à Naples, et même de l'autre côté de la baie. La plupart descendent des familles grecques qui se sont établies ici bien avant l'arrivée d'Énée lui-même. Leur connaissance de ces secrets s'est transmise par le sang.

– Iaia, je ne peux nier qu'une entrevue avec la sibylle est quelque chose d'extraordinaire. Je me demande... ce que tu as brûlé dans le feu avant de nous emmener dans la grotte, est-ce que cette fumée avait quelque effet sur mes sens ?

Iaia eut un petit sourire.

– Peu de choses t'échappent, Gordien. Effectivement, certaines herbes et racines, utilisées d'une certaine manière, permettent de prendre pleine conscience de la présence de la sibylle. L'utilisation de ces substances fait partie de l'enseignement que nous recevons et transmettons.

– Au cours de mes voyages, j'ai vu de telles plantes ou j'en ai entendu parler : l'ophiusa, la thalassaegle, le theangelis, la gelothophyllis, la mesa...

Elle secoua sa tête et grimaça.

– L'ophiusa vient de la lointaine Éthiopie, où on l'appelle la plante-serpent ; on dit qu'elle est aussi horrible à regarder que les visions qu'elle fait apparaître. La sibylle n'en a que faire. La thallasaegle aussi est exotique et redoutable ; elle ne pousse, m'a-t-on dit, que sur les rives de l'Indus. Les hommes d'Alexandre l'ont appelée « reflet de mer ». Ils ont constaté qu'elle les faisait délirer. Je connais le theangelis. Il pousse en altitude en Syrie, en Crète et en Perse ; les mages l'appellent le « messager des dieux ». Ils en boivent pour deviner l'avenir. La gelothophyllis pousse en Bactriane [1]. Là-bas on la surnomme « feuilles de rire ». Elle ne fait qu'enivrer et ne rend pas plus sage. Crois-moi, tu n'as respiré aucune de ces plantes.

– Et la dernière que j'ai citée, la mesa ? Une sorte de chanvre, je crois, avec une odeur très forte...

– Tu m'exaspères, Gordien. As-tu envie de perdre ton temps et ta salive, simplement pour satisfaire ta curiosité ?

– Tu as raison, Iaia. Alors peut-être vas-tu simplement me dire pourquoi tu as placé cette hideuse statuette dans mon lit, le soir de mon arrivée.

Elle baissa les yeux.

– C'était une épreuve. Seul un initié pouvait comprendre.

– Mais, quelle que fût cette épreuve, je l'ai subie avec succès ?

– Oui.

---

1. Région de l'Iran actuel. (N.d.T.)

– Et alors tu as laissé ce message me conseillant d'aller voir la sibylle.

– Oui.

– Mais pourquoi ?

– La sibylle était prête à te faire découvrir le corps de Zénon.

– Parce que la sibylle pensait que je conclurais qu'Alexandros avait connu le même destin ? Je dois l'admettre, l'hypothèse m'a effleuré. Après tout, les deux chevaux étaient rentrés aux écuries. J'aurais pu aller en parler à Crassus et lui conseiller de renoncer à rechercher Alexandros.

– Et pourquoi ne l'as-tu pas fait ?

– Parce que j'ai vu Dionysius qui suivait Olympias, et j'ai vu Olympias qui remontait du rivage avec un panier vide. J'en ai déduit qu'Alexandros se cachait ici à Cumes. Mais dis-moi, Iaia, m'as-tu guidé vers le corps de Zénon pour m'embrouiller ?

Iaia écarta les mains.

– On ne peut pas toujours comprendre les méthodes de la sibylle : pour répondre au désir d'un suppliant, le dieu utilise souvent des moyens détournés. Ainsi tu aurais pu penser qu'Alexandros était mort et agir en conséquence. Et pourtant, tu es là, assis dans cette maison, avec lui. Qui peut dire que ce n'est pas ce que voulait la sibylle, même si ce n'est pas ce à quoi, moi, je m'attendais ?

J'inclinai la tête.

– Tu savais ce qui était arrivé à Zénon et où se trouvait son corps. Et Olympias, le savait-elle ?

– Oui.

– Pourtant elle parut vraiment bouleversée en découvrant ce qu'il restait de lui.

– Olympias savait ce qui était arrivé à Zénon, mais elle n'avait pas vu son corps, ce qui n'était pas mon cas. Je n'ai jamais voulu qu'elle le voie. Je pensais que tu irais seul à l'Averne. Or elle vous a accompagnés, et, horrifiée, elle a jeté la tête dans le gouffre. Sans le moindre doute, ça aussi, c'était la volonté des dieux.

— Et j'imagine que c'est encore la volonté des dieux qui a amené Alexandros jusqu'à ta porte, la nuit du meurtre de Lucius ?

— Nous allons peut-être laisser Alexandros parler, dit Iaia, qui lança un regard de côté vers le jeune Thrace. Raconte à Gordien ce qui s'est passé la nuit du meurtre de ton maître.

Alexandros rougit ; soit parce qu'il n'avait pas l'habitude de parler à des étrangers, soit à cause du souvenir de cette nuit-là. Olympias se rapprocha de lui et posa la main sur son bras. Son attitude décontractée m'étonnait : elle ne faisait rien pour cacher son intimité avec un esclave en présence d'un citoyen romain. Dans la grotte marine, je les avais surpris en plein ébat. Elle n'avait alors pas montré de gêne, peut-être sous l'effet de la peur et de la surprise. J'étais beaucoup plus impressionné par l'affection et la tendresse qu'elle lui témoignait devant Iaia et moi-même. Cet attachement m'émerveillait, mais en même temps j'étais désolé pour elle. Les amours condamnées par la loi finissent toujours mal.

— Cette nuit-là, commença Alexandros avec son rude accent thrace, nous savions que Crassus était en route. Je ne l'avais jamais vu, parce que j'étais nouveau dans la maison. Mais j'avais naturellement beaucoup entendu parler de lui. Le vieux Zénon me dit qu'on ne s'attendait pas à sa visite. Le maître n'avait pas eu le temps de s'y préparer. Aussi était-il nerveux et mécontent.

— Sais-tu pourquoi il était mécontent ?

— À cause de certaines irrégularités dans les comptes. Je n'ai pas vraiment compris.

— Mais tu aidais parfois Zénon à tenir les livres.

Il haussa les épaules.

— Je peux faire des additions et je peux placer les marques d'identification correctes sur les rouleaux. Mais la plupart du temps j'ignorais ce que j'additionnais. C'est Zénon qui savait, ou qui croyait savoir. Il me dit que le maître avait procédé à des transactions très secrètes, tout à fait condamnables. Le maître, d'après Zénon, avait fait des choses à l'insu de Crassus et celui-ci était fort en colère. Cet après-midi-là, nous étions tous les trois dans la bibliothèque, à nous occuper des comptes. Enfin, le maître me renvoya dans mes quartiers. À mon avis, il voulait parler en secret à Zénon. Puis il le renvoya. Dans les écuries, j'interrogeai Zénon, mais il se contenta de faire la tête et se tut. La nuit allait tomber. J'ai mangé et je me suis occupé des chevaux avant d'aller me coucher.

— Dans les écuries ?

— Oui.

— Était-ce là que tu dormais, habituellement ?

Olympias toussota

— Normalement, Alexandros dormait dans ma chambre, dit-elle, près de celle de Iaia. Mais cette nuit-là, Iaia et moi nous trouvions ici, à Cumes.

— Je vois. Continue, Alexandros. Tu dormais donc dans l'écurie

— Oui, et c'est alors que Zénon est venu me réveiller. Il tenait une lampe et me secoua. « Ce n'est pas encore le matin ? » lui dis-je. « Non, c'est le milieu de la nuit », répondit-il. Je lui demandai ce qu'il voulait. « Un homme est arrivé à cheval, il a attaché sa monture devant la porte d'entrée, et il est allé directement voir le maître. Ils sont tous les deux dans la bibliothèque et parlent à voix basse, la porte fermée. »

— Qui était ce visiteur ?

Alexandros hésita.

— Je ne l'ai jamais vu moi-même, pas réellement. Tu vois, c'est le côté étrange de l'histoire. Mais à ce que dit Zénon... le pauvre Zénon...

Il fronça ses épais sourcils et regarda dans le vague, comme s'il se souvenait.

— Oui, dis-je. Continue. Qu'est-ce que Zénon t'a dit ? Pourquoi t'es-tu enfui ?

— Zénon m'a dit qu'il avait voulu se rendre dans la bibliothèque. Il avait frappé à la porte doucement et pensait avoir entendu son nom, aussi était-il entré. Peut-être n'a-t-il jamais vraiment entendu son nom, ou peut-être a-t-il entendu simplement le maître lui dire de s'en aller. Mais Zénon était comme ça : il avait l'habitude d'entrer lorsqu'on ne le lui demandait pas, simplement pour jeter un coup d'œil. Il me dit que le maître était assis et qu'il s'était retourné en lui demandant de sortir : il avait crié d'abord et fini par le maudire à voix basse.

— Et le visiteur ?

— Il se tenait près des rayonnages, consultant des parchemins. Il tournait le dos à la porte, donc Zénon ne le vit pas réellement. En revanche, il nota qu'il portait une tenue militaire, et il vit le manteau de l'homme jeté sur une chaise.

— Le manteau, dis-je.

— Oui, une simple cape sombre... Mais le bas d'un pan portait un emblème, un insigne agrafé sur le tissu comme si c'était une broche. Zénon l'avait vu très souvent auparavant. Il l'aurait reconnu en toutes circonstances, me dit-il.

— Et alors ?

— C'était le sceau de Crassus.

— Non, dis-je, en secouant la tête, cela n'a pas de sens.

Je ressentis un élancement si violent dans la tête que j'avalai finalement d'un trait la coupe d'écorce de saule et de népenthès.

— Et pourtant, insista Alexandros, Zénon m'a affirmé que c'était Crassus lui-même qui se trouvait dans la bibliothèque avec le maître. Et le visage de Lucius Licinius était aussi d'une pâleur cadavérique. Je voyais Zénon commencer à faire les cent pas dans l'écurie. Je le sentais inquiet. Très inquiet. Pour essayer de le calmer, je lui ai dit que nous ne pouvions rien faire. Si le maître s'était mis dans une situation difficile, c'était son problème. Mais Zénon a déclaré que nous devrions aller écouter à la porte de la bibliothèque. « Tu es fou », lui ai-je répondu, et je me suis allongé pour me rendormir. Mais il restait : il voulait absolument que je me lève, que j'enfile mon manteau et que je le suive.

« La nuit était claire, mais le vent soufflait en rafales. Les arbres s'agitaient. On aurait dit des esprits qui secouaient la tête en murmurant : non, non. J'aurais dû deviner que quelque chose de terrible allait se passer. Zénon a couru vers la porte et l'a ouverte. Je l'ai suivi.

Le jeune Thrace fronça le sourcil.

– Après, j'ai du mal à me souvenir de tout ce qui est arrivé. Cela s'est passé si vite ! Nous étions dans le petit corridor qui mène à l'atrium. Soudain, Zénon s'est arrêté et a reculé contre moi si violemment qu'il m'a presque jeté à terre. Il a retenu sa respiration et a commencé à pleurnicher. Par-dessus son épaule, j'ai vu un homme agenouillé, habillé en soldat. Il tenait une lampe. À côté de lui se trouvait le corps du maître, la tête fracassée, ensanglantée.

– Et cet homme était Crassus ? intervins-je, incrédule.

– Je n'ai entrevu son visage qu'un instant. À vrai dire, je ne suis même pas sûr de l'avoir vu. La lampe projetait des formes étranges et il se trouvait dans la pénombre. De toute façon, même si je l'avais vu clairement, je ne l'aurais pas reconnu. Comme je te l'ai dit, je n'ai jamais rencontré Crassus. Tout ce que je suis sûr d'avoir vu, c'est le corps du maître, son corps sans vie, sa tête qui saignait. Puis l'homme a posé sa lampe et s'est levé d'un bond ; j'ai vu son épée, qui brillait comme une flamme à la lumière de la lampe. Il a parlé à voix basse, ni effrayé ni en colère, mais sa voix était froide, très froide. Il nous a accusés du meurtre du maître ! « Vous allez payer pour ça ! Je vous ferai tous les deux clouer à un arbre ! » Zénon m'a attrapé et entraîné vers la cour, puis vers les écuries. « Des chevaux ! s'est-il exclamé. Il faut fuir ! Fuir ! » J'ai fait ce qu'il disait. Nous étions déjà loin, l'homme ne pouvait pas nous suivre. Malgré tout, Zénon galopait comme un fou. « Où pouvons-nous aller ? » ne cessait-il de dire, en secouant la tête et en pleurant comme un esclave sur le point d'être fouetté. « Où pouvons-nous aller ? Le pauvre maître est mort et nous allons être punis ! » J'ai alors pensé à Olympias et me suis souvenu de la maison de Iaia à Cumes. Je m'y étais rendu à plusieurs reprises. Je pensais pouvoir retrouver la route dans l'obscurité, mais ce n'a pas été aussi facile que je l'imaginais.

– Je m'en suis moi-même rendu compte, dis-je.

– Nous allions trop vite, et le vent soufflait de plus en plus fort. Nous ne pouvions même plus nous entendre et le brouillard nous a enveloppés. Zénon était terrorisé. Alors nous avons pris une mauvaise direction et nous nous sommes approchés de la falaise, au-dessus de l'Averne. Je connaissais ma monture : elle m'a averti à temps, mais j'ai manqué de peu de tomber dans le gouffre. Zénon ne connaissait pas grand-chose aux chevaux. Quand l'animal a voulu s'arrêter, il a dû lui donner un coup de talon, et le cheval a rué, le faisant basculer dans le vide. Je l'ai vu disparaître dans le brouillard. La vapeur l'a englouti. Puis le silence. Et enfin un bruit mat, étouffé, lointain, comme celui d'un homme qui tombe dans de la vase. Il s'est mis alors à crier dans les ténèbres : un cri long et terrifiant. Et le silence est retombé.

« Dans l'obscurité, j'ai essayé de trouver un chemin pour descendre vers le rivage du lac, mais les arbres, le brouillard et les ombres m'en ont empêché. Je l'ai appelé, mais il n'a pas répondu. Je n'ai même pas entendu un gémissement. J'ai dit quelque chose qui ne va pas ?

– Quoi ?

– L'expression sur ton visage, Gordien... si étrange, comme si tu avais été là.

– Je me remémorais simplement la nuit dernière...

Je pensais à Eco et craignais le pire.

– Continue. Qu'est-il arrivé ensuite ?

– Finalement j'ai retrouvé la route de Cumes. Je suis entré dans la maison sans réveiller les esclaves. Puis j'ai trouvé Olympias et je lui ai tout raconté. Iaia a eu l'idée de me cacher dans la grotte. Cumes est un village minuscule ; elles n'auraient jamais pu me dissimuler dans la maison. Mais même ainsi, tu m'as découvert.

– Dionysius t'a trouvé le premier. Tu devrais remercier les dieux qu'il n'ait pas parlé à Crassus. Ou peut-être dois-tu remercier quelqu'un d'autre.

Je regardai Iaia de côté.

– Encore tes insinuations !

– J'ai simplement un nez et des yeux, Iaia. Cette maison est pleine de plantes et de racines étranges. Et je sais que l'on y trouve de l'aconit. Le jour où nous sommes allés consulter la sibylle, j'en ai vu dans un pot dans la pièce où tu prépares tes pigments de couleur. J'imagine que tu as aussi du strychnos [1], de la jusquiame, du limeum...

– Oui, j'en ai, mais pas pour assassiner ! Les substances qui tuent peuvent aussi guérir, si on possède la connaissance. Insistes-tu pour que je prête serment, Gordien ? Très bien. Je te jure, par la sainteté du sanctuaire de la sibylle, par le dieu qui parle par ses lèvres, que personne actuellement dans cette maison n'a assassiné Dionysius !

Dans la véhémence de son serment, elle s'était à moitié dressée sur ses pieds. Lorsqu'elle se rassit, la terrasse devint irréellement calme. Même le fracas des vagues en dessous paraissait atténué. Le soleil s'était enfin levé au-dessus du toit de la villa. Il projetait une frange de lumière jaune sur le mur de la terrasse. Un nuage solitaire passa devant le soleil et replongea tout dans l'ombre. Le nuage s'éloigna. Les pierres d'une blancheur éclatante réfléchissaient la chaleur sur mon visage. Ma douleur avait disparu. Je me sentais extraordinairement léger.

---

1. D'où l'on extrait la strychnine. *(N.d.T.)*

– Très bien, dis-je calmement. C'est au moins un point acquis. Tu n'as pas tué Dionysius. Mais alors, qui ?

– À ton avis ? dit Iaia. Celui qui a tué Lucius Licinius, Crassus !

– Mais pour quelle raison ?

– Ça, je ne peux te le dire. Mais maintenant, il est temps que toi, Gordien, tu me dises ce que tu sais. Par exemple, hier, tu as envoyé l'esclave Apollonius plonger sous la jetée au pied de la villa de Gelina. J'ai cru comprendre que tu as fait quelques découvertes étonnantes.

– Qui te l'a dit ? Meto ?

– Peut-être.

– Pas de secrets, Iaia !

– Très bien. Alors, oui, c'est Meto. En revanche, je me demande si nous sommes parvenus à la même conclusion, Gordien.

– Que Lucius faisait du trafic d'armes pour les rebelles en échange d'argent et de bijoux volés ?

– Exactement. Je pense que Dionysius soupçonnait peut-être quelque scandale de cette sorte. C'est pour ça qu'il hésitait à révéler la cachette d'Alexandros : il savait qu'il y avait un plus grand secret à découvrir. Meto m'a aussi dit que tu as trouvé certains documents dans la chambre de Dionysius, des documents compromettants concernant les projets criminels de Lucius.

– Peut-être. Crassus lui-même s'est avoué incapable de les déchiffrer.

– Vraiment ?

– Enfin, Iaia, suggères-tu sérieusement...

Elle haussa les épaules.

– Pourquoi ne pas le dire tout haut ? Oui, Crassus lui-même était certainement impliqué dans cette entreprise !

– Crassus faisant du trafic d'armes avec Spartacus ? Impossible !

– Non, c'est abominable et c'est possible, avec un homme aussi vaniteux et avide que Marcus Crassus. Si

312

avide qu'il ne pourrait résister à la perspective d'un formidable profit en trafiquant avec Spartacus. Subrepticement, bien sûr, en utilisant ce pauvre Lucius comme intermédiaire. Et si vaniteux qu'il pensait que cela ne l'empêcherait pas de vaincre les esclaves de toute façon. Il est persuadé d'être un stratège si brillant qu'il importe peu que son ennemi soit armé avec du fer romain.

– Alors tu penses qu'il aurait aussi empoisonné Dionysius parce que le philosophe était sur le point de découvrir la vérité ?

– Peut-être. Mais le plus vraisemblable, c'est que Dionysius avait commencé à exercer un chantage – subtil, certes –, il demandait simplement une belle récompense et une place dans la suite de Crassus. Les hommes comme Crassus ne traitent pas avec des inférieurs qui détiennent des secrets les concernant. Dionysius était trop stupide pour s'apercevoir qu'il ne tirerait aucun profit des informations qu'il comptait exploiter. Il aurait mieux fait de les garder pour lui ; il serait encore en vie.

– Mais pourquoi Crassus a-t-il tué Lucius ?

– Qui sait ? Crassus est venu en cachette cette nuit-là pour discuter de leurs affaires secrètes. Lucius a peut-être commencé à regimber. Ce que Crassus lui demandait de faire l'effrayait peut-être. Alors il aurait menacé de tout révéler. C'était bien dans la nature de Lucius de se mettre à paniquer. Ou encore Crassus s'est rendu compte que Lucius le trompait. Quelle qu'en soit la raison, Crassus l'a frappé avec la statue et l'a tué. Puis il a vu le moyen de tourner cet accès de folie à son avantage, en faisant croire que des partisans de Spartacus avaient commis le crime.

Je regardai la mer et les vagues innombrables qui se succédaient au loin. Je secouai la tête.

– Une telle hypocrisie, c'est presque trop monstrueux pour être vrai. Mais pourquoi, alors, Crassus m'a-t-il fait venir ?

– Parce que Gelina et Mummius ont insisté. Il pouvait

difficilement refuser d'autoriser une enquête sur la mort de son cousin.

– Et comment Dionysius est-il entré en possession des documents ?

– Cela fait partie des points obscurs. La seule chose que nous sachions avec certitude, c'est qu'il ne nous fournira jamais d'explication.

Je songeai à l'humeur sombre de Crassus, à ses doutes secrets, à ses longues nuits passées à chercher les documents dans la bibliothèque. Si les conclusions de Iaia s'avéraient justes, Crassus était à la fois assassin, juge et vengeur, et, surtout, aucun d'entre nous ne pouvait le châtier.

– Je vois que tu n'es pas pleinement satisfait, dit Iaia.

– Satisfait ? Certes non. Quel gâchis, quelle stupidité de m'être fourré dans un tel guêpier ! Et pas seulement moi, mais aussi Eco ! Et tout cela pour un sac d'argent. Crassus résout tous ses problèmes avec l'argent. Et après tout pourquoi pas ? Il a raison puisque des hommes comme moi sont prêts à tout pour quelques pièces de plus. Il aurait aussi bien pu m'envoyer de l'argent en me demandant de rester à Rome, au lieu de m'attirer ici pour prendre part à son ignoble duperie...

– Ce n'est pas tout à fait ce que je voulais dire, coupa Iaia. Je te demandais si mon explication te satisfaisait. Parce qu'il y a d'autres aspects dont tu ignores tout, et qui pourraient t'éclairer sur le comportement de Crassus. Seulement ces sujets sont si délicats, si personnels, que j'hésite à les évoquer maintenant devant toi. Enfin, je pense que Gelina comprendrait. Tu sais qu'elle et Lucius n'avaient pas d'enfant.

– Oui.

– Mais Gelina en désirait un à tout prix. Elle pensait que le problème pouvait venir d'elle et elle réclama mon aide. J'ai fait ce que j'ai pu avec ma connaissance des plantes. En vain. Je commençai à penser que le problème venait de

Lucius. Je préparai des remèdes que Gelina lui a administrés en secret. Ils n'ont pas eu d'effet. À la place, Priape a retiré toutes ses faveurs à Lucius. Alors le mari de Gelina devint impuissant en amour, comme il était impuissant à contrôler son destin et sa vie. Vulgaire créature de Crassus, obligé de ramper à ses pieds, Lucius n'avait que la liberté d'élaborer de vils projets pour échapper à sa domination – ce que Crassus ne pouvait permettre, parce qu'il éprouvait un plaisir pervers à l'idée d'écraser son cousin.

« Et, donc, nous avions Gelina qui voulait toujours un bébé. Elle ne voulait pas renoncer. Tu l'as vue : ce n'est vraiment pas une femme que l'on pourrait appeler exigeante ou dominatrice. Par bien des aspects, elle est beaucoup plus effacée et consentante qu'il sied à une femme de son rang. Mais, dans cette affaire, elle voulait obtenir gain de cause. Et donc, contre mon avis mais avec l'accord de son mari, elle a demandé à Crassus de lui faire un enfant.

– Quand cela s'est-il passé ?

– Lors de la dernière visite de Crassus, au printemps.

– Pourquoi Lucius a-t-il donné son autorisation ?

– De nombreux époux n'admettent-ils pas d'être cocufiés, parce que protester ne ferait qu'aggraver leur humiliation et leur honte ? En outre, Lucius avait un penchant pervers : il adorait se faire souffrir. Et Gelina en appela à la fierté familiale : au moins, grâce à Crassus, leur héritier aurait du sang Licinius dans les veines.

« Mais aucun enfant n'en a résulté. Les relations entre Lucius et Gelina se sont dégradées. Elle avait fait exactement ce qu'il ne fallait pas. Si elle avait approché tout autre homme que Crassus, Lucius aurait pu conserver un semblant de dignité. Mais que son cousin tout-puissant fût invité dans le lit de son épouse, que l'on demandât à Crassus d'avoir un enfant à lui dans la maison où il agissait en maître... Toutes ces humiliations ravageaient l'âme de Lucius.

« Tu vois qu'entre les deux cousins les points de friction étaient nombreux. En dehors des frustrations financières et des fraudes, il y avait bien d'autres raisons qui pouvaient être à l'origine d'un meurtre. Crassus peut être assez froid et brutal. Quant à la honte de Lucius, elle le torturait comme une couronne d'épines. Qui sait quelles paroles se sont échangées cette nuit-là dans la bibliothèque ? Ce qui est certain, c'est qu'avant la fin de la nuit l'un des deux était mort.

Je tournai les yeux vers le ciel.

– Et maintenant, tous les esclaves vont mourir. C'est la justice romaine !

– Non, nous pouvons certainement faire quelque chose ! s'exclama Alexandros.

– Rien, murmura Olympias, en essayant de lui prendre le bras.

– Et si...

Je louchai à cause de la lumière du soleil qui flamboyait sur le toit de tuile festonné. Il restait très peu de temps. Les jeux avaient peut-être commencé.

– Si je pouvais affronter directement Crassus, avec Gelina comme témoin. Si Alexandros pouvait le voir et l'identifier avec certitude...

– Non ! Alexandros ne peut quitter Cumes, intervint Olympias.

– Ah ! si seulement nous possédions le manteau, cette cape tachée de sang dont Crassus a arraché le sceau, avant de la jeter sur le bord de la route ! Si seulement je ne l'avais pas perdue cette nuit face aux assassins... Les assassins... Oh, Eco !

Surgi de l'ombre de la maison, le manteau venait d'apparaître au soleil. Sur le bras d'Eco en personne qui, encore ensommeillé, souriait et clignait des yeux.

— Mais je pensais que tu savais, dit Iaia. Olympias ne te l'a pas dit ?

Elle oubliait que, la nuit précédente, quand Eco était venu frapper, à bout de souffle, à sa porte, Olympias était déjà descendue dormir avec Alexandros dans la grotte. Elle ignorait donc tout autant que moi la présence d'Eco dans la villa. Et ainsi, alors que nous débattions et échangions nos conclusions sur la terrasse, mon jeune fils dormait profondément dans la maison, serrant contre lui le manteau sale et ensanglanté qu'il avait récupéré.

— Comme je suis stupide, Gordien ! J'étais assise là, à essayer de t'impressionner avec mes déductions, alors que pendant tout ce temps j'aurais pu te dire la seule chose qui t'importait : que ton fils était sain et sauf, ici, sous mon toit !

— Oui, mais maintenant, l'important, c'est précisément qu'il soit ici, dis-je en tentant de raffermir ma voix.

Je clignai des yeux pour refouler mes larmes qui coulaient à la vue du visage sale mais rayonnant d'Eco. Nous nous précipitâmes dans les bras l'un de l'autre.

— Quand il est arrivé cette nuit, j'ai immédiatement vu qu'il était effrayé et épuisé, mais pas blessé. Il faisait des efforts frénétiques pour me dire quelque chose, mais je n'arrivais pas à le comprendre. Je lui ai fait une tisane pour le calmer. Ensuite, il a mimé une tablette de cire et un stylet. Je suis partie en chercher une, mais quand je suis revenue, il s'était endormi. Je suis allée réveiller deux esclaves pour qu'ils le portent dans un lit. Je suis venue le voir une fois ou deux. Il dormait comme une pierre.

Eco leva les yeux vers moi. Il toucha le bandage qui entourait ma tête.

– Ce n'est rien. Juste une petite bosse pour me rappeler d'être plus prudent dans les bois.

Le sourire s'évanouit brusquement de ses lèvres. Il détournait les yeux et avait l'air profondément troublé. J'en devinai la raison : il avait honte. Il n'avait pas su me prévenir de l'approche des agresseurs ; il n'était pas parvenu à m'aider pendant l'attaque ; et ensuite, au lieu de m'envoyer des secours dans la forêt, il s'était endormi malgré lui.

– Je me suis endormi, moi aussi, lui murmurai-je.

Il secoua la tête d'un air sombre. Il était fâché non pas contre moi mais contre lui-même. Il fit une grimace et pointa son index vers sa bouche. Ses yeux débordaient de larmes. Je le compris aussi clairement que s'il m'avait parlé : « Si seulement je pouvais m'exprimer par la bouche comme tout le monde, j'aurais pu crier pour t'avertir près du précipice. J'aurais pu dire à Iaia que tu étais blessé et seul dans les bois. Je pourrais dire tout ce que j'ai à dire en ce moment. »

Je l'entourai de mes bras pour le dissimuler à la vue des autres. Il frissonna contre moi. Je levai les yeux et vis qu'Olympias et Alexandros souriaient de nous voir réunis. Iaia souriait aussi, mais son regard était triste. Je relâchai Eco. Tandis qu'il se tournait vers la mer pour se composer le visage, je lui pris des mains le manteau ensanglanté.

– Voici la chose importante maintenant : nous avons le manteau !

Alexandros fit un pas en avant.

– S'il existe un seul moyen d'empêcher Crassus de tuer les esclaves...

– Peut-être, dis-je, en essayant de me concentrer. Peut-être...

– Jamais je ne serais resté si longtemps dans cette grotte, si j'avais su ce qui se passait. Tu n'aurais pas dû me le cacher, Olympias, même pour me sauver.

Olympias regarda le visage d'Alexandros, le mien puis à nouveau celui du jeune Thrace.

– Tu ne me laisseras pas, dit-elle tranquillement. Je t'accompagnerai. Quoi qu'il arrive, je dois être là.

Alexandros s'avança pour l'embrasser, mais cette fois ce fut elle qui recula.

– Si c'est indispensable, nous devons partir immédiatement, dit-elle. Le soleil est haut. Les jeux risquent d'avoir déjà commencé.

Mon bandage intrigua l'esclave qui amena nos chevaux. Quand il vit Alexandros, il laissa s'échapper un soupir d'étonnement et pâlit. Iaia et Olympias avaient tout fait pour cacher la présence du jeune homme. Iaia ne se préoccupa pas d'exiger que son esclave se taise. Bientôt toute la baie saurait que le Thrace en fuite était toujours là.

– Iaia, tu viens ? demanda Olympias.

– Non. Je suis trop vieille et trop lente, répliqua Iaia. Je vais me rendre à la villa à mon propre rythme et j'y attendrai des nouvelles.

Elle s'approcha de ma monture et me fit signe de me pencher. Puis elle me chuchota doucement à l'oreille :

– Tu es sûr de toi, Gordien ? Tu sais comment affronter Crassus... Faire face au lion dans sa cage...

– Je n'ai pas d'autre choix, Iaia. Les dieux m'ont fait ainsi.

Elle hocha la tête.

– Oui, nous recevons nos dons des dieux. Ensuite ils ne nous laissent pas d'autre choix que de les utiliser. Nous pouvons blâmer les dieux pour beaucoup de choses.

Elle baissa la voix :

319

– Mais il y a une chose, je pense, que tu devrais savoir : les dieux n'ont pas fait de ton fils un muet.

J'étais perplexe.

– La nuit dernière, je suis venue le voir plusieurs fois, il dormait profondément. Il ne cessait de t'appeler dans son sommeil.

– Que veux-tu dire ? Il m'appelait ? Il parlait ?

– Aussi clairement que je te parle maintenant, chuchotat-elle. Il appelait « Papa ! Papa ! ».

Je me redressai sur ma selle et regardai Iaia, dérouté. Elle n'avait aucune raison de me mentir. Il n'y en avait pas davantage pour qu'elle se soit trompée. Mais comment était-ce possible ? Je me tournai vers Eco. Il me regardait d'un air sombre.

– Qu'attendons-nous ? s'impatienta Olympias.

Maintenant qu'elle avait pris sa décision, elle ne voulait plus perdre de temps. En revanche, Alexandros semblait perdu dans ses pensées. Le doute obscurcissait son visage. Puis soudain il prit le masque de la parfaite soumission à la volonté des dieux, que tout bon stoïcien aurait envié.

Après avoir dit adieu à Iaia, notre petit groupe s'éloigna.

Nous franchîmes le bois du lac Averne et émergeâmes sur la haute crête ventée surplombant le lac Lucrin et le camp de Crassus. Partout dans la plaine, on voyait des panaches de fumée s'élever au-dessus des tournebroches et des fours. À travers la brume, j'apercevais la grande cuvette de l'arène en bois remplie de spectateurs. Ils étaient accourus en masse pour se régaler la vue et éprouver des émotions fortes pendant les jeux funéraires. À une telle distance, les visages n'étaient pas discernables. On ne voyait que les taches colorées des vêtements les plus éclatants que les spectateurs avaient revêtus pour cette journée de liberté. Puis nous entendîmes le fracas des glaives contre les boucliers. La foule rugissait.

– Apparemment, les gladiateurs combattent encore, dis-je

en plissant les yeux pour tenter de voir ce qui se passait dans l'enceinte.

– Alexandros a une vue d'aigle, dit Olympias. Que vois-tu, Alexandros ?

– Oui, ce sont les gladiateurs, dit-il en se protégeant les yeux du soleil. De nombreux duels ont déjà dû se dérouler. J'aperçois des mares de sang sur le sable. Trois affrontements sont en cours : trois Thraces contre trois Gaulois.

– Comment peux-tu le savoir ? demanda Olympias.

– Les Gaulois portent de longs boucliers incurvés et des glaives. Ils ont un torque autour du cou et un casque à panache. Les Thraces luttent avec des boucliers ronds et de longues épées courbes. Et ils ont des casques sans visière.

– Spartacus est un Thrace, dis-je. C'est pour cela que Crassus, sans aucun doute, a choisi des Thraces pour que la foule puisse décharger sa colère sur eux. S'ils tombent, ces combattants n'ont à mon avis aucune pitié à attendre des spectateurs.

– Un Gaulois est à terre, dit Alexandros.

– Oui, je le vois.

– Il a jeté son glaive et levé son index pour demander grâce. Il a dû bien se battre, parce que les spectateurs la lui accordent. Regarde comme ils agitent leurs mouchoirs !

Le Thrace aida le Gaulois à se relever et ils se dirigèrent ensemble vers la sortie.

– Maintenant, c'est un des Thraces qui tombe ! Il a une blessure à la jambe, qui saigne abondamment sur le sable. Il plante son épée dans le sol et lève son index.

Un chœur retentissant de sifflets et de huées envahit l'arène. Ces vociférations sanguinaires pleines de haine me donnèrent la chair de poule. Les spectateurs n'agitaient pas leurs mouchoirs, ils levaient tous le poing. Le Thrace vaincu s'appuyait sur ses coudes et offrait sa poitrine nue. Le Gaulois mit un genou à terre, prit son glaive à deux mains et le plongea dans le cœur de son adversaire.

Olympias détourna le regard. Eco était fasciné. Alexandros semblait toujours aussi résolu qu'à son départ de Cumes.

Le Gaulois vainqueur fit un tour d'arène, le glaive levé, pour recevoir les ovations. Le corps du Thrace fut emporté vers la sortie, laissant une longue traînée de sang sur le sable.

Soudain le dernier Thrace eut l'air d'abandonner. Il s'enfuit à toutes jambes. La foule riait et huait. Le Gaulois le prit en chasse, mais le Thrace, refusant le combat, avait une bonne avance. L'agitation gagna les gradins. Alors une dizaine de gardes, peut-être plus, pénétrèrent dans l'enceinte. Certains brandissaient des fouets, d'autres de longues barres de fer chauffées à blanc. Ils encerclèrent le Thrace, le frappèrent aux bras et aux jambes. Le gladiateur se tordait de douleur. À coups de fouet, ils le ramenèrent vers son adversaire.

Olympias attrapa le bras nu d'Alexandros, enfonçant ses ongles dans la chair du jeune homme.

– Ces gens sont fous, tous. Et nous ne pouvons rien faire !

Alexandros s'agitait. Il regardait le spectacle, les dents serrées. Il agrippait si fort les rênes que ses bras commencèrent à trembler.

Dans l'arène, le Thrace reprit finalement le combat. Il se précipita vers le Gaulois en criant comme un fou. Le Gaulois surpris recula. Il s'emmêla les pieds et tomba sur le flanc. Il eut juste le temps de se protéger avec son bouclier, mais le Thrace était implacable, il frappait son bouclier contre celui de son adversaire et lui assenait de grands coups d'épée. Le Gaulois était blessé. Il jeta son glaive et leva l'index, pour demander pitié à son tour.

Un grondement d'orage emplissait les gradins. Enfin, les poings levés commencèrent à surpasser en nombre les petits carrés blancs. La foule se mit à taper du pied et à scander :

– Tue-le ! Tue-le ! Tue-le !

Le Thrace jeta son épée et son bouclier. Les gardes revinrent vers lui avec leurs fouets et leurs barres de fer, l'obligeant à exécuter une ignoble danse. Il ramassa son arme. Les gardiens le ramenèrent vers le Gaulois, dont les bras étaient ensanglantés. Le vaincu se mit sur le ventre, pressa ses mains sur sa visière et attendit. Le Thrace s'agenouilla et frappa le dos du Gaulois de son épée. Encore et encore, au rythme du chant de la foule assoiffée de sang.

Le gladiateur se releva et brandit son arme sanglante vers le ciel. Il commença une étrange parodie de marche triomphale, levant les genoux de manière comique et roulant la tête sur les épaules, par dérision. Une explosion de sifflets, de huées et de rires lui répondit. À l'intérieur de l'arène, le bruit devait être assourdissant. Une nouvelle fois, les gardes se précipitèrent sur lui avec leurs fouets et leurs barres. Mais le gladiateur semblait ne plus ressentir la douleur, et ce n'est qu'à contrecœur qu'il se laissa mener vers la sortie.

— As-tu besoin d'en voir davantage, Alexandros ? chuchota Olympias d'une voix rauque. Ces gens te mettront en pièces, avant qu'on ait le temps de parler ! Crassus leur donne exactement ce qu'ils attendent. Tu ne peux rien y faire. Gordien non plus. Personne. Alors reviens avec moi à Cumes !

Je voyais la peur dans ses yeux. Alors je me maudis. Pourquoi l'amener devant Crassus, alors que le seul résultat possible serait une mort inutile de plus ? Quel fou j'étais, pour croire que la seule preuve de sa culpabilité pourrait faire plier Marcus Crassus ! Comme si la vérité pouvait l'empêcher d'offrir à la foule la distraction sanguinaire qu'elle appelait de tous ses vœux... Je m'apprêtais à renvoyer Olympias et Alexandros vers la grotte marine, quand les trompettes sonnèrent dans l'arène.

Une porte s'ouvrit sous les gradins. Les esclaves pénétrèrent dans l'enceinte. Dans leurs mains, ils tenaient des objets de bois.

— Qu'est-ce que c'est ? demandai-je en plissant les yeux. Qu'est-ce qu'ils tiennent dans leurs mains ?

– De petits glaives, murmura Alexandros. De courts glaives de bois, comme ceux que les gladiateurs utilisent à l'entraînement. Des glaives de comédie. Des jouets.

La foule retenait son souffle. Les huées et les sifflets s'étaient tus. Les spectateurs regardaient, muets. Ils devaient se demander pourquoi un ramassis de gens aussi pitoyables paradait devant eux. Mais ils étaient certainement curieux de savoir quelle sorte de spectacle Crassus leur avait préparé.

À l'extérieur, du côté est de l'arène, là où la foule ne pouvait pas encore le voir, un contingent de soldats se tenait prêt. Leurs cuirasses rutilaient au soleil. Parmi eux, j'aperçus des trompettes et des porte-étendards. Ils se mirent en rangs, prêts à entrer dans l'arène. Je compris soudain et la nausée me gagna.

– Le petit Meto, murmurai-je. Le petit Meto, avec une épée de comédie pour se défendre...

Mes yeux rencontrèrent ceux d'Alexandros.

– Il est trop tard, dis-je, pour prendre le sentier, puis la route de la vallée...

Le jeune homme se mordit la lèvre.

– Alors descendons tout droit !

– Trop raide, protesta Olympias. Les chevaux vont trébucher et se rompre le cou.

Mais Alexandros et moi avions déjà bondi par-dessus la crête. Eco nous talonnait.

Je fonçai à bride abattue. À peine étions-nous dans la pente que ma monture bloqua ses pattes avant et se mit à déraper. Elle rua de ses pattes arrière et frappa le sol labouré par les sabots avant. Elle agita la tête et hennit.

La descente à une folle allure déracinait des buissons et déclenchait des avalanches de pierres et de sable. Soudain, un rocher à demi enterré surgit devant moi. Dans un éclair, je vis Pluton lui-même avec son visage sombre qui me regardait en grimaçant. Nous allions nous écraser contre la roche. Elle arrivait sur nous. Vite ! Très vite ! Alors ma jument fit un grand saut et bondit par-dessus l'obstacle.

Elle atterrit avec une violence qui me brisa presque le cou. Ma monture ne put rebloquer ses pattes avant et n'eut d'autre choix que de galoper à grande vitesse vers le bas de la pente escarpée. Je me penchai en avant, m'accrochai à son encolure et enfonçai mes talons dans ses flancs. Autour de moi, ce n'était plus que vent et nuage de poussière. Je fermai les yeux, serrai l'animal de toutes mes forces et respirai l'odeur de la terre déchiquetée, la sueur du cheval.

Petit à petit, la pente disparut. Emportés par notre élan, nous allions toujours à une folle allure, mais, de nouveau, nous reprîmes le contrôle de nos montures. Le monde retrouva forme. Le ciel redevint un ciel et la terre une terre. Je plissai les yeux dans le vent et tirai sur les rênes. La jument secoua la tête et hennit. On aurait cru qu'elle riait. Bientôt elle se mit au trot. La sueur ruisselait de sa crinière.

Alexandros était loin devant. Je me tournai et aperçus Eco tout proche. Je galopai en direction de l'arène. Nous passâmes en trombe entre les tentes. Assis en cercle, des soldats en tunique jouaient. Certains, nus jusqu'à la ceinture, faisaient une partie de trigone. Ils profitaient de leur jour de congé. Ils s'écartèrent devant nous et levèrent le poing de colère et de peur.

Alexandros m'attendait devant l'arène, l'air inquiet. J'indiquai la direction du nord. C'est là que j'avais aperçu le dais rouge et les étendards qui décoraient la loge privée de Crassus. Nous repartîmes au galop. Loin derrière, Eco était tombé. Je lui fis signe de nous suivre.

La périphérie de l'arène était quasi déserte. Seuls quelques spectateurs étaient sortis pour se soulager contre la palissade. Les entrées donnaient sur des escaliers conduisant aux gradins. Je fis un geste à Alexandros : nous devions continuer de chevaucher jusqu'à l'escalier qui nous mènerait directement à la loge de Crassus.

À l'extrémité septentrionale de l'enceinte, nous parvînmes enfin à une ouverture plus petite que les autres, flanquée d'étendards rouges, qui portaient l'insigne doré de Crassus. Alexandros tira sur ses rênes et m'interrogea du regard. Je hochai la tête. Il mit pied à terre. Je poussai ma monture un peu plus loin. Je voulais voir ce qu'il y avait de l'autre côté de l'arène. À l'est, les soldats qui se mettaient en rangs n'étaient toujours pas entrés.

Je revins vers Alexandros. Au-dessus de nous, en haut de la palissade, j'aperçus quelque chose qui bougeait. Je levai la tête et eus à peine le temps d'entrevoir un visage.

À mon tour je mis pied à terre... et tombai presque à genoux. Dans la folle descente et pendant la course à travers le camp, je n'avais ressenti aucune douleur ou vertige. Mais à peine mes pieds eurent-ils touché le sol que mes genoux se dérobèrent sous moi. Je vacillai et me retins au cheval. Alexandros commençait à monter l'escalier. Il se retourna et revint en courant vers moi. Je touchai le bandage de mon front : il était humide. La plaie s'était rouverte.

Quelque part derrière moi, je crus entendre une petite voix crier :

– Papa ! Papa !

Alexandros m'attrapa par le bras.

– Ça va ?

– Juste un petit vertige. Une vague nausée...

Et j'entendis de nouveau cette voix inconnue, plus forte et plus proche. Je tournai la tête, pensant rêver. Eco chevauchait vers nous, le doigt pointé vers le ciel.

– Là ! cria-t-il. Un homme ! Un javelot ! Attention !

Je levai les yeux. Alexandros en fit autant. Immédiatement, il m'empoigna et me jeta à terre avec une force étonnante. En raison de mes maux de tête, j'avais à peine conscience de ce que j'avais entr'aperçu là-haut : un homme avec un javelot se penchant au-dessus l'enceinte. Au même instant, le javelot siffla et se planta dans le sol, manquant mon cheval de moins d'une largeur de main. Si Alexandros ne m'avait pas poussé, l'arme aurait pénétré ma nuque et serait ressortie quelque part près du nombril.

Je me mis à vomir. La bile jaunâtre laissa un goût amer dans ma bouche et quelques traces sur ma tunique. Mais je me sentis un peu mieux. Impatiemment, Alexandros et Eco me prirent par les épaules et me remirent debout.

– Eco ! murmurai-je. Mais comment... ?

Il me regarda sans répondre. Ses yeux étaient vitreux et fiévreux. Avais-je rêvé ?

Alors ils m'entraînèrent en haut des marches. Nous franchîmes un palier, puis un second. Enfin nous débouchâmes sur un épais tapis rouge en pleine lumière. Un grand dais cramoisi filtrait le soleil. Crassus et Gelina étaient assis côte à côte, flanqués de Sergius Orata et de Metrobius. J'entendis le chuintement d'un glaive qu'on dégaine. Mummius se précipita et beugla :

– Par Jupiter !

Gelina eut le souffle coupé. Metrobius lui attrapa le bras. Orata sursauta. Faustus Fabius, debout derrière la veuve, serra les dents et nous regarda, stupéfait. Il leva le bras droit et la rangée de soldats en armes à l'arrière de la loge pointa ses lances. D'emblée, Crassus avait eu l'air désagréablement surpris, mais en même temps résigné aux mauvaises surprises. De la main il fit signe de ne pas bouger.

Vaguement étourdi, je regardai de tous côtés pour essayer de me repérer. Les draperies rouges qui pendaient du dais nous dissimulaient à la vue des spectateurs les plus proches. Mais je voyais, au-delà des draperies, la grande enceinte circulaire de l'arène, grouillante de spectateurs. Les nobles occupaient les gradins inférieurs, tandis que le peuple était massé en haut. Une longue corde blanche les séparait.

Juste devant la loge, les esclaves étaient blottis les uns contre les autres au milieu des flaques de sang. Certains étaient en haillons ; d'autres, les derniers à avoir quitté la maison de Gelina, avaient encore une tunique de lin blanc immaculée. Il y avait des hommes et des femmes, des jeunes et des vieux. Certains étaient immobiles comme des statues, tandis que d'autres tournaient en rond, hagards. Chacun tenait à la main une grossière épée de bois. À quoi pouvait ressembler le monde de l'endroit où ils se trouvaient ? Sous leurs pieds, du sable souillé de sang ; autour d'eux, un grand mur, et des visages pleins de haine qui les observaient.

J'aperçus Apollonius parmi eux. Son bras droit entourait le vieil homme qu'il avait réconforté dans l'annexe. Je scrutai le groupe en quête de Meto. En vain. Mon cœur se serra. Pendant un instant je pensai qu'il avait pu s'échapper, d'une manière ou d'une autre. Puis je le vis non loin d'Apollonius. Il courut vers lui et s'accrocha à sa jambe.

– Que signifie tout ceci ? demanda sèchement Crassus.

– Non, Marcus Crassus ! hurlai-je en désignant l'arène. La vraie question est : que signifie *ceci* ?

Crassus me transperça d'un regard reptilien. Il me parla d'une voix calme.

– Quelle allure tu as, Gordien ! Qu'en penses-tu, Gelina ? Comme si tu sortais de la gueule d'Hadès. Tu t'es blessé à la tête, je vois. Sans doute en te la frappant contre un mur. Et sur ta tunique, c'est du vomi ?

J'aurais pu répondre, mais mon cœur battait trop vite dans ma poitrine. Et le sang tambourina dans ma tête.

– Tu me demandes quelle est la signification de ceci ? Je pense que tu veux simplement savoir ce qui se passe maintenant, puisque tu arrives en retard. Eh bien, les gladiateurs ont déjà combattu. Certains ont survécu. Certains sont morts. Les mânes de Lucius sont satisfaites et la foule aussi. Maintenant les esclaves viennent d'entrer dans l'arène. Et comme tu peux le voir, ils sont armés, comme doit l'être l'armée de gueux qu'ils composent. Dans un instant, je vais m'avancer vers cette petite plate-forme, derrière toi. Toute la foule pourra me voir et m'entendre. Et alors j'annoncerai un divertissement merveilleux, sublime, une manifestation publique de la justice romaine, une expression vivante de la volonté divine.

« Les esclaves de ma propriété de Baia ont été contaminés par les blasphèmes séditieux de Spartacus et de sa clique. Ils se sont rendus complices du meurtre de leur maître. Tout le prouve et tu as été incapable de me démontrer le contraire. Ils sont désormais inutiles, sauf pour une chose : ils vont servir d'exemple à d'autres. Dans la mise en scène que j'ai préparée, ils vont représenter – ils vont être – ce que la foule craint et méprise le plus : Spartacus et ses rebelles. C'est pour cela que je les ai armés.

– Alors pourquoi ne leur confies-tu pas des armes réelles ? m'indignai-je. Comme les épées et les lances que nous avons trouvées près de l'abri à bateaux.

Crassus pinça les lèvres, mais fit mine d'ignorer mon intervention.

– Quelques-uns de mes soldats vont, eux, représenter la puissance et le prestige de Rome – toujours vigilants et toujours vainqueurs sous le commandement de Marcus Licinius Crassus. Mes soldats sont prêts. Dès la fin de mon allocution, ils entreront par cette porte, là-bas, de l'autre côté de l'arène, au son des trompettes et des roulements de tambour.

– C'est une farce ! marmonnai-je. Totalement inutile et monstrueuse ! Un bain de sang !

– Bien sûr, un massacre !

La voix de Crassus était devenue tranchante comme du silex.

– Comment pourrait-il en être autrement quand les soldats de Crassus rencontrent une bande d'esclaves rebelles ? C'est un avant-goût des batailles glorieuses qui s'annoncent, dès que Rome m'aura accordé le commandement suprême de ses légions et que je marcherai contre les rebelles.

– C'est une honte ! murmura Mummius pâle comme un linge. Des soldats romains contre des vieillards, des femmes, des enfants armés de jouets en bois. Il n'y a là rien d'honorable, rien de glorieux ! Et les soldats ne sont pas fiers, crois-moi, et moi non plus...

– Oui, Mummius, je connais tes sentiments, repartit Crassus d'un ton aigre. Tu te laisses aveugler par tes instincts charnels, par ton sentimentalisme grec décadent. Tu ne connais rien de la vraie beauté, de la vraie poésie – la poésie dure, impitoyable, austère de Rome. Tu comprends encore moins la politique. Tu penses que ce n'est pas honorable de vouloir venger la mort de Lucius Licinius, un Romain tué par des esclaves. Eh bien, tu as tort. Il y a là précisément une sorte de beauté impitoyable. Et moi j'en tirerai un avantage politique, tant ici que sur le Forum, à Rome.

« Et toi, Gordien, tu es arrivé juste à temps. Je n'avais certainement pas l'intention de te placer dans ma loge privée, mais je vais te trouver une place. Pour ton fils également. Eco est-il aussi souffrant ? Il vacille et j'ai cru voir une lueur fiévreuse dans ses yeux. Et qui est cette autre personne... Un de tes amis, Gordien ?

– L'esclave Alexandros, dis-je. Comme tu dois déjà le savoir.

Alexandros me chuchota quelques mots à l'oreille au milieu des roulements de tambour.

– C'est lui ! J'en suis certain. J'avais vu son visage plus clairement que je ne le pensais. Je le reconnais. C'est l'homme qui a tué le maître...

– Alexandros ? dit Crassus, levant un sourcil. Il est plus grand que je ne l'imaginais... Mais les Thraces sont grands. Il paraît assez fort pour fracasser le crâne d'un homme avec une lourde statue. C'est un bon point pour toi, Gordien ! Tu as eu raison de me l'amener directement, même au dernier moment. Je vais annoncer sa capture et l'envoyer mourir avec les autres. À moins que je ne le garde pour une crucifixion spéciale. Ce serait le clou du spectacle.

– Tue-le, Crassus, et je hurle de toutes mes forces le nom de l'homme qui a réellement assassiné Lucius Licinius !

Je sortis le manteau taché de sang et le jetai à ses pieds.

Gelina se trouva mal. Mummius pâlit et Fabius me regarda, inquiet. Orata jeta un œil sur la cape. Metrobius se mordit les lèvres et posa un bras protecteur sur les épaules de son amie.

Seul Crassus restait impassible. Il hochait la tête comme s'il était un professeur et moi son élève, incapable de comprendre la grammaire, malgré tous ses efforts.

– La nuit du meurtre, avant de s'enfuir pour sauver sa vie, Alexandros a tout vu, expliquai-je. Tout ! Le cadavre de Lucius Licinius, le meurtrier agenouillé à côté du corps, en train de graver le nom de Spartacus dans la pierre pour détourner les soupçons, et finalement le visage du meurtrier. Cet homme n'était pas un esclave. Oh ! non, Marcus Crassus, l'homme qui a assassiné Lucius Licinius avait pour seule motivation une cupidité insatiable. Il faisait du trafic d'armes avec Spartacus pour acquérir de l'or. Il a ensuite empoisonné Dionysius quand celui-ci s'est trop approché de la vérité. Il m'a fait tomber de l'embarcadère et a tenté de me noyer la nuit de mon arrivée à Baia. Enfin, la nuit dernière, il a envoyé des assassins me tuer dans les bois. Cet homme n'est pas un esclave... mais un citoyen romain, un citoyen romain assassin. Et il n'y a aucune loi sur terre ou dans les cieux qui puisse justifier le massacre d'esclaves innocents à cause des crimes qu'il a commis !

– Et qui serait cet homme ? demanda Crassus doucement.

Il repoussa du pied le manteau déformé et ensanglanté. Soudain il fronça le nez et grimaça car il commençait à reconnaître le vêtement.

J'ouvris la bouche pour parler, mais Alexandros fut plus prompt.

– Lui ! cria-t-il.

Et il leva la main, pour tendre le doigt... mais pas en direction de Crassus.

Mummius grommela. Gelina hurla. Orata fit une moue écœurée. Crassus serra les dents ; on aurait dit que ses yeux lançaient des éclairs.

Tous les regards s'étaient portés sur... Faustus Fabius. Il avait pâli et fait un pas en arrière. Pendant un instant à peine, son masque imperturbable de patricien disparut pour faire place à une expression de pur désespoir. Puis il se ressaisit et fixa des yeux le doigt accusateur pointé vers lui.

À côté de moi, Eco vacilla et s'écroula sur le tapis rouge.

6

Eco avait perdu connaissance. Une fièvre brûlante le terrassait. Dès que je pus, je le ramenai à la villa, où Iaia, anxieuse, attendait des nouvelles. Elle prit l'affaire en main, insistant pour qu'Eco soit transporté dans sa chambre, où elle pourrait veiller sur lui. Elle envoya Olympias à Cumes chercher des onguents et des herbes. Eco avait un sommeil agité. Iaia introduisit entre ses lèvres ses étranges préparations. Puis elle frotta un baume nauséabond derrière ses oreilles et autour de sa bouche. Pour moi, elle prescrivit une forte dose de népenthès.

— Pendant quelques heures au moins, il te fera voyager très loin d'ici, et c'est ce dont tu as besoin, me dit-elle.

Je refusai.

Le jour fit place à la nuit. Le dîner ne fut jamais servi. Les uns et les autres se glissaient dans les cuisines pour piocher quelques restes du banquet de la veille, ou grignoter quelques friandises rapportées des jeux. Sans esclaves pour faire les lits, allumer les lampes, marquer les heures grâce au cycle ininterrompu de leur travail, le temps semblait s'être arrêté. Seule l'obscurité continuait de descendre.

Cette nuit-là, Morphée négligea la villa de Baia. Dans l'obscurité et le silence de la longue nuit, personne n'avait sommeil. Je veillais Eco, avec Iaia et Gelina. Émerveillé, je l'écoutais murmurer des noms et des phrases incohérentes.

Ce qu'il disait n'avait pas de sens. Mais il n'y avait pas de doute possible : il parlait. Je demandai à Iaia si elle avait opéré quelque charme sur lui. Elle prétendit n'y être pour rien.

Je restai assis, énervé, dans la faible lumière de la chambre de Iaia. À force de penser à toutes les terribles et merveilleuses choses qui pouvaient se produire en une seule journée, j'avais la tête qui tournait.

Je finis par m'envelopper dans un manteau. Après avoir allumé une petite lampe, je partis errer à travers la maison tranquille. Les couloirs vides étaient sombres. Seul le clair de lune froid et blanc projetait une vague clarté.

Après avoir fait les courses de Iaia, Olympias s'était retirée dans sa chambre. Mais pas pour dormir. À travers la porte, j'entendis de doux murmures, des soupirs et le rire chaleureux, mais discret, d'un jeune homme enfin libéré après des jours et des nuits passés dans une grotte. Il s'abandonnait au confort des oreillers moelleux et à des caresses familières.

Je continuai ma promenade. Je parvins aux bains des hommes, où je m'arrêtai près du grand bassin. L'eau de la source bouillonnait. La vapeur dansait et s'évanouissait à la lueur de ma lampe. Je regardai vers la terrasse et aperçus deux corps nus, côte à côte, appuyés contre la balustrade. Ils contemplaient le reflet de la lune sur la baie scintillante. Des empreintes mouillées marquaient leur passage du bassin à la terrasse. Des nuages de vapeur s'élevaient de leurs corps tout chauds. Le clair de lune entourait d'un vague halo les larges épaules velues et les fesses de Mummius. Cette même clarté illuminait Apollonius et semblait le transformer en statue de marbre poli et argenté.

Silencieusement, à pas furtifs, je gagnai le sentier qui menait à l'embarcadère. Mais au lieu de descendre jusqu'en bas, j'obliquai vers l'annexe et remontai la colline. J'arrivai au long bâtiment où les esclaves avaient été enfermés. La porte était grande ouverte. À l'intérieur, on ne distinguait que les ténèbres. J'hésitai un instant, puis entrai. La puanteur me fit reculer. Mais, ce soir, il n'y avait plus personne.

J'entendis le bruit d'une conversation à voix basse et des rires. Ils provenaient des écuries, situées un peu plus loin. Je suivis le sentier et contournai le bâtiment pour déboucher dans la cour. Trois gardes se trouvaient devant les écuries. Enveloppés dans leur manteau, ils se réchauffaient autour d'un brasier. L'un d'eux me reconnut et hocha la tête. Derrière eux, la porte des écuries était ouverte. À l'intérieur, je vis les esclaves par petits groupes, blottis autour de lampes minuscules. Une voix couvrit soudain le murmure des conversations :

— Va-t'en, petite peste !

Je compris que Meto se trouvait parmi eux.

Je me retournai vers la villa et inspirai profondément. L'air était frais. Pas un souffle d'air. Les arbres autour de la villa se dressaient, droits et silencieux.

En traversant la cour, j'entendis le doux crissement du gravier sous mes pieds. Sur le seuil, j'hésitai. Finalement, je m'aventurai sous le portique. Je continuai de longer le mur extérieur jusqu'à une fenêtre qui, je le savais, donnait dans la bibliothèque. Les rideaux n'étaient qu'à moitié tirés. Une vive lumière inondait la pièce. À l'intérieur, Marcus Crassus, enveloppé dans sa chlamyde, une coupe de vin dans la main gauche, examinait une pile de parchemins déroulés. Je ne le vis pas lever les yeux. Pourtant, au bout d'un moment, il dit :

— Tu n'as plus besoin de rôder, Gordien. Ton enquête est terminée. Entre. Pas par la fenêtre. C'est une maison romaine, pas un taudis.

Je gagnai la porte d'entrée. Dans la pénombre du corridor, les visages de cire des ancêtres de Lucius Licinius me regardaient. Ils avaient l'air sinistre mais satisfait. Je traversai l'atrium, où le parfum de l'encens avait enfin couvert l'odeur de putréfaction. La lumière de la lune opalescente ruisselait par une ouverture dans le toit. En levant ma lampe, j'étudiai les lettres SPARTA gravées sur le sol. Sous la lumière vacillante de ma lampe et à la clarté de la lune, les lettres grossièrement dessinées semblaient d'or et d'argent, comme si un dieu les avait tracées avec le doigt en passant.

Il n'y avait aucun garde devant la bibliothèque. La porte était ouverte. Crassus ne se retourna pas et ne leva pas davantage les yeux quand j'entrai. Il se contenta de m'indiquer du geste la chaise à sa gauche. Au bout d'un moment, il repoussa les rouleaux et sortit une seconde coupe d'argent. Il la remplit à ras bord d'un vin qui provenait d'une bouteille de terre cuite.

— Je n'ai pas soif, merci, Marcus Crassus.

— Bois, dit-il sur un ton qui n'admettait pas de refus.

Obéissant, je portai la coupe à mes lèvres. Le vin était corsé. Il me réchauffa le cœur.

— Du vin de Falerne, dit Crassus. De la dernière année de la dictature de Sylla. Une cuvée exceptionnelle. C'était la préférée de Lucius. Il ne restait qu'une bouteille dans le cellier. Maintenant il n'y en a plus.

Il remplit de nouveau sa coupe, puis versa les dernières gouttes dans la mienne.

Je bus à petites gorgées, humant le bouquet. Le vin était aussi merveilleux que le clair de lune.

— Personne ne dort cette nuit, dis-je d'une voix calme. Le temps semble s'être arrêté.

— Le temps ne s'arrête jamais, dit Crassus avec une certaine amertume dans la voix.

— Tu n'es pas content de moi, Marcus Crassus. Et pourtant je n'ai fait que remplir mon engagement. Si j'en avais fait moins, je n'aurais pas mérité la somme généreuse que tu m'as promise.

Il me regarda de biais. Son expression était impénétrable.

— Ne t'inquiète pas, dit-il enfin. Tu auras ton dû. Je ne suis pas devenu l'homme le plus riche de Rome en abusant de ceux que j'emploie.

Je hochai la tête et dégustai à petites gorgées le falerne.

— Sais-tu, dit Crassus, pendant un moment, là-bas dans l'arène, quand tu roulais tes yeux et déclamais ton discours passionné, j'ai vraiment cru — tu ne vas jamais le croire —, enfin oui, j'ai vraiment cru que tu allais m'accuser, moi, du meurtre de Lucius.

— Allons donc ! répondis-je.

— Oui, c'est ce que j'ai cru. Si tu avais eu une telle impudence, je pense que j'aurais ordonné à un garde de te transpercer le cœur séance tenante. Personne ne m'aurait critiqué pour ça. J'aurais appelé cela de la légitime défense. Tu avais un couteau dissimulé sur toi, tu avais l'air d'un fou, tu divaguais comme Cicéron dans ses mauvais jours.

— Tu n'aurais jamais fait une telle chose, Marcus Crassus. Si tu m'avais tué alors que je venais de formuler une telle accusation, tu aurais fait germer le doute chez tous ceux qui se trouvaient là.

— En es-tu sûr, Gordien ?

Je haussai les épaules.

— De toute façon, je n'ai jamais formulé une telle accusation.

— Et tu n'en as jamais eu l'intention ?

Je portai la coupe de falerne à mes lèvres.

— Pourquoi s'appesantir sur ce sujet ? Ce que tu croyais ne s'est jamais produit et le vrai meurtrier a été identifié... Juste à temps pour éviter une terrible erreur judiciaire, ajouterai-je, même si ce point t'importe peu.

Crassus se racla la gorge. Il n'avait pas été facile pour lui d'annuler le massacre après avoir excité la curiosité de la foule et réveillé ses instincts sanguinaires. Même après la découverte de la culpabilité de Fabius, il aurait volontiers poursuivi la tuerie, sans l'intervention de Gelina. La douce, la délicate Gelina s'était enfin affirmée. La mâchoire tendue, le regard impérieux, elle avait exigé que Crassus arrête cette dramatique mascarade. Mummius s'était joint à elle. Attaqué sur les deux flancs, Crassus avait cédé. Il avait donné l'ordre à ses gardes d'emmener Fabius, puis à Mummius de clore les jeux. Et, sur-le-champ, l'homme le plus riche de Rome avait, sans cérémonie, quitté l'arène.

– Tu es resté jusqu'à la fin ? demanda Crassus.

– Non, je suis parti quelques instants après toi.

J'ignore pourquoi, mais je n'avais pas envie de préciser qu'Apollonius et moi avions ramené Eco inanimé à la villa et que nous craignions que ses jours fussent en danger. Crassus avait à peine remarqué que le garçon s'était évanoui, et il ne s'en souvenait sûrement pas.

– Mummius m'a dit que tout s'était bien passé. Mais je sais qu'il ment. Je dois être la risée de tous dans la baie, ce soir.

– J'en doute fort. Tu n'es pas le genre d'homme dont on se moque, même derrière ton dos.

– Enfin, tout de même : avoir fait sortir de l'arène les esclaves aussi brutalement qu'on les y avait introduits, et tout cela sans la moindre explication... J'entends d'ici les murmures de déception et d'incompréhension. Et pour marquer l'apogée des jeux, Mummius a, paraît-il, fait venir tous les gladiateurs rescapés et les a obligés à se battre. Tu trouves cela original ? Une belle farce, oui ! Imagine les gladiateurs, épuisés, certains blessés, se battant sans énergie, comme des amateurs. Quand je l'ai pressé de questions, Mummius a fini par avouer que les gradins inférieurs s'étaient rapidement vidés. Les vrais amateurs savent reconnaître un mauvais spectacle quand ils en voient un, et ceux qui ne cherchaient qu'à se faire voir de moi n'avaient plus aucune raison de rester après mon départ.

Nous restâmes assis, silencieux, à boire le falerne.

– Où est Faustus Fabius, ce soir ? demandai-je.

– Ici, dans la villa, comme avant. Sauf que ce soir j'ai placé des gardes devant sa chambre. J'ai veillé à ce qu'il n'ait en sa possession ni arme, ni poison, ni potion. Je ne veux pas qu'il lui arrive quoi que ce soit avant que j'aie décidé de son sort.

– Vas-tu le poursuivre ? Y aura-t-il un procès à Rome ?

Crassus adopta de nouveau l'expression du professeur déçu.

– Quoi ? S'exposer à tant de problèmes à cause du meurtre d'un personnage aussi insignifiant que Lucius ? S'aliéner les Fabius, dévoiler un formidable scandale dans lequel mon propre cousin est impliqué, provoquer un procès qui ne pourrait que m'embarrasser – ils ont utilisé mon navire, mon argent et mes propriétés pour exécuter leurs plans, après tout – et tout cela à la veille d'une grande crise, au moment où je m'apprête à marcher contre Spartacus sur ordre du Sénat et à entamer ma campagne pour les élections consulaires de l'année prochaine ? Non, Gordien, il n'y aura pas de procès public.

– Alors, Faustus Fabius ne sera pas puni ?

– Je n'ai pas dit cela. Il y a de nombreuses manières de mourir pour un homme en temps de guerre. Même un officier de haut rang peut recevoir un coup fatal... dont personne ne parlera ensuite. Et, Gordien, tu n'as naturellement jamais entendu ce que je viens de dire.

– Est-ce qu'il a tout avoué ?

– Oui, tout. C'était exactement ce que je pensais. Lui et Lucius avaient eu l'idée de leur trafic lors de ma dernière visite ici, au printemps dernier. Faustus vient d'une très vieille famille patricienne, très distinguée. Les Fabius ont conservé un peu de leur ancien prestige, mais ils ont perdu toute leur fortune voilà longtemps. Pour un tel homme, il y a de quoi devenir amer, surtout quand il sert sous les ordres de quelqu'un dont le rang social est inférieur, mais dont la fortune dépasse de loin tout ce qu'il possède ou possédera jamais. Quoi qu'il en soit, avoir trahi Rome au nom de son propre profit, avoir sacrifié l'honneur des Fabius, avoir aidé une armée d'esclaves meurtriers... Voilà des crimes impardonnables ! Rien n'est plus méprisable.

Crassus soupira.

– Je suis encore plus choqué par les crimes de mon propre cousin Lucius. C'était un homme faible, trop faible pour se débrouiller seul dans ce monde, mais ni assez sage, ni assez patient pour s'en remettre à ma générosité. Je ressens comme un affront personnel cette façon d'utiliser mon argent pour une entreprise criminelle aussi infâme. Je lui ai toujours donné plus qu'il ne méritait. Voilà comment il m'a remercié ! Ce qui m'afflige, c'est qu'il soit mort aussi rapidement et sans souffrance. Il méritait une mort bien plus cruelle.

– Pourquoi Fabius l'a-t-il tué ?

– Ma visite était imprévue. Lucius n'en a été informé que très peu de temps avant mon arrivée. Il a paniqué : il y avait des dizaines d'anomalies dans ses comptes. Et puis des épées et des lances étaient cachées dans l'abri à bateaux et attendaient d'embarquer. La nuit précédant mon arrivée, Fabius a quitté le camp proche du lac Lucrin. Il est venu s'entretenir avec Lucius. Pour tromper ceux qui auraient pu l'apercevoir, et à mon insu, il a emprunté mon manteau. Avec sa couleur sombre, il était parfait pour passer inaperçu. Il n'imaginait pas l'emploi qu'il en ferait et ne savait donc pas qu'il serait contraint de s'en débarrasser. Une fois taché de sang, il ne pouvait ni le laisser sur place, ni me le restituer. Il a arraché mon insigne et a jeté le tout dans la baie. Comme l'insigne était assez lourd, il a dû tomber dans la mer mais le vêtement s'est pris aux branches.

« Le lendemain, je me suis demandé où était passée ma cape. Je m'en suis ouvert à Fabius lui-même, qui n'a pas bronché. À ton avis, pourquoi portais-je chaque nuit cette vieille chlamyde de Lucius ? Pour me conformer au goût de Baia pour la mode grecque ? Non, bien sûr. J'avais perdu le manteau que j'avais apporté de Rome.

Je le dévisageai, soudain soupçonneux.

– La première fois que j'ai suggéré que Lucius avait pu être tué ici, dans la bibliothèque, tu m'as demandé où le sang était passé. Tu te rappelles, Marcus Crassus ?

– Parfaitement.

– Et je t'ai dit qu'un manteau taché de sang avait été découvert, au bord de la route. N'as-tu pas soupçonné qu'il s'agissait du tien ?

– Non, Gordien. Tu m'as parlé d'un morceau de tissu, pas d'un manteau. Tu n'as jamais prononcé le mot « manteau », ni même « cape ». Je me souviens exactement de tes paroles.

Il respira, but une gorgée de vin et me regarda avec malice.

– Bon, d'accord, j'admets qu'à cet instant j'ai ressenti une étrange sensation, comme une appréhension. Peut-être qu'un dieu m'a murmuré à l'oreille que ce morceau de tissu pouvait être mon manteau perdu, auquel cas le meurtre de Lucius aurait été une affaire plus complexe que je ne le soupçonnais. L'homme le plus sage ne sait jamais si les dieux murmurent à son oreille une vérité ou une folie...

– Mais pourquoi Fabius a-t-il tué Lucius ?

– Il a quitté Rome prêt à tuer Lucius, mais le meurtre lui-même fut improvisé. Lucius est devenu fou. Que se serait-il si je découvrais tout, si j'étudiais attentivement les comptes ou demandais à voir le capitaine de la *Furie* ? Il se voyait perdu. Fabius lui demanda de se calmer. Ensemble, affirma-t-il, ils pourraient se débrouiller pour détourner mon attention des comptes. Ainsi je ne soupçonnerais jamais leur entreprise. Qui sait ? Ils auraient peut-être réussi. Mais Lucius a perdu la tête, il s'est mis à pleurer. Pour lui, l'aveu était la seule planche de salut. Il avait l'intention de tout me dire et de s'en remettre à mon pardon. Il ne laissait pas de choix à Fabius. Celui-ci a pris la statue et l'a fait taire pour toujours.

« Ce fut un coup de génie d'incriminer les esclaves, tu ne penses pas ? Ce type de réaction instantanée, ce sang-froid, cette vivacité d'esprit, ce sont exactement les qualités dont j'ai besoin chez mes officiers. Quelle perte ! Quand Zénon et Alexandros se sont approchés de lui, ce fut l'occasion rêvée : Fabius les a effrayés et les a fait fuir dans la nuit. Ainsi ils devenaient de parfaits boucs émissaires. Et il a eu de la chance que Zénon meure, parce que celui-ci l'avait certainement reconnu. Alexandros ne l'avait jamais vu auparavant, donc il ne pouvait dire à Iaia et Olympias qui il avait vu.

— C'est pour ça que Fabius n'a pas fini de graver le nom Spartacus ? Parce que les esclaves l'ont dérangé ?

— Non. Il avait déjà nettoyé le sang visible dans la bibliothèque et sur le sol du corridor, mais il devait encore récupérer les documents compromettants. Certains étaient sur la table quand il avait tué Lucius et du sang les avait maculés. Fabius s'était contenté de les rouler et de les mettre par terre pour qu'ils soient moins visibles. Il comptait retourner dans l'atrium achever de graver les lettres et réarranger le corps d'une manière plus convaincante, puis revenir dans la bibliothèque pour enlever les parchemins accusateurs. Ensuite, il serait allé les jeter dans la mer ainsi que le manteau, ou il les aurait brûlés.

« C'est alors qu'une voix a appelé dans le couloir. Quelqu'un dans la maison avait apparemment entendu quelque chose ou avait été réveillé par le bruit des pas des esclaves qui s'enfuyaient. Et cette personne s'était levée pour venir voir ce qui se passait. Fabius comprit qu'il devait s'enfuir aussitôt pour ne pas avoir à commettre un second meurtre. J'ignore pourquoi il n'a pas pu se maîtriser. Il a juste eu le temps de prendre le manteau et de s'enfuir.

— Mais tout le monde a dit n'avoir rien entendu cette nuit-là.

— Vraiment ? dit Crassus d'un ton sardonique. Alors quelqu'un a menti. Qui, à ton avis ?

— Dionysius !

Crassus hocha la tête.

— Dans l'atrium, la vieille canaille a trouvé son protecteur, raide mort. Au lieu de donner l'alarme, il a pris son temps pour examiner la situation et voir quel profit il pourrait en tirer. Il s'est rendu dans la bibliothèque pour jeter un rapide coup d'œil. Il a vu les parchemins par terre. Étaient-ils compromettants ? Il n'avait aucun moyen de le savoir, mais le sang qui les maculait était déjà un élément suffisamment probant. Il les a emportés dans sa chambre pour les cacher. Sans doute les a-t-il examinés pendant ses loisirs, pour tenter de les relier au meurtre.

« Imagine la panique de Fabius le lendemain : dès qu'il arriva à la villa avec moi, il se glissa à la première occasion dans la bibliothèque. À sa surprise, les documents avaient disparu. Pourtant, je peux t'affirmer qu'il ne montrait aucun signe d'agitation. Quelle parfaite maîtrise ! Rome perd un grand officier !

« Ensuite, il a dû attendre jusqu'à la nuit de ton arrivée pour descendre à l'abri à bateau jeter les armes à la mer. Il avait bien essayé les nuits précédentes, mais en avait toujours été empêché ; soit qu'il ait eu autre chose à faire, soit qu'il ait été aperçu dans le secteur. En fait, je pense qu'il hésitait. Mais ton arrivée a tout bouleversé et l'a obligé à prendre ce risque. Et c'est alors que tu l'as surpris sur la jetée. Te poignarder aurait trop ressemblé à un second meurtre. Il a préféré essayer de te noyer.

— Il échoua.

— Oui. Et à partir de cet instant, m'a dit Fabius, il a compris que tu étais le bras de Némésis [1].

— Némésis a plusieurs bras, dis-je, pensant à tous ceux qui avaient permis de démasquer Faustus Fabius : Mummius et Gelina, Iaia et Olympias, Alexandros et Apollonius, Eco et Meto, Sergius Orata et le défunt Dionysius, et même Crassus. Donc c'est Fabius qui s'est glissé plus tard dans la bibliothèque et a nettoyé le sang de la statue ?

Crassus acquiesça encore de la tête.

— Mais pourquoi a-t-il attendu si longtemps ? Avait-il négligé ce détail jusque-là ?

---

1. Déesse de la Justice et surtout du Châtiment. *(N.d.T.)*

– Non, il aurait voulu nettoyer à fond la bibliothèque bien avant, mais j'y travaillais sans arrêt. Encore une fois, c'est ton arrivée qui a précipité ses actes ; il devait effacer le plus vite possible les dernières traces.

– Mon arrivée, dis-je, et la vanité de Dionysius.

– Exactement. Quand le vieux moulin à paroles s'est vanté au dîner de pouvoir élucider le meurtre avant toi, il a scellé son propre destin. Je doute qu'il ait soupçonné Fabius, mais celui-ci n'avait aucun moyen de connaître les déductions du philosophe. Le lendemain matin, il a profité de la confusion qui régnait dans la maison à cause des funérailles pour s'introduire dans la chambre de Dionysius. Et il a ajouté du poison à son breuvage. À propos, tu avais vu juste : il a utilisé de l'aconit. Il a voulu profiter de l'occasion pour ouvrir le coffre de Dionysius. Il pensait que les parchemins disparus pouvaient s'y trouver. Mais la serrure lui a résisté et il a dû quitter la pièce, de peur que Dionysius ou un esclave ne le surprenne.

– Où s'est-il procuré le poison ?

– À Rome. Il a acheté l'aconit chez un marchand de Subure la nuit qui a précédé notre départ. Il envisageait déjà de faire supprimer Lucius, et il comptait utiliser un moyen discret. Donc le poison était destiné à Lucius, mais c'est à Dionysius qu'il a été donné. Il en restait dans la chambre de Faustus, et je le lui ai confisqué pour qu'il ne s'en serve pas pour lui. Je ne veux pas le laisser s'en tirer aussi facilement.

– Et la nuit dernière, sur le chemin de Cumes, c'est Fabius qui a essayé de m'assassiner.

– Pas Fabius, mais ses agents. Pendant ton altercation devant les écuries, il a entrevu la cape ensanglantée sous ton manteau. Jusque-là, il croyait qu'elle avait disparu dans la mer, la nuit du meurtre.

– Ah ! oui, dis-je, je me souviens de la curieuse expression de son visage.

– Tu vois, Gordien, si tu m'avais montré tout de suite la cape, si tu m'avais fait suffisamment confiance pour me présenter toutes les preuves, je l'aurais immédiatement reconnue. Et tout le mécanisme aurait été déclenché. Hélas ! Fabius ne pouvait plus espérer qu'une chose : que tu ne m'en aies pas parlé, soit par négligence, soit à dessein, ce qui était le cas. Mais de toute façon, il n'avait pas d'autre choix que de te tuer, pour récupérer le manteau et le détruire dès que possible.

« C'est Fabius que j'avais chargé de trouver des gladiateurs et d'organiser les jeux funéraires. En temps normal, cette tâche aurait incombé à Mummius. Mais étant donné son penchant pour l'esclave grec et son aversion pour le spectacle que je préparais, je ne pouvais pas compter sur lui. Fabius avait déjà prévu de t'éliminer, d'une manière ou d'une autre. Il avait fait venir deux gladiateurs du camp du lac Lucrin. Juste au cas où. Ainsi étaient-ils prêts à se mettre immédiatement à ta poursuite quand tu as pris la route de Cumes. Fabius t'a demandé où tu allais, tu t'en souviens ? Et tu le lui as dit. Erreur ! Il a envoyé les deux gladiateurs pour vous suivre et vous assassiner, toi et Eco, et pour lui rapporter le manteau.

Je hochai la tête.

– Et quand nos corps auraient été découverts, on aurait encore accusé de meurtre Alexandros !

– Exactement. Mais vous n'auriez pas été plus en sécurité ici, dans la villa. Si vous aviez passé la nuit ici, il avait un autre plan. Il comptait se glisser dans votre chambre et vous verser quelques gouttes de jusquiame dans l'oreille. Tu en connais les effets ?

– J'en ai entendu parler, dis-je en frissonnant.

– C'est un autre poison, qu'il avait acheté à Rome, pour éliminer Lucius le cas échéant. On dit que si l'on en verse la dose qui convient dans l'oreille d'un dormeur, il se réveille le lendemain totalement fou. Tu vois, Gordien, si tu avais dormi ici cette nuit, tu serais peut-être un idiot bafouillant et jacassant à cette heure.

– Et si Eco n'avait pas crié pour m'avertir, un javelot m'aurait transpercé devant l'arène.

– Autre petit cadeau de Fabius. Cette nuit-là, comme tu le sais, un seul assassin est revenu. Quand Fabius a appris que tu t'étais échappé avec le manteau, il a pris le gladiateur comme garde du corps personnel. Il lui a ordonné de se cacher au-dessus de ma loge et de guetter ton arrivée. Pendant ce temps, et à mon insu, Fabius déchargeait de leur mission les gardes qui auraient dû se trouver à l'entrée. Ainsi il n'y aurait pas de témoins. C'était sa dernière chance. Si l'assassin avait réussi à te tuer, il aurait informé Fabius, et ton cadavre serait allé pourrir avec ceux des gladiateurs morts.

– Et ce soir, Faustus Fabius aurait définitivement échappé à tout soupçon.

– Oui, soupira Crassus, et les habitants de la baie ne parleraient que du glorieux spectacle organisé par Marcus Licinius Crassus. L'histoire se propagerait jusqu'à Rome, au nord, et finirait même par gagner le camp de Spartacus, à Thurium, au sud.

– Et quatre-vingt-dix-neuf esclaves innocents seraient morts.

Crassus me regarda silencieusement. Puis il eut un petit sourire.

– Rien de tout cela ne s'est produit. Alors, oui, Gordien, moi aussi je pense que tu es un bras de Némésis. Tu n'as fait qu'exécuter la volonté des dieux. Les dieux m'ont joué un tour, ils ont tout fait pour que je sois là, ce soir, assis à boire la dernière bouteille de cet excellent falerne de mon cousin, avec le seul homme au monde pour qui la vie de quatre-vingt-dix-neuf esclaves est plus importante que les ambitions de l'homme le plus riche de Rome.

– Que vas-tu faire d'eux ?

– De qui ?

– Des esclaves.

Il fit tournoyer les dernières gouttes de vin au fond de sa coupe.

– Ils me sont inutiles, maintenant. Ils ne peuvent plus servir dans cette maison, ni dans aucune de mes propriétés. Après ce qui s'est passé, je ne pourrai plus faire confiance à un seul d'entre eux. J'ai envisagé de les vendre à Pouzzoles, mais je n'ai pas envie qu'ils aillent raconter leur histoire dans toute la baie. Alors je vais les embarquer et les vendre sur les marchés d'Alexandrie.

– Et l'esclave thrace, Alexandros...

– Iaia est déjà venue me voir à son propos. Elle veut me l'acheter pour l'offrir à Olympias.

Il but une gorgée de vin.

– C'est naturellement totalement hors de question.

– Mais pourquoi ?

– Parce que quelqu'un pourrait accuser de meurtre Faustus Fabius, ce qui déclencherait un procès. Je t'ai dit que je n'en veux pas. Tout accusateur[1] réclamerait bien sûr le témoignage d'Alexandros, mais un esclave ne peut témoigner sans la permission de son maître. Tant que cet esclave restera en ma possession, je lui interdirai de parler de l'affaire devant qui que ce soit. Mais pour plus de sécurité, il doit être éloigné. Il est jeune et fort ; je peux l'envoyer ramer dans une de mes galères ou travailler dans une de mes mines.

– Mais pourquoi ne pas le céder à Olympias ?

– Je l'ai dit : si une accusation de meurtre est portée contre Faustus Fabius, je ne veux pas qu'elle puisse lui permettre de témoigner.

---

1. En droit romain, tout plaignant était responsable de son enquête et portait les accusations devant le tribunal. Il n'y avait pas d'équivalent du ministère public moderne. *(N.d.T.)*

– Un esclave ne peut témoigner que sous la torture. Olympias ne le permettra jamais.

– Elle peut l'affranchir. C'est même très certainement ce qu'elle ferait immédiatement. Or un homme libre peut témoigner librement... et m'embarrasser éternellement.

– Tu pourrais exiger un serment...

– Non ! N'en parlons plus. Je ne peux laisser cet esclave demeurer où que ce soit dans la région de la baie. Tant qu'il sera là, les gens parleront de l'affaire Lucius Licinius : « Mais n'est-ce pas cet esclave Alexandros que tout le monde accusait du meurtre de son maître ? » « Et ne s'est-il pas avéré que le coupable était en réalité un patricien ? » Tu vois d'ici les bavardages ! Non, il faut qu'il disparaisse de la baie, d'une manière ou d'une autre. Ne vois-tu pas que je fais preuve de clémence ? Je pourrais tout simplement le tuer, non ?

Je contractai la mâchoire. Le vin devint soudain amer.

– Et l'esclave Apollonius ?

– Mummius veut l'acheter, comme tu le sais déjà. C'est également hors de question.

– Mais Apollonius ne sait rien !

– Faux ! Tu l'as toi-même envoyé plonger à la recherche des armes immergées.

– Et alors ?

– Sa présence parmi les quatre-vingt-dix-neuf autres cet après-midi l'empêche à jamais de servir dans mon entourage. Mummius est mon bras droit. Il est impossible qu'un esclave que j'ai pratiquement mis à mort demeure dans ma maison, qu'il me serve du vin quand je viens en visite, ou qu'en préparant mon lit pour la nuit il puisse glisser un aspic dans les draps. Non, comme Alexandros, Apollonius doit disparaître. Je pense qu'il ne sera pas difficile de lui trouver un acheteur, vu sa beauté et ses talents. Il y a des agents à Alexandrie qui achètent des esclaves pour les riches Parthes. Le mieux serait que je le vende à un homme riche au bout du monde.

– Tu vas te faire un ennemi de Marcus Mummius.

– Ne sois pas ridicule. Mummius est un soldat, pas un jouisseur. C'est un Romain ! Les liens qui nous unissent et son sens de l'honneur sont bien plus forts qu'une attraction éphémère pour un joli garçon.

– Tu te trompes.

Crassus haussa les épaules. Il se retranchait derrière une argumentation logique. Mais sous son masque, je devinais sa satisfaction et sa suffisance. Comment un homme aussi grand et aussi puissant pouvait-il éprouver un tel plaisir à se venger de façon aussi mesquine de ceux qui l'avaient contrarié ?

– Tu as dit tout à l'heure que la somme qui m'a été promise serait payée, Marcus Crassus. Serait-il possible... qu'une partie de cette somme... je te le demande comme une faveur... enfin il y a un garçon parmi les esclaves, un enfant qui s'appelle Meto...

Crassus secoua la tête. Ses traits se durcirent. Ses yeux plissés étincelaient à la lumière de la lampe.

– Que l'on ne me réclame plus de faveur concernant les esclaves, Gordien ! Ils sont vivants ! Et ça, ils le doivent à ta ténacité et à l'insistance de Gelina. Ce qui t'est dû te sera payé en argent, pas en chair. Pas un seul esclave ne bénéficiera d'un traitement privilégié. Pas un seul ! Je veux les disperser aussi loin que possible. Ils vont être vendus à de nouveaux maîtres, qui les traiteront bien. Ainsi, à leur manière, ils contribuent à développer la prospérité de Rome et à maintenir sa puissance éternelle.

Crassus et son escorte se préparèrent à repartir pour Rome dès le lendemain matin. Les esclaves – y compris Apollonius, Alexandros et Meto – furent rassemblés et conduits des écuries au camp du lac Lucrin, et, de là, aux quais de Pouzzoles. Olympias, inconsolable, s'enferma dans sa chambre. Mummius regarda les esclaves s'éloigner.

Les esclaves de Iaia venus de Cumes furent chargés des tâches essentielles chez Gelina. La fièvre d'Eco tomba, mais il ne se réveillait toujours pas.

Cette nuit-là, Orata organisa un dîner en l'honneur de Crassus dans une de ses villas de Pouzzoles. Crassus et son escorte y passèrent la nuit. Gelina y assista, mais je ne fus pas invité. Iaia resta avec moi pour veiller sur Eco. Comme prévu, Crassus quitta la baie le lendemain matin. Gelina s'apprêta à quitter la villa pour passer l'hiver chez Crassus à Rome.

Eco se réveilla le lendemain. Il était faible, mais il avait bon appétit. La fièvre ne revint pas. Si, comme Crassus l'avait dit, mon rôle à Baia avait simplement été d'accomplir la volonté des dieux, il était logique de penser que les dieux n'avaient accordé à Eco le pouvoir de crier que pour me sauver la vie devant l'arène. Maintenant ils allaient reprendre leur don. Pourtant quand il ouvrit les yeux ce matin-là et me regarda, il chuchota d'une voix enfantine enrouée :

– Papa, où sommes-nous, papa ?

Je pleurai longtemps. Même Iaia, initiée aux mystères d'Apollon, ne pouvait s'expliquer ce qui s'était passé.

Dès qu'Eco se sentit en bonne forme, nous entreprîmes le voyage de retour vers Rome par voie de terre. Mummius nous avait laissé des chevaux et des soldats pour nous protéger. J'appréciai cette attention, d'autant que je transportais une somme d'argent importante : mon paiement pour avoir identifié le meurtrier de Lucius Licinius.

Nous suivîmes la voie Consulaire jusqu'à Capoue, la ville où Spartacus avait appris son métier de gladiateur avant de se révolter contre son maître. Puis nous nous engageâmes sur la voie Appienne pour remonter vers le nord. En admirant le splendide paysage automnal, nous n'imaginions pas qu'au printemps suivant cette large route pavée serait bordée sur toute sa longueur, mille après mille, jusqu'à Rome, des corps de six mille crucifiés. L'armée de Spartacus avait été anéantie. Les survivants malchanceux furent cloués sur des croix et exposés publiquement pour l'édification des esclaves... et de leurs maîtres.

Épilogue

– Tu n'imagineras jamais qui nous rend visite, dit Eco.

Sa voix était un peu trop grave et enrouée pour un jeune homme, mais pour moi elle était plus belle que celle de l'orateur le plus talentueux.

– Tu sais, je suis prêt à tout, répondis-je.

J'avais appris à ne pas m'interroger sur les caprices des dieux et à ne pas considérer les choses comme allant de soi.

Je reposai le parchemin que je lisais et bus une gorgée de vin frais. C'était une belle journée à la fin l'été. Le soleil était chaud, mais une brise fraîche soufflait dans mon jardin ; les asters inclinaient la tête et les tournesols dansaient.

– Serait-ce... Marcus Mummius ? hasardai-je.

Eco me regarda. Après avoir retrouvé l'usage de la parole, il était comme retombé en enfance : curieux de tout, il posait question sur question. Mais la parole avait aussi accéléré sa maturité. Et les déductions surprenantes auxquelles arrivait son père ne l'impressionnaient plus aussi facilement qu'avant.

– Tu as entendu sa voix dans le vestibule, dit-il d'un ton accusateur.

Je ris.

– Non, pas du tout. Je l'ai entendue alors qu'il passait dans la rue. Et soudain je me suis souvenu. Mais fais-le entrer.

Mummius était venu seul. Cela m'étonna, car il occupait depuis peu de temps une fonction importante dans la ville. Je me levai pour le saluer, de citoyen à citoyen. Puis je lui offris une chaise. Eco se joignit à nous. J'envoyai une des jeunes esclaves chercher du vin.

Quelque chose dans son apparence avait changé. Je l'examinai un moment, perplexe.

— Tu as rasé ta barbe, Marcus Mummius !

— Oui.

Il caressa son menton nu.

— On m'a dit que ma barbe faisait trop vieux jeu pour un politicien. Ou trop extrémiste, je ne sais plus. En tout cas, je l'ai rasée pendant la campagne électorale, à l'automne dernier.

— Tu as l'air plus viril. Non, vraiment, je ne plaisante pas. Ta mâchoire puissante est mise en valeur. Comme cette belle cicatrice sur ton menton. Un souvenir de la bataille de la porte Colline ?

— Non ! Un souvenir de la guerre contre les partisans de Spartacus.

Je ris.

— Tu as réussi, Marcus Mummius. Et maintenant tu t'engages dans une nouvelle carrière.

Il haussa les épaules et jeta un coup d'œil au péristyle. La maison était mieux tenue que jadis. J'avais acheté de nouveaux esclaves.

— Tu as réussi toi aussi, Gordien.

— À ma manière. Mais être élu préteur urbain [1], quel honneur ! Qu'en penses-tu maintenant que tu es arrivé ?

— Tout va bien, dans l'ensemble. Mais je m'ennuie : res-

---

1. Le préteur urbain *(praetor urbanus)* rendait la justice parmi les citoyens romains. Il pouvait, à l'occasion, exercer un commandement militaire. Le préteur pérégrin rendait la justice parmi les étrangers. À l'époque de Sylla, il y avait huit préteurs, et ils passeront à seize, sous César. Tous les préteurs étaient élus pour un an. *(N.d.T.)*

ter assis des journées entières dans les tribunaux ! Crois-moi, dormir debout est une prouesse insignifiante en comparaison de la difficulté de rester éveillé à écouter des avocats se chamailler quand il fait une chaleur étouffante. Par Jupiter, je n'en ai que pour un an ! Mais je dois admettre que l'organisation des jeux Apollinaires [1], cet été, m'a bien plu.

La jeune esclave revint avec le vin. Nous bûmes en silence.

— Ton fils est quasiment un homme, maintenant.

Mummius sourit à Eco.

— Oui, chaque année il me donne de plus en plus de joie. Mais dis-moi, Marcus Mummius, es-tu simplement venu rendre visite à une connaissance que tu n'as pas vue depuis deux ans ?... Ou est-ce le préteur urbain qui sollicite Gordien le Limier ?

— Non. En fait, je voulais te rendre visite depuis pas mal de temps. Mais mes fonctions sont très prenantes. Je ne pense pas que tu aies eu beaucoup de contact avec Crassus depuis Baia.

— Non, je suis moi-même très occupé, et mes affaires ne m'ont pas permis de revoir le grand consul de la République romaine.

Il hocha la tête.

— Oui ! Crassus a atteint tous ses objectifs. Enfin, presque tous car les choses ne se passent pas toujours comme il le souhaite. Tu étais présent à l'ovation en décembre dernier, lorsqu'on a célébré sa victoire sur Spartacus ?

Je fis non de la tête.

— Non ? Mais tu as quand même assisté à la grande fête qu'il a donnée ce mois-ci, en l'honneur d'Hercule ?

---

1. *Ludi apollinares*, organisés en l'honneur d'Apollon, sous la responsabilité du préteur urbain, du 6 au 13 juillet, chaque année. Il s'agissait notamment de représentations théâtrales, de courses et de combats d'animaux sauvages. *(N.d.T.)*

Une nouvelle fois, je secouai la tête.

– Mais comment peux-tu l'avoir manquée ? Ils ont installé dix mille tables dans les rues et les festivités ont duré trois jours. J'en sais quelque chose : j'avais pour mission de veiller à l'ordre. Et tu sais que Crassus a fait distribuer à chaque citoyen la valeur de trois mois de blé. Tu as sûrement dû avoir ta part.

Je secouai la tête une troisième fois.

– J'ai passé les trois derniers mois chez un ami en Étrurie. Je me suis dit qu'Eco aimerait peut-être se promener dans les collines et pêcher dans les torrents. Et puis il fait si chaud à Rome et il y a tellement de monde !

Il pinça les lèvres.

– Tu sais, je ne suis pas dans les meilleurs termes avec Marcus Crassus.

– Ah ?

– Tu dois être au courant de la guerre scrvile, de la décimation, et de tout le reste.

– Je n'ai pas ton point de vue, Marcus Mummius.

Visiblement, il était venu s'épancher. J'ai déjà dit qu'on se confie volontiers à moi.

– Cela s'est passé au début de la campagne, commença-t-il. Crassus avait ses six légions, levées avec ses propres fonds. Il me confia les deux légions du Sénat, celles qui avaient déjà rencontré Spartacus et avaient été vaincues. Je pensais pouvoir les réorganiser, les remotiver, mais elles étaient déjà très démoralisées, et il ne restait pas beaucoup de temps.

« Remontant du sud, les partisans de Spartacus menaçaient Picentia, et se dirigeaient vers la baie. Crassus m'envoya un éclaireur. Il m'ordonna de ne pas engager le combat. Mais, sur le terrain, un lieutenant doit faire preuve de jugement. Ainsi un groupe de rebelles s'était trouvé isolé dans une vallée étroite. Tout militaire sensé les aurait attaqués. C'est ce qui s'est passé. Au cours de la bataille, le bruit courut que Spartacus avait dressé une embuscade et que toute son armée nous encerclait. C'était une fausse rumeur, mais la panique se propagea dans les rangs. Mes hommes s'enfuirent. Il y eut de nombreux tués et les prisonniers furent torturés à mort.

« Crassus entra dans une grande colère. Il m'admonesta devant ses autres lieutenants. Puis il décida de faire un exemple de mes hommes.

— Oui, j'en ai entendu parler, soupirai-je.

Mais Mummius était décidé à raconter l'histoire jusqu'au bout.

— On appelle ça « la décimation », autrement dit la mise à mort d'une personne sur dix. Comme tu le sais, Crassus adore faire revivre les anciennes traditions. Il m'ordonna d'identifier les cinq cents premiers qui avaient fui. Ce ne fut pas une tâche facile parmi douze mille soldats. Il divisa ces cinq cents en cinquante unités de dix hommes chacune. Les soldats tirèrent au sort. Un sur dix tira la fève noire. Aussi cinquante hommes furent condamnés à mort.

« Les cinquante unités furent disposées en cercles. Chaque victime fut dénudée, les mains liées dans le dos et la bouche bâillonnée. On distribua des gourdins aux neuf autres. Au signal de Crassus, un roulement de tambour se fit entendre. La sentence fut exécutée sans honneur, sans gloire, sans dignité.

« La discipline doit être maintenue, c'est certain. Mais être battu à mort par ses camarades n'est pas une façon de mourir pour un soldat romain !

Il se mordit les lèvres.

— Ce n'est pas simplement pour ruminer mon amertume que je te raconte cette histoire. J'ai pensé que le sort de Faustus Fabius pouvait t'intéresser.

— Que veux-tu dire ?

— Sais-tu ce qu'il est devenu ?

— Je sais qu'il n'est jamais revenu de la guerre. J'ai entendu dire qu'il était mort au combat contre les hommes de Spartacus.

Mummius secoua la tête.

– C'est faux. Je ne sais comment, Crassus s'est arrangé pour que Fabius se retrouve parmi les cinquante hommes choisis pour la décimation. Nu, entravé et bâillonné, rien ne permettait de reconnaître son grade ou son rang social. Quand les coups ont commencé à pleuvoir, je me suis forcé à regarder avec Crassus et les autres lieutenants. C'étaient mes hommes, après tout. Je ne pouvais pas leur tourner le dos. Parmi les victimes, il y en eut une qui parvint à se libérer de son bâillon. L'homme se mit à crier qu'il s'agissait d'une erreur. Personne n'y fit attention, mais moi je me suis approché.

« Un instant plus tard, je ne l'aurais pas reconnu. J'étais sûr que c'était lui, Faustus Fabius. Je vois encore son regard ! Il me reconnut et m'appela par mon nom. Alors ils l'assommèrent de coups. Ils lui fracassèrent le crâne. Bientôt il ne fut plus qu'une masse informe, sanguinolente. Il était difficile d'imaginer que cette chose avait été un homme. Quelle mort atroce !

– Pas plus atroce que la mort de Lucius Licinius ou de Dionysius. Et certainement pas plus atroce que le sort réservé par Crassus aux esclaves de Gelina.

– Quand même ! Pour un patricien et un officier romain, connaître une mort aussi honteuse ! Je me suis retourné horrifié vers Crassus. Il ne me regarda pas, mais je vis un sourire sur ses lèvres.

– Oui, je connais ce sourire. Allez, bois encore un peu de ce vin, Marcus Mummius. Tu es enroué.

Il avala le vin comme si c'était de l'eau et s'essuya les lèvres.

– La guerre a été de courte durée. Au bout de six mois, tout était terminé. Nous les avons pris comme des rats et les avons anéantis. Crassus a cloué les six mille survivants sur des croix tout le long de la voie Appienne.

– C'est ce qu'on m'a dit.

Mummius esquissa un sourire.

– La Fortune a souri à Marcus Crassus, mais elle s'est aussi jouée de lui. Une petite bande de partisans de Spartacus parvint à s'échapper. Ils sont tombés sur l'armée de Pompée qui revenait d'Espagne. Pompée les écrasa comme des fourmis sous son talon, puis il envoya une lettre au Sénat. Dans cette missive, il prétendait que, si Crassus avait fait du bon travail, c'était lui, Pompée, qui avait finalement mis un terme à la révolte servile !

– Dis-moi, Mummius, tu donnes l'impression d'avoir changé de camp et d'être devenu un partisan de Pompée. Pourquoi donc ?

– Aujourd'hui, je ne suis dans aucun camp. Je suis un héros de guerre, tu sais. Tout au moins, c'est ce que ma famille et mes amis m'ont dit lorsque je suis revenu à Rome. C'est à cause d'eux que j'ai fini par devenir préteur urbain. Mais j'aimerais bien mieux me trouver dans une tente sous les étoiles, en train de manger dans une écuelle en bois.

– J'en suis persuadé.

– Et, de toute façon, Pompée et Crassus ont fait la paix... pour le moment. Après tout, il y a deux consuls chaque année, donc ils ont tous les deux pu obtenir cette magistrature suprême. Naturellement, Pompée a eu droit à un vrai triomphe pour avoir défait Sertorius en Espagne. En revanche, le Sénat n'a accordé qu'une ovation à Crassus pour avoir défait Spartacus. Voilà toute la gloire que l'on récolte pour avoir vaincu un esclave. Ainsi, tandis que Pompée, monté sur un char, rentrait à Rome au son des trompettes, Crassus suivait derrière, à cheval et au son des flûtes. Mais il fit en sorte que le Sénat l'autorise à porter la couronne de laurier des triomphes, et pas simplement la couronne de myrte des ovations.

– Et alors il a organisé une grande fête ce mois-ci ?

– Oui, en l'honneur d'Hercule. Pourquoi pas, dès lors que Pompée a consacré un temple à cette même divinité et qu'en même temps il a organisé des jeux en son honneur ?

Chacun tente de s'approprier les succès de l'autre. Mais, en tous les cas, Pompée ne pourra jamais prétendre avoir sacrifié un dixième de sa fortune à Hercule et au peuple de Rome, comme Crassus l'a fait. Aujourd'hui, il faut être vraiment très riche pour réussir en politique !

Je le regardai d'un air sceptique.

— Quoi qu'il en soit, Marcus Mummius, je ne pense pas que tu sois venu ici simplement pour parler de politique, ni même pour me raconter ce qui est arrivé à Faustus Fabius.

— Tu as raison, Gordien. On ne peut pas t'abuser longtemps. Mais je veux quand même te dire que tu es l'un des très rares Romains avec qui cela vaut la peine de discuter. On peut te parler franchement. Oui, tu as raison, Gordien : je suis venu avec d'autres nouvelles et pour te faire un présent.

— Un présent ?

À cet instant précis, une des jeunes esclaves revint.

— Il y a de nouveaux visiteurs, annonça-t-elle.

Mummius était tout sourire.

— Ah oui ? dis-je.

— Deux esclaves, maître. Ils disent appartenir à ton invité.

— Alors, fais-les entrer !

Un moment plus tard, deux silhouettes apparurent dans le péristyle. Je reconnus le premier : c'était Apollonius, toujours aussi magnifique. Derrière lui, la seconde silhouette, plus petite, se précipita vers moi. L'instant d'après Meto me mit les bras autour du cou et me fit basculer en arrière. Eco éclata de rire.

Meto me souriait. Il avait l'air timide. Depuis Baia, il avait considérablement grandi. Mais c'était encore un enfant.

— Marcus Mummius, je ne comprends pas. Crassus m'avait dit...

— Oui, qu'il disperserait les esclaves aux quatre coins de la terre. Mais Marcus Crassus n'est pas le Romain le plus intelligent ; il n'est que le plus riche. Mon agent a retrouvé Apollonius à Alexandrie. Son nouveau propriétaire était un homme cruel, qui ne voulait pas s'en séparer. Je m'y suis rendu l'été dernier, entre la fin de la guerre et le début de la campagne électorale de l'automne. Pour faire céder l'homme, je dus recourir à toute la persuasion romaine : de l'argent et une bonne lame – par exemple, un glaive à moitié dégainé – et l'intonation de voix appropriée pour faire trembler un Égyptien gros et gras.

« Apollonius était très affaibli à cause des mauvais traitements. Pendant le voyage de retour, il est tombé malade. Pendant l'automne et l'hiver, il a été terrassé par son mal, mais aujourd'hui, il a récupéré.

– Crassus est-il au courant ? demandai-je.

– Pour ma barbe ? Ha ! ha ! Non, tu veux dire pour Apollonius. Peut-être, peut-être pas. Je vois rarement Crassus de nos jours, sauf quand ma charge l'exige. Il a peu de chances de rencontrer les esclaves de ma maison. Et si cela se produit, je lui dirai : « Pourquoi des Romains ont-ils lutté contre Spartacus, certains jusqu'à la mort, Marcus Crassus, si ce n'est pour protéger le droit qu'a tout citoyen de posséder les esclaves de son choix ? » Je ne crains pas Crassus. Je pense qu'il est beaucoup trop occupé par sa rivalité avec Pompée pour se soucier de vieilles querelles.

Il tendit la main pour caresser la tête de Meto.

– Il m'a fallu plus de temps pour retrouver la trace de celui-là. Pourtant il n'était qu'en Sicile. D'autres esclaves de Gelina s'y trouvaient aussi parce qu'on les avait vendus par lots. Le fermier stupide qui l'avait acheté négligea la formation qu'il avait reçue et l'envoya travailler dans les champs. C'est bien cela, Meto ?

– Je devais faire l'épouvantail dans les vergers. Je restais toute la journée en plein soleil pour effrayer les oiseaux. Et mon maître m'enveloppait les mains dans des chiffons pour que je ne puisse pas manger les fruits sur les arbres.

– Incroyable, dis-je.

Je déglutis pour m'éclaircir la voix.

– Et qu'est devenu Alexandros, le Thrace ?

Le visage de Mummius s'assombrit.

– Crassus l'a envoyé travailler dans une de ses mines d'argent en Espagne. Habituellement, les esclaves ne vivent pas longtemps dans les mines, même ceux qui sont jeunes et forts. J'ai envoyé un agent essayer de l'acheter, mais le contremaître est resté inébranlable. Crassus fut sans doute mis au courant : Alexandros fut transféré sur une galère – la *Furie*, en l'occurrence. Malgré tout, j'espérais encore le sauver. Hélas ! il y a quelques jours à peine – en fait, le jour même de l'arrivée de Meto à Rome – j'ai appris que la *Furie* avait été attaquée et incendiée par des pirates sur la côte sarde. Quelques marins ont pu s'échapper et raconter l'histoire.

– Et Alexandros ?

– La *Furie* a coulé avec les esclaves enchaînés à leur poste.

Je soupirai et grinçai des dents. Les tournesols se balançaient dans la brise. Je les regardai un instant, avant de boire les dernières gouttes de vin dans ma coupe.

– Sa mort est plus terrible que celle de Faustus Fabius. S'il était resté caché dans sa grotte et n'était pas sorti pour identifier Fabius, il s'en serait tiré. Mais Apollonius et Meto ne seraient plus de ce monde. Ces Thraces sont vraiment des gens exceptionnels ! Olympias est au courant ?

Il secoua la tête.

– J'espérais lui faire une surprise avec de bonnes nouvelles. Maintenant, je pense que je ne le lui dirai jamais.

– Peut-être le faudrait-il. Autrement, elle risque d'espérer toujours. Iaia est assez sage pour trouver une manière de le lui dire.

– Peut-être.

Le silence tomba sur le jardin. Mummius sourit.

– Tu vois, j'ai attendu d'avoir une surprise pour te recontacter. Meto est mon cadeau. C'est la moindre des choses que je puisse faire pour te remercier d'avoir sauvé Apollonius et les autres.

— Mais je ne voulais l'acheter que pour le sauver de Crassus...

— Alors prends-le maintenant. S'il te plaît, même si c'est seulement pour contrarier Crassus ! Tu sais que l'enfant est intelligent et honnête. Il te fera honneur.

Je regardai Meto, qui me souriait plein d'espoir.

— Très bien, dis-je. J'accepte ton présent, Marcus Mummius. Merci.

Un large sourire illumina le visage du préteur, et puis il se leva d'un bond. Je tournai mon regard, Bethesda venait d'apparaître dans le péristyle. Elle arrivait de la cuisine.

Je m'avançai pour lui prendre la main. Sur le visage de Mummius, je découvris, tour à tour, l'étonnement et la gêne, comme c'est souvent le cas lorsque des hommes se trouvent en présence d'une femme au dernier stade de sa grossesse.

— Mon épouse, dis-je. Gordiana Bethesda.

Mummius s'inclina gauchement. Derrière lui, Apollonius souriait. Le petit Meto, bouche bée, fixait le ventre proéminent avec déjà dans le regard une crainte mêlée de respect à l'endroit de sa nouvelle maîtresse.

— Je ne peux pas rester longtemps dans le jardin, dit Bethesda. Il fait beaucoup trop chaud. Je partais m'allonger un moment, quand j'ai cru entendre des voix dans le péristyle. Ainsi tu es Marcus Mummius. Gordien m'a souvent parlé de toi. Tu es le bienvenu ici.

Mummius se contenta de déglutir et de hocher la tête. Bethesda lui sourit.

— Eco ! Viens m'aider un instant.

D'un signe de tête, Eco pria les invités de l'excuser et la suivit.

Mummius arqua un sourcil.

— Mais je pensais...

— Oui, Bethesda était mon esclave. Pendant des années,

je n'ai pas voulu d'enfant de mon sang, et encore moins un enfant esclave.

— Mais ton fils...

— Eco est entré dans ma vie sans prévenir. Je rends grâce aux dieux chaque jour d'avoir eu la sagesse de l'adopter. En revanche, je ne voyais aucune raison de donner la vie à ce nouvel être dans un monde pareil.

Je haussai les épaules.

— Mais, après Baia, quelque chose a changé en moi. Alors j'ai affranchi Bethesda et je l'ai épousée.

— Maintenant je comprends ce que tu faisais, il y a neuf mois, en décembre dernier, au lieu d'aller voir l'ovation de Crassus ! s'exclama Mummius.

Je ris en me penchant vers lui.

— Tu sais, Mummius, je crois même que cela s'est passé précisément cette nuit-là !

Eco réapparut soudain à l'autre bout du péristyle. Les deux jeunes esclaves l'accompagnaient.

Eco ouvrit la bouche. Pendant un long moment, je crus qu'il était redevenu muet. Puis les mots tombèrent en cascade.

— Bethesda dit que ça y est. Elle dit qu'elle commence à avoir des contractions.

Mummius pâlit. Quant à Apollonius, il se mit à sourire.

Meto pirouetta et battit des mains. Je levai les yeux au ciel.

— Voilà de nouveaux soucis, murmurai-je, soudain angoissé.

Puis je fus transporté de joie.

— Une nouvelle histoire commence !

NOTE DE L'AUTEUR

Malgré sa fabuleuse richesse et sa participation au premier triumvirat avec César et Pompée, Marcus Licinius Crassus est toujours regardé comme l'un des plus grands perdants de l'Histoire. Il commit l'erreur fatale de se faire tuer en 53 av. J.-C. au cours de sa campagne, mal préparée, contre les Parthes. Il se trouvait pourtant au faîte de sa puissance et de son prestige. Bien qu'il fût l'homme le plus riche du monde, sa notoriété ne résista pas à sa décapitation[1].

Il existe deux biographies de Crassus en anglais. L'inestimable *Marcus Crassus and the Late Roman Republic*, d'Allen Mason Ward (University of Missouri Press, 1977), est très fouillée et commentée ; *Marcus Crassus, Millionnaire*, de F. E. Adcock (W. Heffer & Sons, Ltd., Cambridge, 1966), est pour l'essentiel un long essai élégant. Parfois, Ward est indulgent vis-à-vis de certains défauts du personnage. Par exemple, quand il décrit la décimation qu'opère Crassus sur ses propres soldats : « Les temps étaient désespérés, alors on avait recours à des mesures désespérées... Il

---

1. Après la cuisante défaite de Carrhes, Crassus fut assassiné par les Parthes, qui lui coupèrent la tête et les mains. La légende veut que le roi des Parthes lui ait fait couler de l'or dans la bouche, cet or dont il était si avide. *(N.d.T.)*

ne serait pas juste de critiquer le comportement de Crassus, en le qualifiant d'anormalement brutal. » De l'autre côté, Adcock exagère peut-être un peu lorsqu'il dit du jeune Crassus : « Il n'avait pas le cœur sur la main, et l'on peut même se demander s'il avait un cœur. »

Pour la révolte de Spartacus, nos principales sources sont l'*Histoire romaine* d'Appien [1] et la *Vie de Crassus* de Plutarque [2]. À propos des autres soulèvements serviles et de l'esclavage romain en général, on se reportera à *Greek and Roman Slavery* de Thomas Wiedemann (Routledge, London, 1988), qui utilise des documents originaux de premier ordre.

Concernant la peinture romaine, les potions et les poisons, le meilleur guide est l'*Histoire naturelle* de Pline [3], qui complète aussi notre connaissance trop insuffisante de Iaia et Olympias. Ceux qui s'intéressent aux aspects mythiques de la sibylle de Cumes pourront consulter l'*Énéide* de Virgile [4]. On trouvera des références à la nourriture dans de nombreuses sources (par exemple les commentaires pythagoriciens sur les haricots au chapitre 7 viennent de Cicéron, *De la divination*), mais le plus riche informateur en cette matière est Apicius [5]. Les aventuriers de la cuisine et autres

---

1. Appien ou Appianos d'Alexandrie, juriste à Rome vers 160. Sur les vingt-quatre livres de son *Histoire* rédigée en grec, neuf seulement nous sont parvenus (ils traitent de Rome, des guerres civiles de 146 av. J.-C. à la révolte servile de 70). *(N.d.T.)*

2. Auteur grec né vers 46 et mort vers 120. Il a écrit de nombreuses biographies et traités de philosophie morale. *(N.d.T.)*

3. Pline l'Ancien naît en 23 ap. J.-C. et meurt en 79 ap. J.-C. dans l'éruption du Vésuve. Sa fondamentale *Histoire naturelle* compte trente-sept livres. *(N.d.T.)*

4. Souvent décrit comme le plus grand poète romain, Virgile (70 av. J.-C.-19 av. J.-C.) était d'origine gauloise. Il laissa son *Énéide* inachevée. Or il avait demandé que l'on brûle ce texte, s'il venait à mourir avant son achèvement. Sa volonté ne fut heureusement pas respectée. *(N.d.T.)*

5. Gourmet, auteur de nombreuses recettes, qui vécut dans la première moitié du Ier siècle ap. J.-C. *(N.d.T.)*

gourmets pourront consulter *The Roman Cookery of Apicius* (Hartley & Marks, Inc., 1984), traduit par John Edwards, avec des recettes adaptées pour la cuisine moderne.

De temps en temps, le chercheur découvre un volume qu'il ignorait jusque-là et qui vient combler avec une précision étonnante tous ses besoins. C'est ainsi que je suis tombé sur *Romans on the Bay of Naples : A Social and Cultural History of the Villas and their Owners from 150 BC to AD 400* (Harvard University Press, 1970) de John H d'Arms. C'était un livre que je mourais d'envie de lire bien avant de savoir qu'il existait.

Pour des petits détails et des questions de nomenclature, j'ai consulté presque quotidiennement une édition massive (1 300 pages) et poussiéreuse de l'insurpassé *Dictionary of Greek and Roman Antiquities* (James Walton, London, 2ᵉ éd., 1869), et dans une moindre mesure *Everyday Life of the Greeks and Romans*, de Guhl et Koner (Crescent Books, réimprimé en 1989), un autre ouvrage de référence du XIXᵉ siècle [1].

Mon adaptation du poème de Lucrèce *Pourquoi craindre la mort ?* (d'après la traduction anglaise de Dryden), utilisée pour les funérailles du chapitre 3 (troisième partie), peut être considérée comme anachronique, puisque le texte *De la nature* de Lucrèce ne fut publié qu'en 55 av. J.-C. environ. Cependant, il me plaît d'imaginer (et c'est possible) qu'en 72 Lucrèce, âgé d'une vingtaine d'années [2], avait déjà com-

---

1. L'une des meilleures sources d'informations sur l'antiquité grecque et romaine pour le lecteur francophone néophyte est le *Dictionnaire de l'Antiquité : Mythologie, Littérature, Civilisation* de l'Université d'Oxford (Coll. Bouquins, Robert Laffont, Paris, 1993). Il contient beaucoup de détails et d'anecdotes, parfois insolites, tant sur les personnages et l'Histoire, que sur la vie quotidienne. Cet ouvrage de 1937 a été entièrement refondu en 1989. *(N.d.T.)*

2. Lucrèce est né en 98 av. J.-C. et mourut, a priori par suicide, en 55. On ne sait pratiquement rien de sa vie et le *De natura rerum (De la nature)* est la seule œuvre qu'on lui connaisse. *(N.d.T.)*

mencé à travailler sur son grand poème et que des bribes de celui-ci circulaient parmi les philosophes, les poètes et les comédiens.

Je voudrais remercier les personnes qui ont témoigné vis-à-vis de mon travail un intérêt personnel ou un soutien professionnel qui ne s'est jamais démenti : mon éditeur Michael Denneny et son assistant Keith Kahla ; Terry Odom et le clan Odom ; John W. Rowberry et John Preston ; ma sœur Gwyn, Gardienne des Disquettes ; et naturellement Rick Solomon.

Une bibliothèque occupe une place essentielle dans ce roman : celle de Lucius Licinius, théâtre du meurtre. Ici et maintenant, ce sont les bibliothèques elles-mêmes qui sont assassinées : amputées, détruites, démantelées, dispersées, livre par livre, dollar par dollar. Pourtant, sans elles, j'aurais difficilement pu effectuer mes recherches. J'apprécie particulièrement la bibliothèque publique de San Francisco, sérieusement secouée, mais pas détruite, par le tremblement de terre de 1989 ; le système de prêt inter-bibliothèques, qui permet d'avoir accès à des livres provenant de collections de tout le pays ; la bibliothèque Perry-Castaneda, installée à Austin, sur le campus de l'Université du Texas, dans laquelle j'ai passé des journées entières au milieu des piles dans une sorte d'extase intellectuelle, lorsque je recueillais de la matière tant pour *L'Étreinte de Némésis* que pour sa suite, *L'Énigme de Catalina* ; et la bibliothèque Jennie-Trent-Dew de Goldthwaite, Texas, où, en un sens, toute ma recherche historique a commencé il y a une trentaine d'années.

Impression réalisée sur Presse Offset par

BRODARD & TAUPIN

GROUPE CPI

La Flèche (Sarthe), 26638
N° d'édition : 3012
Dépôt légal : avril 1999
Nouveau tirage : octobre 2004

Imprimé en France

Un maître a été sauvagement assassiné. Deux de ses esclaves sont en fuite. Sont-ils allés rejoindre Spartacus, qui vient de soulever les esclaves ? Simple ! Trop simple selon Gordien, le privé teigneux qui hante la Rome antique, depuis ses bas-fonds jusqu'aux villas patriciennes des hauteurs de la cité impériale. Pour résoudre l'affaire, il lui faudra toute son astuce et l'aide de son fils adoptif, Eco. Au rythme haletant de son enquête, nous visitons les villas, assistons à des banquets et aux jeux du cirque, consultons la sibylle de Cumes. Pour faire triompher Thémis, Gordien ira jusqu'à s'approcher d'une porte de l'Hadès, le monde des Morts. C'est à ce prix qu'il deviendra le bras de Némésis, la déesse du Châtiment.

Traduit de l'américain
par Arnaud d'Apremont

"Grands détectives" dirigé
par Jean-Claude Zylberstein

ISBN 2-264-02711-8

9 782264 027115

www.10-1

Gauge Listeners' Feelings toward the Topic

Try to determine what your listeners know about the topic. What is their level of interest? How do they feel about it? Once you have this information, adjust the speech accordingly: If the topic is *new* to listeners,

- Start by showing why the topic is relevant to them.
- Relate the topic to familiar issues and ideas about which they already hold positive attitudes.

If listeners know *relatively little* about the topic,

- Stick to the basics and include background information.
- Steer clear of jargon, and define unclear terms.

If listeners are *negatively disposed* toward the topic,

- Focus on establishing rapport and credibility.
- Don't directly challenge listeners' attitudes; instead begin with areas of agreement
- Offer evidence from sources they are likely to accept.
- Give good reasons for developing a positive attitude toward the topic.[4]

If listeners hold *positive attitudes* toward the topic,

- Tell stories with vivid language that reinforce listeners' attitudes.[5]

If listeners are a *captive audience*,

- Pay close attention to the length of your speech.
- Motivate listeners to pay attention by stressing what is most relevant to them.

QUICK TIP

Appeal to Your Listeners' Concerns

As a rule, people have more interest and pay more attention to topics toward which they have positive attitudes and that are in keeping with their values and beliefs. The less we know about something, the more indifferent we tend to be. Any speaker seeking a change in attitudes or behavior would do well to remember this.

Gauge Listeners' Feelings toward You as the Speaker

How audience members feel about you will have significant bearing on their responsiveness to the message. A speaker who is well-liked can gain an initial hearing even when listeners are unsure what to expect from the message itself.

To create positive audience attitudes toward you, first try to display the characteristics of a credible speaker described in Chapter 2. Listeners also have a natural desire to identify with the speaker and to feel that he or she shares their perceptions.[6] The surest route to connecting with an audience is to establish a feeling of commonality, or **identification**, with listeners. Use eye contact and body movements to include

---

QUICK TIP

Make a Kinesthetic Connection

For speech pro Nick Morgan, the only reason to give a speech is to make an "intellectual, emotional, and physical connection" with the audience. He calls this a "kinesthetic connection." The secret to making this connection, to forming a strong bond between yourself and the audience, "is to listen to them (and to show you're listening) — from the very beginning . . . with your whole body."[7]

CHECKLIST: Respond to the Audience as You Speak

As you deliver your speech, read the audience for signs of how they are receiving your message. Look for bodily clues for signs of interest or disengagement:

✓ Large smiles and eye contact suggest a liking for and agreement with the speaker.

✓ Arms folded across the chest may signal disagreement.

✓ Averted glances, slumped posture, and squirming usually indicate disengagement.

Be prepared to adjust your speech in response to audience reactions. If audience interest seems to be flagging, consider a change of pace. Try asking the audience a few questions or otherwise reengaging them. Rather than "following the script" at all costs, engage with the audience when it appears they aren't with you.[8]

the audience in your message. Relate a relevant personal story, emphasize a shared role, focus on areas of agreement, or otherwise stress mutual bonds. Even your physical presentation can foster a common bond. Audiences are more apt to identify with speakers who dress in ways they find appropriate.

Gauge Listeners' Feelings toward the Occasion

Depending on the speech occasion, people will bring different sets of expectations and emotions to it. Failure to anticipate such attitudes and expectations risks alienating audience members.

Adapt Your Message to Audience Demographics

Demographics are the statistical characteristics of a given population. Six such characteristics are typically considered in the analysis of speech audiences: age, ethnic or cultural background, socioeconomic status (including income, occupation, and education), religion, political affiliation, and gender. Any number of other traits—for example, physical disability, place of residence, or group membership—may be important to investigate as well. Taking demographics into account increases the likelihood that listeners will be receptive to your message.

Knowing where audience members fall in relation to audience demographics will help you identify your **target audience**—those individuals within the broader audience whom you are most likely to influence in the direction you seek. You may not be able to please everyone, but you should be able to establish a connection with your target audience.

Age

Each age group has its own concerns and, broadly speaking, psychological drives and motivations. In addition to sharing the concerns associated with a given life stage, people of the same generation often share a familiarity with significant individuals, local and world events, noteworthy popular culture, and so forth. Being aware of the audience's age range allows you to develop points that are relevant to the experience and interests of the widest possible cross section of your listeners.

Ethnic or Cultural Background

An understanding of and sensitivity to the ethnic and cultural composition of your listeners are key factors in delivering a successful (and ethical) speech. Some audience members may have a great deal in common with you. Others may be fluent in a language other than yours and must struggle to understand you. Some members of the audience may belong to a distinct **co-culture**, or social community, whose perspectives and style of communicating differ significantly from yours. (See p. 41, "Adapt to Cultural Differences.")

Socioeconomic Status

Socioeconomic status (SES) includes income, occupation, and education. Knowing roughly where an audience falls in terms of these key variables can be critical in effectively targeting your message.

INCOME   *Income* determines people's experiences on many levels. It directly affects how they are housed, clothed, and fed, and determines what they can afford. Beyond this, income has a ripple effect, influencing many other aspects of life. For example, depending on income, health insurance is either a taken-for-granted budget item or an out-of-reach dream. The same is true for travel and leisure activities. Given how pervasively income affects people's life experiences, insight into this aspect of an audience's makeup can be quite important.

OCCUPATION   In most speech situations, the *occupation* of audience members is an important and easily identifiable demographic characteristic. The nature of people's work has a lot to do with what interests them. Occupational interests are tied to several other areas of social concern, such as politics, the economy, education, and social reform. Personal attitudes, beliefs, and goals are also closely tied to occupational standing.

EDUCATION   Level of *education* strongly influences people's ideas, perspectives, and range of abilities. If the audience is generally better educated than you are, your speech may need to be quite sophisticated. When speaking to a less-educated audience, you may choose to clarify your points with more examples and illustrations.

Religion

The *Encyclopedia of American Religions* identifies more than 2,300 different religious groups in the United States,[9] from Adventists to Zen Buddhists, so don't assume that everyone in your audience shares a common *religious heritage*. Furthermore, don't assume that all members of the same religious tradition will agree on all issues. For example, Catholics disagree on birth control and divorce, Jews disagree on whether to recognize same-sex unions, and so forth.

Political Affiliation

Beware of making unwarranted assumptions about an audience's *political values and beliefs*. Some people like nothing better than a lively debate about public-policy issues. Others avoid anything that smacks of politics. Many people are very serious, and others are very touchy, about their views on political issues. Unless you have prior information about the audience's political values and beliefs, you won't know where your listeners stand.

Gender

Be wary about making generalizations based on gender. This includes avoiding sexist language and other **gender stereotypes**—oversimplified and often distorted ideas about the innate characteristics of men or women. Strive for language that is inclusive of and respectful toward both sexes.

Adapt to Cultural Differences

Audience members hold different cultural perspectives and employ different styles of communicating that may or may not mesh with your own. This becomes instantly apparent when attempts at humor fall flat due to a lack of shared references. Many other dimensions of culture can and do come into play when delivering speeches. Being alert to differences in values can help you avoid ethnocentrism and deliver your message in a culturally sensitive manner.

One way to analyze a diverse audience (especially one composed of people of different national origins or first-generation Americans) is to consider listeners' underlying cultural orientations and evaluate both your content and mode of presentation in light of this information. Geert Hofstede and other researchers have identified four broad cultural orientations that are significant across cultures in varying degrees,[10] including *individualism-collectivism, uncertainty avoidance, power distance,* and *masculinity-femininity.* The following orientations offer insight into the ways in which people differ in their approach to life:

INDIVIDUALISM VERSUS COLLECTIVISM   *Individualistic cultures* tend to emphasize the needs of the individual rather than those of the group, upholding such values as individual achievement and decision making. The United States is characterized by individualism. In *collectivist cultures*, by contrast, personal identity, needs, and desires are viewed as secondary to those of the larger group. In Hofstede's analysis, along with the United States, Australia, Great Britain, and Canada rank highest on individualism. Venezuela, Peru, Taiwan, and Pakistan rank highest in collectivist characteristics.

HIGH UNCERTAINTY VERSUS LOW UNCERTAINTY   *Uncertainty avoidance* refers to the extent to which people feel threatened by ambiguity. *High-uncertainty avoidance cultures* tend to structure life more rigidly and formally, whereas *low-uncertainty avoidance cultures* such as the United States are more accepting of uncertainty in life and thus allow more variation in individual behavior. Among the nations Hofstede investigated, Portugal, Greece, Peru, Belgium, and Japan rank highest in uncertainty avoidance; Sweden, Denmark, Ireland, Norway, and the United States rank lowest.

HIGH POWER DISTANCE VERSUS LOW POWER DISTANCE   *Power distance* is the extent to which a culture values social equality versus tradition and authority. Cultures with *high levels of power distance* tend to be organized along more rigidly hierarchical lines, with greater emphasis placed on honoring authority. Those with *low levels of power distance* place a higher value on social equality. High power-distance countries include India, Brazil, Singapore, Greece, Venezuela, and Mexico. Austria, Finland, Denmark, Norway, New Zealand, and Israel rank lowest on this dimension. The United States ranks somewhat above the midpoint range of the nations Hofstede surveyed.

MASCULINE VERSUS FEMININE   The *masculinity* and *femininity dimension* refers to the degree to which a culture values traits it associates with masculinity and femininity. Traditional *masculine traits* include ambition, assertiveness, performance, and overt displays of manliness. *Feminine traits* stress nurturance and cooperation. In Hofstede's analysis, Ireland, the Philippines, Greece, and South Africa ranked highest in masculinity, while Sweden, Norway, Finland, and Denmark ranked highest in femininity. The dominant values in the United States were weighted toward masculinity.

These broad cultural patterns offer insights into the ways in which people may differ in their basic approach to life. For example, some members of an audience may believe that the wishes of parents and family must come before their own (e.g., those linked to cultures marked by collectivism), or that authority figures should be given great deference (e.g., those linked to cultures marked by high power distance). Note, however, that these patterns reflect the values of the *dominant culture*; they do not necessarily reflect the values of all the groups living within a society. Although individualism characterizes the dominant culture of the United States, for example, various co-cultures, such as Mexican Americans and, to varying degrees, African Americans, have been described as collectivist in nature.[11]

QUICK TIP

Consider Disability When Analyzing an Audience
One out of every five people in the United States has some sort of physical or mental disability;[12] thus you must ensure that your speech reflects language that accords dignity, respect, and fairness to persons with disability (PWD).

 CHECKLIST: Reviewing Your Speech in the Light of Audience Demographics

✓ Does your speech acknowledge potential differences in values and beliefs and address them sensitively?

✓ Have you reviewed your topic in light of the age range and generational identity of your listeners? Do you use examples they will recognize and find relevant?

✓ Have you tried to create a sense of identification between yourself and audience members?

✓ Are your explanations and examples at a level appropriate to the audience's sophistication and education?

✓ Do you make any unwarranted assumptions about the audience's political or religious values and beliefs?

✓ Does your topic carry religious or political overtones that are likely to stir your listeners' emotions in a negative way?

✓ Is your speech free of generalizations based on gender?

✓ Does your language reflect sensitivity toward people with disabilities?

Seek Information through Surveys, Interviews, and Published Sources

How do you actually uncover information about your audience? Unlike a professional pollster, you cannot survey thousands of people and apply sophisticated statistical techniques to analyze your results. On a smaller scale, however, you can use the same techniques. These include the survey, the interview, and published sources. Often, it takes just a few questions to get some idea of where audience members stand on each of the demographic factors.

Survey Audience Members

Surveys can be as informal as a poll of several audience members or as formal as the pre-speech distribution of a written survey, or **questionnaire** — a series of open- and closed-ended questions (see the table on p. 46).

Closed-ended questions elicit a small range of specific answers supplied by the interviewer:

"Do you or did you ever smoke cigarettes?"

Answers will be either "Yes," "No," or "I smoked for X number of years." Closed-ended questions may be either fixed alternative or scale questions. **Fixed-alternative questions** contain a limited choice of answers, such as "Yes," "No," or "Sometimes." **Scale questions** — also called attitude scales — measure the respondent's level of agreement or disagreement with specific issues:

"Flag burning should be outlawed":
Strongly Agree _____   Agree _____   Undecided _____
Disagree _____   Strongly Disagree _____

Scale questions can be used to measure how important listeners judge something to be and how frequently they engage in a particular behavior:

"How important is religion in your life?"
Very important _____   Important _____
Moderately Important _____   Of Little Importance _____
Unimportant _____

Open-ended questions allow respondents to elaborate as much as they wish:

"How do you feel about using the results of DNA testing to prove innocence or guilt in criminal proceedings?"

A mix of open- and closed-ended questions can reveal a fairly clear picture of the backgrounds and attitudes of the members of your audience. Closed-ended questions are especially helpful in uncovering the shared attitudes, experiences, and knowledge of audience members. Open-ended questions are particularly useful for probing beliefs and opinions.

Conduct Interviews

Interviews, even brief ones, can reveal a lot about the audience's interests and needs. You can conduct interviews one-on-one or in a group, in person or by telephone or e-mail. Consider interviewing a sampling of the audience, or even just one knowledgeable representative of the group that you will address.

- *Prepare questions for the interview.* Plan the questions you will ask well in advance of the actual interview date.
- *Word questions carefully.* The wording of a question is almost as critical as the information it seeks to uncover.
- Avoid *vague questions*, those that don't give the person being interviewed enough to go on. He or she must either guess at what you mean or spend time interviewing you for clarification.
- Avoid *leading questions*, those that encourage, if not force, a certain response and reflect the interviewer's bias (e.g., "Like most intelligent people, are you going to support candidate X?"). Likewise, avoid *loaded questions*, those that are phrased to reinforce the interviewer's agenda or that have a hostile intent (e.g., "Isn't it true that you've never supported school programs?").
- Aim to create *neutral questions*, those that don't lead the interviewee to a desired response. Usually this will consist of a mix of open, closed, primary, and secondary questions.

Begin by establishing a spirit of collaboration. Briefly summarize your topic and informational needs:

- Acknowledge the interviewee, and express respect for his or her expertise.
- Briefly summarize your topic and informational needs.
- State a (reasonable) goal, such as what you would like to accomplish in the interview, and reach agreement on it.
- Establish a time limit for the interview and stick to it.

Pose substantive questions. As journalist Jim Short counsels, "Listen to what the subject is saying, not just to what you want to hear."[13] Strive to use the active listening strategies described in Chapter 3:

- Don't break in when the subject is speaking or interject with leading comments.
- *Paraphrase* the interviewee's answers when appropriate in order to establish understanding.
- Ask for *clarification* and *elaboration* when necessary.

End the interview by rechecking and confirming:

- Check that you have covered all the topics (e.g., "Does this cover everything?").
- Briefly offer a positive summary of important things you learned in the interview.
- Offer to send the results of the interview to the interviewee.
- Send a written note of thanks.

FORMS OF INTERVIEW QUESTIONS	
QUESTION FORM	**DESCRIPTION/PURPOSE IN THE INTERVIEW**
OPEN/CLOSED	• **Open questions:** Allow the interviewee to elaborate as he or she desires.
	• **Closed questions:** Permit only "Yes," "No," or other limited responses.
PRIMARY/ SECONDARY	• **Primary questions:** Introduce new topics or areas of questioning; e.g., "What made you want to become a veterinarian?"
	• **Secondary questions:** Expand upon topics introduced in primary questions; e.g., "Did you go to veterinary school right after college?" and "Was it difficult to get student loans?"
SAMPLE TYPES OF SECONDARY QUESTIONS Question Seeking Clarification	• **Question Seeking Clarification:** Designed to clarify the interviewee's statements; e.g., "By 'older mothers,' do you mean over 30, over 40, or over 50?"
Question Seeking Elaboration	• **Question Seeking Elaboration:** Designed to elicit additional information; e.g., "Were there other reasons that you chose your profession?"
The "Clearing-house" Question	• **The "Clearinghouse" Question:** Designed to check that all important information has been discussed; e.g., "Have we covered all the important points?"[14]

Investigate Published Sources

Yet another way to learn about audience members is through published sources. Organizations of all kinds publish information describing their missions, operations, and achievements. Sources include Web sites and online articles, brochures, newspaper and magazine articles, and annual reports.

You might also consider consulting published opinion polls that report on trends in attitudes. (See, for example, the Pew Research Center Web site at http://people-press.org.) Although the polls won't specifically reflect your particular listeners' responses, they can provide insight into how a representative state, national, or international sample feels about the issue in question.

Assess the Speech Setting

As important as analyzing the audience is assessing and then preparing for the setting in which you will give your speech — size of audience, location, time, seating arrangement, and rhetorical situation:

1. Where will the speech take place?
2. How long am I expected to speak?
3. How many people will attend?
4. Will I need a microphone?
5. How will any equipment I plan to use in my speech, such as an LCD projector, function in the space?
6. Where will I stand or sit in relation to the audience?
7. Will I be able to interact with the listeners?
8. Who else will be speaking?
9. Are there special events or circumstances of concern to my audience that I should acknowledge (i.e., the rhetorical situation)?

8 Selecting a Topic and Purpose

One of the first tasks in preparing any speech is to select a topic and goal for speaking that are *appropriate to the audience and occasion.*

Decide Where to Begin

Selecting a topic, whether for a classroom speech or another venue, can be approached from a variety of angles. You can begin "at the top" by focusing on broad social issues of national or global consequence, or you can investigate grassroots issues of a local nature. You can start even closer to the ground by making an inventory of your own interests and life experiences, from favorite activities and hobbies to deeply held goals and values. Wherever you choose to begin, pick a topic you are drawn to and want to know more about.

IDENTIFYING TOPICS	
PERSONAL INTERESTS	**CURRENT EVENTS AND CONTROVERSIAL ISSUES**
• Volunteer work in a foreign country • Sports and exercise • Fashion • Low-carb cooking • Mentoring teens • Collecting on eBay • Travel • Outdoor life • Service in the armed forces • Home repair • Video games	• Pending legislation — crime bills, property taxes, land use • Political races • Race relations • Pension reform • National security • Immigration • Road rage • Environmental issues • Terrorism
VALUES AND GOALS	**SPECIFIC SUBJECT INTERESTS**
• Spirituality • Volunteerism • Political activism • Attending graduate or professional school • Being fit	• Local history • Ancient history • Medicine • Art • Religion • Science
GRASSROOTS ISSUES	**NEW AND UNUSUAL ANGLES**
• Land development vs. conservation • Local organizations • School issues	• Unsolved crimes • Unexplained disappearances • Scandals

Consider the Audience

A good speech topic must pique not only your own curiosity but the audience's. As you explore topics, consider each one's potential appeal to the audience, as well as its appropriateness for the occasion. Will the topic be relevant to listeners? Will it meet listeners' expectations of the speech?

Steer Clear of Overused and Trite Topics

To avoid boring your classmates and instructor, stay away from tired issues, such as drunk driving and gun control, as well as trite topics such as "how to change a tire." Instead, seek out subject matter that yields new insight. As one source of ideas, consider searching your favorite print or online publications. Beware, however, of choosing highly charged topics for which people have deeply held beliefs, such as abortion or prayer in the school. When it comes to core values, people rarely respond to persuasion (see Chapter 24), so speeches on such topics are likely to accomplish little beyond raising tension in the classroom.

Try Brainstorming to Generate Ideas

To generate ideas for topics, try **brainstorming** by word association or topic mapping.

To brainstorm by **word association**, write down a single topic that might interest you and your listeners. Next, write down the first thing that comes to mind. Continue this process until you have a list of fifteen to twenty items. Narrow the list to two or three, and then select the final topic:

health → alternative medicine → naturopathy → homeopathy

QUICK TIP

Explore Topics through Cyber-Brainstorming

For an electronic version of word association, browse the alphabetized subject directories of Internet portals such as Open Directory Project (dmoz.org/). On the portal's front page select from among its list of subject categories (e.g., "Arts and Humanities" or "Government"). Each subject category links to subtopics; each subtopic links to its own subcategories, and so on (see also Chapter 11: Subject (Web) Directories).

FIGURE 8.1 A Topic Map

To brainstorm by **topic mapping**, put a potential topic in the middle of a piece of paper. As related ideas come to you, write them down, as shown in Figure 8.1.

Identify the General Purpose of Your Speech

Some of your presentations will have an assigned topic and/or purpose (e.g., "deliver a persuasive speech" about topic X). In others, the choice will be left to you. Even when the topic is specified, you must still refine and adapt the topic to fit the general speech purpose. The **general speech purpose** for any speech answers the question, "Why am I speaking on this topic to this particular audience on this occasion?"

— Are you there to inform listeners about your topic? The general purpose of the informative speech is *to increase the audience's awareness by imparting knowledge.*

— Is your goal to persuade them to accept your views on a topic? The general purpose of the persuasive speech is *to influence the attitudes, beliefs, values, and behaviors of audience members.*

— Are you there to mark a special occasion? The general purpose of the special occasion speech will be variously *to entertain, celebrate, commemorate, inspire, or set a social agenda.*

Narrow the Topic

Once you have identified your topic and general speech purpose, you need to narrow your focus (see Figure 8.1). When you narrow a topic, you focus on specific aspects of it to the exclusion of others. As you do so, carefully evaluate the topic in light of audience interests, knowledge, and needs:

- Consider what your listeners are likely to know about the subject.
- Consider what they are likely to want to learn.
- Consider what aspects of the topic are most relevant to the occasion. Restrict your focus to what you can competently research and then report on in the time you are given to speak.
- Pick a discrete topic category and cover it well.
- Restrict your main points to between two and five.

Form a Specific Speech Purpose

The **specific speech purpose** lays out precisely what you want the audience to get from the speech. To determine the specific purpose, ask yourself: What do you want the audience to learn/do/reconsider/agree with? Be specific about your aim, and then state this aim in action form, such as "To inform my audience about how the *C. elegans* worms survived the explosion of the *Columbia* space shuttle."

GENERAL TOPIC:	*C. elegans* worms
NARROWED TOPIC:	The survival of the *C. elegans* worms in the *Columbia* space shuttle explosion
GENERAL PURPOSE:	To inform
SPECIFIC PURPOSE:	To inform my audience about how the *C. elegans* worms survived the explosion of the *Columbia* space shuttle.

QUICK TIP

Try Brainstorming by Category

After establishing a general topic, try brainstorming by category to narrow your topic. Say your general topic is video games. Categories could include platform (handheld, arcade), type (racing, role-playing), or operating system (Linux, Macintosh, Windows). As you brainstorm by category, ask yourself: What questions do I have about the topic? What does my audience know about video games and what aspects are they most likely to want to hear about?

The specific purpose statement is seldom articulated in the speech itself. Nevertheless, it is important to formulate it for yourself in order to implant in your mind exactly what you want your speech to accomplish.

Compose a Thesis Statement

After narrowing your topic and forming your specific purpose, your next step is to formulate a thesis statement. The **thesis statement** (also called "central idea") is the theme or central idea of the speech stated in the form of a single, declarative sentence. The thesis statement briefly expresses what you will attempt to demonstrate or prove in your speech. The main points, the supporting material, and the conclusion all relate to the thesis.

The thesis statement and the specific purpose are closely linked. Both state the speech topic, but in different forms. *The specific purpose describes in action form what you want to achieve with the speech; the thesis statement concisely identifies, in a single idea, what the speech is about.* The specific purpose does not have to be stated in the speech itself. The thesis, on the other hand, must be clearly stated because the entire speech rests on it. The difference can be seen in the specific purpose and thesis statement for a persuasive speech on student internships:

SPECIFIC PURPOSE: To convince my audience that internships are beneficial because they link academic studies with future careers.

THESIS STATEMENT: To prepare for a difficult job market and to enhance your résumé, find a student internship that links your academic studies with your future career.

Postpone Development of Main Points

Whether the speech is informative or persuasive, the thesis statement proposes that the statement made is true or is believed. The speech is then developed from this premise; it presents facts and evidence to support the thesis as true. Thus, you should always postpone the development of main points or the consideration of supporting material until you have formulated the speech purpose and thesis (see Chapter 12).

In a persuasive speech, the thesis statement represents what you are going to prove in the address. All the main points in the speech are arguments that develop the thesis:

GENERAL PURPOSE:	To persuade
SPECIFIC PURPOSE:	To move the audience to raise money on behalf of the Sierra Club
THESIS:	A donation to the Sierra Club is the best charitable gift you can give.

Notice that, after you read the thesis, you find yourself asking "Why?" or saying "Prove it!" This will be accomplished by the main points (see Chapter 12).

In informative speaking, the thesis describes what the audience will learn:

GENERAL PURPOSE:	To inform
SPECIFIC PURPOSE:	To inform my audience of three benefits of keeping a Web log
THESIS:	Maintaining a Web log lets you sharpen your writing skills, network with persons who share similar interests, and develop basic Web site management skills.

CHECKLIST: Identifying the Speech Topic, Purpose, and Thesis

✓ Have I identified the *general speech purpose* — to inform, persuade, or mark a special occasion?

✓ Is the topic appropriate to the occasion?

✓ Will the topic appeal to my listeners' interests and needs?

✓ Will I be able to offer a fresh perspective on the topic?

✓ Have I identified what the audience is most likely to know about the subject and what they are most likely to want to learn?

✓ Have I considered how much I can competently research and then report on in the time I am given to speak?

✓ Does my thesis statement sum up in a single sentence what my speech is about?

✓ Is it restricted to a single idea?

✓ Does it make the claim I intend to make about my topic?

✓ Is it stated in a way that is relevant to the audience?

Make the Thesis Statement Relevant and Motivating

Try to express the thesis statement in a way that will motivate the audience to listen. In many cases, creating relevant statements can be accomplished by adding a few key words or phrases to the claim. For example, you can preface an informative thesis statement with a phrase such as "Few of us know" or "Contrary to popular belief" or "Have you ever." Thesis statements for persuasive claims can also be adapted to establish relevance for the audience. Phrases such as "As most of you know" or "As informed members of the community" or "As concerned adults" can help gain audience interest and make listeners see the topic's relevance.

Use information about the audience members to make the topic relevant to them. Consider how the following thesis statement has been adapted for an audience living in a troubled community:

SPECIFIC PURPOSE:	To persuade the audience to elect a political candidate
THESIS:	A vote for Politician "X" is a vote for progress.
THESIS WITH RELEVANCE:	Because the time has come for us to deal with the issues in our community, a vote for Politician "X" is a vote for progress.

QUICK TIP

Use the Thesis Statement to Stay Focused

As you develop the speech, use the thesis statement to keep yourself on track. Review your research materials to determine whether they contribute to the thesis or stray from it. When you actually draft your speech, work your thesis statement into it and restate it where appropriate. Doing so will encourage your audience to understand and accept your message.

Developing Supporting Material

Good speeches contain accurate, relevant, and interesting **supporting material** in the form of examples, narratives, testimony, facts, and statistics. These "flesh out" the speech— they give substance to the speech's thesis, or central idea. As you research your speech, focus on alternating among several different types of supporting materials.

Offer Examples

Examples illustrate, describe, or represent things. Their purpose is to aid understanding by making ideas, items, or events more concrete. Examples are particularly helpful when they are used to describe or explain things with which the audience is unfamiliar. **Brief examples** offer a single illustration of a point. In a speech titled "The Coming Golden Age of Medicine," Richard I. Corlin offers the following brief example to illustrate what American medicine can do:

> We often hear about the problems of the American health care delivery system, but just think what it can do. My 88-year old father who needed a hip replacement got it   the week it was discovered that he needed it. That couldn't happen in any other country in the world.[1]

Sometimes it takes more than a brief example to effectively illustrate a point. **Extended examples** offer multifaceted illustrations of the idea, item, or event being described, thereby getting the point across and reiterating it effectively.

Risa Lavizzo-Mourey, M.D., used an extended example to illustrate how physicians could reverse the course of childhood obesity:

> I can think of at least three moments in the past half century that dramatically shifted the course of America's medical and scientific history. The first time came . . . on March 26, 1953 when Jonas Salk . . . announced the discovery of a polio vaccine. The second time, amazingly, came just four weeks later, when Watson and Crick published their discovery of the double helix structure of DNA. The third time was in 1964, when the U.S. surgeon general . . . reported that cigarette smoking does cause cancer and other deadly diseases. For many of you, that was the first day of what turned into a 40-year movement to alter a culture of harm . . . Your science and determination helped America turn the tide against tobacco and smoking—saving the lives of millions.[2]

In some speeches you may need to make a point about something that could happen in the future if certain events were to occur. Since it hasn't happened yet, you'll need a **hypothetical example** of what you believe the outcome might be. Republican Representative Vernon Ehlers of Michigan offered the following hypothetical example when he spoke at a congressional hearing in support of a bill to ban human cloning:

> What if in the cloning process you produce someone with two heads and three arms? Are you simply going to euthanize and dispose of that person? The answer is no. We're talking about human life.[3]

Share Stories

One of the most powerful means of conveying a message is through a **story** (also called **narrative**). Stories help us make sense of our experience.[4] They tell tales, both real and imaginary, about practically anything under the sun. Common to all stories are the essential elements of a plot, characters, setting, and some sort of time line.

Stories can be brief and simple descriptions of short incidents worked into the speech, or relatively drawn-out accounts that constitute most of the presentation. In either case, a successful story will strike a chord with the audience.

Bonnie Campbell, director of the Violence Against Women Office of the U.S. Department of Justice, used a brief real-life story to introduce her speech, titled "Breaking the Silence on Domestic Violence":

> Last November 26, Christopher Bailey of St. Albans, West Virginia, finished the argument by beating his wife, Sonya, until she collapsed. Then he put her in the trunk of their compact car and drove for five days through West Virginia and Kentucky before taking her to an emergency room. Sonya Bailey suffered irreversible brain damage and remains in a permanent vegetative state—becoming another domestic violence statistic.[5]

Many speakers, whether they're ministers at the Sunday morning pulpit or high-tech entrepreneurs rallying the troops, liberally sprinkle their speeches with **anecdotes**— brief stories of interesting and often humorous incidents based on real life.

Give the Story Structure
Speaking expert Earle Gray offers solid storytelling advice: A good story has structure: a blunt beginning that sets the situation ("Let me tell you a story about the importance of higher education . . ."), a rounded middle, and a sharp end. It should be no more than two minutes in a typical talk.[6]

Draw on Testimony

Consider quoting or paraphrasing people who have an intimate knowledge of your topic. **Testimony** is firsthand findings, eyewitness accounts, and people's opinions; **expert testimony** includes findings, eyewitness accounts, or opinions from professionals trained to evaluate a given topic. **Lay testimony**, or testimony by nonexperts such as eyewitnesses, can reveal compelling firsthand information that may be unavailable to others.

Supply the name and qualifications of the person whose testimony you use, and inform listeners when and where the testimony was offered. It isn't always necessary to cite the exact date (though do keep a written record of this); in the oral presentation, terms such as "recently" and "last year" are fine. The following is an example:

> In testimony before the U.S. House Subcommittee on Human Rights and Wellness last week, Derek Ellerman (co-executive director of the Polaris Project) said, "Many people have little understanding of the enormity and the brutality of the sex trafficking industry in the United States. When they think of sex slavery, they think of Thailand or Nepal—not a suburban house in the DC area, with $400,000 homes and manicured lawns . . ."[7]

Use a Variety of Supporting Materials
Virtually any speech you deliver will require a variety of supporting material other than your own personal opinion or experience. And this holds true whether or not you possess expert knowledge on a topic. People want to know the truth about a given matter, and they place more value on conclusions drawn by multiple sources.[8]

Provide Facts and Statistics

Most people require some type of evidence, usually in the form of facts and statistics, before they will accept someone else's claims or position.[9] **Facts** represent documented occurrences, including actual events, dates, times, people, and places. **Statistics** are quantified evidence that summarizes, compares, and predicts things. Statistics add precision to speech claims, *if* you know what the numbers actually mean and use terms that describe them accurately.

Use Frequencies to Indicate Counts

A **frequency** is simply a count of the number of times something occurs:

> "On the midterm exam there were 8 A's, 15 B's, 7 C's, 2 D's, and 1 F."

Frequencies can help listeners understand comparisons between two or more categories, indicate size, or describe trends:

- According to *Census 2000,* the total population of the State of Colorado was comprised of 2,165,983 males and 2,135,278 females.[10] *(compares two categories)*
- Inside the cabin, the Airbus A380 has room for at least 550 passengers — and as many as 1,000.[11] *(shows size)*
- According to the CDC, the birthrate among young adolescents aged 10 to 14 has declined steadily from a peak of 12,901 in 1994 to the current low of 7,315.[12] *(describes a trend)*

Use Percentages to Express Proportion

A **percentage** is the quantified portion of a whole. Describing the frequencies of males and females in the 2000 Colorado population in percentages shows even more clearly how similar the two amounts are: 50.36% male and 49.64% female. (Common practice in speeches permits us to round off figures, using such terms as "roughly.")

Percentages are especially useful when comparing categories of something, as, for example, in the reasons for delays of domestic flights:

- In March 2005, nearly 77% of domestic large carrier airline flights were on time. The leading factors for the 23% of late take-off flights were late-arriving aircraft (6.5%), air carrier delay (6%), and cancelled flights (2%). Weather delays and other factors occurred in less than 1% of March flights.[13]

Use Averages to Describe Typical Characteristics

An **average** describes information according to its typical characteristics. Usually we think of the average as the sum of the scores divided by the number of scores. This is the *mean,* the arithmetic average. But there are two other kinds of averages—the *median* and the *mode.*

Consider a teacher, whose nine students scored 5, 19, 22, 23, 24, 26, 28, 28, and 30, with 30 points being the highest possible grade. The following illustrates how she would calculate the three types of averages:

- The **mean** score is 22.8, the *arithmetic average,* the sum of the scores divided by 9.

- The **median** score is 24, *the center-most score in a distribution* or the point above and below which 50% of the nine scores fall.

- The **mode** score is 28, the *most frequently occurring score* in the distribution.

The following speaker, claiming that a rival organization misrepresented the "average" tax rate, illustrates how the inaccurate use of averages can distort reality:

> The Tax Foundation determines an *average* [*mean*] tax rate for American families simply by dividing all taxes paid by the total of everyone's income. For example, if four middle-income families pay $3,000, $4,000, $5,000, and $6,000, respectively, in taxes, and one very wealthy family pays $82,000 in taxes, the *average* [*mean*] tax paid by these five families is $20,000 ($100,000 in total taxes divided by five families). But four of the five families [actually] have a tax bill equaling $6,000 or less. . . . [Many] analysts would define a *median* income family—a family for whom half of all families have higher income and half have lower income—to be the "typical family" and describe the taxes paid by such a median-income family as the taxes that typical middle-class families owe.[14]

Present Statistics Ethically

Before offering statistics, evaluate them critically. It is unethical to offer listeners inaccurate statistics.

Use only reliable statistics. Include statistics from the most authoritative source you can locate, and evaluate the methods used to generate the data. The more information that is available about how the statistics came about, the more reliable the source is likely to be.

Present statistics in context. Inform listeners of when the data were collected, the method used to collect the data, and the scope of the research:

> These figures represent data collected during 2003 from questionnaires distributed to all public and private schools in the U.S. with students in at least one of grades 9–12 in the 50 states and the District of Columbia.[15]

Avoid confusing statistics with "absolute truth." Even the most recent data available will change the next time data are collected. Nor are statistics necessarily any more accurate than the human who collected them. Offer data as they appropriately represent your point, but refrain from declaring that these data are definitive.

QUICK TIP

Avoid Cherry-Picking
*When you search for statistics to confirm an opinion or belief you already hold, you are probably **cherry-picking** — selectively presenting only those statistics that buttress your point of view while ignoring competing data.[16] Locating statistical support material is not a trip through a buffet line to select what looks good and discard what doesn't. Present statistics in context or not at all.*

 CHECKLIST: Evaluating Your Research Needs

Do you need . . .

✓ Examples to illustrate, describe, or represent your ideas?

✓ A story or anecdote to drive your point home?

✓ Firsthand findings, in the form of testimony, to illustrate your points or strengthen your argument?

✓ Relevant facts, or documented occurrences, to substantiate your statements?

✓ Statistics to demonstrate relationships?

Refer Orally to Your Sources

Clearly identify where your information came from and provide enough context (including approximate date of publication) to accurately interpret it. Possible forms include:

- EXAMPLE: "One example of a fiscally effective charity is Lance Armstrong's Livestrong Foundation. According to the Foundation's Annual Report, in 2004 78% of its total spending went directly to programs for cancer survivors . . ."
- STORY: "In J.R.R. Tolkien's classic trilogy, *The Lord of the Rings*, a young Hobbit boy named Frodo . . ."
- TESTIMONY: "Dr. Mary Klein, a stem cell researcher from the Brown University School of Medicine, echoed this sentiment when she spoke last Monday at the Public Health Committee meeting . . ."
- STATISTIC: "As published in the December 2006 edition of *Nature*, 16% of all wetlands . . ."

10 Locating Supporting Material

Finding the right mix of supporting material (e.g., examples, facts, statistics, opinions, stories, and testimony) for your speech requires that you conduct primary research, secondary research, or, perhaps most beneficially, a combination of both. **Primary research** is original or firsthand research such as interviews and surveys (see Chapter 7). **Secondary research**, the focus here, includes information produced by others.

Locate Secondary Sources

The most likely sources of secondary research include books, newspapers, periodicals, government publications, and reference works such as encyclopedias, almanacs, books of quotations, and atlases. As you gather these materials, consider how you can use them to generate interest, illustrate meaning, and add solid evidence to assertions.

Books

Books explore topics in depth. A well-written book provides detail and perspective and can serve as an excellent source of

QUICK TIP

Essential Reference Sources

Consider beginning your library research by consulting two essential resources — the reference librarian and the library catalog. (See Chapter 11 on using virtual libraries.) **Reference librarians** are information specialists who are trained to help you in your search. Online library catalogs list what a library owns by author, title, and subject.

supporting examples, stories, facts, and statistics. To locate a book in your library's holdings, refer to the library's online catalog. To search the titles of all books currently in print in the United States, refer to *Books in Print* in print or online at www.booksinprint.com. Alternatively, log on to Amazon.com, Barnes&Noble.com, the Library of Congress Online Catalog (www.loc.gov), or an online bookseller and key in your topic.

Newspapers and Periodicals

In addition to reports on the major issues and events of the day, many newspaper stories include detailed background or historic information. Three comprehensive online sources for searching newspaper articles include: *Lexis Nexis Academic Universe News service, InfoTrac Newspaper Collection*, and *Proquest Newstand*. Many newspapers also offer online versions with searchable archives. Other Web sites include Newsvoyager.com and World-newspapers.com.

A **periodical** is a regularly published magazine or journal. Periodicals are excellent sources because they generally include all types of supporting material discussed in Chapter 9. Periodicals include general-interest magazines such as *Time* and *Newsweek*, as well as the thousands of specialized magazines, newsletters, and journals. Most popular magazines are indexed in *Wilson Periodical Abstracts*. Many libraries offer access to online databases such as *InfoTrac Online, Expanded Academic ASAP*, and *EBSCO Academic Search Elite*. There are also many periodical databases devoted to special topics such as business, health, education, and sociology.

Government Publications

Nearly all the information contained in government documents comes from primary sources and is therefore highly credible. Get started by logging on to FirstGov.gov, the official portal to all government information and services, with links to millions of Web pages from federal, local, and tribal governments as well as to nations around the world. The site also includes links to reliable statistics of every kind. The University of Michigan's Documents Center (www.lib.umich .edu/govdocs/) is another excellent starting point.

Reference Works

Reference works include, but are not limited to, encyclopedias, almanacs, biographical resources, books of quotations, poetry collections, and atlases.

ENCYCLOPEDIAS   **Encyclopedias** summarize knowledge that is found in original form elsewhere. Their usefulness lies in providing an overview of subjects. *General encyclopedias* attempt to cover all important subject areas of knowledge. *Specialized encyclopedias* delve deeply into one subject area, such as religion, science, art, sports, or engineering. The most comprehensive of the general encyclopedias is the *Encyclopaedia Britannica*, available in print form, on CD-ROM and DVD, and online.

For a more in-depth look at a topic, specialized encyclopedias of all types range from the *McGraw-Hill Encyclopedia of Science and Technology* to the *Encyclopedia of Physical Education, Fitness, and Sports.*

ALMANACS   **Almanacs** and **fact books** contain facts and statistics on many subject areas and are published annually. As with encyclopedias, there are both general and specialized almanacs. In the general category are the *World Almanac and Book of Facts, The Information Please Almanac,* and *The People's Almanac.* One of the better-known specialized almanacs is *The Guinness Book of World Records.*

BIOGRAPHICAL RESOURCES   For information about famous or noteworthy people, the *Biography Index* is an excellent starting point. Available in print, CD-ROM, and online, and published quarterly, this resource indexes biographical material from periodicals, books, and even obituaries. For analyses and criticism of the published works of individuals you may be speaking about, see *The Essay and General Literature Index, Dictionary of American Biography, The African American Biographical Database (AABD), Famous Hispanics in the World and in History* (access is free at coloquio.com/famosos/ alpha.htm), and *Current Biography.*

BOOKS OF QUOTATIONS   Quotations frequently appear in speech introductions and conclusions; they are also liberally

From Source to Speech
Recording and Citing Books

When using a book as a source, locate and record the following citation elements:

1 Title   **4** City of Publication
2 Author   **5** Year of Publication
3 Publisher   **6** Page Number

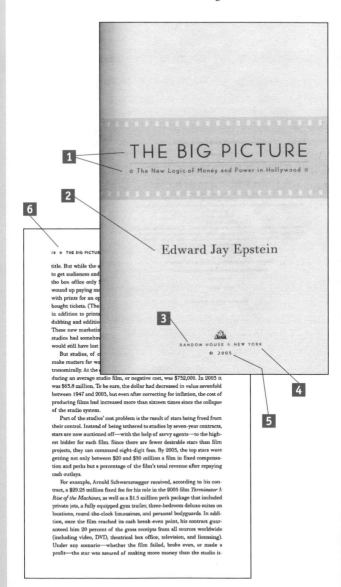

Record Notes

When taking notes, create a separate heading for each idea and record each of the citation elements (author, title, and so forth). Indicate whether the material is a direct quotation, a paraphrase, or a summary of the information.

Following is a sample note for a summary (see also sample notes for paraphrases, p. 67, and quotations, p. 77).

NOTES FOR A SUMMARY:

Subject   Source

Increasing cost of producing movies
Edward Jay Epstein, The Big Picture: The New Logic of
Money and Power in Hollywood (New York: Random House,
2005).

Studios' increasing production costs are in part due to the
extremely high fees that movie stars can demand for their
work on a single film, since actors are no longer tied by
contract to specific studios. (p. 18)
(Summary)

Summary

Orally Cite Sources in Your Speech

In your speech, alert the audience to the source of any ideas not your own:

SPEECH EXCERPT INDICATING A SUMMARY:

> **According to Edward Jay Epstein in *The Big Picture: The New Logic of Money and Power in Hollywood*,** studios' increasing production costs are in part due to the extremely high fees that today's stars can demand. No longer tied by contracts to studios, stars' salaries are now settled by bidding wars.

For guidelines on various citation styles including Chicago, APA, MLA, CSE, and IEEE see Appendix A.

From Source to Speech

Recording and Citing Articles from Periodicals

When using an article as a source, locate and record the following citation elements:

1 Author

2 Article Title

3 Periodical Title

4 Date of Publication

5 Page Number

How to Fix School Lunch

Celebrity chefs, politicians and concerned parents are joining forces to improve the meals kids eat every day.

BY PEG TYRE AND
SARAH STAVELEY-O'CARROLL

OR JORGE COLLAZO, EXECUTIVE chef for the New York City public schools, coming up with the perfect jerk sauce is yet another step toward making the 1.1 million schoolkids he serves healthier. In a little more than a year, he's introduced salad bars and replaced whole milk with skim. Beef patties are now served on whole-wheat buns. Until recently, "every piece of chicken the manufacturers sent us was either breaded or covered in a glaze," says Collazo. Brandishing the might of his $125 million annual food budget, he switched to plain cutlets and asked suppliers to come up with something healthy—and appealing—to put on top. Collazo tastes the latest offering. The jerk sauce isn't overly processed and doesn't have trans fats. "Too salty," he says with a grimace. Within minutes, the supplier is hard at work on a lower-sodium version.

A cramped public-school test kitchen might seem an unlikely outpost for a food revolution. But Collazo and scores of others across the country—celebrity chefs and lunch ladies, district superintendents and politicians—say they're determined to improve what kids eat in school. Nearly everyone agrees something must be done. Most school cafeterias are staffed by poorly trained, badly equipped workers who churn out 4.8 billion hot lunches a year. Often the meals, produced for about $1 each, consist of breaded meat patties, french fries and overcooked vegetables. So the kids buy muffins, cookies and ice cream instead—or they feast on fast food from McDonald's, Pizza Hut and Taco Bell, which is available in more than half the schools in the nation.

Vending machines packed with sodas and candy line the hallways. "We're killing our kids" with the food we serve, says Texas Education Commissioner Susan Combs.

As rates of childhood obesity and diabetes skyrocket, public-health officials say schools need to change the way kids eat. It won't be easy. Some kids and their parents don't know better. Home cooking is becoming a forgotten art. And fast-food companies now spend $3 billion a year on television ads aimed at children. Along with reading and writing, schools need to teach kids what to eat to stay healthy, says culinary innovator Alice Waters, who is introducing gardening and fresh produce to 16 schools in California. It's a golden opportunity, she says, "to affect the way children eat for the rest of their lives." Last year star English chef Jamie Oliver took over a school cafeteria in a working-class suburb of London. A documentary about his work shamed the British government into spending $500 million to revamp the nation's school-food program. Oliver says it's the United States' turn now. "If you can put a man on the moon," he says, "you can give kids the food they need to make them lighter, fitter and live longer."

Changing school food takes time. More than a decade ago, when local restaurateur Lynn Walters lobbied school-board members in Santa Fe, N.M., to provide kids with

50 NEWSWEEK AUGUST 8, 2005

TOP TO BOTTOM: JASON MERRITT—REX FEATURES; PHOTOGRAPH BY LAUREN FLEISHMAN FOR NEWSWEEK

OR JORGE COLLAZO, EXECUTIVE chef for the New York City public schools, coming up with the perfect jerk sauce is yet another step toward making the 1.1 million schoolkids he serves healthier. In a little more than a year, he's introduced salad bars and replaced whole milk with skim. Beef patties are now served on whole-wheat buns. Until recently, "every piece of chicken the manufacturers sent us was either breaded or covered in a glaze," says Collazo.

66

Record Notes

When taking notes, create a separate heading for each idea and record each of the citation elements (author, title, and so forth). Indicate whether the material is a direct quotation, a paraphrase, or a summary of the information. Following is a sample note for a paraphrase (see also sample notes for summaries, p. 65, and quotations, p. 77).

NOTES FOR A PARAPHRASE:

Subject   Source

Problems with cafeteria food
Peg Tyre and Sarah Staveley-O'Carroll, "How to Fix School Lunch: Celebrity Chefs, Politicians, and Concerned Parents Are Joining Forces to Improve the Meals Kids Eat Every Day," Newsweek, 8 August 2005, 50-51.

Jorge Collazo, executive chef for the New York City Public Schools, says that until recently the schools served breaded foods, whole milk, and white-floured breads. (p. 50)
(Paraphrase)

Paraphrase

Orally Cite Sources in Your Speech

In your speech, alert the audience to the source of any ideas not your own:

SPEECH EXCERPT INDICATING A PARAPHRASE:

> **As reported in the August 8th, 2005, edition of *Newsweek*, executive chef Jorge Collazo of the New York City public schools claimed** that until recently, virtually every piece of chicken that was served was breaded or glazed; students drank whole rather than skim milk, and ate white rather than whole-wheat bread.

For guidelines on various citation styles including Chicago, APA, MLA, CSE, and IEEE see Appendix A.

sprinkled throughout examples, narratives, and testimony. *Bartlett's Familiar Quotations* contains passages, phrases, and proverbs traced to their sources. Many collections are targeted directly to public speakers, including *Quotations for Public Speakers: A Historical, Literary, and Political Anthology*, by Robert G. Torricelli,[1] and *Nelson's Complete Book of Stories, Illustrations, and Quotes: The Ultimate Contemporary Resource for Speakers*, by Robert J. Morgan.[2]

POETRY COLLECTIONS   Speakers often use lines of poetry or entire poems both to introduce and conclude speeches and to illustrate points in the speech body. Every library has a collection of poetry anthologies as well as the collected works of individual poets. Updated yearly, the *Columbia Granger's Index to Poetry* indexes poems by author, title, and first line. Online, search for poetry on Bartleby.com.

ATLASES   An **atlas** is a collection of maps, text, and accompanying charts and tables. As well as serving to locate a particular locale and learn about its terrain and demographics, many atlases use maps to explore art history, human anatomy, and many other subjects. For straightforward geographic atlases in print, consult *National Geographic Atlas of the World* and the *Rand McNally Commercial Atlas and Guide*. Online, go to the National Geographic Web site. To learn about what atlases offer beyond geography, conduct a search of atlases related to your topic, e.g., "art AND atlas."

Critically Evaluate Your Sources

Whether you are reviewing a book, a newspaper article, or any other source, consider the following:

- What is the author's background — experience, training, and reputation — in the field of study?
- How credible is the publication? Who is the publisher? Is the person or organization reputable? What other publications has the author or organization published?
- How reliable are the data, especially the statistical information? Generally, statistics drawn from government documents and scientific and academic journals are more reliable than those reported in the popular press (e.g., general-interest magazines).
- How recent is the reference? As a rule, it is best to be familiar with the most recent source you can find, even when the topic is historical. (See Chapter 9, p. 61, for directions on how to orally credit sources in your speech.)

Record References as You Go

To avoid losing track of sources, maintain a **working bibliography** as you conduct your research. For visual guidelines on keeping track of sources and orally citing them in your speech, see the "From Source to Speech" sections on citing books (p. 64), periodicals (p. 66) and Web sources (p. 72 and p. 76). See Appendix A for guidance on preparing an end-of-speech bibliography.

QUICK TIP

Choose Helpful Tools to Track Your Research
Develop a system for organizing your research. Store research on notecards, spiral notebooks, and hard-copy and computer file folders. Insert the reference for each source directly onto the applicable note. Consider using Microsoft Word's endnote function or a dedicated software program such as EndNote to organize your bibliography.

---

11 Doing Effective Internet Research

The key to a productive search in cyberspace lies in a well-thought-out research strategy, an understanding of the kinds of information available on the Internet, and a grasp of how to use Internet search tools.

Balance Print and Online Sources

Print and online sources have not necessarily been created equally, so strive for a balance between the two. In considering what library holdings offer that the Web does not — including electronic or "e-resources" available on the library's Web site — reference librarian Susan Gilroy notes the following:[1]

1. *Library holdings are built through careful and deliberate selection processes by trained professionals.* When you select a speech source from a library's holdings, you can be assured that an information specialist has vetted it for quality.

2. *Libraries classify and order their resources according to well-defined standards.* No such standards exist for Web sources. Consequently, it is much easier to overlook important resources when you search exclusively online.

3. *Libraries allow you to trace previous versions of a source.* In the print world, original and subsequent versions of books and other materials are clearly marked and often remain available. The Internet, on the other hand, is "notorious for providing links to information that is here today and gone tomorrow."[2]

4. *Although information is being digitized at a rapid rate, many books, journals, and historical documents remain available only in print.* Despite the pitfalls of Internet research, the Web offers certain things that a library may not:[3]

   • *Online sources have the potential for currency.* Documents can be posted to the Web instantaneously, and many organizations (including the U.S. government), now publish time-sensitive information exclusively online. Yet countless outdated Web sites remain out there, so check each site's currency.

   • *The Internet permits access to previously unavailable or hard-to-locate materials.* In some cases, exciting collections of research are only available online.

   • *Online forums provide access to computer-mediated communications.* Listservs, blogs, and the like can offer a unique way to learn about the opinions and expertise of others.

Be a Critical Consumer of Information

Apart from a library's electronic resources, how can you determine whether information on the Internet is trustworthy? Each time you examine a document, especially one that has not been evaluated and rated by credible editors, ask yourself, "Who put this information here? Why did they do it? Where are similar things found?"[4]

Distinguish among Information, Propaganda, Misinformation, and Disinformation

Be alert to the quality of the information you examine. Is it reliable *information*, or is it *propaganda, misinformation,* or *disinformation*?[5]

- **Information** is data that are understandable and have the potential to become knowledge when viewed critically and added to what we already know.

- **Propaganda** is information represented in such a way as to provoke a desired response. The purpose of propaganda is to instill a particular attitude—to encourage you to think a particular way.

- **Misinformation** always refers to something that is not true. One common form of misinformation on the Internet is the *urban legend*—a fabricated story passed along by unsuspecting people.

- **Disinformation** is the deliberate falsification of information. For example, in 2006, the United States accused Belarusian Television (BT) of disinformation when BT broadcast a program falsely asserting that the U.S. government was "financing the efforts of sovereign countries to orchestrate scandals in Belarus."[6]

Make the Most of Internet Search Tools

To locate information on the Internet efficiently, familiarize yourself with the function of search engines, subject directories, and information gateways.

Distinguish among Different Kinds of Search Engines

Search engines index the contents of the Web, "crawling" the Web automatically and scanning up to billions of documents for the keywords and phrases you command them to search. Results are generally ranked from most relevant to least relevant, though criteria for relevance vary.

Individual search engines (such as Google, Yahoo!, and MSN search) compile their own databases of Web pages. **Meta-search engines** (such as Ixquick, MetaCrawler, and Dogpile) scan a variety of individual search engines simultaneously. (Note that increasingly, librarians discourage the use of meta-search engines because so many return only the top listings from each search engine and include far too many paid listings.)[7]

Specialized search engines (also called a *vertical search engine* or *vortal*) let you conduct narrower but deeper searches into a particular field. Examples of these include *Science Tracer Bullets Online* (sponsored by the Library of Congress) and *Bioethics.gov* (sponsored by the President's Council on Bioethics). New specialized search engines emerge all the time;

From Source to Speech

Evaluating Web Sources

Check the Most Authoritative Web Sites First

Seek out the most authoritative Web sites on your topic. If your speech explores the NBA draft, investigate the NBA's official Web site first. Check government-sponsored sites such as www.usgov.gov. Government-sponsored sites are free of commercial taint and contain highly credible primary materials.

Evaluate Authorship and Sponsorship

1 *Examine the **domain** in the Web address* — the suffix at the end of the address that tells you the nature of the site: educational (".edu"), government (".gov"), military (".mil"), nonprofit organization (".org"), business/commercial (".com"), and network (".net"). A **tilde** (~) in the address usually indicates that it is a personal page rather than part of an institutional Web site. Make sure to assess the credibility of each site, whether it is operated by an individual, a company, a governmental agency, or a nonprofit group.

2 *Look for an "About" link that describes the organization or a link to a page that gives more information.* These sections can tell a great deal about the nature of a site's content. Be wary of sites that do not include such a link.

3 *Identify the creator of the information.* If an individual operates the site, does the document provide relevant biographical information, such as links to a résumé or a listing of the author's credentials? Look for contact information. A source that doesn't want to be found, at least by e-mail, is not a good source to cite.

Check for Currency

4 *Check for a date that indicates when the page was placed on the Web and when it was last updated.* Is the date current? Web sites that do not have this information may contain outdated or inaccurate information.

Check That the Site Credits Its Sources and That Sources Are Trustworthy

5 *Check that the Web site documents its sources.* Reputable Web sites document the sources they use. Follow any links to these sources, and apply the same criteria to them that you did to the original source document. Verify the information you find with two other independent and reputable sources.

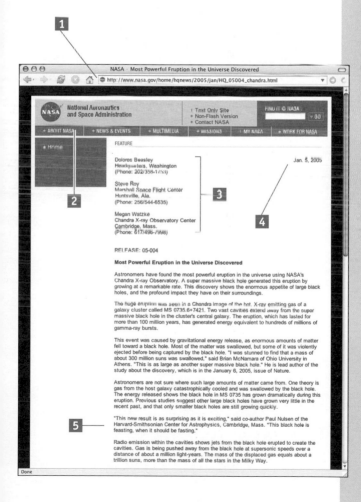

three comparatively broad ones geared to college students and researchers include: *24HourScholar.com* (contains articles on subjects in the humanities, sciences, and social sciences); *GoogleScholar.com* (searches scholarly literature, including peer-reviewed papers, theses, books, abstracts, and technical reports); and *Answers.com* (offers concise answers drawn from 100+ authoritative reference works).

Subject (Web) Directories

A **subject (Web) directory** is a searchable database of Web sites, organized by a human editor, into categories such as "Reference," "Science," or "Arts and Humanities." Subject directories allow you to progressively narrow your searches (see Figure 11.1). If your speech is on some aspect of baseball teams, for example, you would follow these links until you find what you want:

sports → baseball → amateur → leagues → teams

Three of the most comprehensive subject directories include Open Project Directory or DMOZ.org (www.dmoz.org), Yahoo! Directory (Dir.yahoo.com), and Academic Info (www .academicinfo.net).

CHECKLIST: Subject (Web) Directory or Search Engine? Which to Use?

Consider the following criteria when deciding whether to search using a subject directory such as Yahoo! Directory or a crawler-based search engine such as Google.com:

✓ If you are looking for a list of reputable sites on the same subject, use a subject directory.

✓ If you are looking for a specific page within a site, use a search engine.

✓ If you need to find specific terms, facts, figures, or quotations that may be buried within documents, use a search engine.

✓ If you want to locate a wide variety of materials related to your search, use a directory first and then use a search engine.

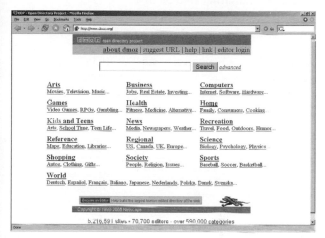

FIGURE 11.1 Home Page for the Open Directory Project (DMOZ)

Beware of Commercial Factors

Be alert to unwanted commercial influences on your search results—specifically, whether a listing appears merely because an advertiser has paid to put it there.

Some engines and directories accept fees from companies in exchange for a guaranteed higher ranking within results (called **paid placement**). Others accept fees to include companies in the full index of possible results, without a guarantee of ranking (called **paid inclusion**). You can identify obvious paid placement listings by looking for a heading labeled "sponsored links" or "sponsored results" at the top, side, or bottom of the main page.[8] It can be much harder to identify paid inclusion results, however. See Consumerwebwatch.org for helpful tips.

Try Your Library's Electronic Resources First

A **gateway (also called information portal)** is an entry point into a large collection of research and reference material that has been selected and reviewed by experts. Gateways thus include large, specialized search engines and subject directories whose links have been evaluated by experts. Universities and municipal libraries maintain gateways in the form of their library's Web site.

A host of **virtual libraries**—collections of library holdings online—can also be found on the Internet. The Library of Congress (www.loc.gov/rr/index.html) and the Internet

From Source to Speech

Recording and Citing Web Sources

When using a Web document as a source, locate and record the following citation elements:

1 Author of the Work
2 Title of the Work
3 Title of the Web Site

4 Date of Publication/ Last Update
5 Site Address (URL) and Date Accessed

5
Nobel Prize Authors on Time
http://nobelprize.org/nobel_prizes/literature/articles/cullhed/index.html
Nobel Foundation | Nobel Media | Nobel Museum | Nobel Peace Center | Nobel Web   HOME | CONTACT US | SEARCH

3 ◉ Nobelprize.org

NOBEL PRIZES | ALFRED NOBEL | PRIZE AWARDERS | NOMINATION | PRIZE ANNOUNCEMENTS | AWARD CEREMONIES
EDUCATIONAL GAMES
By Year | Nobel Prize in Physics | Nobel Prize in Chemistry | Nobel Prize in Medicine | **Nobel Prize in Literature** | Nobel Peace Prize
Prize in Economics

Nobel Prize Authors on Time — **2**

1 by Anders Cullhed
4 August 28, 2001

What is Time?

Time is one of the main problems of Western philosophy and literature. Ever since the thinkers of classical Greece tried to understand the swiftness of our seconds, minutes and hours - the impossibility of stepping into the same river twice - the problem of time has haunted our imagination. It is even more than a problem, it is a mystery.

"What is time? It is a secret - lacking in substance and yet almighty." Those are the words of the German Nobel Prize winner in Literature, Thomas Mann, in his great novel *The Magic Mountain* (1924). Mann was a very modern writer, and yet his definition of time was more or less the same as the one provided by the Roman Church Father Saint Augustine in his famous autobiography, *Confessions,* more than fifteen hundred years earlier:

> What, then, is time? I know well enough what it is, provided that nobody asks me; but if I am asked what it is and try to explain, I am baffled.

In ancient Greece, people generally conceived of time as a circle. Hesiod, the famous Greek historian from the 8th century B.C., described five ages of mankind, beginning with the golden age in a remote past, where human beings lived in peace with each other and in harmony with nature, down to the miserable contemporary age of iron, characterized by dispute and warfare.

Two hundred years later, the Pre-Socratic philosopher Pythagoras depicted history as one Great Year (in Latin: Magnus Annus). When such a world historical cycle came to an end, the sun, the moon and all other planets would return to their original positions. Exactly the same people would return to earth, all that had happened would happen once again. These so called eternal recurrences have been of great interest to modern writers, such as the German philosopher Friedrich Nietzsche, and they have inspired the Irish

Done

Record Notes

When taking notes, create a separate heading for each idea and record the citation elements from your sources. Indicate whether the material is a direct quotation, a paraphrase, or a summary of the information. Following is a sample note for a quotation (see also sample notes for summaries, p. 65, and paraphrases, p. 67).

NOTES FOR A QUOTATION:

Subject   Source

The nature of time

Anders Cullhed, "Nobel Prize Authors on Time," Nobelprize.org, 28 August 2001. <http://nobelprize.org/literature/articles/cullhed/index.html> (accessed 17 August 2005).

"What, then, is time? I know well enough what it is, provided that nobody asks me; but if I am asked what it is and try to explain, I am baffled." (Saint Augustine, 'Roman Church Father) (Quotation)

Quotation

Orally Cite Sources in Your Speech

In your speech, alert the audience to the source of any ideas not your own:

QUOTATION:

> **In an article on the nature of time posted on the Web site Nobelprize.org, professor of comparative literature Anders Cullhed notes** how difficult it is to understand the nature of time. For example, **he quotes Saint Augustine, who said,** "What, then, is time? I know well enough what it is, provided that nobody asks me; but if I am asked what it is and try to explain, I am baffled."

For guidelines on various citation styles including Chicago, APA, MLA, CSE, and IEEE see Appendix A.

FIGURE 11.2 Virtual Research Library from the Library of Congress

Public Library (www.ipl.org/) are gateways that offer links to a rich array of trustworthy resources for the public speaker (see Figure 11.2).

Examples of virtual libraries include:

- The Library of Congress: www.loc.gov/rr/index.html
- The Librarians' Index to the Internet: lii.org/search
- Internet Public Library (IPL): www.ipl.org

QUICK TIP

Find the Invisible Web

*The **invisible Web** is that portion of the Web that general search engines fail to find. Common estimates of the portion of the Web that is invisible range from 60 to 80 percent.[9] To gain access to invisible Web pages, use searchable databases such as virtual libraries and other Web directories. Often you can locate these databases by inserting your topic and "database" in a general search engine such as Google (e.g., "ocean database").*

Conduct Smart Searches

Familiarize yourself with the search commands of the search tools you select. Most search tools are programmed to respond to the following basic commands:

- Quotation marks (" ") to find exact phrases (e.g., "white wine"). Without the quotations, search tools will list all relevant sites with the word "white" as well as those with the word "wine."

- **Boolean operators**, words placed between the keywords in a search that specify how the keywords are related:[10]

  - AND *narrows* your search to the words you include (e.g., Bill Gates AND speeches AND Bill and Melinda Gates Foundation).

  - OR *expands* your search by permitting results that contain alternative terms; e.g. (preschool OR nursery school). Note: Include OR searches within parentheses. This search will find documents that contain "preschool," "nursery school," or both.

  - NOT *restricts* your search by excluding specific terms from the results (e.g., "bed and breakfasts" NOT motels).

  - Plus (+) and minus (−) signs placed directly in front of keywords indicate whether you want the term included or excluded from the search (e.g., +publishing−printing).

Use Field Searching to Further Narrow Results

Field searching (often called "Advanced Search") goes beyond the basic search commands to narrow results even more (see Figure 11.3).

A field search option includes (at least) the following fields:

- *Key words.* "All," "exact phrase," "at least one," and "without" filter results for keywords in much the same way as basic search commands.

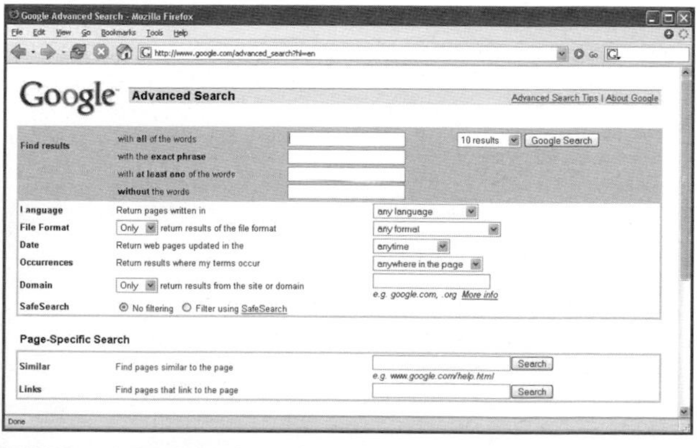

FIGURE 11.3 Google's Advanced Search Page for Conducting Field Searches

- *Language* includes search results in the specified language.
- *Country* searches results originating in the specified country.
- *File format* returns results in document formats such as Microsoft Word (.doc), Adobe Acrobat (.pdf), PowerPoint (.ppt), and Excel (.xls).
- *Domain* limits results to specified Internet domains (e.g., .com, .edu, .gov, .org, etc.).
- *Date* searches focus on a specified range of time.

12. Organizing the Speech 82
13. Selecting an Organizational Pattern 89
14. Outlining the Speech 96

A speech structure is simple, composed of just three general parts: an introduction, a body, and a conclusion. The **introduction** establishes the purpose of the speech and shows its relevance to the audience. The **body** of the speech presents main points that are intended to fulfill the speech purpose. Main points are developed with supporting material to fulfill this purpose. The **conclusion** brings closure to the speech by restating the purpose, summarizing main points, and reiterating why the thesis is relevant to the audience. In essence, the introduction of a speech tells listeners where they are going, the body takes them there, and the conclusion lets them know they have arrived.

Chapter 15 focuses on how to create effective introductions and conclusions. In this chapter we explore the body of the speech. It consists of three elements: *main points, supporting points*, and *transitions*.

Use Main Points to Make Your Claims

Main points express the key ideas of the speech. Their function is to represent each of the main elements or claims being made in support of the speech thesis. To create main points, identify the central ideas and themes of the speech. What are the most important ideas you want to convey? What is the thesis? What key ideas emerge from your research? Each of these ideas or claims should be expressed as a main point.

Use the Purpose and Thesis Statements as Guides

Main points should flow directly from the speech goal and thesis, as in the following example:

SPECIFIC PURPOSE:	(the goal of the speech): To show my audience, through a series of easy steps, how to perform meditation.
THESIS:	(the central idea of the speech): When performed correctly, meditation is an effective and easy way to reduce stress.
MAIN POINTS:	I. The first step of meditation is the "Positioning."
	II. The second step of meditation is "Breathing."
	III. The third step of meditation is "Relaxation."

Restrict the Number of Main Points

Research has shown that audiences can comfortably take in only between two and seven main points.[1] For most speeches, and especially those delivered in the classroom, between two and five main points should be sufficient. If you have too many main points, further narrow your topic or check the points for proper subordination (see p. 86).

Restrict Each Main Point to a Single Idea

A main point should not introduce more than one idea. If it does, split it into two (or more) main points:

| INCORRECT: | I. West Texas has its own Grand Canyon, and South Texas has its own desert. |

| CORRECT: | I. West Texas boasts its own Grand Canyon. |
| | II. South Texas boasts its own desert. |

Each main point should be mutually exclusive of one another. If they are not, consider whether a main point more properly serves as a subpoint.

Express each main point as a *declarative sentence* (i.e., one that makes a statement or assertion). This emphasizes the point and makes it stand out. For example, if one of your main points is that poor children are suffering because of changes in welfare laws, you should clearly state, "Today, poor children are suffering because of changes in the welfare laws." As shown in the example about West Texas and South Texas, when possible state your main points in **parallel form**—that is, in similar grammatical form and style. This helps listeners understand and retain the points, and it lends power and elegance to your words.

QUICK TIP

Save the Best for Last—or First

Listeners have the best recall of main points made at the beginning and the end of a speech. If it is especially important that listeners remember certain ideas, introduce the points near the beginning of the speech and reiterate them at the conclusion.

Use Supporting Points to Prove Your Claims

Supporting points represent the supporting material or evidence you have gathered to justify the main points (see Chapter 9). Use them to substantiate or prove your thesis with the material you've gathered in your research—examples, narratives, testimony, facts, and statistics.

Use Indentation to Arrange Supporting Points

In an outline, supporting points appear in a subordinate position to main points. This is indicated by **indentation**. As with main points, supporting points should be arranged in order of their importance or relevance to the main point. The most common format is the **Roman numeral outline**. Main points are enumerated with uppercase Roman numerals (I, II, III . . .), while supporting points are enumerated with capital letters (A, B, C . . .), Arabic numerals (1, 2, 3 . . .), and lowercase letters (a, b, c . . .), as seen in the following:

I. Main point
   A. Supporting point
      1. Sub-supporting point
         a. Sub-sub-supporting point

Here is an example from a speech about children's negative attitudes toward school:

I. The increase in study drill sessions in preparation for standardized tests, from one hour to three hours daily, is causing students anxiety about attending school.

   A. Teachers report that students' reactions to the lengthened study drills have been negative.

      1. Teachers report a noticeable rise in acting-out behaviors.

      2. Teachers report a tenfold increase in class-time requests to visit the nurse.

   B. During the past two months, 600 parents have lodged complaints with the principal about the extended study drill session.

      1. The majority (85 percent) said that their children cried at night about the lengthy study sessions.

      2. A minority (15 percent) reported that their children had to be forced to go to school.

II. The elimination of art and science classes in favor of longer drill sessions has only increased students' negative feelings toward school.

   A. Art classes have long been a favorite of school-age children.

   B. Student reaction to the elimination of science classes has been strongly negative.

      1. Students staged a sit-down strike in the cafeteria to protest the elimination of science classes.

      2. Several students transferred to other schools in order to take science classes.

QUICK TIP

Organizing Is Time Well Spent

Don't skimp on organizing speech points. Listeners' understanding of a speech is directly linked to how well it is organized;[2] audience attitudes plummet when the speech is disorganized.[3] Listeners also find speakers whose speeches are well organized more believable than those who present poorly organized ones.[4]

Principles of Organizing Main and Supporting Points

A well-organized speech is characterized by unity, coherence, and balance. Try to adhere to these principles as you arrange your speech points.

Unity

A speech exhibits *unity* when it contains only those points implied by the purpose and thesis statements. Each main point supports the thesis, and each supporting point provides evidence for the main points. Each sub-supporting point supports each supporting point. Finally, each point should focus on a single idea.

Coherence

A speech exhibits *coherence* when it is organized clearly and logically. The speech body should follow logically from the introduction, and the conclusion should follow logically from the body. Within the body of the speech itself, main points should follow logically from the thesis statement, and supporting points should follow logically from the main points. Transitions serve as logical bridges that help establish coherence.[5] To ensure coherence, adhere to the principle of **coordination and subordination** — the logical placement of ideas relative to their importance to one another. Ideas that are coordinate are given equal weight. An idea that is subordinate to another is given relatively less weight. In outlines, **coordinate points** are indicated by their parallel alignment and **subordinate points** are indicated by their indentation below the more important points. For an example, see the outline shown earlier on students' negative attitudes toward school: Coordinate points are aligned with one another, while subordinate points are indented below the points that they substantiate. Thus Main Point II is coordinate with Main Point I, Subpoint A is subordinate to Main Point I, Subpoint B is coordinate with Subpoint A, and so forth.

Balance

The principle of *balance* suggests that appropriate emphasis or weight be given to each part of the speech relative to the other parts and to the theme. The body of a speech should always be the longest part, and the introduction and conclusion should be of roughly the same length. Stating the main points in parallel form is one aspect of balance. Assigning each main point at least two supporting points is another.

QUICK TIP

Create at Least Two Subpoints . . . or None
If you have only one subpoint, consider how you might incorporate it into the superior point. Think of a main point as a body and supporting points as legs; without at least two legs, the body cannot stand.

Use Transitions to Give Direction to the Speech

Transitions are words, phrases, or sentences that tie the speech ideas together, enabling the speaker to move smoothly from one point to the next. Transitions can be considered the "neurosystem" of speeches: They provide consistency of movement from one point to the next and cue the audience that a new point will be made. Transitions can take the form of full sentences, phrases, or single words.

Use Transitions between Main Points

When moving from one main point to another, **full-sentence transitions** are especially effective. For example, to move from Main Point I in a speech about sales contests (*Top management should sponsor sales contests to halt the decline in sales over the past two years*) to Main Point II (*Sales contests will lead to better sales presentations*), the speaker might use the following transition:

> Next, let's look at exactly what sales contests can do for us.

CHECKLIST: Reviewing Main and Supporting Points

✓ Do the main points express the key points of the speech?

✓ Is each main point truly a main point or a subpoint of another main point?

✓ Is each main point substantiated by at least two supporting points — or none?

✓ Do you spend roughly the same amount of time on each main point?

✓ Are the supporting points truly subordinate to the main points?

✓ Does each main point and supporting point focus on a single idea?

✓ Are your main and supporting points stated in parallel form?

Use Transitions between Supporting Points

Transitions between supporting points can also be handled with full sentences. For example, the transition from Supporting Point A (*Sales personnel will be motivated by competition*) to Supporting Point B (*Contests are relatively inexpensive*) could be made by the following transition:

> Another way that sales competitions will benefit us is by their relative cost effectiveness.

Conjunctions or phrases (sometimes called **signposts**) such as the following can be just as effective:

> Next . . .
>
> First . . . (second, third, and so forth)
>
> We now turn . . .

Finally, let's consider . . .

If you think that's shocking . . .

Similarly . . .

TRANSITIONAL WORDS AND PHRASES
To show comparisons: Similarly; In the same way; Likewise; Just as
To contrast ideas: On the other hand; And yet; At the same time; In spite of; However; In contrast
To illustrate cause and effect: As a result; Hence; Because; Thus; Consequently
To illustrate sequence of time or events: First, second, third . . . ; Following this; Later; Earlier; At present; In the past
To indicate explanation: For example; To illustrate; In other words; To simplify; To clarify
To indicate additional examples: Not only; In addition to; Let's look at
To emphasize significance: Most importantly; Above all; Remember; Keep in mind
To summarize: In conclusion; In summary; Finally; Let me conclude by saying

Sample Techniques for Posing Transitions

Transitions are often posed in **restate-forecast form**, restating the point just covered and previewing the point to be covered next:

> Now that we've established a need for sales contests (*restatement*), let's look at what sales contests can do for us (*forecast*).

Transitions can also be stated as **rhetorical questions**, or questions that do not invite actual responses. Instead, they stimulate listeners to anticipate probable answers, alerting them to the forthcoming point (see Chapter 15).

> Will contests be too expensive? Well, actually . . .

Use Previews and Summaries as Transitions

Previews are transitions that tell the audience what to expect next. In speech introductions a **preview statement** briefly introduces the main points of the speech (see Chapter 15). Within the body itself, **internal previews** can be used to alert audience members to a shift from one main point or idea to another:

> Victoria Woodhull was a pioneer in many respects. Not only was she the first woman to run her own brokerage firm; she

was also the first to run for the presidency of the United States, though few people know this. Let's see how she accomplished these feats.

Similar to the internal preview, the **internal summary** draws together important ideas before the speaker proceeds to another speech point. Internal summaries help listeners review and evaluate the thread of the theme thus far:

> It should be clear that the kind of violence we've witnessed in the schools and in our communities has a deeper root cause than the availability of handguns. Our young children are crying out for a sense of community, of relatedness and meaning, that they just aren't finding in the institutions that are meant to serve them.

See Chapter 14, "Outlining the Speech," to learn how to include transitions in the outline of your speech.

CHECKLIST: Reviewing Transitions

✓ Do you include enough transitions to adequately guide listeners through your speech?

✓ Do you use transitions to move from one main point to another and one subpoint to the next?

✓ Do you use internal previews and summaries where appropriate?

✓ Do you use transitions between the introduction and the body and between the body and the conclusion?

13 Selecting an Organizational Pattern

Once you have selected the main points for your speech, you must decide on the type of organizational arrangement (or combination of arrangements) for them. You can then proceed to flesh out the points with subordinate ideas. Speeches make use of at least a dozen different arrangements of main and supporting points. Here we look at seven commonly used patterns for all forms of speeches: chronological, spatial, causal (cause-effect), problem-solution, topical, narrative, and circular. These patterns offer an organized way to link points together to maximum effect. In Chapter 24, you will find three additional patterns of organization, two designed specifically for persuasive speeches: *Monroe's motivated sequence* and *refutation,* as well as *comparative advantage.*

QUICK TIP

Mix and Match

The pattern of organization for your subpoints need not always follow the pattern you select for your main points. Do keep your main points in one pattern, but feel free to use other patterns for subpoints when it makes sense to do so. For instance, for a speech about the history of tattooing in the United States, you may choose a chronological pattern to organize the main points but use a cause-effect arrangement for some of your subpoints regarding why tattooing is on the rise today. Organization, whether of main points or subpoints, should be driven by the demands of the content.

Arranging Speech Points Chronologically

Topics that describe a series of events in time or that develop in line with a set pattern of actions or tasks lend themselves to the arrangement of main points according to their occurrence in time relative to one another. A **chronological pattern of arrangement** (also called *temporal pattern*) follows the natural sequential order of the main points. A speaker might describe events leading to the adoption of a peace plan, for example, or describe how to build a model car. A speech describing the development of the World Wide Web, for example, calls for a chronological, or time-ordered, sequence of main points:

THESIS STATEMENT:	The Internet evolved from a small network designed for military and academic scientists into a vast array of networks used by billions of people around the globe.
MAIN POINTS:	I. The Internet was first conceived in 1962 as the ARPANET to promote the sharing of research among scientists in the United States.

II. In the 1980s, a team created TCP/IP, a language that could link networks, and the Internet as we know it was born.

III. At the end of the Cold War, the ARPANET was decommissioned, and the World Wide Web constituted the bulk of Internet traffic.[1]

Arranging Speech Points Using a Spatial Pattern

When describing or explaining the physical arrangement of a place, a scene, or an object, logic suggests that the main points can be arranged in order of their physical proximity or direction relative to one another. This calls for a **spatial pattern of arrangement**. For example, you can select a spatial arrangement when your speech provides the audience with a "tour" of a particular place:

THESIS STATEMENT:	El Morro National Monument in New Mexico is captivating for its variety of natural and historical landmarks.
MAIN POINTS:	I. Visitors first encounter an abundant variety of plant life native to the high-country desert.
	II. Soon visitors come upon an age-old watering hole that has receded beneath the 200-foot cliffs.
	III. Beyond are the famous cliff carvings made by hundreds of travelers over several centuries of exploration in the Southwest.

In a speech describing a computer company's market growth across regions of the country, a speaker might use the spatial arrangement as follows:

THESIS STATEMENT:	Sales of Digi-Tel Computers have grown in every region of the country.
MAIN POINTS:	I. Sales are strongest in the Eastern Zone.
	II. Sales are growing at a rate of 10 percent quarterly in the Central Zone.
	III. Sales are up slightly in the Mountain Zone.

Arranging Speech Points Using a Causal (Cause-Effect) Pattern

Some speech topics represent cause-effect relationships. Examples include (1) events leading to higher interest rates, (2) reasons students drop out of college, and (3) causes of spousal abuse. The main points in a **causal (cause-effect) pattern of arrangement** usually take the following form:

I. Cause

II. Effect

Sometimes a topic can be discussed in terms of multiple causes for a single effect, or a single cause for multiple effects:

MULTIPLE CAUSES FOR A SINGLE EFFECT: REASONS STUDENTS DROP OUT OF COLLEGE	SINGLE CAUSE FOR MULTIPLE EFFECTS: RESULTS OF DROPPING OUT OF COLLEGE
I. Cause 1 (lack of funds)	I. Cause (lack of funds)
II. Cause 2 (unsatisfactory social life)	II. Effect 1 (lowered earnings over lifetime)
III. Cause 3 (unsatisfactory academic performance)	III. Effect 2 (decreased job satisfaction over lifetime)
IV. Effect (drop out of college)	IV. Effect 3 (increased stress level over lifetime)

Some topics are best understood by presenting listeners with the effect(s) first and the cause or causes subsequently. For example, in an informative speech on the 1988 explosion of Pan Am Flight 103 over Lockerbie, Scotland, a student speaker arranges his main points as follows:

THESIS STATEMENT:	The explosion of Pan Am Flight 103 over Lockerbie, Scotland, killed 270 people and resulted in the longest-running aviation investigation in history.
MAIN POINTS:	I. (Effect) Two hundred and fifty-nine passengers and crew members died; an additional eleven people on the ground perished.
	II. (Effect) Longest-running aviation investigation in history.
	III. (Cause) Court found cause of explosion was a terrorist act, a bomb planted by Libyan citizen Al Megrahi.

MAIN POINTS: IV. (Cause) Many people believe that Megrahi did not act alone, if he acted at all.

Arranging Speech Points Using a Problem-Solution Pattern

The **problem-solution pattern of arrangement** organizes main points to demonstrate the nature and significance of a problem and to provide justification for a proposed solution. This type of arrangement can be as general as two main points:

I.   Problem (define what it is)

II. Solution (offer a way to overcome the problem)

But many problem-solution speeches require more than two points to adequately explain the problem and to substantiate the recommended solution:

I.   The nature of the problem (identify its causes, incidence, etc.)

II.   Effects of the problem (explain why it's a problem, for whom, etc.)

III. Unsatisfactory solutions (discuss those that have not worked)

IV.   Proposed solution (explain why it's expected to work)

The following is a partial outline of a persuasive speech about teen pregnancy arranged in a problem-solution format (for more on the problem-solution pattern, see Chapter 24).

THESIS STATEMENT: Once you realize the nature and probable causes of the problem of teen pregnancy, it should be clear that current attempts at solution remain unsuccessful and that an alternative — peer counseling — should be considered.

MAIN POINTS: I.   Incidence of teen pregnancies

   A. Average age of teen mothers

   B. National and local rates

II.   Probable causes of teen pregnancy

   A. Lack of knowledge about contraception

   B. Lack of motivation to use contraception

   C. Dysfunctional social relationships

MAIN POINTS: III. Unsuccessful attempts at solution

A. School-based sex education

B. Mass-media campaigns encouraging abstinence

IV. Peer counseling as a possible solution

A. How peer counseling works

B. Peer counseling coupled with school-based sexuality curriculum

Arranging Speech Points Topically

When each of the main points is a subtopic or category of the speech topic, try the **topical pattern of arrangement** (also called *categorical pattern*). Consider an informative speech about choosing Chicago as a place to establish a career. You plan to emphasize three reasons for choosing Chicago: the strong economic climate of the city, its cultural variety, and its accessible public transportation. Since these three points are of relatively equal importance, they can be arranged in any order without affecting one another or the speech purpose negatively. For example:

Thesis: Chicago is an excellent place to establish a career.

I.   Accessible transportation

II. Cultural variety

III. Economic stability

This is not to say that, when using a topical arrangement, you should arrange the main points without careful consideration. You may decide to arrange the points in order of the audience's most immediate needs and interests:

I.   Economic stability

II. Cultural variety

III. Accessible transportation

Arranging Speech Points Using the Narrative Pattern

Storytelling is often a natural and effective way to get your message across. In the **narrative organizational pattern**, the speech consists of a story or series of short stories, replete with character, settings, plot, and vivid imagery.

In practice, a speech built largely upon a story (or series of

---

> **QUICK TIP**
>
> ### The Freedoms of the Topical Pattern
> *Topical arrangements give you the greatest freedom to structure main points according to the way you wish to present your topic. You can approach a topic by dividing it into two or more categories, for example. You can lead with your strongest evidence or leave your most compelling points until you near the conclusion. If your topic does not call out for one of the other patterns described in this chapter, be sure to experiment with the topical pattern.*

stories) is likely to incorporate elements of other designs. For example, you might organize the main points of the story in an effect-cause design, in which you first reveal why something happened (such as a drunken driving accident) and then describe the events that led up to the accident (the causes).

Whatever the structure, simply telling a story is no guarantee of giving a good speech. Any speech should include a clear thesis, a preview, well-organized main points, and transitions. For example, in a speech entitled "Tales of Grandmothers," Anita Taylor[2] frequently leaves off and picks up the story's thread in order to orient her listeners and drive home her theme. In addition to explicitly stating her thesis, Taylor pauses to preview main points:

"My grandmothers illustrate the points I want to make . . ."

Taylor also makes frequent use of transitions, including internal previews, summaries, and simple signposts, to help her listeners stay on track:

"But, let's go on with Luna Puffer Squire Nairn's story."

Here, Taylor signals the conclusion:

"So here we are today . . . And finally . . ."

For the full text of "Tales of Grandmothers," see p. 197.

Arranging Speech Points in a Circular Pattern

A pattern that is particularly useful when you want listeners to follow a line of reasoning is the **circle organizational pattern**. Here, you develop one idea, which leads to another, which leads to a third, and so forth, until you arrive back at the speech thesis.[3] In a speech on the role friendship plays in physical and mental well-being, a student speaker showed how acts of consideration and kindness lead to more friendships, which in turn lead to more social support, which then results in improved mental and physical health. Each main point leads directly to another main point, with the final main point leading back to the thesis.

CHECKLIST: Choosing an Organizational Pattern

Does your speech . . .

✓ Describe a series of developments in time or a set of actions that occur sequentially? Use the *chronological pattern of organization*.

✓ Describe or explain the physical arrangement of a place, a scene, or an object? Use the *spatial pattern of organization*.

✓ Explain or demonstrate a topic in terms of its underlying causes or effects? Use the *causal (cause-effect) pattern of organization*.

✓ Demonstrate the nature and significance of a problem and justify a proposed solution? Use the *problem-solution pattern of arrangement*.

✓ Stress natural divisions in a topic, in which points can be moved to emphasize audience needs and interests? Use a *topical pattern of arrangement*.

✓ Convey ideas through a story, using character, plot, and settings? Use a *narrative pattern of arrangement,* perhaps in combination with another pattern.

✓ Stress a particular line of reasoning that leads from one point to another, and then back to the thesis? Use a *circular pattern of arrangement*.

14   Outlining the Speech

Once you've selected a pattern for organizing your main points, the next step is to outline the speech. Outlines are critical to organizing a speech, revealing any weaknesses in the logical ordering of points and providing a blueprint for presentation.

As you develop a speech, you will actually create two outlines: a working outline (also called *preparation* or *rough out-*

line) and a speaking, or delivery, outline. Speeches can be outlined in *complete sentences, phrases,* or *key words.* Figure 14.1 provides an overview of the steps involved in organizing and outlining a speech.

QUICK TIP

Use Outlining to Sharpen Your Thinking

Skill in outlining will serve you well in school and on the job. The success of assignments in the classroom depends upon how logically and convincingly you present your viewpoint. Similarly, employers seek workers who can communicate ideas clearly and convincingly, both on the page and in oral presentations. Only by outlining can you be sure that you will communicate your ideas clearly and completely.

Begin with a Working Outline

The purpose of the **working outline** is to organize and firm up main points and, using the information you've collected, to develop supporting points to substantiate them.

Use Full Sentences in the Working Outline

Working outlines make use of full sentences. In a **sentence outline**, each main and supporting point is stated in sentence form as a declarative sentence (one that makes an assertion about a subject). So too are the introduction and conclusion. Often, these sentences are stated in precisely the way the speaker wants to express the idea.

The following is an excerpt in sentence format from a speech by Mark B. McClellan[1] on keeping prescription drugs safe:

I. The prescription drug supply is under unprecedented attack from a variety of increasingly sophisticated threats.

    A. Technologies for counterfeiting, ranging from pill molding to dyes, have improved across the board.

    B. Inadequately regulated Internet sites have become major portals for unsafe and illegal drugs.

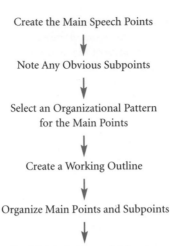

Create the Main Speech Points

↓

Note Any Obvious Subpoints

↓

Select an Organizational Pattern
for the Main Points

↓

Create a Working Outline

↓

Organize Main Points and Subpoints

↓

Check Main Points and Subpoints
for Coordination and Subordination

↓

Revise Thesis Statement in
Light of Final Organization

↓

Transfer the Working Outline to a Speaking Outline

FIGURE 14.1 Steps in Organizing and Outlining the Speech

Once you've completed the working outline, you must transfer its ideas to a **speaking outline** (also called a *delivery outline*)—the one you will use when practicing and actually presenting the speech. Speaking outlines are much briefer than working outlines and contain phrases or key words—the latter being preferred by many—rather than full sentences.

A **phrase outline** uses a partial construction of the sentence form of each point. The idea is that the speaker is so familiar with the points of the speech that a glance at a few words associated with each point will serve as a reminder of exactly what to say. A section of McClellan's sentence outline would appear as follows in phrase outline form:

I. Drug supply under attack

    A. Counterfeiting technologies more sophisticated

    B. Unregulated Internet sites

The **key-word outline** uses the smallest possible units of understanding to outline the main and supporting points. Compared to other formats, key-word outlines permit more eye contact, greater freedom of movement, and better control of your thoughts and actions.

I. Threats

    A. Counterfeiting

    B. Internet

Steps in Preparing the Working Outline

Creating a full-sentence working outline before you prepare the actual speaking outline will give you confidence that you've satisfactorily fleshed out your ideas and that they follow in a logical and compelling progression. Rather than writing out the speech word for word, however, focus on charting a coherent and well supported course:

* Prepare the body of the speech before the introduction or conclusion, keeping the introduction and conclusion *separate from* the main points (see sample working and speaking outlines below and on pp. 106–108 and Chapter 15, "Developing the Introduction and Conclusion").

CHECKLIST: Steps in Creating a Working Outline

✓ Write out your topic, general purpose, specific speech purpose, and thesis.

✓ Establish your main points (optimally two to five).

✓ Flesh out supporting points.

✓ Check for correct subordination and coordination.

✓ Label each speech part (i.e., "Introduction," "Body," and "Conclusion").

✓ Write out each speech point in sentence format.

✓ Label and write out transitions.

✓ Note sources in parentheses.

✓ Add a list of references to the outline.

✓ Assign the speech a title.

- Clearly mark where speech points require source credit. Once you complete the outline, prepare a bibliography. For guidelines on what to include in a source note, see "From Source to Speech" pages in Chapters 10 and 11, and Appendix A for individual citation styles.

- Assign the speech a title, one that informs people of its subject in a way that invites them to listen to or read it.

Sample Working Outline

The following outline is from a speech delivered by John Coulter at Salt Lake Community College. It uses the sentence format and includes labeled transitions.

Staying ahead of Spyware

JOHN COULTER
Salt Lake Community College

TOPIC:	Problems and Solutions Associated with Spyware
SPECIFIC PURPOSE:	To inform my audience of the dangers of spyware so that they may take steps to prevent their occurrence
THESIS STATEMENT:	Computer users must understand the nature of spyware and how it works in order to take the necessary steps to protect themselves.

INTRODUCTION

I. Imagine how you would feel if someone were tracking everything you did on the Internet, including recording your passwords and credit card numbers. *(Attention getter)*

II. A type of software known as spyware can install itself on your computer without your knowledge and harvest this sensitive information.

III. To protect yourself, you need to understand how spyware works. *(Thesis)*

IV. Today, I'll talk about what spyware is, the harm it causes, whom it affects, and how to keep your computer from becoming infected by it. *(Preview)*

TRANSITION: So, what exactly is spyware?

BODY

I. Spyware is relatively new and appears in many guises.

    A. Until the year 2000, "spyware" referred to monitoring devices on cameras. (FTC, March 2005 Report)

        1. Its first link to software apparently was in connection with the *Zone Alarm* security program.

        2. Today, the Federal Trade Commission defines spyware as any computer code that installs in your computer, gathers data from it, and sends the information back to a remote computer without your consent. (FTC, *Consumer Alert*)

            (a) Spyware includes software that will advertise on your computer.

            (b) It also includes software that collects personal information.

TRANSITION: You may be wondering how spyware gets into your computer and what it does once it gets there.

    B. Spyware installs itself silently, often "piggybacking" onto other downloaded programs such as file-sharing applications and games.

        1. Links in pop-up ads and the "unsubscribe" button in spam are known sources.

        2. Some types track your Web-browsing habits and sell this information to marketers.

        3. "Adware" loads ads onto the computer but doesn't monitor browsing habits.

        4. The most dangerous type, called keystroke logging, records and transmits keystrokes to steal such personal information as tax returns, social security number, and bank passwords.

TRANSITION: There's a lot of confusion regarding the difference between spyware and computer viruses — and even whether there is any.

    C. Spyware is different from a virus in a variety of ways.

        1. Viruses are generally written by individuals in order to brag about causing damage. (CNET.com video)

        2. Spyware is written by teams employed by companies, not all of them shady, to make money.

3. Viruses have been around for more than two decades; everyone agrees on how to define them; and they are illegal.

TRANSITION: Leaving aside the finer distinctions between spyware and other types of computer menaces, what is clear is that spyware represents a growing threat.

II. Users can learn to recognize symptoms of spyware.

   A. Signs of infiltration include a constant stream of pop-up ads, strange toolbars on the desktop, and hijacked browser settings. (Vara, *WSJ*, July 18th, 2005)

   B. Files may become displaced or disappear, and the computer may crash.

III. Spyware is the leading cause of computer-related problems today.

   A. Tanner Nielson of Totally Awesome Computers in Salt Lake City, Utah, reports that the majority of problems brought into his store are spyware related. (Nielson interview)

   B. A 2005 *Consumer Reports* national survey finds that spyware is a leading cause of computer malfunction. (*Consumer Reports*, 2005)

      1. Within the past two years, one-third of users with home Internet access experienced severe computer problems and/or financial losses.

      2. Eighteen percent said that their hard drives were so seriously infected the contents had to be erased.

TRANSITION: So spyware can do some nasty things to your computer as well as your wallet.

IV. Prevention is the best way to avoid spyware's harmful and potentially dangerous effects.

   A. Keep your browser up-to-date to take advantage of security updates.

   B. Invest in one of the three top antispyware programs recommended by *Consumer Reports:* Webroot's Spy Sweeper, Computer Associates' PestPatrol, and Spybot's Search & Destroy. (*Consumer Reports,* 2005)

   C. Don't install any software without reading the fine print.

   D. Download free software only from sites you know and trust.

E. Don't click on links in pop-up windows.

F. Don't reply to or even open spam or any e-mail that isn't from someone you know.

G. Don't hit the "unsubscribe" button because spyware is known to lurk here.

H. Exercise caution when surfing online. Spyware tends to be loaded onto disreputable sites containing pornography, and even on Web sites advertising spyware solutions.

TRANSITION: The makers of spyware are in it for the money, so the problem is likely to be long lasting. *(Signals close of speech)*

CONCLUSION

I. Spyware can do serious damage to your computer and to your finances. *(Summarizes main points)*

   A. The steps I've laid out should help you protect your computer from becoming infected.

   B. One final piece of advice is to keep abreast of developments related to spyware by reading reputable computer publications such as *PC Magazine* and visiting reputable Web sites such as CNET.com. *(Leaves audience with something to think about)*

II. Forewarned is forearmed. Good luck. *(Memorable close)*

Sources

Federal Trade Commission, "Monitoring Spyware on Your PC: Spyware, Adware, and Other Software," Mar. 2005. Retrieved August 8, 2005, from www.ftc.gov/os/2005/03/050307spywarerpt.pdf.

Federal Trade Commission, Web Site for the Consumer. "Consumer Alert on Spyware." Retrieved August 8, 2005, from www.ftc.gov/bcp/conline/pubs/alerts/spywarealrt.htm.

"Virus vs. Spyware." CNET.com, CNET Videos section. Retrieved August 9, 2005, from reviews.cnet.com/Virus vs spyware/4660-10620_7-6273711.html.

Vara, Vauhini. "Lurking in the Shadows," *Wall Street Journal*, July 18, 2005; July 19, 2005. Retrieved from online.wsj.com/article/0,,SB112128460774484814,00-search.html.

Nielson, Tanner, personal interview, May 12, 2005.

"Net Threat Rising," *Consumer Reports* (Sept. 2005): 12–18.

Prepare the Speaking Outline

Using a full-sentence outline for actual delivery of the speech is not recommended, because it restricts eye contact and forces the speaker to focus more on the outline than on the process of giving the speech. The less you rely on your outline notes, the more eye contact you can have with the audience. With sufficient practice, phrases or key words will jog your memory so that you can deliver your ideas naturally.

Using the same numbering system as the working outline, condense the full sentences into key words or phrases. Place the speaking outline on large (at least 4 × 6-inch) notecards or 8.5 × 11-inch sheets of paper. Print large enough so that you can see the words at a glance.

QUICK TIP

Sometimes Only Exact Wording Will Do

Even though the delivery outline should contain key words or phrases almost exclusively, when exact wording is critical to an accurate representation of your speech material (as in presenting highly technical material or conveying quotations, facts, or statistics verbatim), you may want to write it out in full sentences.

Indicate Delivery Cues

Include any delivery cues that will be part of the speech (see Figure 14.2). To draw attention to the cues, capitalize them, place them in parentheses, and/or highlight them.

DELIVERY CUE	EXAMPLE
Transitions	(TRANSITION)
Timing	(PAUSE) (SLOW DOWN)
Speaking Rate/Volume	(SLOWLY) (LOUDER)
Presentation Aids	(SHOW MODEL) (SLIDE 3)
Source	(ATLANTA CONSTITUTION, August 2, 2005)

DELIVERY CUE	EXAMPLE
Statistic	(2002, boys to girls = 94,232; U.S. Health Human Services)
Quotation	Eubie Blake, 100: "If I'd known I was gonna live this long, I'd have taken better care of myself."
Difficult-to-Pronounce or -Remember Names or Words	Eowyn (A-OH-win)

FIGURE 14.2 Common Delivery Cues

CHECKLIST: Tips on Using Notecards or Sheets of Paper

___ 1. Leave some blank space at the margins. This will help you to find your place as you glance at the cards.

___ 2. Number your notecards or sheets so that you can follow them with ease.

___ 3. Instead of turning the cards or sheets, slide them under one another.

___ 4. Do not staple notes or sheets together.

___ 5. If you use a lectern, place the notes or sheets near eye level.

___ 6. Don't use the cards or sheets in hand gestures, as they become distracting pointers or flags.

Practice the Speech

The key to the successful delivery of any speech, particularly when using a key-word outline, is practice. The more you rehearse your speech, the more comfortable you will become when you speak. For more information on practicing the speech, see Chapter 19, "Using the Body."

> ☑ **CHECKLIST: Steps in Creating a Speaking Outline**
>
> ___ 1. Create the outline on sheets of paper or large notecards.
>
> ___ 2. Write large and legibly using at least 14-point font or easy-to-read ink and large letters.
>
> ___ 3. For each main and subpoint, choose a key word or a phrase that will jog your memory accurately.
>
> ___ 4. Include delivery cues.
>
> ___ 5. Write out full quotations and other critical information.
>
> ___ 6. Using the speaking outline, practice at least five times.

SAMPLE SPEAKING OUTLINE

Staying ahead of Spyware

JOHN COULTER
Salt Lake Community College

TOPIC:	Problems and Solutions Associated with Spyware
SPECIFIC PURPOSE:	To inform my audience of the dangers of spyware so that they may take appropriate steps to prevent their occurrence
THESIS STATEMENT:	Computer users must understand the nature of spyware and how it works in order to take the necessary steps to protect themselves.

INTRODUCTION

I.   Imagine feel? (*Attention getter*)

II.   Can happen; spyware installs, harvests

III. To protect, understand how (*Thesis*)

IV.   What, harm, who affects, avoid (*Preview*)

TRANSITION: So, what exactly . . . ?

    (TRANSITION: So, what exactly is spyware?)
       [PAUSE]

BODY

I. Relatively new, many guises

   A. Until 2000, monitoring devices on cameras (FTC, March 2004 report)

      1. First link to software content, *Zone Alarm*.

      2. FTC defined: installs, gathers data, sends to remote computer, no consent

         a) Install advertising

         b) Collect personal data

   B. Installs silently, "piggybacks"

      1. Known sources — pop-up ads, "unsubscribe" button in spam

      2. Some track browsing habits, sell info

      3. Adware loads ads; no monitoring

      4. Keyloggers steal info [SHOW SLIDE]

(TRANSITION: There's lots of confusion . . .)

   C. Different from virus

      1. Individuals; to brag, damage (CNET.com video)

      2. Spyware — teams, companies, money

      3. Viruses two decades; all defined; illegal

(TRANSITION: Leaving aside finer distinctions, growing threat . . .)

II. Recognize symptoms, problems

   A. Stream pop-ups, toolbars, browsers hijacked (Vara, *WSJ,* July 18th, 2005) [SHOW SLIDE]

   B. Files displaced, disappear, crash

III. Leading cause computer problems

   A. Tanner Nielson majority of problems

   B. *Consumer Reports* 2005 survey

      1. Past two years; one-third severe problems computer and/or financial

      2. 18% hard drives seriously infected; erase

(TRANSITION: Nasty things to computer, wallet)

IV. Prevention key

   A. Update browser; security updates

   B. Antispyware: Webroot's Spy Sweeper, Computer Associates' PestPatrol, Spybot's Search & Destroy (*Consumer Reports,* 2005) [SHOW BOX]

    C. Don't install w/o fine print

    D. Beware free downloads

    E. Don't click links pop-up

    F. Don't click links spam, strangers

    G. Unsubscribe button

    H. Caution! Disreputable sites, even spyware solutions!

[PAUSE]

(TRANSITION: The makers of spyware are in it for the money, so the problem is likely to be long lasting) *(Signals close of speech)*

CONCLUSION

I. Damage computer, finances, right step

    A. Solutions, browsers, antispyware

    B. Steps laid out

    C. *PC Magazine*, CNET.com

II. Forewarned is forearmed. Good luck!

Part 4
Starting, Finishing, and Styling

15. Developing the Introduction and Conclusion 110
16. Using Language 117

15 Developing the Introduction and Conclusion

Many novice speakers think that if the body of their speech is well developed they can "wing" the introduction and conclusion. Leaving these elements to chance, however, is a formula for failure. A good opening previews what's to come in a way that invites listeners to stay the course. Conclusions ensure that the audience remembers the speech and reacts in a way that the speaker intends.

Any kind of supporting material — examples, stories, testimony, facts, or statistics — can be used to open and conclude a speech as long as it accomplishes these objectives.

Preparing the Introduction

The choices you make about the introduction can affect the outcome of the entire speech. In the first several minutes (one speaker pegs it at ninety seconds),[1] audience members will decide whether they are interested in the topic of your speech, whether they will believe what you say, and whether they will give you their full attention.

CHECKLIST: Guidelines for Preparing the Introduction

✓ Prepare the introduction after you've completed the speech body. This way, when you turn to the introduction, you will know exactly what you need to preview.

✓ Keep the introduction brief — as a rule, no more than 10 to 15 percent of the body of the speech. Nothing will turn off an audience more quickly than waiting interminably for you to get to the point.

✓ Practice delivering your introduction until you feel confident you've got it right.

A good introduction serves to:

- Gain the audience's attention and willingness to listen.
- Preview the topic, purpose, and main ideas of the speech.
- Establish your credibility.
- Motivate the audience to accept your goals.

make topic relevant / reveal topic

Gain Audience Attention

Some time-honored techniques for winning the audience's attention include using quotations, telling a story, posing questions, saying something startling, using humor and referring to the occasion.

USE A QUOTATION Theodore Roosevelt used to say, "Speak softly and carry a big stick." A good quotation, one that elegantly and succinctly expresses an idea, is an effective way to draw the audience's attention. Quotations can be culled from literature, poetry, and film, or directly from people.

TELL A STORY Noted speechwriter and language expert William Safire once remarked that stories are "surefire attention getters."[2] Stories personalize issues, encouraging identification and making things relevant. Research confirms that speakers who use brief stories based on real life (called *anecdotes*; see Chapter 9) to open a speech motivate the audience to listen and promote greater understanding and retention of the speaker's message.[3]

POSE QUESTIONS Can you recall a speech that began with a question? Posing questions can be an effective way to draw the audience's attention to what you are about to say. Questions can be real (as in polling audience members) or rhetorical. **Rhetorical questions** do not invite actual responses. Instead, they make the audience think.

SAY SOMETHING STARTLING Did you know that virtually no one is having babies anymore in parts of Western Europe? Surprising audience members with startling or unusual facts and statistics is one of the surest ways to get their attention. Statistics are a powerful means of illustrating key points and tend to quickly bring things into focus.

USE HUMOR Handled well, humor is an excellent way to build rapport, put people at ease, make key points, and introduce the theme of a speech. Caution is in order, however. As one scholar notes, "Humor goes beyond language; it takes us into the heart of cultural understanding."[4] Speech humor should always match the audience, topic, purpose, and occasion.

REFER TO THE OCCASION Introductions that include references to the speech occasion and to any relevant facts about the audience tend to capture attention and, crucially, establish goodwill. People appreciate the direct reference to the event, and they are interested in the meaning the speaker assigns to it.

CREATE COMMON GROUND   Audiences are won over when speakers express interest in them and create a feeling of common ground, or **identification**. Finding common ground helps overcome the natural human divisions that separate people.[5]

Preview the Topic and Purpose

The introduction should alert the audience to the speech topic and purpose. In the attention-getting phase of the introduction, you may already have alluded to your topic, sometimes very clearly. If not, however, you now need to declare what your speech is about and what you hope to accomplish.

Topic and purpose are clearly explained in this introduction to a speech by Marvin Runyon, postmaster general of the United States:

> This afternoon, I want to examine the truth of that statement—"Nothing moves people like the mail, and no one moves the mail like the U.S. Postal Service." I want to look at where we are today as a communications industry, and where we intend to be in the days and years ahead.[6]

Preview the Main Points

Introductions should briefly preview the main points of the speech. A **preview statement** identifies the main points of the speech, thus helping audience members to mentally organize the speech structure. It also helps you, the speaker, to keep their attention. Preview statements are straightforward. You simply tell the audience what the main points will be and in what order you will address them.

Robert L. Darbelnet effectively introduces his topic, purpose, and main points with this preview statement:

> My remarks today are intended to give you a sense of AAA's ongoing efforts to improve America's roads. Our hope is that you will join your voices to ours as we call on the federal government to do three things:
>
> Number one: Perhaps the most important, provide adequate funding for highway maintenance and improvements.
>
> Number two: Play a strong, responsible, yet flexible role in transportation programs.

And number three: Invest in highway safety.

Let's see what our strengths are, what the issues are, and what we can do about them.[7]

Motivate the Audience to Accept Your Goals

A final function of the introduction is to motivate the audience to care about your topic and believe what you have to say about it. For this to occur, audience members must believe that (1) the topic is relevant and (2) you are qualified to address it.

MAKE THE TOPIC RELEVANT   One way to demonstrate why your listeners should care about your topic is to describe the practical implications it has for them. Another is to convince them that your speech purpose is consistent with their motives and values. Yet another strategy is to specify what the audience stands to gain by listening to you. A student speech about the value of formal interview training shows how this can be accomplished:

> Let me start by telling you why you need interview training. It boils down to competition. As in sports, when you're not training, someone else is out there training to beat you. All things being equal, the person who has the best interviewing skills has got the edge.

ESTABLISH CREDIBILITY AS A SPEAKER   During the introduction, audience members make a decision about whether they are interested not just in your topic but also in you. They want to know why they should believe you. To build credibility, make a simple statement of your qualifications for speaking on the topic. Briefly emphasize some experience, knowledge, or perspective you have that is different from or more extensive than that of your audience.

QUICK TIP

When Credibility Is Key

Although it is always important to establish your credibility in the introduction, it is particularly so when the audience does not know you well and you must clearly establish your expertise.[8] In these situations, be sure to stress the reasons why audience members should trust you and believe what you have to say.

CHECKLIST: How Effective Is Your Introduction?

Does your introduction . . .

_____ 1. Capture the audience's attention?

_____ 2. Alert listeners to the speech purpose and topic?

_____ 3. Motivate listeners to accept your speech goals?

_____ 4. Create common ground?

_____ 5. Make the topic relevant to listeners and establish your credibility?

Preparing the Conclusion

A well-constructed conclusion ensures that you go out with a bang and not a whimper. Conclusions give you the opportunity to drive home your purpose and make the kind of impression that will accomplish the goals of your speech. A good conclusion serves to:

- Signal to the audience that the speech is coming to an end and provide closure.
- Summarize the key points.
- Reiterate the topic and speech purpose.
- Challenge the audience to respond.
- End the speech memorably.

 CHECKLIST: Guidelines for Preparing the Conclusion

✓ As with the introduction, prepare the conclusion after you've completed the speech body.

✓ Keep the conclusion brief — as a rule, no more than about one-sixth of the body of the speech. Conclude soon after you say you are about to end.

✓ Carefully consider your use of language. More than in other parts of the speech, the conclusion can contain words that inspire and motivate (see Chapter 16 on using language).

✓ Practice delivering your conclusion until you feel confident you've got it right.

Signal the Close of the Speech and Provide Closure

People who listen to speeches take a journey of sorts, and they want and need the speaker to acknowledge the journey's end. The more emotional the journey, as in speeches designed to touch hearts and minds, the greater the need for logical and emotional closure.

One way to alert the audience that a speech is about to end is to use a transition statement or phrase. Phrases such as *Finally, Looking back, In conclusion*, and *Let me close by saying* all signal closure.

You can also signal closure more subtly, by your manner of delivery. For example, you can vary your tone, pitch, rhythm, and rate of speech to indicate that the speech is winding down.

Once you've signaled the end of your speech, do finish in short order (though not abruptly).

QUICK TIP

Length of Introductions and Conclusions
Although there are no hard-and-fast rules about length, as a general rule about one-sixth of the speech should be spent on the introduction, one-sixth on the conclusion, and the remaining four-sixths on the body of the speech.[9]

Summarize the Key Points

One bit of age-old advice for giving a speech is "Tell them what you are going to tell them (in the introduction), tell them (in the body), and tell them what you told them" (in the conclusion). The idea is that emphasizing the main points three times will help the audience remember them.

The summary or review should be more than a rote recounting, however. Consider how Holger Kluge, in a speech titled "Reflections on Diversity," summarized his main points:

> I have covered a lot of ground here today. But as I draw to a close, I'd like to stress three things.
>
> First, diversity is more than equity. . . .
>
> Second, weaving diversity into the very fabric of your organization takes time. . . .
>
> Third, diversity will deliver bottom line results to your businesses and those results will be substantial, if you make the commitment. . . .[10]

A restatement of points like this brings the speech full circle.

Reiterate the Topic and Speech Purpose

The conclusion should reiterate the topic and speech purpose—to imprint it on the audience's memory. In the conclusion to a speech about preventing school violence, William Kirwan reminds his listeners of his central idea:

> What I've tried to convey this afternoon are the kinds of efforts it will take for us to save the next Nick Johnson and all the other tragedies like his. . . . We can build a network of metal detectors and surveillance cameras and hope that we catch a future Nick before he fires. Or, we can build a community that could save him long before he turns down the road toward destruction. Do we want to catch him, or do we want to save him?[11]

Challenge the Audience to Respond

A strong conclusion challenges audience members to put to use what the speaker has taught them. In *informative speeches*, the speaker challenges audience members to use what they've learned in a way that benefits them. In *persuasive speeches*, the challenge to audience members usually comes in the form of a **call to action**, a challenge to see the problem in a new way, change their beliefs about the problem, or change both their actions and their beliefs about the problem.

Hillary Rodham Clinton makes a strong call to action in her conclusion to an address presented to the United Nations Fourth World Conference on Women:

> We have seen peace prevail in most places for a half century. We have avoided another world war. But we have not solved older, deeply rooted problems that continue to diminish the potential of half the world's population. *Now it is time to act on behalf of women everywhere.* If we take bold steps to better the lives of women, we will be taking bold steps to better the lives of children and families too. . . . Let this conference be our—and the world's—call to action.[12]

Make the Speech Memorable

A good conclusion increases the odds that the speaker's message will linger after the speech is over, and a speech that makes a lasting impression is one that listeners are most likely to remember and act on. To accomplish this, make use of the same devices for capturing attention described for use in introductions—quotations, stories, questions, startling statements, humor, and references to the audience and the occasion.

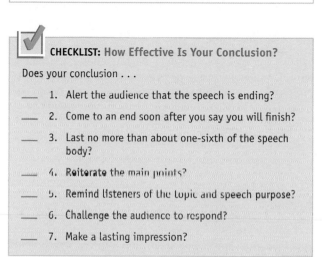

QUICK TIP

Create a Memorable Conclusion
Using a quotation that captures the essence of the speech, either in the form of a poem or a memorable statement, can be an effective way to close a speech. A short concluding story can bring the entire speech into focus. Yet another technique is to pick up on a story or idea you mentioned in the introduction, bringing the speech full circle.

CHECKLIST: How Effective Is Your Conclusion?

Does your conclusion . . .

____ 1. Alert the audience that the speech is ending?

____ 2. Come to an end soon after you say you will finish?

____ 3. Last no more than about one-sixth of the speech body?

____ 4. Reiterate the main points?

____ 5. Remind listeners of the topic and speech purpose?

____ 6. Challenge the audience to respond?

____ 7. Make a lasting impression?

16 Using Language

In public speaking, choosing the right words is crucial to connecting with your audience and helping listeners understand, believe in, and retain your message.[1] **Style** is the specific word choices and **rhetorical devices** (techniques of language) speakers use to express their ideas. A speaker's style can make a speech colorful and convincing or bland and boring.

Write Your Speeches for the Ear

Unlike readers, listeners have only one chance to understand a spoken message. They cannot go back and reread a difficult passage, or pause to look up an unfamiliar word. Speeches should therefore be written for the ear:

- Use familiar words, easy-to-follow sentences, and straight-forward syntax (subject-verb-object agreement).
- Create a verbal "roadmap," with frequent transitions and a clear organizational pattern.
- Use vivid imagery that will help listeners "see" what you are saying.
- Make ample use of repetition.
- Create a cadenced arrangement of language through rhetorical devices such as alliteration and parallelism.

Strive for Simplicity

When selecting between two synonyms, choose the simpler term. Translate **jargon**—the specialized language of a given profession—into commonly understood terms. As speech-writer Peggy Noonan notes in her book *Simply Speaking*:

> Good hard simple words with good hard clear meanings are good things to use when you speak. They are like pickets in a fence, slim and unimpressive on their own but sturdy and effective when strung together.[2]

Be Concise

As a rule, try to use fewer rather than more words to express your thoughts. Consider the following examples. Which would you rather hear?

> It is difficult to believe that the United States government is attempting to tax us at every level of our personal and professional lives, whether it be capital gains taxes, value-added taxes, or, of course, your favorite and mine: income taxes.

> It's hard to believe but true. The U.S. government is taxing us to death. It's got its hands in every conceivable pocket. Capital gains taxes. Value-added taxes. And, of course, your favorite and mine: income taxes.

Use Repetition

Good speeches, even very brief ones, often repeat key words and phrases. Repetition adds emphasis to important ideas, helps listeners follow your logic, and imbues language with rhythm and drama.

> ## QUICK TIP
>
> ***Experiment with Phrases and Sentence Fragments***
> *To add punch to your speech, experiment with using phrases and sentence fragments in place of full sentences. This speaker, a physician, demonstrates one way of doing this: "I'm just a simple bone-and-joint guy. I can set your broken bones. Take away your bunions. Even give you a new hip. But I don't mess around with the stuff between the ears. . . . That's another specialty."*[3]

Use Personal Pronouns

Personal pronouns such as *we, us, I,* and *your* draw the audience into the message. Note how the following speaker uses personal pronouns to encourage involvement in his message:

> My talk today is about you. Each one of you personally. I know you hear many presentations. For the most part, they tend to be directed mostly to others with very little for you. My presentation today is different; the topic and the information will be important to every one of you. . . . I'm going to show and tell each of you how to become a verbal visionary.[4]

Choose Language That Encourages Shared Meaning

To encourage shared meaning with your audience, choose language that is culturally sensitive and unbiased, simple, concrete, and vivid.

Use Culturally Sensitive and Unbiased Language

Demonstrate sensitivity to your listeners by being considerate of cultural beliefs, norms, or traditions that are different from your own. Review your speeches for any **biased language** — language that relies on unfounded assumptions; negative descriptions; or stereotypes of a given group's age, class, gender, disability, and geographic, ethnic, racial, or religious characteristics.

Bring your cultural intelligence to bear as you craft your speech (see Chapter 1). For example, certain seemingly well-known names and terms may be foreign to some listeners. To be safe, include brief explanations for any such allusions. Sayings specific to a certain region or group of people (termed

colloquial expressions or **idioms**) such as "back the wrong horse," and "ballpark figure" can add color and richness to a speech, but only if our listeners understand them.

Choose Concrete Words

Try to avoid **abstract language**, language that is general or nonspecific, leaving meaning open to interpretation—unless that is your intent. Instead, choose concrete nouns and verbs to convey meaning that is specific, tangible, and definite:

ABSTRACT		LESS ABSTRACT		CONCRETE
summer	→	hot weather	→	sweltering heat
congestion	→	traffic jam	→	gridlock

Clarify key speech points with concrete imagery. Rather than merely saying, "Our national debt is approaching $1 trillion," give listeners a mental picture. Note how former President Ronald Reagan accomplished this in his first address to Congress in 1981:

> [I]f you had a stack of thousand-dollar bills in your hand only four inches high, you'd be a millionaire. A trillion dollars would be a stack of thousand-dollar bills sixty-seven miles high.[5]

Offer Vivid Imagery

Enliven your speech by selecting colorful and concrete words. Paint vivid images that appeal to the senses. Do this by modifying nouns and verbs with descriptive adjectives and adverbs. For example, rather than characterizing the sky merely as "blue," specify it as "faint blue" or "blue with pillows of dark gray." Use language that appeals to the listeners' senses of smell, taste, sight, hearing, and touch.

Figures of speech are expressions, such as metaphors, similes, analogies, and hyperbole, in which words are used in a nonliteral fashion to achieve a rhetroical effect.

A **simile** explicitly compares one thing to another, using *like* or *as*: "He works like a dog" and "The old woman's hands were as soft as a baby's." A **metaphor** also compares two things but does so by describing one thing as actually being the other:

> "Education is an uphill climb" and "The U.S. is a melting pot."

An **analogy** is an extended metaphor or simile that clarifies an unfamiliar concept by comparing it to a more familiar one.[6] For example, note how African American minister Phil Wilson used metaphoric language when he preached to his congregation in Los Angeles about the dangers of AIDS:

> Our house is on fire! The fire truck arrives, but we won't come out, because we're afraid the folks from next door will see that we're in that burning house. AIDS is a fire raging in our community and it's out of control![7]

QUICK TIP

Avoid Clichés and Mixed Metaphors

Try not to use metaphors and similes that are clichéd, or predictable and stale. Beware of using mixed metaphors, those that juxtapose unlike images or expressions: "Burning the midnight oil at both ends" incorrectly joins the expressions "burning the midnight oil" and "burning the candle at both ends."

Choose Language That Builds Credibility

To build trust and credibility, language must be both truthful in expression and correct in usage. Steer clear of **slander** (defamatory speech; see Chapter 2, "Ethical Public Speaking," p. 9), and avoid the **malapropism**—the inadvertent, incorrect use of a word or phrase in place of one that sounds like it[8] ("It's a strange receptacle" for "It's a strange spectacle").

Use Appropriate Language

As a rule, strive to uphold the conventional rules of grammar and usage associated with standard English. The more diverse the audience, and the more formal the occasion, the closer you will want to remain within these bounds. Sometimes, however, especially when the audience is more homogeneous, it may be appropriate to mix casual language, regional **dialects**, or even slang into your speech. Consider the following excerpt:

> On the gulf where I was raised, *el valle del Rio Grande* in South Texas—that triangular piece of land wedged between the river y el golfo which serves as the Texas–U.S./Mexican border—is a Mexican *pueblito* called Hargill.[9]

Use the Active Voice

Voice is the feature of verbs that indicates the subject's relationship to the action. A verb is in the *active voice* when the subject performs the action and in the *passive voice* when the subject is acted upon or is the receiver of the action.[10] Speaking in the active voice will make your statements clear and assertive instead of indirect and weak:

PASSIVE: A test was announced by Ms. Carlos for Tuesday. A president is elected by the voters every four years.

ACTIVE: Ms. Carlos announced a test for Tuesday. The voters elect a president every four years.

Choose Language That Creates a Lasting Impression

Oral language that is artfully arranged and infused with rhythm leaves a lasting impression on listeners. You can create a cadenced arrangement of language through rhetorical devices such as repetition, alliteration, and parallelism.

QUICK TIP

Denotative versus Connotative Meaning

*When drafting your speech, choose words that are both denotatively and connotatively appropriate to the audience. The **denotative meaning** of a word is its literal, or dictionary, definition. The **connotative meaning** of a word is the special association that different people bring to bear on it. For example, you might like to be called "slender" but not "skinny," "thrifty" but not "cheap."*

Use Repetition to Create Rhythm

Repeating key words, phrases, or even sentences at various intervals throughout a speech creates a distinctive rhythm and thereby implants important ideas in listeners' minds. Repetition works particularly well when delivered with the appropriate voice inflections and pauses. Note, for example, Ronald Reagan's wording in a speech prior to the fall of the Berlin Wall:

"*Mr. Gorbachev*, open this gate! *Mr. Gorbachev*, tear down this wall."

In one form of repetition, called **anaphora**, the speaker repeats a word or phrase at the beginning of successive phrases, clauses, or sentences. One famous example of this is Dr. Martin Luther King Jr.'s speech, delivered in 1963 in Washington, D.C., in which he repeated the phrase "I have a dream" many times, each with an upward inflection followed by a pause.

Speakers have made use of anaphora since earliest times. For example, Jesus preached:

Blessed are the poor in spirit. . . .

Blessed are the meek. . . .

Blessed are the peacemakers. . . .[11]

In a speech about becoming an organ donor, student Ed Partlow used anaphora this way:

Today *I am going to talk about* a subject that can be both personal and emotional.

I am going to talk about becoming an organ donor. . . .

Use Alliteration for a Poetic Quality

Alliteration is the repetition of the same sounds, usually initial consonants, in two or more neighboring words or syllables. Examples of alliteration in speeches include phrases such as Jesse Jackson's "Down with dope, up with hope" and former U.S. Vice President Spiro Agnew's disdainful reference to the U.S. press as "nattering nabobs of negativism."

When used well, alliteration drives home themes and leaves listeners with a lasting impression. On the other hand, if poorly crafted or hackneyed, alliteration can distract from, rather than enhance, a message.

Experiment with Parallelism

The arrangement of words, phrases, or sentences in a similar form is known as **parallelism**. Parallel structure can help the speaker emphasize important ideas in the speech. Like repetition, it also creates a sense of steady or building rhythm.[12]

You can easily make use of parallelism by doing the following:

• Orally numbering your points ("first," "second," and "third").

- Grouping speech concepts or ideas into three parallel grammatical elements or triads ("Of the people, by the people, and for the people").
- Setting off two strongly contrasting ideas in balanced (parallel) opposition (the device of **antithesis**, e.g., "One small step for man, one giant leap for mankind").
- Repeating a key word or phrase that emphasizes a central or recurring idea of the speech, often in the introduction, body, and conclusion.

CHECKLIST: Use Language Effectively

✓ Use familiar words, easy-to-follow sentences, and straightforward syntax.

✓ Root out biased language.

✓ Avoid unnecessary jargon.

✓ Use fewer rather than more words to express your thoughts.

✓ Make striking comparisons with *similes, metaphors,* and *analogies*.

✓ Use the active voice.

✓ Repeat key words, phrases, or sentences at various intervals (*anaphora*).

✓ Experiment with *alliteration* — words that repeat the same sounds, usually initial consonants, in two or more neighboring words or syllables.

✓ Experiment with *parallelism* — arranging words, phrases, or sentences in similar form.

Part 5
Delivery

17. Choosing a Method of Delivery 126
18. Controlling the Voice 130
19. Using the Body 135

17 Choosing a Method of Delivery

The delivery of a speech is the moment of truth. For most of us, delivery makes us feel anxious because this is the moment when all eyes are upon us. In fact, effective delivery rests on the same natural foundation as everyday conversation.[1] Focusing on the quality of naturalness can help you reduce the fear of delivery and make your presentations more effective.

Strive for Naturalness and Enthusiasm

Effective **delivery** is the skillful application of vocal and non-verbal conversational behavior in a way that is natural, enthusiastic, confident, and direct. Speakers who deliver well-received speeches or presentations share these characteristics at the podium.

- *Strive for naturalness.* Think of your speech as a particularly important conversation. Rather than behaving theatrically, act naturally.

- *Show enthusiasm.* Inspire your listeners by showing enthusiasm for your topic and for the occasion. Speak about what interests and excites you.

- *Project a sense of confidence.* Focus on the ideas you want to convey rather than on yourself. Inspire the audience's confidence in you by appearing confident to them.

- *Be direct.* Engage your listeners by establishing eye contact, using a friendly tone of voice, and smiling whenever it is appropriate. Consider positioning yourself so that you are physically close to the audience.

QUICK TIP

Build Rapport by Being Direct
Connect with listeners by being direct: Maintain eye contact; use a friendly tone of voice; animate your facial expressions, smile; and get physically close to the audience. An enthusiastic and confident delivery helps you feel good about your speech, and it focuses your audience's attention on the message.

Select a Method of Delivery

For virtually any type of speech or presentation, you can choose from four basic methods of delivery: speaking from manuscript; speaking from memory; speaking impromptu; and speaking extemporaneously.

Speaking from Manuscript

When **speaking from manuscript**, you read a speech *verbatim* — that is, from prepared written text that contains the entire speech, word for word. As a rule, speaking from manuscript restricts eye contact and body movement, and may also limit expressiveness in vocal variety and quality. Watching a speaker read a speech can be monotonous and boring for the audience.

There are times, however, when it is advisable or necessary to read a speech — for example, when you must convey a very precise message, when you will be quoted and must avoid misinterpretation, or when you must address an emergency and need to convey exact descriptions and directions (see Chapter 35 on crisis communication).

If you must read from a prepared text, do what you can to deliver the speech naturally:

- Vary the rhythm of your words.
- Become familiar enough with the speech so that you can establish some eye contact.
- Use a large font and double- or triple-space the manuscript so that you can read without straining.
- Consider using some compelling presentation aids.

Speaking from Memory

The formal name for **speaking from memory** is **oratory**. In oratorical style, you put the entire speech, word for word, into writing and then commit it to memory. In the United States, instances of speaking from memory rarely occur anymore, though this form of delivery remains common in many parts of the world.[2]

Memorization is not a natural way to present a message. True eye contact with the audience is unlikely, and memorization invites potential disaster during a speech because there is always the possibility of a mental lapse or block. Some kinds of brief speeches, however, such as toasts and introductions, can be well served by memorization. Sometimes it's helpful to memorize a part of the speech, especially when you use direct quotations as a form of support. If you do find an occasion to use memorization, learn that portion of your speech so completely that in actual delivery you can convey enthusiasm and directness.

Speaking Impromptu

Speaking impromptu, a type of delivery that is unpracticed, spontaneous, or improvised, involves speaking on relatively short notice with little time to prepare. Many occasions require that you make some remarks on the spur of the moment. An instructor may ask you to summarize key points from an assignment, for example, or a fellow employee who was scheduled to speak on a new project may be sick and your boss has invited you to take his place.

Try to anticipate situations that may require you to speak impromptu. If there is any chance this might occur, prepare some remarks beforehand. Otherwise, maximize the time you do have to prepare on the spot:

- Pause to reflect on how you can best address the audience's interests and needs, and shape your remarks accordingly.
- Take a deep breath, and focus on your expertise on the topic or on what you really want to say.
- Jot down in key words or short phrases the ideas you want to cover.
- If your speech follows someone else's, acknowledge that person's statements.
- State your ideas and then summarize them.
- Use transitions such as "first," "second," and "third," both to organize your points and to help listeners follow them.
- Stay on the topic. Don't wander off track.

As much as possible, try to organize your points into a discernible pattern. If addressing a problem, for example, such as a project failure or glitch, consider the problem-solution pattern or the cause-effect pattern of organizational arrangement (see Chapter 13). If called upon to defend one proposal as superior to another, consider using the comparative advantages pattern, in which you illustrate various advantages of the favored proposal over other options (see Chapter 24 on persuasive speeches).

Speaking Extemporaneously

Speaking extemporaneously falls somewhere between impromptu and written or memorized deliveries. In an extemporaneous speech, you prepare well and practice in advance, giving full attention to all facets of the speech—content, arrangement, and delivery alike. Instead of memorizing or writing the speech word for word, you speak from an outline of key words and phrases, having concentrated throughout your preparation and practice on the ideas that you want to communicate.

More speeches are delivered by extemporaneous delivery than by any other method. Because this technique is most conducive to achieving a natural, conversational quality of delivery, many speakers prefer it to the four types of delivery. Knowing your idea well enough to present it without memorization or manuscript gives you greater flexibility in adapting to the specific speaking situation. You can modify wording, rearrange your points, change examples, or omit information in keeping with the audience and the setting. You can have more eye contact, more direct body orientation, greater freedom of movement, and generally better control of your thoughts and actions than any of the other delivery methods allow.

Speaking extemporaneously does present several possible drawbacks. Because you aren't speaking from written or memorized text, you may become repetitive and wordy. Fresh examples or points may come to mind that you want to share, so the speech may take longer than anticipated. Occasionally, even a glance at your speaking notes may fail to jog your memory on a point you wanted to cover, and you momentarily find yourself searching for what to say next. The remedy for

---

QUICK TIP

Learn the Extemporaneous Method of Delivery

In most situations, select the extemporaneous method of delivery. Thoroughly prepare and practice your speech in advance of delivery. Speak from a key-word or phrase outline that has been adapted from a full-sentence outline (see Chapter 14).

these potential pitfalls is, of course, practice. If you practice delivering your speech frequently, using a speaking outline, you probably will have no difficulty staying on target.

METHODS OF DELIVERY AND THEIR PROBABLE USES	
WHEN . . .	METHOD OF DELIVERY
✓ Precise wording is called for; for instance, when you want to avoid being misquoted or mis-construed, or you need to com-municate exact descriptions and directions . . .	Consider *speaking from manuscript* (reading part or all of your speech from fully prepared text)
✓ You must deliver a short special-occasion speech, such as a toast or introduction, or you plan on using direct quotations . . .	Consider *speaking from memory* (memorizing part or all of your speech)
✓ You are called upon to speak without prior planning or preparation . . .	Consider *speaking impromptu* (organizing your thoughts with little or no lead time)
✓ You have time to prepare and practice developing a speech or presentation that achieves a natural conversational style . . .	Consider *speaking extemporane-ously* (developing your speech in working outline and then practicing and delivering it with a phrase or key-word outline)

info speech?
debate/per sp?

18   Controlling the Voice

Regardless of the quality and importance of your message, if you have inadequate mastery of your voice you may lose the attention of your audience and fail to deliver a successful speech. Fortunately, as you practice your speech, you can learn to control each of the elements of vocal delivery. These include volume, pitch, speaking rate, pauses, vocal variety, and pronunciation and articulation.

Adjust Your Speaking Volume

Volume, the relative loudness of a speaker's voice while delivering a speech, is usually the most obvious and fre-quently cited vocal element in speechmaking. If you do not speak loudly enough for the entire audience to hear you, your speech is essentially a failure. *The proper volume for delivering a speech is somewhat louder than that of normal conversation.* Just how much louder depends on three factors: (1) the size of the room and the number of people in the audience, (2) whether or not you use a microphone, and (3) the level of background noise. The easiest way to judge whether you are speaking too loudly or too softly is to be alert to audience feedback.

CHECKLIST: Tips on Using a Microphone

✓ Always do a sound check with the microphone before delivering your speech.

✓ When you first speak into the microphone, ask your listeners if they can hear you clearly.

✓ Speak directly into the microphone; if you turn your head or body, you won't be heard.

✓ To avoid broadcasting private statements, beware of "open" mikes.

✓ When wearing a **lavaliere microphone** attached to your lapel or collar, speak as if you were addressing a small group. The amplifier will do the rest.

✓ When using a **hand-held** or **fixed microphone**, beware of *popping*. Popping occurs when you use sharp consonants such as *p, t,* and *d* and the air hits the mike. To prevent popping, move the microphone slightly below your mouth and about six inches away.[1]

Vary Your Intonation

Pitch is the range of sounds from high to low (or vice versa). Vocal pitch is important in speechmaking because it powerfully affects the meaning associated with spoken words. For example, say "stop." Now, say "Stop!" Hear the difference? As you speak, pitch conveys your mood, reveals your level of enthusiasm, expresses your concern for the audience, and signals your overall commitment to the occasion. When there is no variety in pitch, speaking becomes monotonous. A monotonous voice is the death knell to any speech.

Adjust Your Speaking Rate

Speaking rate is the pace at which you convey speech. The normal rate of speech for adults is between 120 and 150 words per minute. The typical public speech occurs at a rate slightly below 120 words per minute, but there is no standard, ideal, or most effective rate. Being alert to the audience's reactions is the best way to know whether your rate of speech is too fast or too slow. An audience will get fidgety, bored, listless, perhaps even sleepy if you speak too slowly. If you speak too rapidly, listeners will appear irritated and confused, as though they can't catch what you're saying.

QUICK TIP

Control Your Rate of Speaking

One recent study suggests that speaking too fast will cause listeners to perceive you as tentative about your control of the situation.[2] *To control your rate, choose 150 words from your speech and time yourself as you read them aloud. Do this until you achieve a comfortable speaking rate.*

Use Strategic Pauses

Pauses enhance meaning by providing a type of punctuation, emphasizing a point, drawing attention to a key thought, or just allowing listeners a moment to contemplate what is being said. In short, they make a speech far more effective than it might otherwise be. Both the speaker and the audience *need* pauses.

QUICK TIP

Avoid Meaningless Vocal Fillers

*Many novice speakers are uncomfortable with pauses. It's as if there were a social stigma attached to any silence in a speech. We often react the same way in conversation, covering pauses with unnecessary and undesirable **vocal fillers** such as "uh," "hmm," "you know," "I mean," and "it's like." Like pitch, however, pauses are important strategic elements of a speech. Use them purposefully, taking care to eliminate distracting vocal fillers.*

Strive for Vocal Variety

Rather than operating separately, all the vocal elements described so far — volume, pitch, speaking rate, and pauses — work together to create an effective delivery. Indeed, the real key to effective vocal delivery is to vary all these elements. Enthusiasm is key to achieving effective **vocal variety**. Vocal variety comes quite naturally when you are excited about what you are saying to an audience, when you feel it is important and want to share it with them.

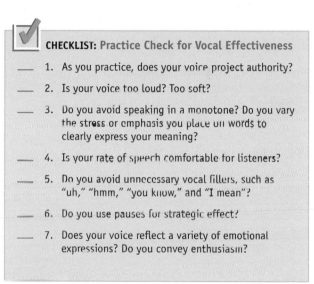

CHECKLIST: Practice Check for Vocal Effectiveness

___ 1. As you practice, does your voice project authority?

___ 2. Is your voice too loud? Too soft?

___ 3. Do you avoid speaking in a monotone? Do you vary the stress or emphasis you place on words to clearly express your meaning?

___ 4. Is your rate of speech comfortable for listeners?

___ 5. Do you avoid unnecessary vocal fillers, such as "uh," "hmm," "you know," and "I mean"?

___ 6. Do you use pauses for strategic effect?

___ 7. Does your voice reflect a variety of emotional expressions? Do you convey enthusiasm?

Carefully Pronounce and Articulate Words

Few things distract an audience more than improper pronunciation or unclear articulation of words. **Pronunciation** is the correct formation of word sounds. **Articulation** is the clarity or forcefulness with which the sounds are made, regardless of whether they are pronounced correctly. In other words, you can be articulating clearly but pronouncing incorrectly. It is important, therefore, to pay attention to and work on both areas.

Articulation problems are also a matter of habit. A very common pattern of poor articulation is **mumbling** — slurring words together at a low level of volume and pitch so that they are barely audible. Sometimes the problem is **lazy speech**. Common examples are saying "fer" instead of "for" and "wanna" instead of "want to."

Like any habit, poor articulation can be overcome by unlearning the problem behavior:

- If you mumble, practice speaking more loudly and with emphatic pronunciation.
- If you tend toward lazy speech, put more effort into your articulation.
- Consciously try to say each word clearly and correctly.
- Practice clear and precise enunciation of proper word sounds. Say *articulation* several times until it rolls off your tongue naturally.
- Do the same for these words: *want to, going to, Atlanta, chocolate, sophomore, California.*
- As you practice, consider words that might pose articulation and pronunciation problems for you. Say them over and over until doing so feels as natural as saying your own name.

Use Dialect (Language Variation) with Care

A **dialect** is a distinctive way of speaking associated with a particular region or social group. Dialects such as Cajun, Appalachian English, and Ebonics (Black English) differ from standard language patterns such as general American English (GAE) in pronunciation, grammar, or vocabulary.

Although dialects are neither superior nor inferior to standard language patterns, the audience must be able to understand and relate to the speaker's language. Perhaps for this reason, listeners view speakers who use general American English as more competent—though not necessarily more trustworthy or likable—than those who speak in a distinctive dialect.[3]

Dialect need not be completely avoided in a speech. Its selective use, sometimes called **code-switching**, can help you

---

QUICK TIP

Skip the Slang
Slang is informal, short-lived language that tends to be restricted to certain (usually young) age groups. At one point, hip-hop slang, for example, included terms such as "fly" (good looking) and "fitted" (well-dressed). The informal and in-group nature of slang confuses and annoys audience members and usually doesn't belong in speeches.

achieve a variety of positive rhetorical effects, including friendliness, humor, earthiness, honesty, and nostalgia.[4] The key is to ensure that your meaning is clear. Former President Bill Clinton, for example, drew a laugh when he used Arkansas "backwoods-speak" to describe a Republican budget proposal: "It is their dog. And it was a mangy old dog, and that's why I vetoed that dog."[5]

REGULAR LANGUAGE PATTERNS IN SELECTED DIALECTS	
Appalachia	The *uh* sound before words ending in "ing" (She's a-fishing today)
Urban African American	The use of *be* to denote activities (She be fishing all the time)
Rural Southern	The absence of the plural *s* inflection (She ran four *mile*)[6]

19 Using the Body

Pay Attention to Body Language

As audience members listen to you, they are simultaneously evaluating the messages sent by your facial expressions, eye behavior, gestures, and general body movements. Audiences do not so much listen to a speaker's words as "read" the **body language** of the speaker who delivers them.[1]

Animate Your Facial Expressions

From our facial expressions, audiences can gauge whether we are excited about, disenchanted by, or indifferent to our speech — and the audience to whom we are presenting it.

Few behaviors are more effective for building rapport with an audience than *smiling*. A smile is a sign of mutual welcome at the start of a speech, of mutual comfort and interest during the speech, and of mutual goodwill at the close of a speech. In addition, smiling when you feel nervous or otherwise uncomfortable can help you relax and gain heightened composure. Of course, facial expressions need to correspond to the tenor of the speech. Doing what is natural and normal for the occasion should be the rule.

CHECKLIST: Tips for Using Effective Facial Expressions

✓ Use animated expressions that feel natural and express your meaning.

✓ Avoid a deadpan expression.

✓ Never use expressions that are out of character for you or inappropriate to the speech occasion.

✓ In practice sessions, loosen your facial features with exercises such as widening the eyes and moving the mouth.

✓ Establish rapport with the audience by smiling naturally when appropriate.

Maintain Eye Contact

If smiling is an effective way to build rapport, maintaining eye contact is mandatory in establishing a positive relationship with your listeners. Having eye contact with the audience is one of the most, if not *the* most, important physical actions in public speaking. Eye contact does the following:

• Maintains the quality of directness in speech delivery

• Lets people know they are recognized

• Indicates acknowledgment and respect

• Signals to audience members that you see them as unique human beings.

With an audience of one hundred to more than a thousand, it's impossible to look at every listener. But in most speaking situations you are likely to experience, you should be able to look at every person in the audience by using a

QUICK TIP

Focus on Three Visual Anchors

To maintain eye contact with audience members, one speaking pro suggests following the "rule of three": Pick three audience members to focus on—one in the middle, one on the right, and one on the left of the room; these audience members will be your anchors as you scan the room.[2] Initially, this may be difficult. But with just a little experience, you will find yourself doing it naturally.

technique called **scanning**. When you scan an audience, you move your gaze from one listener to another and from one section to another, pausing as you do so to gaze briefly at each individual.

Use Gestures That Feel Natural

Words alone seldom suffice to convey what we want to express. Physical gestures fill in the gaps, as in illustrating the size or shape of an object (e.g., by showing the size of it by extending two hands, palms facing each other), expressing the depth of an emotion (e.g., by pounding a fist on a podium), or emphasizing a certain word (e.g., by using one's index finger to "write" the word in the air while saying it). Gestures should arise from genuine emotions and should conform to your personality.[3]

- Use natural, spontaneous gestures.
- Avoid exaggerated gestures, but use gestures that are broad enough to be seen by each audience member.
- Eliminate distracting gestures, such as fidgeting with pens or pencils, brushing back hair from your eyes, or jingling coins in your pockets.
- Analyze your gestures for effectiveness in practice sessions.
- Practice movements that feel natural to you.

Be Aware of General Body Movement

General body movement is also important in maintaining audience attention and processing of your message. Audience members soon tire of listening to a "**talking head**" that remains steadily positioned in one place behind a microphone or a podium. As space and time allow, try to get out from behind the podium and stand with the audience. As you do, move around at a comfortable, natural pace.

QUICK TIP

Stand Straight

A speaker's posture sends a definite message to the audience. Listeners perceive speakers who slouch as being sloppy, unfocused, or even weak. Strive to stand erect, but not ramrod straight. The goal should be to appear authoritative but not rigid.

Dress Appropriately

Superficial as it may sound, the first thing an audience is likely to notice as you approach the speaker's position is your clothing. The critical criteria in determining appropriate dress for a speech are audience expectations and the nature of the speech occasion. If you are speaking as a representative of your business, for example, you will want to complement your company's image.[4]

An extension of dress is the possession of various objects on or around your person while giving a speech — pencil and pen, a briefcase, a glass of water, or papers with notes on them. Always ask yourself if these objects are really necessary. A sure way to distract an audience from what you're saying is to drag a briefcase or a backpack to the speaker's stand and open it while speaking, or to fumble with a pen or other object.

CHECKLIST: Broad Dress Code Guidelines

✓ For a "power" look, wear a dark-colored suit.

✓ Medium or dark blue paired with white can enhance your credibility.

✓ Yellow and orange color tones convey friendliness.

✓ The color red focuses attention on you.

✓ Flashy jewelry distracts listeners.

Practice the Delivery

Practice is essential to effective delivery. The more you practice, the greater your comfort level will be when you actually deliver the speech. More than anything, it is uncertainty that breeds anxiety. By practicing your speech using a fully developed speaking outline, you will know what to expect when you actually stand in front of an audience.

Focus on the Message

The primary purpose of any speech is to get a message across, not to display extraordinary delivery skills. Keep this goal foremost in your mind. Psychologically, too, focusing on your message is likely to make your delivery more natural and confident.

Create a Feeling of Immediacy

As a rule in most Western cultures, listeners learn more and respond most positively to speakers who create a perception of physical and psychological closeness, called **nonverbal immediacy**, *between themselves and audience members.*[5] *An enthusiastic vocal delivery, frequent eye contact, animated facial expressions, and natural body movements are the keys to establishing immediacy.*

Plan Ahead and Practice Often

If possible, begin practicing your speech at least several days before you are scheduled to deliver it.

- Practice with your speaking notes.
- Revise those parts of your speech that aren't satisfactory, altering your speaking notes as you go.
- Focus on your speech ideas rather than on yourself.
- Time each part of your speech — introduction, body, and conclusion.
- Practice with any presentation aids you plan to use.
- Practice your speech several times, and then record it with a tape recorder.
- If possible, videotape yourself twice — once after several practice sessions, and again after you've worked to incorporate any changes into your speech.
- Visualize the setting in which you will speak and practice the speech under realistic conditions, paying particular attention to projecting your voice to fill the room.
- Practice in front of at least one volunteer, and seek constructive criticism.
- Schedule your practice sessions early in the process so that you have time to prepare.

Practice Five Times

Many expert speakers recommend practicing your speech about five times in its final form. Given that few speeches are longer than twenty minutes, and most are shorter, this represents a maximum of two hours of practice time — time certainly well spent.

Part 6
Presentation Aids

20. Types of Presentation Aids 141
21. Designing Presentation Aids 147
22. A Brief Guide to Microsoft PowerPoint 150

Presentation aids can help listeners to understand and remember key points, to see relationships among concepts, and to evaluate complex ideas and data more quickly.[1] Designed well and used wisely — a not so simple task — presentation aids enhance speaker credibility.

Offering information visually as well as verbally appeals to the two basic ways we process information.[2] Indeed, studies show that we remember only about 30 percent of what we hear, but more than 60 percent of what we see *and hear.*[3]

QUICK TIP

Use Presentation Aids to Supplement Your Main Ideas

The strength of a presentation aid lies in the context in which it is used. No matter how powerful a photograph or chart or video may be, the audience will be less interested in merely gazing at it than in discovering how you will relate it to a specific point. Even superior-quality aids that are poorly related to the speech will turn off listeners. Use your presentation aids to supplement rather than to serve as the main source of your speech ideas.

Select an Appropriate Aid

Presentation aids include props and models, graphs, charts, video, audio, and multimedia. Select the aid, or combination of aids, that will illustrate your speech points most effectively.

Consider a Prop or Model

A **prop** can be any inanimate or live object — a stone or a snake, for instance — that captures the audience's attention and illustrates or emphasizes key points. A **model** is a three-dimensional, scale-size representation of an object. Presentations in engineering, architecture, medicine, and many other disciplines often make use of models.

When using a prop or model,

- Keep the prop or model hidden until you are ready to use it, in most cases.
- Make sure it is big enough for everyone to see (and read, if applicable).
- Practice your speech using the prop or model.

Create a Graph

A **graph** represents the relationship between variables. Four types of graphs that speakers use include line graphs, bar graphs, pie graphs, and pictograms.

A *line graph* displays one measurement, usually plotted on the horizontal axis, and units of measurement or values, plotted on the vertical axis. Each value or point is connected with a line. Line graphs are especially useful in representing information that changes over time, such as trends.

A *bar graph* uses bars of varying lengths to compare quantities or magnitudes. *Multidimensional bar graphs*, bar graphs distinguished by different colors or markings, compare two or more different kinds of information or quantities in one chart.

When creating line and bar graphs,

- Label both axes appropriately.
- Start the numerical axis at zero.
- Compare only like variables.
- Put no more than two lines of data on one line graph.
- Assign a clear title to the graph.

A *pie graph* depicts the division of a whole into slices. Each slice constitutes a percentage of the whole. When creating pie graphs,

- Restrict the number of pie slices to a maximum of seven.
- Identify and accurately represent the values or percentages of each pie slice.
- Consider using color or background markings to distinguish the different slices of the pie.

A *pictogram* uses picture symbols (icons) to illustrate relationships and trends; for example, using a generic-looking human figure repeated in a row to demonstrate increasing enrollment in college over time.

When creating pictograms,

- Clearly label what the pictogram symbolizes.
- To avoid confusing the eye, make all pictograms the same size.
- Clearly label the axes of the pictogram.

BEST USE OF DIFFERENT TYPES OF GRAPHS AND CHARTS

TYPE OF GRAPH OR CHART		BEST USE
Table	COMMUTER BUS SCHEDULE: B59 BUS ROUTE, BROOKLYN, NY 2006 Myrtle 9:16 AM 9:25 AM 9:34 AM Vanderbilt 9:21 AM 9:30 AM 9:39 AM Fulton 9:31 AM 9:40 AM 9:49 AM	To show large amounts of information in an easily viewable form
Flowchart	Should You Change Your Oil?	To show processes
Diagram		To show how something works or is constructed
Line graph	U.S. Fruit Production, 1998–2002	To represent trends or information that changes over time
Bar graph	Downtown Office Occupancy Rate	To compare individual points of information, magnitudes
Pie graph	Music Preferences of Youth, Ages 12-19	To show proportions, such as sales by region, shares
Pictogram	New College Freshmen	To show comparisons in picture form

Produce a Chart

Like a graph, a **chart** visually represents data and their relationship to other data in a meaningful form. Several different types of charts help listeners grasp key points.

A **flowchart** diagrams the progression of a process, helping viewers visualize sequence or directional flow.

A **diagram** (also called a "schematic drawing") visually plots how something works or is made or operated.

A tabular chart, or **table**, systematically groups data in column form, allowing viewers to examine and make comparisons about information quickly.

Incorporate Audio and Video

Introducing an *audio clip*—a short recording of sounds, music, or speech—into a speech can add interest, illustrate ideas, and even bring humor to the mix. *Video*—including movie, television, and other recording instruments—can also be a powerful presentation aid that combines sight, sound, and movement. With various presentation software programs, you can also incorporate audio and video into an electronic presentation. **Multimedia** combines several media (stills, sound, video, text, and data) into a single production. When incorporating audio and video into your presentation:

- Cue the audio or videotape to the appropriate segment before the presentation.
- Alert audience members to what they will be viewing *before* you show the tape.
- Reiterate the main points of the audio or video clip once it is over.
- Check to see whether the audio or video material you are using is copyrighted, and that you are using it in a manner that is consistent with copyright laws.

Choose a Method of Display

Options for showing the aids to the audience include, on the more traditional side, overhead transparencies, slide transparencies, flip charts, chalkboards, and handouts. Many presenters display computer-generated graphics with digital projectors.

Project Overhead Transparencies

An **overhead transparency** is an image printed on a transparent sheet of acetate that can be viewed by projection. If you write on the transparency during the presentation, it can be used much like a chalkboard. Parts of the transparency can be covered with paper and revealed progressively during the presentation. Alternatively, transparencies can be laid one on top of the other so that successive details can be added.

When using overhead transparencies,

- Check that the projector is in good order before the speech. Make sure it does not block the audience's view; have a spare projector bulb available; and tape the power cord to the floor so you won't trip on it.

- Stand to the *side* of the projector and face the *audience,* not the projected image.

- Use a pointer to indicate specific sections of a transparency   point to the transparency, not to the screen.

- If creating transparencies by writing or drawing during the presentation, use a water-soluble transparency pen and be sure to write clearly.

- Cover the transparencies when you are finished using them. Use heavy paper or cardboard so they will not be moved by the projector's fan.[4]

- Practice using your transparencies before your presentation.

Use LCD Panels or Digital Projectors

Rather than overhead or traditional slide projection, many speakers today project aids using **LCD** (liquid crystal display) panels and projectors or the newer **DLP** (digital light processing) projectors. Aids displayed digitally are created with presentation software such as PowerPoint and transferred directly to the projector. Stand-alone slides or acetates aren't necessary, and you can use the software to generate speaker's notes and handouts (see Chapter 22).

Prepare a Flip Chart

A **flip chart** is simply a large (27–34 inch) pad of paper on which a speaker can draw visual aids. They are often prepared in advance; then, as you progress through the speech, you simply flip through the pad to the next exhibit. You can also write and draw on the paper as you speak.

Use Posters

A **poster** is (generally) a large (36 × 56 inch) stiff paper board on which the speaker places, alone or in combination, text, data, and pictures. Speakers use posters to introduce topics or concepts to survey a topic. Many disciplines make use of posters in a form of presentation called the *poster session* (see Chapter 26). You can create posters by hand or generate them using presentation software (see Chapter 22).

Rehearse, Rehearse, Rehearse

Coordinating aids with a speech does not occur naturally. Because timing is critical, you must rehearse the entire speech at least twice — once days before the event and again shortly before delivery. In your speaker's notes, cue each aid to where you want to introduce it (see "Common Delivery Cues" in Chapter 14) and practice reading through the speech with the aids. If you're comfortable doing so, record the rehearsal using audio and/or video so that you can view it as the audience will see it.

Pass Out Handouts

A **handout** conveys information that either is impractical to give to the audience in another manner or is intended to be

CHECKLIST: Incorporating Presentation Aids into Your Speech

✓ Talk to your audience rather than to the screen — insofar as possible, don't turn your back to the audience.

✓ Maintain eye contact with the audience.

✓ Avoid putting the aid directly behind you. Place it to one side so that the entire audience can see it.

✓ Display the aid only when you are ready to discuss it and put it away when you are finished.

✓ Practice your speech with the aids until you are confident you can handle them without causing undue distractions.

✓ If you decide to use a pointer, don't brandish it about. Once you've indicated your point, put it down.

✓ In case problems arise, make sure you are prepared to give your presentation without the aids.

kept by audience members after the presentation. To avoid distracting listeners, unless you specifically want them to read the information as you speak, *wait until you are finished before you distribute the handout.* If you do want the audience to view a handout during the speech, pass it out only when you are ready to talk about it.

21 Designing Presentation Aids

Whether you create your presentation aids with pen and paper or generate them on a computer, apply the principles of simplicity and continuity to each aid you create.

Strive for Simplicity

Visuals that try to communicate too many messages will quickly overwhelm the audience. On average, viewers see slides or handwrought aids for thirty seconds or less, so don't jam too much information onto any single one.

- Present one major idea per aid.
- Follow the **eight by eight rule**; that is, don't use more than eight words in a line or more than eight lines on one slide.
- State your points in short phrases.
- Construct your text in active verb form and parallel grammatical structure.
- Create concise titles that tell viewers what to look for and that reinforce your message.
- Beware of filling up slides with unnecessary graphics and text (see discussion of chartjunk on page 150).

Use Design Elements Consistently

Apply the same design decisions you make for one presentation aid to all of the aids you display in a speech. Doing so will ensure that viewers don't become distracted by a jumble of unrelated visual elements. Carry your choice of any key design elements—colors, fonts, upper- and lowercase letters, styling (boldface, underlining, italics), background color, page layout, repeating elements such as titles and logos— through to each aid.

Select Appropriate Typeface Styles and Fonts

A **typeface** is a specific style of lettering, such as Arial, Times Roman, and Courier. Typefaces come in a variety of **fonts**, or sets of sizes (called the point size), and upper and lower cases. Designers divide the thousands of available typefaces into two major categories: serif and sans serif. (Additional categories, such as script (calligraphy) typefaces, aren't recommended for presentation aids because they are difficult to read from a distance.) **Serif typefaces** include small flourishes, or strokes, at the tops and bottoms of each letter. **Sans serif typefaces** are more blocklike and linear; they are designed without these tiny strokes.

Take into consideration the audience's distance from the aid. Use a typeface that is simple and easy to read, and check its legibility by going some distance from it and squinting as you try to read it.[1]

- Check that your lettering stands apart from your background; for example, don't put black type on a dark blue background.

- Use upper- and lowercase type; this combination is easier to read than all capital letters.

- Don't overuse **boldface**, underlining, or *italics*. Use them sparingly to emphasize the most important points.

- Experiment with 32- to 44-point type for major headings and 24- to 32-point type for text.[2]

- Use a sans serif typeface for major headings. Experiment with a serif typeface for the body of the text.

- Avoid ornate fonts — they are difficult to read.

- Use no more than two different typefaces in a single visual aid.

QUICK TIP

Using Serif and Sans Serif Type

For reading a block of text, serif typefaces are easier on the eye. Small amounts of text, however, such as headings, are best viewed in sans serif type. Thus, consider a sans serif typeface for the heading and a serif typeface for the body of the text. If you include only a few lines of text, consider using sans serif text throughout.

Save the Text for Handouts
Audience members quickly become bored reading text, especially text that repeats exactly what the speaker is saying. For this reason, design experts suggest limiting text in slides, instead offering visuals such as charts, diagrams, illustrations, photos, and video. If you do have a lengthy message you want to display in text, save it for a handout.[3]

Use Color Carefully

The skillful use of color can draw attention to key points and help listeners see comparisons, contrasts, and emphases. Poor color combinations will set the wrong mood, render an image unattractive, or make it just plain unreadable.

- Use colors consistently across all aids.

- For type and graphics, use colors that contrast rather than clash with or blend into the background.

- Use bold, bright colors to emphasize important points. Warm colors move to the foreground of a field. Yellow, orange, and red rank highest in visibility, so use these colors to highlight text or objects within a frame. But be careful: These colors can be difficult to see from a distance.

- Limit the number of colors you use in a graphic. Use no more than four colors; using two or three is better.

CHECKLIST: Apply the Principles of Simplicity and Continuity

✓ Concentrate on presenting one major idea per visual aid.

✓ Apply design decisions consistently to each aid.

✓ Use type that is large enough for audience members to read comfortably.

✓ Use color to highlight key ideas and enhance readability.

✓ Check that colors contrast rather than clash.

22 | A Brief Guide to Microsoft PowerPoint

A variety of presentation software packages offer public speakers powerful tools for creating and displaying supporting visuals. You can project the aids directly from the computer via a digital projector and/or convert them into speaker's notes, handouts, or overhead transparencies. These programs also allow you to import video and sound into your presentation.

Give a Speech, Not a Slide Show

Many speakers become so enamored of generating slides they forget that their primary mission is to communicate through the spoken word and their physical being. Presentation aids can sometimes help listeners process information, but only as long as they truly help you engage your audience and achieve your speech goal.

Beware of "Chartjunk"

Certain kinds of information—especially statistical data and sequences of action—are best understood through visual reasoning.[1] Too often, however, speakers misuse software programs such as PowerPoint, jamming charts, graphs, and plain text slides chock-full of meaningless color, bullets, and images. The overall effect is to obscure rather than illuminate information with "chartjunk," a term coined by design expert Edward Tufte. When creating slides, keep the following in mind:

- Use as few slides as possible.
- Simplify text to the minimum.
- Use only those design elements that truly enhance meaning.
- Be prepared to give the same speech without slides.

Avoid Technical Glitches

Using presentation software with your speech introduces the potential for mishaps. To minimize problems, do the following:

- Run through the presentation with the equipment you will use during the speech, if only just before the speech.
- Check for compatibility of equipment, operating system, and software.

- Back up slides onto a disk and bring it to the speech location.
- In case of equipment failure, bring printouts or transparencies of your slides and be prepared to deliver a speech with them.

Using Microsoft's PowerPoint

With Microsoft's PowerPoint, one of the most popular presentation programs on the market today, you can generate slides containing text, artwork, photos, charts, graphs, tables, clip art, video, and sound. PowerPoint also allows you to produce handouts, outlines, and notes based on the slide presentation. In this section, we offer a brief overview of PowerPoint's features. For more information, good references include *PowerPoint* by Microsoft Press and *PowerPoint®2007 for Dummies®* by Doug Lowe.

PowerPoint's Presentation Options

After you launch the program, PowerPoint displays a blank slide for creating a new presentation (see Figure 22.1). (Older versions of PowerPoint show a separate box with various presentation options.) At the right of this screen are three options for creating a new presentation: *AutoContent Wizard, Design Template,* and *Blank Presentation.* To revise an existing presentation, select an option from the *Open a presentation* menu.

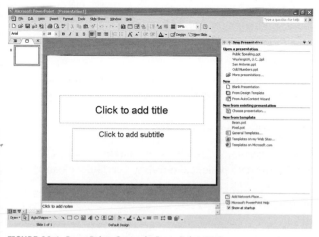

FIGURE 22.1 PowerPoint: Screen in PowerPoint 2002

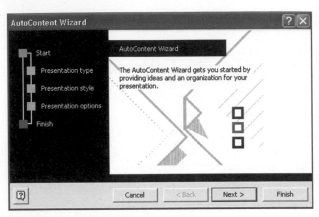

FIGURE 22.2 PowerPoint AutoContent Wizard

AutoContent Wizard

Of the three options, *AutoContent Wizard* offers the greatest degree of help, but it also locks you into a design that may not present your information optimally (see Figure 22.2). With this option, you first choose from one of about two dozen organizational options, including *Marketing Plan, Introducing a Speaker,* and *Presenting a Technical Report.* Each option provides a predetermined organization and design. After you select a presentation medium (On-screen, Web, Overheads) and enter some basic information, the AutoContent Wizard sets up an index of customizable slides (generally from six to twelve) with preloaded slide titles, points, subpoints, color, and designs.

Design Template Option

For more flexibility in designing a presentation, the *Design Template* option includes approximately forty-eight pre-designed templates to choose from (see Figure 22.3). With the Template option, you decide how to organize your points and subpoints; the template you select then applies a consistent layout and color scheme to each slide in the presentation. Each template is designed to convey a certain look and feel.

Blank Presentation Option

In *Blank Presentation* mode, users customize every aspect of the presentation: layout, color, font type and size, organization of content, and graphics. Of the three options, Blank Presentation allows the greatest degree of creativity and

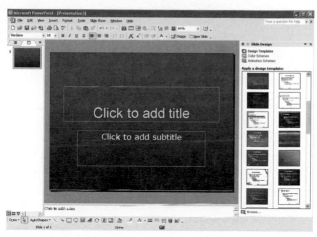

FIGURE 22.3 Design Template

flexibility. The downside is that each slide design essentially starts from scratch.

To create a new "blank" presentation, select Blank Presentation from the New Presentation screen or from the New File icon on the standard toolbar. Layout templates will then appear on the right side of the screen (see Figure 22.4).

Open an Existing Presentation Option

Use this option to open, view, and edit an existing Power-Point presentation.

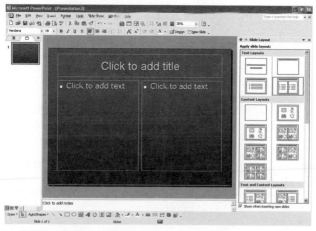

FIGURE 22.4 Layout

PowerPoint Views

In the latest versions of PowerPoint, you can view the aids you create in *normal, slide sorter,* and *slide show* views. Each can be found in the View menu on the toolbar.

• *Normal view* allows you to view (and edit) one entire slide on the screen; to the left of the slide is a text outline of the entire presentation; to the right are options for slide layouts.

• *Slide sorter view* provides a snapshot of all slides. In this view, you can click and drag slide icons to reorganize or delete slides.

• *Slide show view* is used during projection to an audience. The slide takes up the entire screen and starts with the first slide.

PowerPoint Masters

For every graphic you create, PowerPoint creates a set of "masters": a *Slide Master,* a *Handout Master,* and a *Notes Master.* Slide Masters contain the elements (text or pictures) that you want to appear on every presentation slide, such as a logo, image, or line of text. To display a master, go to the View menu, scroll down to Master, and choose a master from a submenu.

Transition and Animation Effects

When moving from one slide to another in your presentation, or from one point to another within a single slide, you may wish to add special effects in the form of transitions and text animations. *Transition effects* add motion and sound effects as you move from one slide to another. To set transition effects in a presentation,

1. On the Slide Show menu, click Slide Transition and click the transition you want.

2. To apply the transition to the selected slide, click Apply.

3. To apply the transition to all the slides, click Apply All.

Animation effects—sometimes referred to as *builds*—allow you to reveal text or graphics within a slide during a presentation. You can reveal one letter, word, or paragraph at a time, for example, as you discuss each item. Or you can make text or objects look dimmer or change color when you add another element.

PowerPoint comes with both preset and custom animations. *Preset animations* determine the options for you—such as whether an object flies in from the top, bottom, left, or right of the slide. *Custom animations* allow you to select your own options. To apply an animation,

1. Select the object you want to animate— for example, a text placeholder or a piece of art.
2. On the Slide Show menu, click Animation Schemes and select the effect you want.
3. To edit the settings for this animation after choosing it, select Custom Animation from the Slide Show menu.

QUICK TIP

Using Animation Effects

Used sparingly, transitions and animations can add to a presentation, but beware of using them so much that they distract from your message. Keep all text animations consistent from one slide to the next; for example, if you use the "fly in from left" effect for one slide, use it on all slides that you build. The same guidelines apply to slide transitions. Keep them consistent throughout the entire slide show or within different sections.

Entering and Editing Text

Whenever you choose a slide layout (other than blank layout), you replace the sample text in a placeholder with your own text. To select a *text placeholder,* click within the placeholder. The faint outline is replaced by a wide hashed border, the sample text disappears, and a flashing insertion point appears, indicating that you can now insert text. When you finish entering the text, deselect the placeholder by clicking a blank area of the slide. To add text when you do not have a placeholder, follow these steps:

1. Click the Text Box button in the Drawing toolbar.
2. Position the pointer where you want the top left corner of the text box to be.
3. Click and drag the mouse diagonally down and to the right to form a box of the appropriate width.
4. Release the mouse button and enter text.

Inserting Objects into Slides

PowerPoint allows you to create or import drawings, clip art, tables, worksheets, movies, and sounds in slides.

Clip Art

The PowerPoint ClipArt Gallery contains more than 1,000 drawings that cover a wide range of topics. Microsoft's Clip Gallery (office.microsoft.com/clipart) contains more than 120,000 graphic images, sounds, and video files.

You can insert clip art into a slide in several ways. If you are using AutoLayout, you simply double-click on the clip-art placeholder. You also can choose the Insert ClipArt command, select an option from the category list (Clip-Art, Pictures, Sounds, Videos), select a picture, and then choose OK.

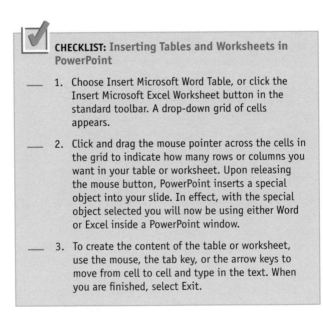

CHECKLIST: Inserting Tables and Worksheets in PowerPoint

_____ 1. Choose Insert Microsoft Word Table, or click the Insert Microsoft Excel Worksheet button in the standard toolbar. A drop-down grid of cells appears.

_____ 2. Click and drag the mouse pointer across the cells in the grid to indicate how many rows or columns you want in your table or worksheet. Upon releasing the mouse button, PowerPoint inserts a special object into your slide. In effect, with the special object selected you will now be using either Word or Excel inside a PowerPoint window.

_____ 3. To create the content of the table or worksheet, use the mouse, the tab key, or the arrow keys to move from cell to cell and type in the text. When you are finished, select Exit.

Movies and Sounds

PowerPoint comes with a variety of built-in movie and sound clips, or you can import clips from other sources. PowerPoint can also play a track from a compact disc inserted into your computer.

Running the Presentation

There are several ways to run a PowerPoint slide show. You can run an on-screen slide show by completing the following steps:

1. Open the presentation.
2. Choose any view.
3. Choose the View Slide Show command, click the Slide Show button in the lower left corner of the PowerPoint window, or hit F5.
4. Show the next slide by clicking the left mouse button; hitting the space bar; typing N; or pressing the right arrow, down arrow, or Page Down.
5. Show the previous slide by clicking the right mouse button; hitting the Backspace; typing P; or pressing the left arrow, up arrow, or Page Up.

COMMANDS TO RUN A POWERPOINT SLIDE SHOW	
FUNCTION	METHOD
Show the next slide	Click the left mouse button or press the space bar, N, right arrow, down arrow, or Page Down
Show the preceding slide	Click the right mouse button or press Backspace, P, left arrow, up arrow, or Page Up
Show a specific slide	Type the number and press enter
Toggle the mouse pointer on or off (show or hide)	Type A or the equal sign
Toggle between a black or white screen and a current screen	Type B or a period for a black screen, or type W and a comma for a white screen

Part 7
Types of Speeches

23. Informative Speaking 159
24. Persuasive Speaking 176
25. Speaking on Special Occasions 204

23 | Informative Speaking

To *inform* is to communicate knowledge. An **informative speech** provides new information, new insights, or new ways of thinking about a topic. Your speech might be an explanation of a concept or practice; a description of a person, place, or event; or a physical demonstration of how something works. You might explain information with which listeners have some familiarity but little real understanding, thereby shaping their perceptions. As long as the audience learns something, the options are nearly limitless.

QUICK TIP

Enlighten Rather than Advocate

Whereas a persuasive speech would seek to modify attitudes or ask an audience to adopt a specific position, an informative speech stops short of this. Yet there are always elements of persuasion in an informative speech, and vice versa. Nevertheless, if you keep your focus on building understanding, you will be able to deliver an informative speech whose primary function is to enlighten rather than to advocate.

Determine Your Speech Type

Broadly speaking, informative speeches may be about objects or phenomena, people, events, processes, concepts, or issues. These are not hard and fast divisions—a speech can be about both the process of dance and the people who perform it, for example—but they show the range of informative subjects and can point to a logical organizational pattern.

TYPES OF SPEECH AND STRATEGIES	SAMPLE SUBJECTS
Speeches about objects or phenomena—about anything animate or inanimate, other than humans	• digital cameras
	• Texas English
	• MP3 players
Define and describe object or phenomenon in question. Continue with either an explanation or a demonstration.	• campaign for city council
	• El Niño winds in the western U.S.

TYPES OF SPEECH AND STRATEGIES	SAMPLE SUBJECTS
Speeches about people — about any person or group of people that meets the informational goal Paint vivid pictures. Use explanation to address person's or group's significance.	• athletes • authors • inventors • political leaders • war refugees
Speeches about events — about any current or historical event that meets the informational goal Use description to paint a vivid picture. Use explanation to analyze the event's meaning.	• Live Aid and Live 8 concerts • 1937 Paris World's Fair • The National College Cheerleading Finals • The Battle of Britain
Speeches about processes — about anything that is best explained in terms of how it is made, how it works, or how it is performed If physically showing a process, rely on demonstration. If explaining a process, vary strategies as needed.	• how scientists isolate DNA in cells • how to podcast • how lightning forms • how to practice Power Yoga
Speeches about concepts — about any abstract or complex concept that requires explanation Offer multiple definitions and explanations.	• artificial intelligence • nanotechnology • free speech • slow time movement • nuclear fission
Speeches about issues — about any issue or problem, as long as the speaker focuses on enlarging the audience's understanding and awareness rather than on advocating one position versus another Focus on description and explanation.	• racial profiling • outsourcing • pollution of the Mississippi River • climate change

Choose a Strategy for Presenting Content

Speeches that inform depend on one or, more often, a combination of the following approaches to presenting information: definition, description, explanation, and demonstration. Some informative speeches rely almost exclusively on a single approach (e.g., their main purpose is to demonstrate how something works or to describe what something is). Many speeches, however, employ a combination of strategies. As you prepare your speech, ask yourself, "By which of these means can I best convey my ideas?"

DEFINITION   Informative speaking often involves defining information—identifying the essential qualities and meaning of something. When your speech focuses on addressing the meaning of a complex concept or one that is new to the audience—such as "What is cholesterol?" or "What does 'equilibrium price' mean?"—pay particular attention to using definition. Regardless of the type of informative speech you deliver, however, consider how familiar your listeners are with your topic, and evaluate the terms you are using against this level of knowledge. Err on the side of caution by planning to explain any terms that may be unclear.

You can approach definition in a number of ways, including the following:

- Defining the topic by explaining what it does (**operational definition**); for example, *A computer is something that processes information.*

- Defining the topic by describing what it is not (**definition by negation**); for example, *Courage is not the absence of fear.*

- Defining the topic by providing several concrete examples of it (**definition by example**); for example, *Health professionals include doctors, nurses, EMTs, and ambulance drivers.*

- Defining the topic by comparing it to something with which it is synonymous (**definition by synonym**); for example, *A friend is a comrade, or a buddy.*

- Defining the topic by illustrating the root meaning of the term in question (**definition by etymology** [word origin]); for example, *Our word* rival *derives from the Latin word* rivalis, *"one living near or using the same stream."*[1]

DESCRIPTION   When you describe something, you provide an array of vivid details that paint a mental picture of the person, place, event, or process. Concrete and colorful words, metaphors, and other figures of speech will help listeners visualize your ideas (see Chapter 16, "Using Language").

DEMONSTRATION   Sometimes the purpose of an informative speech is to explain how something works or to actually demonstrate it, using an object, a representation, or some other visual aid. Topics such as "bidding on eBay" and "childproofing your home" may not include an actual physical demonstration, but the speaker will nevertheless verbally demonstrate the steps involved.

EXPLANATION   Moving beyond simply defining terms, explanation provides reasons or causes, demonstrates relationships, and offers interpretation and analysis. The classic example of explaining information is the classroom lecture. But many kinds of speeches rely on explanation, from those that address difficult or confusing theories and processes to those that present ideas that challenge conventional thinking.

Help Listeners Follow Along

Audience members are not simply empty vessels into which you can pour facts and figures and then expect them to automatically process them. Before they retain information, they must be able to recognize and understand it. Help listeners follow along by incorporating the following steps:

- *Preview main points.* Give listeners a sense of the whole before plunging into the particulars, and offer them specific guideposts they can follow. Do this in the introduction by previewing your main points and summarizing what you want them to gain from the speech; for example, "I'll begin by . . . Next I will . . . By the end of this presentation I hope that you will understand . . ." See also the section on preview statements in Chapter 15.

- *Use clear transitions.* Signal words, phrases, and sentences that tie speech ideas together will help audience members follow your points (see Chapter 12).

- *Use visualization.* Listeners grasp information best when it is presented verbally *and* visually. Vivid and concise language helps turn abstract concepts into concrete examples; well-conceived drawings, models, videos, and other graphic illustrations allow listeners to see the "big picture."[2]

- *Reinforce your message through repetition.* Repeat key points at various intervals in your speech to implant them in listeners' minds (see Chapter 16 on techniques of repetition).

QUICK TIP

Present New and Interesting Information
Audiences want to learn something new. To satisfy this drive, try to uncover information that is fresh and compelling. Seek out unusual sources (but make certain they are credible), novel (but sound) interpretations, startling facts, and moving stories. "If the speech does not convey provocative information," notes professional speaker Vickie K. Sullivan, "audience members feel their time has been wasted . . . They expect their thinking to be challenged."[3]

Take Steps to Reduce Confusion

New information can be hard to grasp, especially when it addresses[4] a difficult concept or term (such as *equilibrium* in engineering), a difficult-to-envision process (such as *cash flow management* in business), or a counterintuitive idea (such as that drinking a glass of red wine a day can be healthy).

Useful in nearly all informative speeches, the following strategies for communicating information are especially helpful when attempting to clarify complex information.

Use Analogies to Build on Prior Knowledge

Audience members will understand a new concept more easily if they can relate it to something that they already know.[5] Use **analogies** to help establish a common ground of understanding (see Chapter 16). For example, to explain the unpredictable

---

QUICK TIP

The Limits of Analogies
Speakers sometimes will organize a part of or even an entire speech around an analogy.[6] Bear in mind, however, that no analogy can exactly represent another concept; at a certain point, the similarities will end.[7] Therefore, you may need to alert listeners to the limits of the comparison.[8]

paths that satellites often take when they fall to earth, you can liken the effect to dropping a penny into water: "Sometimes it goes straight down, and sometimes it turns end over end and changes direction. The same thing happens when an object hits the atmosphere."[9]

Demonstrate Underlying Causes

Listeners may fail to understand a process because they believe that something "obviously" works a certain way when in fact it does not. To counter faulty assumptions, first acknowledge common misperceptions and then offer an accurate explanation of underlying causes.[10]

Check for Understanding

Audience feedback becomes especially important when explaining new information. Be alert to nonverbal signals, such as blank stares, that indicate a lack of focus, and invite questions accordingly.

Arrange Main Points in a Pattern

Our understanding of a speech is directly linked to how well it is organized.[11] Informative speeches can be organized using any of the patterns described in Chapter 13, including the topical, chronological, spatial, problem-solution, cause-effect, circle, and narrative patterns. A speech defining the French Impressionist movement in painting, for example, could be organized *chronologically,* in which main points are arranged in sequence from the movement's early period to its later falling out of favor. The speech could be organized *causally,* by demonstrating that French Impressionism came about as a reaction to the art movement that preceded it. It could also be organized *topically,* by focusing on the major figures associated with the movement, famous paintings linked to it, or notable contemporary artists who paint in the style.

In a student speech on "How to Buy a Guitar," Richard Garza organizes his main points chronologically:

GENERAL PURPOSE:	Buying and caring for a guitar involve knowing what to look for when purchasing it and understanding how to maintain it once you own it.
MAIN POINTS:	I. Decide what kind of guitar you need.
	II. Inspect the guitar for potential flaws.
	III. Maintain the guitar.

In a speech on the nonmonetary uses of gold, Krista Kim organizes her main points topically, dividing her points by category:

THESIS STATEMENT: Although generally unknown to the general population, gold has many non-monetary applications in medicine and science.

MAIN POINTS: I.   Gold has many unique and useful qualities.

MAIN POINTS: II. Gold has many applications in medicine.

III. Gold has several applications in the NASA space program.

QUICK TIP

Incorporate Presentation Aids

People process and retain information best when they receive information in more than one format. Messages that are reinforced visually and otherwise, in the form of presentation aids — such as PowerPoint, objects, props, pictures, graphics, video, and audio — are often more memorable and believable than those that are simply verbalized.

CHECKLIST: Guidelines for Communicating Your Informative Message

✓ In your introduction, stress the topic's relevance to listeners and tell them what they will learn.

✓ Select among definition, description, explanation, and demonstration to convey your ideas.

✓ Offer analogies, similes, and metaphors to clarify examples.

✓ Combine verbal explanations with visual demonstrations.

✓ Choose an organizational pattern that will help listeners follow your ideas.

✓ Reinforce important information by repeating key words and phrases and revisiting key concepts.

✓ Consider how presentation aids can illustrate your points.

✓ Be alert to signs of confusion and invite questions.

> **CHECKLIST: Possible Matches of Organizational Patterns with Speech Types**
>
> ✓ Objects — spatial, topical
>
> ✓ People — chronological, topical, narrative
>
> ✓ Events — chronological, cause-effect, narrative
>
> ✓ Processes — chronological, narrative
>
> ✓ Concepts — topical, circle, cause-effect
>
> ✓ Issues — chronological, cause-effect, topical, circle

SAMPLE INFORMATIVE SPEECH*

Following is the full text of an informative speech outlined and referenced in Chapter 14. John's assignment was to deliver a four- to five-minute informative speech citing at least three authoritative sources, incorporating at least one presentation aid, and including a list of references in either APA or MLA style.

The speech makes ample use of *definition* to convey information. In terms of speech type, it might be most easily classified as one about an *object or phenomenon* — that of spyware (see Chapter 14). It is loosely organized along the lines of the *problem-solution pattern* (see Chapter 13), in which the speaker first describes the problems associated with spyware and then offers ways to avoid them.

Staying Ahead of Spyware

JOHN COULTER
Salt Lake City Community College

How would you feel if someone was watching and recording everything you typed on the Internet — your passwords, personal letters, and perhaps even your credit card numbers? Well, it just might be. There are plenty of software programs out there that can install themselves on your computer without your knowledge. Once   1

John immediately demonstrates the topic's relevance to his listeners.

---

*Gratitude goes to Carolyn Clark, Ph.D., of Salt Lake City Community College for sharing this assignment with us.

preview?

they're installed, they're able to harvest sensitive information such as this.

In order to protect yourself, it is necessary to understand how these types of programs, known as spyware, work.

He introduces the speech thesis.

Today, I'll talk about the danger of spyware and how to avoid it. I'll discuss four main points relating to spyware: What it is; the harm it causes; who it affects; and how to keep your computer from becoming infected by it.

He previews the main points.

So, what exactly is spyware?

To begin, spyware is relatively new. According to a March 2004 report by the Federal Trade Commission, until the year 2000 the term *spyware* referred to monitoring devices on cameras. Its first link to a software context apparently was in connection with a security program called *Zone Alarm*. Today, the FTC defines spyware as any computer code that installs on your computer, gathers data from it, and sends it back to a remote computer without your consent. This includes software that will advertise on your computer, collect personal information, and change your computer's configuration.

A transition signals the move into the body of the speech.

John uses an *operational definition* (explaining what something does).

Throughout the speech, John alternates among a mix of credible sources, beginning here with a government report.

You may be wondering how spyware gets into your computer and what it does once it gets there.

Transition to the next point

Spyware installs itself silently, often "piggybacking" onto other downloaded software programs such as file-sharing applications and games. Links in pop-up ads and the "unsubscribe" button in spam are other known sources. Some types of spyware track your Web-browsing habits and sell the information to marketers; other kinds, sometimes called "adware," merely load ads on your computer but don't monitor your browsing habits. The most dangerous (and rarest) type, called keystroke logging or simply keyloggers, record and transmit keystrokes. Keyloggers can steal information as personal as your tax returns, Social Security number, and passwords, sending it along to identity thieves.

John continues to define spyware, here by offering examples of what it does (*definition by example*).

You may be wondering about the differences between spyware and computer viruses — or whether there are any.

John uses a rhetorical question as a transition.

Spyware is different from a virus in a variety of ways. 9
According to a video tutorial on the Web site CNET.com,
viruses are generally written by individuals in order to
brag or cause damage. Spyware is written by teams
employed by companies, many but not all of them shady,
in order to make money. Viruses have been around for
more than two decades; everyone agrees on how to define
them; and they are illegal. Currently, few
laws exist governing spyware, though legis-
lation is pending in many states and on the
federal level.

Comparing and
contrasting spyware
and viruses effectively
differentiates the two.

But leaving aside the finer distinctions between spyware 10
and other types of computer menaces, what is crystal
clear is that spyware represents a growing threat. Consider some of the symptoms and problems associated
with spyware.

As described by Vauhini Vara in the
July 14th, 2005, edition of the *Wall Street
Journal,* one sign that your computer's

John is careful to cite
his sources.

been infiltrated with spyware is a constant stream of
pop-up ads. Another is the appearance of strange toolbars on your desktop or even a different home page. The
settings on your browser may be changed, or "hijacked,"
forcing you onto strange Web pages and ignoring the
addresses you type in. Your computer may behave slug-
gishly or become unstable. The monitor may start to do
weird things; files may become displaced or disappear
altogether. The worst-case scenario? Your computer
crashes.

How many people are plagued by problems such as 12
these?

In a conversation with Tanner Nielsen of Totally Awe- 13
some Computers right here in Salt Lake City, the majority
of issues on computers brought into their store are spyware related. Nielsen's observation is borne out by a
nationally representative survey conducted in 2005 by
Consumer Reports. It found that within the past two years
one-third of users with home Internet access experienced
severe problems with their computer systems and/or
financial losses. Eighteen percent said that their hard
drives were so seriously infected that the contents had to
be erased.

So spyware can do some nasty things
to your computer, as well as to your wallet.
Prevention is the best way to avoid these
harmful and potentially dangerous effects.

John uses an internal
summary and
preview to
transition.

A recent Federal Trade Commission Consumer Alert 15
advises keeping your browser up-to-date so that it can
take advantage of security updates. Second, invest in an
antispyware program. Three top antispyware programs
cited by *Consumer Reports* are Webroot's *Spy Sweeper,*
Computer Associates' *PestPatrol,* and Spybot's *Search &
Destroy.* Third, don't install any software without reading
the fine print, and download free software only from sites
you know and trust. Fourth, *do not* click on links in pop-
up windows. Don't reply or even open any
e-mail that isn't from someone you know.
Never reply to spam, and don't hit the
"unsubscribe button." Spyware is known to
lurk here.

> Signal words
> "second," "third,"
> and "finally" move
> the listener from one
> point to another.

Finally, be careful about the Web sites you visit. Spyware 16
tends to be loaded onto disreputable sites containing
pornography and even Web sites advertising solutions to
spyware. Know the nature of the sites you visit if at all
possible.

Unlike individuals who create computer viruses, the 17
makers of spyware are in it for the money. Thus the problem is likely to be long lasting. At the same time, much is
being done to counteract spyware, including making
browsers more secure and developing effective antispyware programs.

Spyware can do serious damage to your computer and 18
to your finances. The steps I've laid out should help you
protect your computer from becoming infected. The antispyware programs I've mentioned are easy to install and
very helpful. One final piece of advice is to
keep abreast of developments related to spyware by reading reputable computer publications such as *PC Magazine* and visiting
reputable Web sites such as CNET.com.

> In the conclusion,
> John briefly signals
> the close of the
> speech, reiterates the
> theme, offers a
> summary, and ends
> with a memorable
> phrase.

Forewarned is forearmed. Good luck!

SAMPLE INFORMATIVE SPEECH

The following is an informative speech by Michael Eskew,
the CEO of United Parcel Service (UPS). The audience for the
speech consists of high-level educators and leaders in business and philanthropy, whose mission is to better prepare U.S.
students to compete in the global marketplace. Mr. Eskew's
thesis is that we need a specific skill set to compete in the 21st
century economy, which he describes in the speech. To lend
perspective, Mr. Eskew uses an extended analogy, in which he

compares the current economic conditions with those in force during and after the U.S. Civil War. Mr. Eskew offers new and interesting information, sometimes in the form of startling statistics. The speech is organized topically (see Chapter 13) by the six traits needed for success in today's world. If there is a shortcoming of the speech, it is the overreliance on the passive voice.

Education in an Age of Globalization

MICHAEL ESKEW
Chairman and Chief Executive Officer, United Parcel Service
Delivered to the States Institute on International Education
Washington, DC, December 8, 2005

Thank you for that kind introduction and good evening, everyone.   1

It's a privilege to be here tonight, in the company of so many people who play an incredibly important role in the future development of our nation. There is no issue more critical to our country's long-term competitiveness, health, and well-being than the quality of our education system.   2

> Eskew demonstrates respect for the audience.

> Eskew establishes relevance of topic.

The world is changing.

Business is changing.

Our society is changing. And, as you have made it clear — the way we teach and nurture our future leaders must also change.

> Three parallel points emphasize important ideas.

In times of extraordinary transformation, it's natural to feel that we're somewhat unique [*sic*] — that we're experiencing changes no one else ever had to deal with. While that's partly true, we should also take comfort in the fact that others before us experienced similar challenges as we face today and rose to meet them. Washington, with the rich history that surrounds us here, is a great backdrop for such a discussion.   6

For instance, if you think back to what Abraham Lincoln and the Congress of 1860 were facing — it was remarkably similar to what we're going through today. And no, I'm not talking about the Civil War. I'm talking about an often overlooked issue of that day: a transforming economy and jobs.   7

> To help listeners gain perspective, Eskew compares current economic conditions with those under Lincoln.

Then, sweeping economic change threatened a largely agricultural economy and a rural, insular way of life. In quick succession, steamboat service was introduced. Scores of canals were constructed. Thousands of miles of railroad track were laid. And countless telegraph lines were strung throughout the nation. It was a time of groundbreaking innovation. Almost overnight, large numbers of what had been generally self-sufficient local economies found themselves caught up in a changing and expanding national economy. Competition no longer came from the next town. It came from producers in many parts of the country, and even from industries abroad. 9

Yet, there was tension then, too. Economic growth was not a vertical line upward. Financial crises occurred, like the panic of 1857. That produced sharp increases in unemployment, large numbers of bankruptcies, and runs on banks. Not surprisingly, many resented the developments that led to this volatility. 10

... To many Americans, the erosion of the economic boundaries separating communities and states, and the increasing competition from other regions and Europe, came as a big shock. Protectionist pressures were strong. 11

In 1860, when Lincoln and a Republican Congress came to power, the administration pushed forward four broad policies:

- Help Americans get a stake in their nation by increasing their opportunity to own property and establish businesses.

- Assign a role for government to support the economic, educational, and technological changes taking hold at the time.

- Establish a transcontinental railroad.

- And realize that a period of turmoil, while potentially a barrier to reform, may also present a unique opportunity. 12

The rest, of course, is history:

- A collection of states became a nation.

- A climate for Americans to capitalize on innovation and emerging technologies was created. A rising class of entrepreneurs and property owners flourished.

Short sentences in the active voice set an assertive, factual tone and help listeners follow along.

13

The stage was set for the American economy to dominate the 20th century. ...

Now, we must compete in a 21st century world econ- 14
omy. And like what Lincoln promoted, it's going to take a
multilateral approach, engaging every corner of society.

. . . In the time remaining tonight, I think maybe the 15
best value I could bring to you is to outline six specific traits
we're looking for in future employees at UPS as we engage
even further in world trade. We need people who are:

- Trade literate
- Sensitive to foreign cultures
- Conversant in different languages
- Technology savvy
- Capable of managing complexity
- Ethical

These six traits have bearing on the kinds of education
needed to bring people to the workplace who are
equipped to succeed in the global economy.

. . . This gets to the heart of the first trait
I'll talk about—people who are global
trade literate. In other words people who
understand the basics of 21st century trade
and economics. One could argue . . . that a

To help listeners
organize and retain
information, the
speaker states and
repeats the six traits.
The speech is
organized topically.

major reason that the term "globalization"
has come to mean a menacing force in the minds of many
is that we haven't done a good job promoting trade literacy in this nation. . . . At UPS we've started a company-
wide initiative to teach an ongoing global trade curricula
to every UPSer.

. . . We've seen a dramatic demand for people skilled 17
in global trade jobs. In fact, we've added over 20,000 supply chain jobs in the last five years. The *Wall Street Journal*
recently described supply chain professions as "the kind
of high value work that international trade produces. Jobs
that our nation needs right now to offset losses in other
industries."

The second trait we look for is for people who are 18
adaptable and sensitive to foreign cultures. In 1976, I was
among the first wave of American UPSers to work in our
fledgling international operations. I was sent to Germany
and it was an eye-opening experience. Let's just say we
weren't as cross-culturally astute as we are today. We've
learned some lessons the hard way over the years. During
the build-up of our business in Europe, we were challenged
with integrating 16 acquired companies. The integration
of those acquired companies into our organization was

the biggest stumbling block to our international expansion. Unfortunately, our first impulse then was to behave more like commandos instead of teachers, partners, and consultants. Our attitude was often, "You stand over there and watch how we do this, then do it exactly the same way." In short, it was, "the UPS way or no way."

Well, that didn't work and our business suffered. 19 Things only got better when we found the right blend of UPS culture, capabilities, and local knowledge. We knew we had acquired valuable operations in valuable markets. Our job should be to make it better, not make it over. When we focused our coaching into areas where significant improvement was needed and left the rest alone, things improved. We learned that local employees lend more credibility to the local customer base because they understand the culture, language, legal system, and business practices. We learned that integrating acquired companies means balancing both parties' expectations, while creating a climate of trust, inclusion, and cooperation.

People who are sensitive to foreign cultures will always 20 have a home at UPS. Part of that adaptability and sensitivity comes with the third trait we look for — foreign language skills. When I was a kid, growing up in Southern Indiana, I never thought about foreign languages. Now, it is essential to expose children to different languages and cultures. Today, in American schools, one million students study French — a language spoken by 70 million people. Fewer than 50,000 American students study Chinese, a language spoken by more than a billion people.

During a recent trip to China, I heard an interesting 21 statistic: There are more people learning to speak English in China right now than there are English speakers in the United States. In very short order, the United States will become the third largest English speaking country — behind India and China.

Eskew addresses listeners' desire for new and interesting information — in this case, startling statistics.

At UPS we serve 200 countries and over 150 languages. We have Web sites translated into 22 different languages. Foreign language skills are essential to our business and will be even more so in the years ahead as we expand our footprint in Asia and the rest of the developing world.

One universal language that is vital to UPS is technol- 23 ogy. In fact, the fourth trait we look for in people to help us with our international business is technology skills. Global technologies and usage patterns greatly impact our lives and our businesses. Think about the developing world. While lacking in wired resources, they actually have leapfrogged the Western world in wireless usage and application. China today, for instance, adds five million new cellular customers every month. And as you know, China and India are producing millions of bright new engineers, scientists, materials researchers, software developers, and other technology professionals.

In the area of engineering alone, the U.S. ranks 17th in 24 producing new talent. As a Sputnik-inspired engineer myself, this concerns me. We have over 10,000 engineers at UPS, and that demand will only increase in the coming years.

Technology is central to our mission at UPS of being 25 able to serve every customer—whether they're in Boston or Bangkok—as if they're our only customer.

Here's a simple example of how technology impacts just one area of UPS. Six years ago during the holiday season, we received 600,000 service calls—mostly *A clear example helps listeners grasp a key idea.* tracking inquiries. The cost per call was 2 dollars. This year, those same inquiries are being handled over the Internet. By the end of the Holiday season, we will have handled more than 12 million of them that way, at about one cent per call. Greater service for our customers at lower costs.

New technologies, new competitors, and disruptive 27 business models are accelerating at a furious pace—just look at the extraordinary rise of iPod, Google, eBay, and other "flatteners," as Tom Friedman would call them. These kinds of forces, compounded on a global level, are *Eskew offers support with a quotation from a credible source.* also why we look for people who can manage complexity and uncertainty.

This is the fifth trait we look for—people who can learn 28 how to learn. While information is much richer today—complexity and uncertainty have not abated. In fact, they've increased. That's also why we want to make it possible for people to have six or more different jobs in the course of a career at UPS. In fact, we think it's the key to our management longevity, which we consider a distinct competitive advantage.

Today, the average UPS manager has been with the 29 company over 16 years and has had at least six different assignments—many of them *Eskew offers concrete evidence in support of his point.* international-related assignments. Being able to manage complexity, and learning how to learn, is a trait we will always value. One of the great attributes of a liberal arts education is preparing people to learn how to learn. So we absolutely believe that traditional liberal arts educations still have an important role to play in American society.

Another tradition that has never been more important 30 to America as it engages in a global marketplace is ethical behavior . . . which is the sixth trait we look for in our people. Business integrity and diplomacy have been under the microscope in recent years. And that's too bad, because the vast, vast majority of American business leaders, like educators, play an essential and honorable role every day of their lives.

Outside the U.S., widespread negative perceptions of 31 our country still persist. The business community can play a big role in fixing this tarnished image. In fact, I believe we've entered an era where business diplomacy trumps political diplomacy.

The world has become so integrated economically that 32 the vast majority of influence—the greatest force that impacts the greatest number of lives internationally—is business. Our actions and our beliefs are not only shaping the perceptions of our companies abroad but they are forming impressions about our nation and the ideals for which it stands. It's a huge responsibility—one we must manage with care and diligence.

. . . Tonight, I've outlined six attributes that we look 33 for in people who will help guide our company in an expanding global economy. People who will guide most American companies. People who are:

- Trade literate
- Sensitive to foreign cultures
- Conversant in different languages
- Technology savvy
- Capable of managing complexity
- Ethical

Everyone here tonight plays a big part in helping us not only attract the right people, but in succeeding in this complex, challeng-

> The speaker signals the conclusion of the speech by briefly recapping the main points.

ing, invigorating, and opportunity-rich world of change. By promoting international education in our schools, you're promoting America's business interests, social interests, and cultural interests.

On behalf of all my fellow business leaders around the country, I want to thank you for all the hard work and dedication you put into this most noble cause. We need you. We value you. And we want to continue working closely with you in the years ahead.

Eskew again respectfully acknowledges the audience's roles as educators and business leaders.

24   Persuasive Speaking

To persuade is to advocate, to ask others to accept your views. The goal of a **persuasive speech** is to influence the attitudes, beliefs, values, and acts of others. Some persuasive speeches attempt to modify audience attitudes and values so that they move in the direction of the speaker's stance. Others aim for an explicit response, as when a speaker urges listeners to donate money for a cause or to vote for a candidate. Sometimes a speech will attempt to modify both attitudes and actions.

Success in persuasive speaking requires attention to human psychology—to what motivates listeners. Audience analysis is therefore extremely important in persuasive appeals.

You can increase the odds of achieving your persuasive speech goal if you:

- Make your message personally relevant to the audience.[1]
- Demonstrate how any change you propose will benefit the audience.[2]
- Expect minor rather than major changes in your listeners' attitudes and behaviors.
- Target issues that audience members feel strongly about. If they don't care much about an issue, it's unlikely they will pay much attention to the speech.[3]
- Demonstrate how an attitude or a behavior might keep listeners from feeling satisfied and competent, thereby encouraging receptivity to change.
- Expect to be more successful when addressing an audience whose position differs only moderately from your own.
- Establish your credibility with the audience.

> ### QUICK TIP
>
> **Expect Modest Results**
> *Regardless of how thoroughly you have conducted audience analysis, or how skillfully you present your point of view, don't expect your audience to respond immediately or completely to a persuasive appeal. Persuasion does not occur with a single dose. Changes tend to be small, even imperceptible, especially at first.*

Logos, Pathos, Ethos

Balance Reason and Emotion

Persuasion is a complex psychological process of reasoning and emotion, and effective persuasive speeches target not one but both processes in audience members. Emotion gets the audience's attention and stimulates a desire to act; reason provides the justification for the action.

Appeals to reason and logic — or to what Aristotle termed **logos** — are critical when an audience needs to make an important decision or reach a conclusion regarding a complicated issue. Such appeals make considerable use of **arguments** — stated positions, with support for or against an idea or issue.

To be truly persuasive, however, you must also convince listeners to care about your argument by appealing to their emotions — to what Aristotle termed **pathos**. Feelings such as pride, love, anger, shame, and fear underlie many of our actions and motivate us to think and feel as we do.

To evoke emotions in a speech, experiment with *vivid description* and *emotion-laden imagery* (see Chapter 16). In a speech to the Democratic National Convention on July 16, 1984, Mario Cuomo used such language skillfully to praise the values of America's working class and the freedom given them by a democratic government to pursue their dreams. Using his father as an example, Cuomo evokes emotions of boldness and pride:

> I watched a small man with thick calluses on both hands work fifteen and sixteen hours a day. I saw him once literally bleed from the bottoms of his feet, a man who came here uneducated, alone, unable to speak the language, who taught me all I needed to know about faith and hard work by the simple eloquence of his example . . .[4]

Stress Your Credibility

Audiences want more than information, arguments, and appeals to their emotions; they want what's relevant to them from someone who cares. Aristotle termed this effect of the speaker **ethos**, or moral character. Modern-day scholars call it **speaker credibility**.

Audience members' feelings about your credibility strongly influence how receptive they will be to your proposals, and studies confirm that attitude change is related directly to the extent to which listeners perceive speakers to be truthful and credible in general.[6] The following steps will help you establish credibility:

- Reveal your personal moral standards vis-à-vis your topic early in the speech.
- For speeches that involve a lot of facts and analysis, stress your *expertise* on the topic.
- For speeches on matters of a more personal nature, emphasize *commonality* with the audience.
- Display high regard for the speech occasion, even if it is outside your primary areas of interest.

Target Listeners' Needs

Audience members are motivated to act on the basis of their needs; thus, one way to persuade listeners is to point to some need they want fulfilled and then give them a way to fulfill it. According to psychologist Abraham Maslow's classic **hierarchy of needs** (see Figure 24.1), each of us has a set of basic needs ranging from essential, life-sustaining ones to less critical, self-improvement ones. Our needs at the lower, essential levels (physiological and safety needs) must be fulfilled before the higher levels (social, self-esteem, and self-actualization needs) become important and motivating. Using Maslow's hierarchy to persuade your listeners to wear

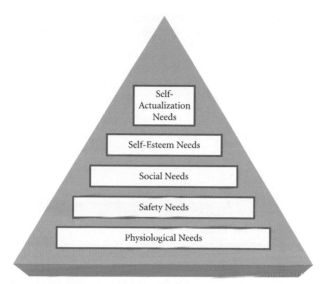

FIGURE 24.1 Maslow's Hierarchy of Needs

seat belts, for example, you would appeal to their need for safety. Critics of this approach suggest that we may be driven as much by *wants* as by needs; nevertheless, the theory points to the fact that successful appeals depend on understanding what motivates the audience.[7] Below are Maslow's five basic needs, along with suggested actions a speaker can take to appeal to them.

NEED	SPEECH ACTION
Physiological needs (basic sustenance, including food, water, and air)	• Plan for and accommodate the audience's physiological needs — are they likely to be hot, cold, hungry, or thirsty?
Safety needs (to feel protected and secure)	• Appeal to safety benefits — how wearing seat belts or voting for a bill to stop pollution will remove a threat or protect the audience members from harm.
Social needs (to find acceptance; to have lasting, meaningful relationships)	• Appeal to social benefits — if you want teenagers to quit smoking, stress that if they quit they will appear more physically fit and attractive to their peers.

NEED	SPEECH ACTION
Self-esteem needs (to feel good about our-selves; self-worth)	• Appeal to emotional benefits— stress that the proposed change will make listeners feel better about themselves.
Self-actualization needs (to achieve goals; to reach our highest potential)	• Appeal to your listeners' need to fulfill their potential— stress how adopting your posi-tion will help them "be all that they can be."

QUICK TIP

Show Them the Money

In order for change to endure, listeners must be convinced they will be rewarded in some way. For example, to persuade people to lose weight and keep it off, you must make them believe that they will be healthier and happier if they do so. Skillful persuaders motivate their listeners to help themselves.

Encourage Mental Engagement

Audience members will mentally process your persuasive message by one of two routes, depending on their degree of involvement in the message.[8] When they are motivated and able to think critically about a message, they engage in **central processing**. That is, these listeners seriously consider what your message means to them and are the ones who are most likely to act on it. When listeners lack the motivation (or the ability) to judge the argument based on its merits, they engage in **peripheral processing** of information—they pay little attention and respond to the message as being irrel-evant, too complex to follow, or just plain unimportant. Even though such listeners may sometimes buy into your message, they will do so not on the strength of the arguments but on the basis of such superficial factors as reputation, entertain-ment value, or personal style. Some viewers of the television show *Oprah,* for example, buy books she recommends simply because they like her, rather than because they've crit-ically considered the book's contents.[9] Listeners who use peripheral processing are unlikely to experience meaningful changes in attitudes or behavior.

To encourage listeners to engage in central rather than peripheral processing (and thus increase the odds that your persuasive appeal will produce lasting, rather than fleeting, changes in their attitudes and behavior), make certain to do the following:

• Link your argument to practical concerns of listeners and emphasize direct consequences to them.	"Hybrid cars may not be the best-looking or fastest cars on the market, but as gas prices continue to soar, you will save a great deal of money."
• Present your message at an appropriate level of understanding.	For a *general audience*: "The technology behind hybrid cars is relatively simple . . ." For an *expert audience*: "To save even more gas, you can turn an EV into a PHEV with a generator and additional batteries . . ."
• Demonstrate common bonds (i.e., foster identification; see p. 38).	"It took me a while to convince myself to buy a hybrid . . ."
• Stress your credibility to offer the claims.	"Once I selected the car, I found I saved nearly $1,000.00 this year."

Construct Sound Arguments

Persuasive speeches use arguments to present one alternative as superior to others. In an **argument**, you ask listeners to accept a conclusion about some state of affairs by providing evidence and reasons that show that the evidence logically supports the claim. The **claim** (also called a *proposition*) states the speaker's conclusion, based on evidence. The **evidence** substantiates the claim. **Reasoning** (also called **warrants**) links the claim to the evidence.

Identify the Nature of Your Argument

Depending on the nature of the issue being addressed, a persuasive speech can consist of three different kinds of claims: of fact, of value, and of policy. Each type of claim requires evidence to support it (see the section on using convincing evidence).

- **Claims of fact** focus on whether something is or is not true or whether something will or will not happen. They usually address issues for which two or more competing answers exist, or those for which an answer does not yet exist. An example of the first is, "Does affirmative action discriminate against nonminority job applicants?" An example of the second is, "Will a woman president be elected in the United States within the next ten years?"

- **Claims of value** address issues of judgment by attempting to show that something is right or wrong, good or bad, worthy or unworthy. Examples include "Is assisted suicide ethical?" and "Should late-term abortions be permitted when a woman's health is at stake?" The evidence in support of a value claim tends to be more subjective than for a fact claim.

- **Claims of policy** recommend that a specific course of action be taken or approved of. Such claims often use the word "should" and often involve claims of fact and value as well. Examples include "Full-time students who commute to campus should be granted reduced parking fees" and "Property taxes should be increased to fund classroom expansions in city elementary schools." Notice that in each claim the word "should" appears. A claim of policy speaks to an "ought" condition, proposing that certain better outcomes would be realized if the proposed condition were met.

 CHECKLIST: Structure the Claims in Your Persuasive Speech

✓ When addressing whether something is or is not true, or whether something will or will not happen, frame your argument as a *claim of fact*.

✓ When addressing issues that rely upon individual judgment of right and wrong for their resolution, frame your argument as a *claim of value*.

✓ When proposing a specific outcome or solution to an issue, frame your argument as a *claim of policy*.

Use Convincing Evidence

Every key claim must be supported with convincing **evidence**, supporting material that provides grounds for belief. Chapter 9 describes several forms of evidence: examples, narratives, testimony, facts, and statistics. These forms of evidence—called "external evidence"—are most powerful when imparting new information that the audience has not previously used in forming an opinion.[10] Thus, seek out information your audience is not likely to know but will find persuasive.

You can also use the *audience's preexisting knowledge and opinions*—what listeners already think and believe—as evidence for your claims. Nothing is more persuasive to listeners than a reaffirmation of their own attitudes, beliefs, and values, especially for claims of value and policy. To use this form of evidence, however, you must first identify what the audience knows and believes about the topic, and then present information that confirms these beliefs.

Finally, when the audience will find your opinions credible and convincing, consider using your own *speaker expertise* as evidence. Be aware, however, that few persuasive speeches can be convincingly built solely on speaker experience and knowledge. Offer your expertise in conjunction with other forms of evidence.

QUICK TIP

Address the Other Side of the Argument

All attempts at persuasion are subject to counterpersuasion. Listeners may be persuaded to accept your claims, but once they are exposed to counterclaims they may change their minds. If listeners are aware of counterclaims and you ignore them, you risk a loss of credibility.[11] Yet you need not painstakingly acknowledge and refute all opposing claims. Instead, raise and refute the most important counterclaims and evidence that the audience would know about. Ethically, you can ignore counterclaims that don't significantly weaken your argument.[12]

Address Culture

Cultural orientation has a significant effect on responses to persuasion.[13] Although most classroom audiences (and most general audiences) in the United States consist of persons familiar with the values of U.S. culture, individual audience members may hold distinct cultural values related to their country or culture of origin. These range from broad core values to more specific norms related to behavior and beliefs.

CORE VALUES   Audience members of the same culture share core values, such as *self-reliance* and *individual achievement* (in individualist cultures) and *interdependence* and *group harmony* (in collectivist cultures) (see Chapter 7 on cultural differences). Usually, appeals that clash with core values are unsuccessful, although globalization may be leading to some cross-pollination of values.[14]

CULTURAL NORMS   *Cultural norms* are a group's rules for behavior. Attempts to persuade listeners to think or do things contrary to important norms usually will fail.[15] The argument that intermarriage leads to happier couples, for example, will find greater acceptance among Reform rather than Orthodox Jews, since the latter group has strong prohibitions against the practice.

CULTURAL PREMISES   Listeners sharing a common culture usually hold culturally specific values about identity and relationships, called *cultural premises*. Prevalent among the Danes and Israelis, for example, is the premise of egalitarianism, the belief that everyone should be equal. A different premise exists in Korea, Japan, and other Asian societies, where status most often is aligned strictly with one's place in the social hierarchy. Bear in mind that it is difficult to challenge deeply held cultural premises.[16]

EMOTIONS   Culture also influences our responses to emotional appeals. Appeals that touch on *ego-focused* emotions such as pride, anger, happiness, and frustration, for example, tend to find more acceptance among members of individualist cultures;[17] those that use *other-focused* emotions such as empathy, indebtedness, and shame are more apt to encourage identification in collectivist cultures.[18] Usually, it is best to appeal to emotions that lie within the audience's "comfort zone."[19]

Persuasion depends on appeals to values; culture shapes these values. Eliciting a range of emotions therefore may help you appeal to diverse audience members.

Avoid Fallacies in Reasoning

A **logical fallacy** is either a false or erroneous statement or an invalid or deceptive line of reasoning.[20] In either case, you need to be aware of fallacies in order to avoid making them in your own speeches and to be able to identify them in the speeches of others. Many fallacies of reasoning exist; the following are merely a few.

LOGICAL FALLACY	EXAMPLES
Begging the question An argument that is stated in such a way that it cannot help but be true, even though no evidence has been presented	• "War kills." • "Intelligent Design is the correct explanation for biological change over time because we can see godly evidence in our complex natural world."
Bandwagoning An argument that uses (unsubstantiated) general opinion as its (false) basis	• "Nikes are superior to other brands of shoes because everyone wears Nikes." • "Everybody on campus is voting for her so you should, too."
Either-or fallacy An argument stated in terms of two alternatives only, even though there may be many additional alternatives	• "If you don't send little Susie to private school this year, she will not gain admission to college." • "Either you're with us or against us."
Ad hominem argument An argument that targets a person instead of the issue at hand in an attempt to incite an audience's dislike for that person	• "I'm a better candidate than X because, unlike X, I work for a living." • "How can you accept my opponent's position on education when he has been divorced?"
Red herring An argument that relies on irrelevant premises for its conclusion	• "The previous speaker suggests that Medicare is in shambles. I disagree and recommend that we study why the young don't respect their elders." • "I fail to see why hunting should be considered cruel when it gives pleasure to many people and employment to even more."[21]

LOGICAL FALLACY	EXAMPLES
Hasty generalization An argument in which an isolated instance is used to make an unwarranted general conclusion	• "As shown by the example of a Labrador retriever biting my sister, this type of dog is dangerous and its breeding should be outlawed. • "My neighbor who works for K-Mart is untrustworthy; therefore, K-Mart is not a trustworthy company."
Non sequitur ("does not follow") An argument in which the conclusion is not connected to the reasoning	• "Because she lives in the richest country in the world, she must be extremely wealthy." • "If we can send a man to the moon, we should be able to cure cancer in five years."
Slippery slope A faulty assumption that one case will lead to a series of events or actions	• "Helping refugees in the Sudan today will force us to help refugees across Africa and around the world." • "If we outsource jobs from the U.S., then other companies will outsource jobs, and then the U.S. economy will collapse."
Appeal to tradition An argument suggesting that audience members should agree with a claim because that is the way it has always been done.	• "A marriage should be between a man and a woman because that is how it has always been done." • "The president of the United States must be a man because a woman has never been president."

Strengthen Your Case with Organization

Once you've developed your speech claims, the next step is to structure your speech points using one (or more) of the organizational patterns described in Chapter 13 and in this chapter.

Claims of fact offer reasons why the fact is true, with main points arguing the reasons with evidence. *Claims of value* offer justifications in support of a value judgment, with main points arguing the justifications. One logical choice of organizational structure for both types of claims is the *topical pattern* (see Chapter 13); however, other patterns may be equally or better suited to your speech.

Claims of policy recommend that an action be taken (or at least accepted), often by demonstrating what is wrong with the status quo and then advocating for an alternative. The *problem-solution pattern* is well suited to certain claims of policy; others may be argued using the *motivated sequence, comparative advantage,* and *refutation* patterns.

Problem-Solution Pattern

One commonly used design for persuasive speeches, especially those based on claims of policy, is the **problem-solution pattern** (see Chapter 13). Here you organize speech points to demonstrate the nature and significance of a problem and then to provide justification for a proposed solution:

I. Problem (define what it is)

II. Solution (offer a way to overcome the problem)

Most problem-solution speeches require more than two points to adequately explain the problem and to substantiate the recommended solution. Thus a **problem-cause-solution** pattern may be in order:

I.   The nature of the problem (explain why it's a problem, for whom, etc.)

II. Reasons for the problem (identify its causes, incidence)

III. Proposed solution (explain why it's expected to work, noting any unsatisfactory solutions)

When arguing a claim of policy, it may be important to demonstrate the proposal's feasibility. To do this, use a four-point *problem-cause-solution-feasibility* pattern, with the last point providing evidence that the solution can be implemented. This organization can be seen in the following claim of policy about changing the NBA draft:

THESIS:	The NBA draft should be changed so that athletes like you aren't tempted to throw away their opportunity for an education.
	I. The NBA draft should be revamped so that college-age athletes are not tempted to drop out of school (*need/problem*).
	II. Its present policies lure young athletes to pursue unrealistic goals of superstardom while weakening the quality of the game with immature players (*reasons for the problem*).
	III. The NBA draft needs to adopt a minimum age of 20 (*solution to the problem*).
	IV. National leagues in countries X and Y have done this successfully (*evidence of the solution's feasibility*).

Monroe's Motivated Sequence

The **motivated sequence**, developed in the mid-1930s by Alan Monroe,[22] is a five-step process that begins with arousing listeners' attention and ends with calling for action. This time-tested variant of the problem-solution pattern is particularly effective when you want the audience to do something — buy a product, donate to a cause, and so forth. Yet it is equally useful when you want listeners to reconsider their present way of thinking about something or to continue to believe as they do but with greater commitment.

STEP 1: ATTENTION   The *attention step* addresses listeners' core concerns, making the speech highly relevant to them. Here is an excerpt from a student speech by Ed Partlow on becoming an organ donor:

> Today I'm going to talk about a subject that can be both personal and emotional. I am going to talk about becoming an organ donor. Donating an organ is a simple step you can take that will literally give life to others — to your husband or wife, mother or father, son or daughter — or to a beautiful child whom you've never met.
>
> There is one thing I want to acknowledge from the start.

Many of you may be uncomfortable with the idea of becoming an organ donor. I want to establish right off that it's OK if you don't want to become a donor.

Many of us are willing to donate our organs, but because we haven't taken the action to properly become a donor, our organs go unused. As a result, an average of 17 people die every day because of lack of available organs.

STEP 2: NEED The *need step* isolates and describes the issue to be addressed. If you can show the members of an audience that they have an important need that must be satisfied or a problem that must be solved, they will have a reason to listen to your propositions. Continuing with the organ donor speech, here the speaker establishes the need for donors:

According to statistics compiled by the U.S. Department of Health and Human Services' Organ Procurement and Transplantation Network, found on the OPTN Web site, there are approximately 91,000 people on the waiting list for an organ transplant. Over 67,000 are waiting for a kidney transplant alone, and the stakes are high: the majority of patients who receive a kidney from a living donor can live at least 10 years, and oftentimes much longer, after the transplant. One of the people on the waiting list is Aidan Malony, who graduated two years ago from this college. Without a transplant, he will die. It is agonizing for his family and friends to see him in this condition. And it is deeply frustrating to them that more people don't sign and carry organ donor cards. I have always carried my organ donor card with me, but didn't realize the extreme importance of doing so before talking to Aidan.

Every 12 minutes, according to the United Network for Organ Sharing, another name joins that of Aidan Malony and is added to the National Transplant Waiting List.

STEP 3: SATISFACTION Next, the *satisfaction step* identifies the solution. This step begins the crux of the speech, offering the audience a proposal to reinforce or change their attitudes, beliefs, and values regarding the need at hand. Here is an example from the speech on organ donation:

It takes only two steps to become an organ donor. First, fill out an organ donor card and carry it with you. You may also choose to have a note added to your driver's license next time you renew it.

Second and most important, tell your family that you want to become an organ donor and ask them to honor your wishes when the time arrives. Otherwise, they may discourage the use of your organs should something happen to you. Check with your local hospital to find out about signing a family pledge—a contract where family members share their wishes about organ and tissue donation. This is an absolutely essential step in making sure the necessary individuals will honor your wish to become an organ donor.

STEP 4: VISUALIZATION   The *visualization step* provides the audience with a vision of anticipated outcomes associated with the solution. The purpose of this step is to carry audience members beyond accepting the feasibility of your proposal to seeing how it will actually benefit them:

> There are so many organs and such a variety of tissue that may be transplanted. One organ donor can help up to 50 people. Who can forget the story of 7-year-old American Nicholas Green, the innocent victim of a highway robbery in Italy that cost him his life? Stricken with unfathomable grief, Nicholas's parents, Reg and Maggie Green, nevertheless immediately decided to donate Nicholas's organs. As a direct result of the donation, seven Italians thrive today, grateful recipients of Nicholas's heart, corneas, liver, pancreas cells, and kidneys. The young woman who received Nicholas's liver has recently given birth to a boy she's named Nicholas. Today, organ donations in Italy have nearly tripled since 1994, the year of Nicholas's death. The Italians called this phenomenon "The Nicholas Effect."

STEP 5: ACTION   Finally, in the *action step* the speaker asks audience members to act according to their acceptance of the message. This may involve reconsidering their present way of thinking about something, continuing to believe as they do but with greater commitment, or implementing a new set of behaviors. Here, the speaker makes an explicit call to action:

> It takes courage to become an organ donor.
> You have the courage to become an organ donor!
> All you need to do is say yes to organ and tissue donation on your donor card and/or driver's license and discuss your decision with your family. You can obtain a donor card at www.organdonor.gov.
> Be part of "The Nicholas Effect."

Comparative Advantage Pattern

When your audience is already aware of an issue or problem that needs a solution, consider the **comparative advantage pattern**. In this arrangement, speech points are organized to

CHECKLIST: Steps in the Motivated Sequence

✓ *Step 1: Attention*   Address listeners' core concerns, making the speech highly relevant to them.

✓ *Step 2: Need*   Show listeners that they have an important need that must be satisfied or a problem that must be solved.

✓ *Step 3: Satisfaction*   Introduce your proposed solution.

✓ *Step 4: Visualization*   Provide listeners with a vision of anticipated outcomes associated with the solution.

✓ *Step 5: Action*   Make a direct request of listeners that involves changing or strengthening their present way of thinking or acting.

---

show how your viewpoint or proposal is superior to one or more alternatives. To maintain credibility, make sure to identify alternatives that your audience is familiar with and ones supported by opposing interests. With the comparative advantage pattern, the main points in a speech addressing the best way to control the deer population might look like these:

THESIS: Rather than hunting, fencing, or contraception alone, the best way to reduce the deer population is by a dual strategy of hunting and contraception.

I.   A combination strategy is superior to hunting alone because many areas are too densely populated by humans to permit hunting; in such cases, contraceptive darts and vaccines can address the problem (*advantage over alternative #1, hunting*).

II.   A combination strategy is superior to relying solely on fencing because fencing is far too expensive for widespread use (*advantage over alternative #2, fencing*).

III.   A combination strategy is superior to relying solely on contraception because only a limited number of deer are candidates for contraceptive darts and vaccines (*advantage over alternative #3, contraception*).

Refutation Pattern

When you feel confident that the opposing argument is vulnerable, consider the **refutation organizational pattern**, in which each main point addresses and then refutes (disproves) an opposing claim to your position. Note that it is important to refute strong rather than weak objections to the claim, since refuting weak objections won't sway the audience.[23] If done well, refutation may influence audience members who either disagree with you or are conflicted about where they stand.

Main points arranged in a refutation pattern follow a format similar to this:

Main Point I: State the opposing position.

Main Point II: Describe the implications or ramifications of the opposing claim.

Main Point III: Offer arguments and evidence for your position.

Main Point IV: Contrast your position with the opposing claim to drive home the superiority of your position.

Consider the speaker who argues for increased energy conservation versus a policy of drilling for oil in protected land in Alaska.

THESIS: Rather than drilling for oil in Alaska's Arctic National Wildlife Refuge (ANWR), as the Bush Administration proposes, we should focus on energy conservation measures as a way of lessening our dependence on foreign oil.

I.   Bush claims that drilling in the Arctic Refuge is necessary to decrease dependence on foreign oil sources, hold down fuel costs while adding jobs; and that with modern drilling techniques and certain environmental restrictions, it will have little negative impact on the environment (*describes opposing claims*).

II.   By calling for drilling in the Refuge, Bush sidesteps the need for stricter energy conservation policies and the need to protect one of the last great pristine lands. He also ignores the fact that Alaskan oil would make a

negligible dent in oil imports—
from 68% to 65% by 2025 (*describes
implications and ramifications of
opposing claims*).

III. The massive construction needed to
access the tundra will disturb the
habitat of caribou, polar bear, and
thousands of species of birds and
shift the focus from energy conservation to increased energy con-
sumption, when the focus should be
the reverse (*offers arguments and
evidence for the speaker's position, as
developed in subpoints*).

IV. Bush's plan would encourage con-
sumption and endanger the environment; my plan would encourage
energy conservation and protect one
of the world's few remaining wilder-
nesses (*contrasts the speaker's position with opposing claims, to drive
home the superiority of this position*).

Adjust the Speech to Audience Type

When shaping your arguments and deciding how to organize
the speech, consider where your target audience stands in
relation to your position. Are they likely to be receptive to
your claims? Hostile to them? Persuasion scholar Herbert
Simon describes four types of potential audiences and suggests various strategies and different organizational patterns
for each:[24]

PERSUASIVE STRATEGIES AND AUDIENCE TYPE	
AUDIENCE	**STRATEGIES**
Hostile audience or those that strongly disagree	• Stress areas of agreement. • Address opposing views. • Don't expect major change in attitudes. • Wait until the end before asking audience to act, if at all. • Consider the *refutation* pattern (see p. 192).
Critical and conflicted audience	• Present strong arguments and evidence. • Address opposing views, perhaps by using the *refutation* pattern.

PERSUASIVE STRATEGIES AND AUDIENCE TYPE	
AUDIENCE	**STRATEGIES**
Sympathetic audience	• Use motivational stories and emotional appeals to reinforce positive attitudes. • Stress your commonality with listeners. • Clearly tell audience what you want them to think or do. • Consider the *narrative* (storytelling) pattern.
Uninformed, less-educated, or apathetic audience	• Focus on capturing their attention. • Stress personal credibility and "likeability." • Arrange points logically, using a *topical* pattern.

SAMPLE PERSUASIVE SPEECH

In this speech, public speaking student Stephanie Poplin argues that by volunteering we can enrich our lives (a claim of value). Organizationally, the speech incorporates elements of the comparative advantage pattern, in which Stephanie describes the positive effects of volunteering and then addresses the alternative of inaction. As a final step, she drives home the advantages of engagement.

The Importance of Community Service and Civic Engagement

STEPHANIE POPLIN
University of Oklahoma

"Great social forces are the mere accumulation of individual actions." Think about that—"Great social forces are the mere accumulation of individual actions." That was said by Nancy Gibb in a *Time* magazine article written about the recent tsunami. And it's true, right? Everything from the Red Cross to the Peace Corps to the civil rights movement was made up of individual actions, yet all those actions were history changing.

> Stephanie uses a quotation both as an attention-getter and to introduce her theme.

I'm Stephanie Poplin, and I would like to speak to you today about why it is imperative that you give yourself the opportunity to live a successful and meaningful life.

> Stephanie introduces herself with a direct statement of persuasive intent.

1

One way of achieving this seemingly distant goal is by 3 contributing—by putting yourself into the community that surrounds you. I'm referring to community service and civic engagement. Today, I will talk to you about what you can personally gain from your involvement and participation in your community, and I will also address some concerns and reservations you may have about donating your time and your talents.

Stephanie clearly states her claim and previews the two main points she will cover.

Now, traditionally, when you hear the word *volunteer,* what do you think of? Someone who wants to do good, someone who wants to improve the lives of those who are less fortunate. And while this remains true, the attitudes of volunteers are beginning to change. Volunteers are beginning to realize that there are some major personal benefits that come along with their involvement in community service. No longer are volunteers getting involved purely for altruistic reasons. In 2001, Student Volunteering UK conducted research into the benefits of volunteering. The study looked at how volunteering can enhance employability, and it emphasized that volunteer participation helps to develop and strengthen new and different skills and to improve job prospects. I think we would all agree that's a necessity for us, especially in the stages we are in in our lives right now.

Stephanie offers a study that students are likely to find credible.

In today's job market, it is becoming evident that college graduates need more than just paper qualifications. We will need to be able to stand out from the crowd, to be resourceful, to be initiators, to be team players, and to possess a get-up-and-go attitude. These are now the desired skills of employers, and volunteering can provide all of this. According to the study's evidence, virtually every paid job can be mirrored by a volunteering opportunity. Taking part in community service is a new and pioneering form of work experience. Not only is it seen as work experience, but employers look at the act of volunteering as taking great initiative and commitment.

Stephanie shows the topic's relevance to the audience by drawing a link between community service and job prospects.

Stephanie speaks convincingly about the benefits of volunteering.

The evidence of this study also lists benefits, other 6 than résumé building, that students felt they had gained through their participation in volunteering. These included building confidence and influencing career choices; they were able to experience making a difference, and volunteering opened up new opportunities and challenges. So whether you just want to help, make new friends, improve your job prospects, test a potential career, or build confidence, volunteering can be the answer.

So now that we have seen some personal benefits you can gain, I would like to address some concerns you may have. I realize that some of you may have some reservations about volunteering. Namely, can one person really make a difference? You may be thinking, "If I am giving my time, and my talents, and my effort, to one specific cause, can I even make a dent in the desired outcome?" So next, I would like to elaborate on the idea that one person can make a difference. You might be thinking, "What can I possibly do?" But if you have ever spent any time reading or just hanging out with a lonely child, you know that even a small amount of attention and compassion can make a world of difference.

> **7**
>
> Here Stephanie anticipates reservations listeners may have and addresses them.

I have experienced this firsthand through my involvement in Habitat for Humanity. Habitat for Humanity is an international organization fueled by hundreds of thousands of volunteers who join with future homeowners to build simple and affordable houses. It wasn't until my first experience building a home, here in Norman, that I realized the impact this organization has on its volunteers and the families involved. I have always had a bedroom of my own to escape to, and I have always had a kitchen to make breakfast in the morning, but there are two little boys who will have this for the first time, thanks to the OU chapter of Habitat for Humanity. I have always taken my home for granted, but now I can be a part of giving these little boys a home of their own. We need to prepare ourselves for the possibility that sometimes big changes follow from small events, such as me sheetrocking an empty space that will eventually become a living room that these little boys and their mom and dad can enjoy together.

> Personal testimony builds credibility and demonstrates how one person's volunteer work can have a major impact.

> Stephanie lends power to her words by twice repeating the phrase "I have always had" (the technique of anaphora; see Chapter 16).

In summary, we have seen how you can personally benefit from contributing to your community. Not only do you gain valuable work experience, as well as the opportunity to develop new skills and improve your job

> Stephanie uses the transition "In summary" to signal her conclusion and her summary of points.

prospects, but people who have spent time volunteering report they get back in personal fulfillment and satisfaction more than they ever expend in inconvenience and effort. I've also talked about the theory that one person can make a difference, and I encourage you to explore every possibility and as many organizations as you can to find the volunteer opportunity that fits your personality—one that you will enjoy and love to do.

> Her call to action directly challenges audience members to volunteer.

Someone once told me, "You don't find yourself; you create yourself." As college students, we have every opportunity in the world to create a life that is successful and meaningful. Use your good fortune, and choose to create a life that is service-oriented. Give back to the community that surrounds you. We all have the power to make an impact one way or another. After all, "Great social forces are the mere accumulation of individual actions."

> Stephanie repeats the quote from the introduction, reinforcing her points and bringing the speech full circle.

Thank you.   11

SAMPLE PERSUASIVE SPEECH

The central argument in the following persuasive speech, by Professor Anita Taylor, is that the U.S. economy would not be where it is today without the range of "home work" that women have traditionally performed. The entire speech, shortened from the original, is offered as a series of stories, illustrating beautifully the narrative pattern of organization described in Chapter 13.

Tales of Our Grandmothers: Women and Work

ANITA TAYLOR
**Professor of Communication and Women's Studies,
George Mason University, Fairfax, Virginia
Delivered to the Woman of the Year Celebration, Aerospace
Corporation, Chantilly, Virginia, September 13, 2004**

I begin with the story of a girl baby, born 1826 in Massachusetts, Luna Puffer Squire (Squier). As a seven-year-old, Luna came with her family to Illinois, where she married at 19. The family farmed; their place was about 100 miles up the Illinois River north of St. Louis. That gave them easy access for harvesting timber and shipping wood to build the growing city during the U.S. years of westward expansion. One piece of family lore holds that they owned barges and tugs that moved the logs to the city, until these were lost during the Civil War.

Luna, by then several months pregnant, with five other children . . . in late summer 1863 saw husband John off to the South as a soldier in the Union Army. Fix this picture in your mind. This now thirty-seven-year-old woman in a farming/lumber family has five children ranging in age from nineteen to two, and a baby due before the year ends. Her husband is hundreds of miles away fighting a war to preserve the union. No census taker would record her as employed. But, for sure, this woman is working. There, in part, is my point. But, let's go on with Luna Puffer Squire Nairn's story.

2

Taylor sets the scene and invites listeners to enter the story.

Taylor briefly breaks from the story to signal a point.

"Captain" John, as the family always thereafter referred to him, was later wounded in the war. . . . Family stories related that when Luna Puffer learned of his injury . . . she boarded a river vessel, headed down the Mississippi, and retrieved him. . . . And in 1866 birthed another baby.

After John's death, forty-eight-year-old Luna Puffer led herself and five Nairn children . . . west to homestead in Kansas. . . . Luna Puffer Nairn received a land patent in 1887 in Pawnee Rock, KS, a town where she is considered a founder of the local Methodist Church. The new Kansans encountered years of drought and subsequent crop failures; some moved at least temporarily to Raton, NM (perhaps drawn by prospect of railroad jobs); one moved south drawn by the prospect of more "free" land when the Oklahoma Indian territory was opened for white settlement; others returned to Illinois where Squire and Nairn families live today.

4

I start with the tale of Luna Puffer Squire Nairn for several reasons. First, I am in her family a century later . . . and I never heard of her as a child. My family "dropped" her story and told us about later immigrants, male of course. Second, she and her daughters and granddaughters (my grandmothers) illustrate the points I want to make. They explode the myth that has pervaded my adult life: that women in the U.S. first entered the workforce in large numbers during the 20th century women's revolution. That myth lives on for two reasons, both illus-

Taylor "exits" the story to establish her credibility and state her thesis.

trated by Luna Puffer and her granddaughters: We have buried the stories of women's
lives, and we have discounted their labor as
"not-work."

> Here is a claim of fact: Women's work has been devalued and discounted.

The two reasons weave together to support the myth 6
that women first entered the workforce in large numbers
during and as a result of the "women's liberation" movement of the 1960s and 70s. Surely, the myth usually cred-
its the many "Rosie the Riveters" of World War II with
showing women they could hold nontraditional employment, but it does not credit the long history of other
income-earning labor by women prior to World War II.
The myth does recognize that women often worked outside the home for pay prior to marriage, especially gar-
ment industry factory workers. But it ignores the many
other kinds of income production in which women
engaged prior to the "second wave feminism" of the 20th
century. And it ignores the role of women's work in what
Anne Ferguson has described as reproductive labor, a category that refers to far more than birthing babies. It
includes all work, paid or otherwise, required to repro-
duce the culture (not just the species).

The myth of the nonworking woman
deep sixes the history of urban homes
as craft shops. Only when the economy
industrialized did production for sale move
outside homes where everyone had been

> Here the speaker offers reasoning to explain why unpaid labor was not considered real work.

involved, although often children were apprenticed to
someone else's home. When factories took the laborers
"out" to work, childcare became an issue, so an ideology
was needed to provide for it without the factory owner
being responsible. Voila! Childcare becomes women's
work. Only, no surprise, turns out that it's not "really"
work because it doesn't earn any wages. With the full
development of Victorian era beliefs, the cult of true
womanhood reached fruition. Never mind that the cult
was built on the experiences of the generally well-to-do
families. The culture developed the idea that such a role
was ideal; so not only do these elite groups largely popu-
late the opinion-making classes, they constitute a class
and way of life toward which even working class and poor
families aspired. . . . Since the "nonworking" life was the
ideal, failing to achieve it was not much talked about.
That would have been a mark of failure. . . . Along with
the concept of the "nonworking" woman came a view of

motherhood as the primary role for women, a role for which they are uniquely suited by biology and god. To accomplish the widespread acceptance of these twin myths, our culture elevated certain stories about our past and it rendered other narratives invisible. And there I want to focus on the story of invisible working women.

Stories usually told are illustrated by these data from   8 the Population Resource Center: In 1900, census reports identify just 19 percent of women being paid for their work. Today, nearly 60 percent of U.S. women participate in the cash economy. Does that mean that in 1900 81% of women did not work? Or that today 40% do not? Far from it. So what's wrong with the picture?

> The speaker offers statistics as evidence, taking care to put them in context.

To fill in the many missing spaces, let me trace my   9 maternal ancestors after Luna Puffer Squire Nairn. I'll quickly look at five generations, ending with mine. These stories are relevant because there is no reason to believe the women in my family are particularly unusual. Indeed, in that our family represents women of rural background and little wealth, we are probably more representative of families in general than the typical well-to-do Victorian model of "true womanhood." Most women who traced their maternal descent line would find a similar kind of story.

> Taylor previews what's to come.

> Taylor establishes the relevance of her topic to the audience.

Over half the population relied on agriculture for livelihood in the middle 1800s. . . . So let me give you a short description of the typical farm family's life in the years before our current era of industrialized farming. Economists and historians often describe the "farmer" as the male parent in such families. That is an abomination. It leaves unmeasured and usually unnoticed labors of other members of those families, labors required in pre-industrial farming for survival, and increasingly, to produce income. Farm and ranch families' income often came from a "cash crop" of wheat, corn, sheep, cattle, etc., but their farms also supplied most of their food and much of their clothing. One of my earliest memories is going with my mother to the feed store, where she spent a bit extra to buy chicken feed in sacks instead of bulk. I would be taken along at these times to pick out the pattern of the sacks so that when they were emptied, we could wash them and mother could make my school clothes for the year. . . . There was food preparation and preservation, quilt and blanket making, wood chopping and (sometimes) coal carrying, retrieving and disposing of water, and production of meager cash crops, whether that was hay, milk, cream, cotton, corn, cattle, pigs, chickens, eggs, or lumber. Farm women did all these activities. And farm children, girls and boys, also engaged in this work as soon as they were old enough to tote a feed pail, pull a weed, or pick a strawberry. Income as well as subsistence of farm families depended on the labor of all the adults and most of the children. So, regardless of how economists might measure the labor, in families that remained the typical nuclear one, women were farmers, not just helpmates for the man of the farm. And that was work. In short, farm women have worked just as long as there have been farm families. And, while at the end of the 20th century, farmers constituted only a tiny percentage of the population in the U.S., the comparable figure at the century's beginning was 40 percent. That's 40 percent of the women in the country in 1900 engaging in both subsistence and income producing labor—none of it counted in the reported statistics.

A series of examples offers proof for the speaker's claims.

Beyond this part of the story, however, is the fact that virtually all nonfarm women did much of the same work I've just described. For the vast numbers of small shopkeepers, those who were part of the urban merchant class, women worked in the shops right along with the men and the children. Other urban women worked in other ways to earn income. Some were laborers outside the home before being married. They were mill workers, school teachers, domestic help in homes of the well-to-do; they were dressmakers, milliners, midwives, cooks, laundry workers, etc. When married and with children, many women did piece work, and they took in sewing—or boarders. Both kinds of working women are among my grandmothers. My great grandmother outlived her husband by thirty-nine years. And this was pre–social security. Family stories have it that "Aunt Mary," as her obituaries said she was known, was fiercely independent. She supported herself for thirty-five-plus years by taking in roomers. . . . My mother was a farmer; one of her sisters farmed, then later moving to the state's largest city and becoming a real "Rosie Riveter," building B-29 bombers during World War II. After the war she was among the women entering the clerical staff of the growing economy. My third aunt among Luna Squire Nairn's progeny became, immediately upon graduating high school, what we then called a "hired girl" (that is now a nanny). This was while she attended business school; then she too took work in a war-related role. The five women of this family in the next generation (mine) have all worked for pay, outside the home, for most of our lives. Only two stopped out of the paid labor force temporarily during pre- and early school years of their children.

As I noted before, these stories are not unique. What I want to do, finally, is pull both threads of this argument together. I began by saying that I do not accept the ludicrous definition of "work" as only that

The speaker helps listeners follow her logic by explicitly signalling her reasoning.

effort that earns compensation (i.e., stay-at-home mothers don't work, while childcare center employees do). "Women's" work is work, whether or not anyone pays for it and whether or not economists and government statisticians consider it that or not. This is that "reproductive labor" to which I referred. The economic system as we have built it with paid labor largely done outside the home would not survive without the whole range of "home" work. After "employment" moved out of the home into factories and institutions, fathers had to leave home on a daily basis for long hours. We don't even need to think about the need for women to birth babies (the literal reproductive labor) required to replace the workforce as existing workers age and die; there was a whole other range of things that had to be done just so that "father" could "go to work" in the developing industrial economy. Think of all the support systems the paid employee had to have, especially in the days when "he" worked from dawn to dusk. Early industrial institutions weren't known as benevolent organizations—they didn't have childcare, health services, on-site laundry facilities, cafeterias, or lunchrooms, etc. All those services had to be provided for the worker. All those services are labor.

. . . So here we are today. Some things have not changed. Some women in families who can afford it don't do paid work outside the home. Many other women work two

This signal phrase indicates the conclusion.

jobs, one paid and one unpaid—or sometimes two paid and one unpaid. But much has changed. Large numbers of women are now working at professional and other relatively high-paid jobs, including all of us here in this room I suspect. That, surely we will all agree, is great progress related to women and work. And that is why it is wonderful to be here today as part of this celebration honoring your

Woman of the Year. Virtually all of us here today have found our way into roles not traditional for women. And I suspect all of us here have been blessed in doing so. . . . We have worked hard and been, mostly, relatively well compensated. We have found our way to places that appreciate what we do and have done. And we live in a society that now largely supports our working at paid employment that we find rewarding and enjoyable and which we would probably want to do even if we weren't well rewarded financially.

My second conclusion about women and work is that those of us now with relatively well-paid employment have a remaining responsibility. We need always to remember that those unheralded, unpaid women workers are, in fact, working; and we need to begin talking in ways that reflect such recognition. We need to reflect our awareness that all labor is work, whether compensated or not. We need to talk in ways that distinguish paid from unpaid labor. Ironically, recent technological changes will help in this process. As "working at home" grows, we'll have to find new ways to describe which workers get paid by salary or wage and which are compensated only by the love and affection of those they serve. We all should consider, for instance, banishing the term "working mothers" from our vocabulary. All mothers work, whether for pay or not. . . . And finally, we must attend to our own lives so that we do not entrench this new situation I describe. We do not want to repeat the old model where the wealth of some depended on the relative poverty of others. We surely do not want to build our success and that of the women who follow us on the backs of low-paid women. Achieving that goal will require our constant vigilance. I invite you to join me in such awareness as we celebrate working women everywhere.

13

> Taylor begins three successive sentences with the phrase "We need," strengthening her call to action.

> The speaker's call to action asks listeners to focus actively on recognizing the range of women's work.

> The phrase "I invite you" speaks directly to audience members.

A **special occasion speech** is one that is prepared for a specific occasion and for a purpose dictated by that occasion. Special occasion speeches can be either informative or persuasive or, often, a mix of both. However, neither of these functions is the main goal; the underlying function of a special occasion speech is to entertain, celebrate, commemorate, inspire, or set a social agenda:

- In speeches that *entertain,* listeners expect a lighthearted, amusing speech; they may also expect the speaker to offer a certain degree of insight into the topic at hand.

- In speeches that *celebrate* (a person, place, or event), listeners look to the speaker to praise the subject of the celebration; they also anticipate a degree of ceremony in accordance with the norms of the occasion.

- In speeches that *commemorate* an event or person (at dedications of memorials or at gatherings held in someone's honor), listeners expect the speaker to offer remembrance and tribute.

- In speeches that *inspire* (including inaugural addresses, keynote speeches, and commencement speeches), listeners expect to be motivated by examples of achievement and heroism.

- In speeches that *set social agendas* (such as occur at gatherings of cause-oriented organizations, fund-raisers, campaign banquets, conferences, and conventions), listeners expect the articulation and reinforcement of the goals and values of the group.

Special occasion speeches include speeches of introduction, speeches of acceptance, speeches of presentation, roasts and toasts, eulogies and other speeches of tribute, after-dinner speeches, and speeches of inspiration.

Speeches of Introduction

The object of a **speech of introduction** is to prepare or "warm up" the audience for the main speaker—to heighten audience interest and build the speaker's credibility. A good speech of introduction balances four elements: the speaker's background, the subject of the speaker's message, the occasion, and the audience.

- *Describe the speaker's background and qualifications.* Describe the speaker's achievements, offices held, and other facts to demonstrate why the speaker is relevant to the occasion. Mention the speaker's achievements, but not so many that the audience glazes over.

- *Briefly preview the speaker's topic.* Give the audience a sense of why the subject is of interest, bearing in mind that it is not the introducer's job to evaluate the speech or otherwise comment on it at length. The rule is: Get in and out quickly with a few well-chosen remarks.

- *Ask the audience to welcome the speaker.* This can be done simply by saying something like "Please welcome Anthony Svetlana."

- *Be brief.* Speak just long enough to accomplish the goals of preparation and motivation. One well-known speaker recommends a two-minute maximum.[1]

CHECKLIST: Preparing a Speech of Introduction

✓ Identify the speaker correctly. Assign him or her the proper title, such as "vice president for public relations" or "professor emeritus."

✓ Practice a difficult-to-pronounce name several times before introducing the speaker.

✓ Contact the speaker ahead of time to verify any facts about him or her that you plan to cite.

✓ Consider devices that will capture the audience's attention, such as quotes, short anecdotes, or startling statements.

Speeches of Acceptance

A **speech of acceptance** is made in response to receiving an award. Its purpose is to express gratitude for the honor bestowed on the speaker. The speech should reflect that gratitude.

- *Prepare in advance.* If you know or even suspect that you are to receive an award, decide before the event what you will say.

- *Express what the award means to you.* Convey to the audience the value you place on the award. Express yourself genuinely and with humility.

- *Express gratitude.* Thank by name each of the relevant persons or organizations involved in giving you the award. Acknowledge any team players or others who helped you attain the achievement for which you are being honored.

Speeches of Presentation

The goal of the **speech of presentation** is twofold: to communicate the meaning of the award and to explain why the recipient is receiving it.

- *Convey the meaning of the award.* Describe what the award is for and what it represents. Mention the sponsors and describe the link between the sponsors' goals and values and the award.
- *Explain why the recipient is receiving the award.* Explain the recipient's achievements and special attributes that qualify him or her as deserving of the award.
- *Plan the physical presentation.* To avoid any awkwardness, consider logistics before the ceremony. For example, if you hand the award to the recipient, do so with your left hand so that you can shake hands with your right.

Roasts and Toasts

A **roast** is a humorous tribute to a person, one in which a series of speakers jokingly poke fun at him or her. A **toast** is a brief tribute to a person or an event being celebrated. Both roasts and toasts call for short speeches whose goal is to celebrate an individual and his or her achievements.

- *Prepare.* Impromptu though they might appear, the best roasts and toasts reflect time spent drafting and rehearsing. As you practice, time the speech.
- *Highlight remarkable traits of the person being honored.* Restrict your remarks to one or two of the person's most unusual or recognizable attributes. Convey the qualities that have made him or her worthy of celebrating.
- *Be positive.* Even if the speech is poking fun at someone, as in a roast, keep the tone positive. Remember, your overall purpose is to pay tribute to the honoree.
- *Be brief.* Usually several speakers are involved in roasts and toasts. Be considerate of the other speakers by refraining from taking up too much time.

Eulogies and Other Tributes

The word **eulogy** derives from the Greek word meaning "to praise." Those delivering eulogies, usually close friends or family members of the deceased, are charged with celebrating and commemorating the life of someone while consoling those who have been left behind.

- *Balance delivery and emotions.* The audience looks to the speaker for guidance in dealing with the loss and for a sense of closure, so stay in control. If you do feel that you are about to break down, pause, take a breath, and focus on your next thought.

- *Refer to the family of the deceased.* Families suffer the greatest loss, and a funeral is primarily for their benefit. Show respect for the family, and mention each family member by name.

- *Be positive but realistic.* Emphasize the deceased's positive qualities while avoiding excessive praise.

QUICK TIP

Commemorate Life — Not Death

A eulogy should pay tribute to the deceased person as an individual and remind the audience that he or she is still alive, in a sense, in our memories. Rather than focus on the circumstances of death, focus on the life of the person. Talk about the person's contributions and achievements, and demonstrate the person's character. Consider telling an anecdote that illustrates the type of person you are eulogizing. Even humorous anecdotes may be appropriate if they effectively humanize the deceased.

After-Dinner Speeches

Its name notwithstanding, the contemporary **after-dinner speech** is just as likely to occur before, during, or after a lunch seminar or other type of business, professional, or civic meeting as it is to follow a formal dinner. In general, an after-dinner speech is expected to be lighthearted and entertaining. At the same time, listeners expect to gain insight into the topic at hand.

- *Recognize the occasion.* Connect the speech with the occasion. Delivering a speech that is unrelated to the event may leave the impression that the speech is **canned** — one that the speaker uses again and again in different settings.

- *Keep remarks sufficiently low-key to accompany the digestion of a meal.* Even when charged with addressing a serious topic, keep the tone somewhat low-key.

Speeches of Inspiration

A **speech of inspiration** seeks to motivate listeners to positively consider, reflect on, and sometimes act on the speaker's words. Effective speeches of inspiration touch on deep feelings in the audience. Through emotional force, they urge us toward purer motives and harder effort and remind us of a common good.

- *Appeal to audience members' emotions.* Two means of invoking emotion are *vivid description* and *emotionally charged words.* These and other techniques of language, such as repetition, alliteration, and parallelism, can help transport the audience from the mundane to a loftier level (see Chapter 16).

- *Use real-life stories.* Few things move us as much as real-life examples and stories, such as that of an ordinary person whose struggles result in triumph over adversity and the realization of a dream.

- *Be dynamic.* If it fits your personality, use a dynamic speaking style to inspire through delivery. Combining an energetic style with a powerful message can be one of the most successful strategies for inspirational speaking.

- *Make your goal clear.* Inspirational speeches run the risk of being vague, leaving the audience unsure what the message was. Whatever you are trying to motivate your listeners to do, let them know.

- *Consider a distinctive organizing device.* Many successful inspirational speakers use devices such as *acronyms* or steps to help the audience to remember the message. For example, a football coach speaking at a practice session might organize an inspirational speech around the word *WIN*. His main points might be "Work," "Intensity," and "No excuses," forming the acronym *WIN*.

- *Close with a dramatic ending.* Use a dramatic ending to inspire your audience to feel or act. Recall from Chapter 15 the various methods of concluding a speech, including quotations, stories, rhetorical questions, and a call to action.

> **QUICK TIP**
>
> *Tailor Your Message to the Audience and Occasion*
> *Always plan your special occasion speech with audience*
> *expectations firmly in mind. People listening to a eulogy, for*
> *example, will be very sensitive to what they perceive to be*
> *inappropriate humor or lack of respect. Those attending a*
> *dedication ceremony for a war memorial will expect the*
> *speaker to offer words of inspiration. When a speaker violates*
> *audience expectations in situations like these, audience*
> *reaction will usually be pronounced.*

SAMPLE SPECIAL OCCASION SPEECH

In this commencement address, delivered to the graduating class of the University of Pennsylvania on May 17, 2004, Bono, activist and lead singer of the rock group U2, skillfully incorporates several qualities of an effective special occasion speech. He combines a serious message about the abolition of poverty and AIDS in Africa with a more relaxed, laid-back attitude typically associated with rock stars. This juxtaposition makes it more likely that Bono's student audience will be receptive to his call to action.

2004 University of Pennsylvania Commencement Address

BONO
Delivered at the University of Pennsylvania, May 17, 2004

My name is Bono and I am a rock star.

. . . Doctor of Laws, wow! I know it's an honor, and it really is an honor, but are you sure? . . . I never went to college, I've slept in some strange places, but the library wasn't one of them. I studied rock and roll and I grew up in Dublin in the '70s; music was an alarm bell for me, it woke me up to the world.

Of course he is. Though the audience knows who Bono is, this opening remark is a guaranteed crowd pleaser.

I was the kid in the crowd who took it at face value. Later I learned that a lot of the rebels were in it for the t-shirt. They'd wear the boots but they wouldn't march. They'd smash bottles on their heads but they wouldn't go to something more painful, like a town hall meeting. By the way, I felt like that

Bono uses personal history to argue that rock music can be revolutionary. He will revisit the theme when he addresses poverty in Africa.

myself until recently. I didn't expect change to come so slow. So agonizingly slow. I didn't realize that the biggest obstacle to political and social progress wasn't the . . . Establishment, or the boot heel of whatever you consider the man to be, it was something much more subtle.

. . . So for better or worse that was my education. I 4 came away with a clear sense of the difference music could make in my own life, in other people's lives if I did my job right, which if you're a singer in a rock band means avoiding the obvious pitfalls, like say a mullet hairdo. If anyone here doesn't know what a mullet is, your education's certainly not complete. I'd ask for your money back. For a lead singer like me, a mullet is, I would suggest, arguably more dangerous than a drug problem. Yes, I had a mullet in the '80s.

> Self-effacing humor establishes rapport with the audience, and shows Bono to be more personable than they might expect of a celebrity.

Now this is the point where the faculty start smiling 5 uncomfortably and . . . asking what on earth I'm doing here, I think it's a fair question: What am I doing here? More to the point: What are you doing here? Because if you don't mind me saying so, this is a strange ending to an Ivy League education. Four years in these historic halls thinking great thoughts and now you're sitting in a stadium better suited for football, listening to an Irish rock star give a speech that is so far mostly about himself. What are you doing here?

> Establishing why the speech will be relevant to the audience.

. . . For four years you've been buying, trading, and 6 selling, everything you've got in this marketplace of ideas. The intellectual hustle. Your pockets are full, even if your parents' are empty, and now you've got to figure out what to spend it on. Well, the going rate for change is not cheap. Big ideas are expensive. The University has had its share of big ideas. Benjamin Franklin had a few, so did Justice Brennan and in my opinion so does Judith Rodin. What a gorgeous girl. They all knew that if you're gonna be good at your word, if you're gonna live up to your ideals and your education, it's gonna cost you. So my question, I suppose, is: What's the big idea? What's your big idea? What are you willing to spend your moral capital, your intellectual capital, your cash, your sweat equity in pursuing outside of the walls of the University of Pennsylvania?

> References to UPenn history build credibility. Franklin was the founder of the college, Brennan a famous alumnus, and Rodin the president.

> Bono introduces the thesis—that the graduates need to use their education to develop a plan of action to help the world.

There's a truly great Irish poet; his name is Brendan 7
Kennelly, and he has this epic poem called the Book of
Judas, and there's a line in that poem that never leaves my
mind: "If you want to serve the age, betray
it." What does that mean to betray the age?
Well, to me betraying the age means expos-
ing its conceits, its foibles, its phony moral

Bono quotes a poem
to illustrate his
message.

certitudes. It means telling the secrets of the age and facing harsher truths. Every age has its massive moral blind
spots. We might not see them, but our children will.
Slavery was one of them, and the people who best served
that age were the ones who called it as it was, which was
ungodly and inhuman. Ben Franklin called it when he
became president of the Pennsylvania Abolition Society.
Segregation. There was another one. America sees this
now, but it took a civil rights movement to betray their
age. And 50 years ago the U.S. Supreme Court betrayed
the age. May 17, 1954, Brown vs. Board of Education came
down and put the lie to the idea that separate can ever
really be equal. Amen to that.

Fast forward 50 years, May 17, 2004.
What are the ideas right now worth betraying? What are the lies we tell ourselves
now? What are the blind spots of our age?

The transitional
phrase "last forward"
helps listeners follow
along.

What's worth spending your post-Penn lives trying to do
or undo? It might be something simple. It might be something as simple as our deep down refusal to believe that
every human life has equal worth. Could that be it? Could
that be it?

Each of you will probably have your
own answer, but for me that is it. And for
me the proving ground has been Africa.

Bono builds
credibility by
pointing to his own
case.

Africa makes a mockery of what we say, at
least what I say, about equality. It questions our pieties
and our commitments because there's no way to look at
what's happening over there and its effect on all of us and
conclude that we actually consider Africans as our equal
before God. There is no chance.

An amazing event happened here in Philadelphia in 10
1985, Live Aid, that whole "We Are the World" phenomenon, the concert that happened here. Well, after that concert I went to Ethiopia with my wife, Ali; we were there for
a month, and an extraordinary thing happened to me. We
used to wake up in the morning and the mist would be
lifting; we'd see thousands and thousands of people who'd
been walking all night to our food station where we were

working. One man—I was standing outside talking to the translator—had this beautiful boy and he was saying to me in Amharic, I think it was, I said I can't understand what he's saying; and this nurse who spoke English and Amharic said to me, he's saying will you take his son. He's saying please take his son; he would be a great son for you. I was looking puzzled and he said, "You must take my son because if you don't take my son, my son will surely die. If you take him he will go back to where he is and get an education." (Probably like the ones we're talking about today.) I had to say no; that was the rules there and I walked away from that man.

A story humanizes Bono's cause and puts a face on suffering in Africa.

I've never really walked away from it. But I think about   11
that boy and that man and that's when I started this journey that's brought me here into this stadium. Because at that moment I became the worst scourge on God's green earth, a rock star with a cause. Except it isn't the cause. Seven thousand Africans dying every day of preventable, treatable disease like AIDS? That's not a cause. That's an emergency. And when the disease gets out of control because most of the population lives on less than one dollar a day? That's not a cause. That's an emergency.

Bono drives his point home with repetition.

. . . The fact is that this generation—yours, my gener-   12
ation—we're the first generation that can look at poverty and disease, look across the ocean to Africa and say with a straight face, we can be the first to end this stupid extreme poverty, where, in a world of plenty, a child can die for lack of food in its belly. . . . We can be that generation that says no to stupid poverty. It's a fact, the economists confirm it. It's an expensive fact but cheaper than say the Marshall Plan that saved Europe from communism and fascism. And cheaper I would argue than fighting wave after wave of terrorism's new recruits. . . . So why aren't we pumping our fists in the air and cheering about it? Probably because when we admit we can do something about it, we've got to do something about it. For the first time in history we have the know-how, we have the cash, we have the lifesaving drugs, but do we have the will?

Multiple examples support Bono's claim that his humanitarian goals are reachable.

Yesterday, here in Philadelphia, at the Liberty Bell, I   13
met a lot of Americans who do have the will. From arch religious conservatives to young secular radicals, I just felt an incredible overpowering sense that this was possible. We're calling it the ONE campaign, to put an end to AIDS

and extreme poverty in Africa. They believe we can do it; so do I. I really, really do believe it.

... But I don't want to make you cop to idealism, not **14** in front of your parents, or your younger siblings. But what about Americanism? Will you cop to that at least? It's not everywhere in fashion these days.... But it all depends on your definition of Americanism. Me, I'm in love with this country called America. I'm a huge fan of America, I'm one of those annoying fans, you know the ones that read the CD notes and follow you into bathrooms and ask you all kinds of annoying questions about why you didn't live up to that. I'm that kind of fan.

Good use of humor and a nice ironic touch — Bono is used to being on the other side of that kind of fandom.

... So what's the problem that we want to apply all **15** this energy and intellect to? Every era has its defining struggle and the fate of Africa is one of ours. It's not the only one, but in the history books it's easily going to make the top five, what we did or what we did not do. It's a proving ground, as I said earlier, for the idea of equality. But whether it's this or something else, I hope you'll pick a fight and get in it. Get your boots dirty; get rough; steel your courage with a final drink there at Smoky Joe's, one last primal scream and go. Sing the melody line you hear in your own head; remember, you don't owe anybody any explanations; you don't owe your parents any explanations; you don't owe your professors any explanations.

Bono makes his call to action, challenging his audience to pick their fight.

Mentioning a local bar builds goodwill.

... The world is more malleable than you think and **16** it's waiting for you to hammer it into shape. Now if I were a folksinger I'd immediately launch into "If I Had a Hammer" right now, get you all singing and swaying. But as I say I come from punk rock, so I'd rather have the bloody hammer right here in my fist. That's what this degree of yours is, a blunt instrument. So go forth and build something with it. Remember what John Adams said about Ben Franklin, "He does not hesitate at our boldest Measures but rather seems to think us too irresolute." Well this is the time for bold measures, and this is the country, and you are the generation.

Bono ends his call to action with a memorable music-laden metaphor and a quotation about Philadelphia's storied hometown hero.

Thank you.   **17**

Part 8
The Classroom and Beyond

26. Typical Classroom Presentation Formats 215
27. Science and Mathematics Courses 221
28. Technical Courses 225
29. Social Science Courses 229
30. Arts and Humanities Courses 232
31. Education Courses 234
32. Business Courses 236
33. Nursing and Allied Health Courses 237
34. Communicating in Groups 239
35. Business and Professional Presentations 244

Often, you will be called upon to prepare oral presentations in your major classes and in other general-education courses. No matter which major you select or what profession you choose, oral presentations will be required. Chapters 27–33 provide a review of course-specific presentation formats. In this chapter, we review typical oral presentation formats assigned across the curriculum. These include reviews of academic articles, team presentations, debates, and poster sessions.

Typical Audiences

At times your professors may require that you tailor your oral presentations to a mock on-the-job audience, with your classmates representing that audience. These audiences include the **expert or insider audience**, **colleagues within the field**, the **lay audience**, and the **mixed audience**.

TYPES OF AUDIENCES IN THE WORKING WORLD	
TYPE OF AUDIENCE	CHARACTERISTICS
Expert or insider audience	People who have intimate knowledge of the topic, issue, product, or idea being discussed
Colleagues within the field	People who share the speaker's knowledge of the general field under question (e.g., psychology or computer science), but who may not be familiar with the specific topic under discussion (e.g., short-term memory or voice recognition systems, respectively)
Lay audience	People who have no specialized knowledge of the field related to the speaker's topic or of the topic itself
Mixed audience	An audience composed of a combination of people — some with expert knowledge of the field and topic and others with no specialized knowledge. This is perhaps the most difficult audience to satisfy.

Review of Academic Articles

A commonly assigned speaking task across disciplines is the **review of academic articles**. A biology instructor might ask you to review a study on cell regulation published in *Cell Biology*, for example, or a psychology teacher might require that you talk about a study on fetal alcohol syndrome published in the journal *Neuro-Toxicology*. Typically, when you are assigned to review an academic article, your instructor will expect you to do the following:

- Identify the author's thesis, and explain the methods by which the author arrived at his or her conclusions.
- Explain the author's findings.
- Identify the author's theoretical perspective, if applicable.
- Evaluate the study's validity, if applicable.
- Describe the author's sources, and evaluate their credibility.
- Show how the findings of the study might be applied to other circumstances, and make suggestions about ways in which the study might lead to further research.[1]

Team Presentations

Team presentations are oral presentations prepared and delivered by a group of three or more individuals. Regularly used in the business and professional environment as well as in the classroom, successful team presentations require cooperation and planning (see Chapter 34, "Communicating in Groups").

Designate a Team Leader

First, designate a leader to map out a strategy for presenting the information and to ensure coordination among all members. Once the strategy is in place, the team should assign roles and tasks.

Assign Roles and Tasks

In some group presentations, one person may present the introduction, one or several others may deliver the body of the speech, and another may conclude the presentation. Together with the group leader, members must decide who will do what.

- Choose the person with the strongest presentation style and credibility level for the opening.
- Put the weaker presenters in the middle of the presentation.
- Select a strong speaker to conclude the presentation.
- Assign someone to handle the presentation aids.
- Assign someone to manage the question-and-answer session.[2]

Establish a Consistent Format

The verbal and audiovisual portions of the presentation should follow a consistent format. Members should use shared terminology, and all visual aids such as slides should be similarly formatted (see Chapter 21). Designate one person to check that these elements are consistent in terms of style, content, and formatting.

Establish Transitions between Speakers

Work out transitions between speakers ahead of time—for example, whether one team member will introduce every speaker or whether each speaker will introduce the next speaker upon the close of his or her presentation.

Rehearse the Presentation

Together with the whole group, members should practice their portions of the presentation in the order they will be given in the final form, and they should do so until the presentation proceeds smoothly. Rehearsal should include presentation aids. Apply the techniques for rehearsal described in Chapter 19.

QUICK TIP

Practice for a Balanced Group Delivery
Audiences become distracted by marked disparities in style, such as hearing a captivating speaker followed by an extremely dull one. As in individual presentations, practice is key to overcoming such disparities and achieving a good balance of delivery styles.

> **CHECKLIST:** Team Presentation Tips
>
> ✓ Find out who will be attending and what audience members expect to hear.
>
> ✓ Write out each team member's responsibilities regarding content and presentation aids.
>
> ✓ Practice introductions and transitions to create a seamless presentation.
>
> ✓ Determine how introductions will be made — all at once at the beginning or having each speaker introduce the next one.
>
> ✓ Establish an agreed-upon set of hand signals to indicate when a speaker is speaking too loud or soft, too slow or fast.
>
> ✓ Rehearse the presentation with presentation aids several times from start to finish.

Debates

Debates offer a unique perspective to the challenge of public speaking, calling upon skills in persuasion (especially the reasoned use of evidence), in delivery, and in the ability to think quickly and critically. Much like a political debate, in an academic debate two individuals or groups consider or argue an issue from opposing viewpoints. Generally there will be a winner and a loser, lending this form of speaking a competitive edge.

Take a Side

Opposing sides in a debate are taken by speakers in one of two formats. In the **individual debate format**, one person takes a side against another person. In the **team debate format**, multiple people (usually two) take sides against another team, with each person on the team assuming a speaking role.

The *pro* side (also called "affirmative") in the debate supports the topic with a *resolution* — a statement asking for change or consideration of a controversial issue. "Resolved, that the United States government should severely punish flag burners" is a resolution that the affirmative side must support and defend. The pro side tries to convince the audience (or judges) that the topic under consideration should be addressed, supported, or agreed with. The *con* side (also called "negative") in the debate attempts to defeat the resolution by dissuading the audience from accepting the pro side's arguments.

Advance Strong Arguments

Whether you take the affirmative or negative side, your primary responsibility is to advance strong arguments in support of your position. Arguments usually consist of the following three parts (see also Chapter 24):[3]

* **Claim** — A claim makes an assertion or declaration about an issue. "Females are discriminated against in the workplace." Depending on your debate topic, your claim may be one of fact, value, or policy (see Chapter 24).

* **Reasoning** — Reasoning is a logical explanation of the claim. "Females make less money and get promoted less frequently than males."

* **Evidence** — Evidence is the support offered for the claim. "According to a recent report by the U.S. Department of Labor, women make 28 percent less than men in comparable jobs and are promoted 34 percent less frequently."

Debates are characterized by *refutation*, in which each side attacks the arguments of the other. Refutation can be made against an opponent's claim, reasoning, evidence, or some combination of these elements. In the previous argument, an opponent might refute the evidence by arguing, "The report used by my opponent is three years old, and a new study indicates that we are making substantial progress in equalizing the pay among males and females; thus we are reducing discrimination in the workplace."

QUICK TIP

Flowing the Debate

In formal debates (in which judges take notes and keep track of arguments), debaters must attack and defend each argument. "Dropping" or ignoring an argument can seriously compromise the credibility of the debater and her or his side. To ensure that you respond to each of your opponent's arguments, try using a simple technique adopted by formal debaters called "flowing the debate" (see Figure 26.1). Write down each of your opponent's arguments, and then draw a line or arrow to indicate that you (or another team member) have refuted it.

Affirmative	Negative	Affirmative	Negative	Affirmative	Negative
Nonviolent prisoners should be paroled more often.	Nonviolent prisoners can become violent when they are paroled.	Studies show nonviolent prisoners commit fewer crimes upon their release.	Those studies are outdated and involve only a few states.	My studies are recent and include big states like New York and California.	The studies from New York and California were flawed due to poor statistics.

FIGURE 26.1 Flowchart of the Arguments for the Resolution "Resolved, That Nonviolent Prisoners Should Be Paroled More Often"

Refutation also involves rebuilding arguments that have been refuted or attacked by the opponent. This is done by adding new evidence or attacking the opponent's reasoning or evidence.

☑ **CHECKLIST: Tips for Winning a Debate**

____ Present the most credible and convincing evidence you can find.

____ Before you begin, describe your position and tell the audience what they must decide.

____ If you feel that your side is not popular among the audience, ask them to suspend their own personal opinion and judge the debate on the merits of the argument.

____ Don't be timid. Ask the audience to specifically decide in your favor, and be explicit about your desire for their approval.

____ Point out the strong points from your arguments. Remind the audience that the opponent's arguments were weak or irrelevant.

____ Be prepared to think on your feet (see Chapter 17 on impromptu speaking).

____ Don't hide your passion for your position. Debate audiences appreciate enthusiasm and zeal.

Poster Sessions

A **poster session** presents information about a study or an issue concisely and visually on a large (usually 3' 8" by 5' 8") poster. Presenters display their findings on posters, which are hung on freestanding boards; on hand are copies of the written report, with full details of the study. When you prepare for a poster session, pay particular attention to the following:

- Select a concise and informative title.
- Include an abstract (a brief summary of the study).
- Present two to three key points from each section of your paper.
- In the upper-right-hand corner of the poster, place a concise introduction that indicates the purpose of the presentation.
- In the lower-right hand corner of the poster, place your conclusions and summary.
- Select a muted color for the poster, such as gray, beige, light blue, or white.
- Make sure your type is large enough to be read comfortably from at least three feet away.
- Design figures and diagrams to be viewed from a distance, and label each one.
- Include a concise summary of each figure in a legend below each one.
- Be prepared to provide brief descriptions of your poster and to answer questions; keep your explanations short.[4]

27 Science and Mathematics Courses

Oral presentations in the sciences and mathematics often describe the results of original or replicated research. Instructors want to know the processes by which you arrived at your experimental results. For example, your biology instructor may assign an oral report on the extent to which you were able to replicate an experiment on cell mitosis. A mathematics instructor may ask you to apply a mathematical concept to an experiment or issue facing the field. In a geology course, you might describe the findings of your fieldwork.

> ### QUICK TIP
>
> **What Do Science-Related Courses Include?**
> *Science-related disciplines include the physical sciences (e.g., chemistry and physics), the natural sciences (e.g., biology and medicine), and the earth sciences (e.g., geology, meteorology, and oceanography). Fields related to mathematics include accounting, statistics, and applied math.*

Research Presentation

In the **research presentation** (also called **oral scientific presentation**), you describe original research you have done, either alone or as part of a team. The research presentation usually follows the model used in scientific investigation and includes the following elements:

1. *Introduction* describing the research question and the scope and objective of the study

2. *Description of methods* used to investigate the research question, including where it took place and the conditions under which it was carried out

3. *Results of the study* summarizing key results and highlighting the answers to the questions/hypotheses investigated

4. *Conclusion* (also called "Discussion"), in which the speaker interprets the data or results and discusses their significance

---

CHECKLIST: Evaluating Your Original Research Presentation

✓ Have you stated the research question?

✓ Have you clearly stated the hypothesis to the research question?

✓ Have you adequately described the study's research design?

✓ Have you described the methods used to obtain the results and why you used them?

✓ Have you explained and evaluated the results of the study, i.e., the data?

✓ Have you addressed the significance of the study?

Methods/Procedure Presentation

Some instructors may require you to describe how an experimental or mathematical process works and under what conditions it can be used. This is generally a ten- to fifteen-minute individual presentation. In a theoretical math class, for example, your assignment might be to describe an approach to solving a problem, such as the use of the Baum Welch algorithm, including examples of how this approach has been used, either inappropriately or appropriately. This type of **methods/procedure presentation** generally does the following:

1. Identifies the conditions under which the process should be used

2. Offers a detailed description of the process (at times including a demonstration)

3. Discusses the benefits and shortcomings of the process

The Research Overview

The **research overview presentation** provides background for a research question that will form the basis of an impending experiment or investigation. Instructors often ask students to organize research overviews with the following sections:

1. Overview of research that is relevant to the question at hand

2. Discussion of key studies that are central to the question

3. Analysis of the strengths and weaknesses of research in light of the current hypothesis or question

The format for the research overview may be an individual presentation or a **panel discussion**, in which a group of people (usually between three and nine) explore specific lines of research that contribute to a general hypothesis or question.

Field Study Presentation

You may some time be called on to describe a field study project. A geology student may report on a dig, for example. The **extended research or field study presentation** can be delivered individually, in teams, or in poster-session format. Whatever the format, included in the field study are the following details:

1. Overview of the field research

2. Methods used in the research

3. Analysis of the results of the research
4. Time line indicating how the research results will be used in the future

Preparing Effective Scientific and Mathematical Presentations

Science and mathematics instructors will expect your presentations to be grounded in the scientific method and to provide detailed information about the methods used in gathering and analyzing data. Credible presentations must clearly illustrate the nature of the research question and the means by which the results were achieved. Often instructors will expect you to do the following:

- *Use observation, proofs, and experiments as support.*
- *Be selective in your focus on details,* highlighting critical information but not overwhelming listeners with details they can learn about by referring to the written paper and the cited sources.
- *Use analogies* to associate the unknown with familiar knowledge (see Chapter 23 on strategies).
- *Use presentation aids* (ranging from slides to equations drawn on a chalkboard) to visually illustrate important processes and concepts.

Depending on the nature of the report, instructors may also expect you to recount experiences in the field or to offer observations of experimental findings (e.g., describe what happened to the chemicals in a chemistry experiment or to the physical objects in a physics experiment).

QUICK TIP

Use Presentation Aids to Illustrate Processes
Clearly executed presentation aids often are critical to effective scientific and mathematical presentations, and instructors generally require them. Aids can range from slides generated with presentation software programs and computer simulations to equations drawn on a chalkboard. Remember that the more simply you can render complex information (without distorting findings), the more likely it is that audience members will grasp your points.

> ☑ **CHECKLIST: Tips for Preparing Successful Scientific Presentations**
>
> ___ Create an informative title.
>
> ___ Place your presentation in the context of a major scientific principle.
>
> ___ Focus on a single issue, and adjust it to the interests of your audience.
>
> ___ Identify the underlying question you will address, divide it into subquestions, and answer each question.
>
> ___ Follow a logical line of thought.
>
> ___ Explain scientific concepts unambiguously, with a minimum of jargon.
>
> ___ Use analogies to increase understanding.
>
> ___ End with a clearly formulated conclusion related to your chosen scientific principle.[1]

28   Technical Courses

Oral presentations in technical courses often focus on a project, whether it is a set of plans for a building, a prototype robot, or an innovative computer circuit design. Rather than addressing research, as is often the case in scientific and social scientific reports, the focus of technical presentations usually rests on the product or design itself.

Of the various types of presentations assigned in technical courses, the design review is perhaps the most common. Design reviews in engineering-related fields differ somewhat from those delivered in art and architecture courses. Other types of presentations you are likely to deliver in a technical course are requests for funding and *progress reports* (see Chapter 35, pp. 247–48, for progress reports).

What Are the Technical Disciplines?
Technical disciplines *include the range of engineering fields (mechanical, electrical, chemical, civil, aerospace, industrial, nuclear), computer science–oriented fields (computer science, computer engineering, software engineering), and design-oriented fields (industrial design, architecture, graphic design).*

The Engineering Design Review

The **design review presentation** provides information on the results of a design project. Many capstone-engineering courses require that students prepare design reviews, which are generally informative in nature, although their purpose may include convincing the audience that the design decisions are sound. Design reviews often incorporate a prototype demonstration. A **prototype** is a model of the design. Design reviews often are delivered as team presentations (about twenty-five to thirty minutes in length) or in poster-session format.

Design reviews typically include the following:

1. Overview of the design concept
2. Description of design specifications
3. Discussion of any experimental testing that has been completed on the design
4. Discussion of future plans and unresolved problems
5. Discussion of schedule, budget, and marketing issues

The Architecture Design Review

The **architecture design review** combines two functions: It enables the audience to visualize the design, and it sells it. A narrative approach, in which you tell the "story" of the design, combined with a *spatial organizational pattern,* in which you arrange main points in order of physical proximity to the design (see Chapter 13), can help you do this. At a minimum, architecture design reviews typically cover:

1. Background on the site
2. Discussion of the design concept
3. Description and interpretation of the design

The Request for Funding

In the **request for funding presentation**, a team member or the entire team provides evidence that a project, a proposal, or a design idea is worth funding. As such, this kind of presentation is persuasive in nature. Requests for funding cover the following ground:

1. Overview of customer specifications and needs
2. Analysis of the market and its needs
3. Overview of the design idea or project and how it meets those needs
4. Projected costs for the project
5. Specific reasons why the project should be funded

The request for funding may be delivered as an individual or team presentation. On the job, the audience for the request for funding is made up of people who are concerned with the marketing, economic, and customer aspects of the idea or project (e.g., "colleagues within the field"; see p. 215).

QUICK TIP

Lead with Results

Technical disciplines such as engineering are about results — the end product. When organizing a technical presentation, consider telling the audience the most important result first. Then fill in the details.

Preparing Effective Technical Presentations

Technical presentations sell ideas, provide hard data, use concrete imagery, rely on visual aids, and are results oriented:[1]

- *Sell your ideas using a persuasive approach.* The technical presenter must persuade clients, managers, or classmates that a design, idea, or product is a good one. As one instructor notes, "You can never assume that your product or design will just sell—*you* have to do that."[2]

- *Provide hard data.* Good technical presentations are detailed and specific and use numbers as evidence. Instead of general, sweeping statements, provide hard data and clearly stated experimental results.

- *Use ample visual aids.* Use diagrams, prototypes, and drawings, including design specifications, computer simulations, physical models, and spreadsheets. Construct aids early in the process, and use them as you practice the presentation.

- *Use concrete imagery* to help listeners visualize how your design will appear in use or its intended site.

- *Get results by delivering information at a level appropriate to the audience.* Typically, people who attend technical presentations possess a range of technical knowledge, from little or none to an expert understanding of the topic at hand (see Chapter 26 on representative types of audiences and the following checklist on presenting to a **mixed audience**.)

CHECKLIST: Presenting a Technical Report to a Mixed Audience

✓ Find out as much information as you can about the audience.

✓ Prepare both detailed and general content.

✓ Alert the audience to the order of your coverage — each audience segment will know what to expect and when.

✓ Consider devoting one-half to two-thirds of your time to an overview of your subject and saving highly technical material for the remaining time.[3]

✓ Be clear about the level at which you are speaking: "I am going to present the primary results of this project with minimal detailed information, but I'll be happy to review the statistics or experimental results in more detail following the presentation."

✓ If you notice that listeners are experiencing discomfort, consider stopping and asking for feedback about what they want. You might then change course and opt for a different approach.[4]

Students in the social sciences (including psychology, sociology, political science, and communication) learn to evaluate and conduct **qualitative research** (in which the emphasis is on observing, describing, and interpreting behavior) as well as **quantitative research** (in which the emphasis is on statistical measurement).[1] Research methods and areas of investigation can be far-ranging, from experiments on biological bases of behavior to participant observation studies of homelessness.

For students in the social sciences, the focus is often on explaining or predicting human behavior or social forces, answering questions such as "What?," "How?," and "Why?"[2] Instructors may ask you to evaluate a theory or body of research, debate an issue, review the relevant literature, or make policy recommendations. Additionally, as in science and mathematics courses, you might prepare a research, field study, or methods/procedure presentation (see Chapter 27).

Debate Controversial Topics

Students enrolled in social science courses often must prepare for *debates* on controversial issues (see Chapter 26 for more on debates). Sometimes an assignment involves advocating a position that you do not support. For example, a sociology instructor might require students who oppose school vouchers to defend the policy. Whatever side of an issue you address, you will need to prepare a well-composed argument with strong supporting evidence.

Provide a Review of the Literature

Frequently, instructors ask students to review the body of research related to a given topic or issue and offer conclusions about the topic based on this research. A psychology student, for example, might review the literature on psychological dysfunction in the military family. In addition to describing the available research, the student would offer conclusions uncovered by the research and suggest directions for future research. A **review of the literature presentation** typically includes the following:

1. Statement of the topic under review
2. Description of the available research, including specific points of agreement and disagreement among sources

3. Evaluation of the usefulness of the research
4. Conclusions that can be drawn from the research
5. Suggested directions for future study

Explain Social Phenomena

Social scientists often attempt to analyze and explain social or psychological phenomena such as, "Why do some college students abuse alcohol?" or "What leads to infant neglect?" This type of **explanatory research presentation** typically addresses the following:

1. Description of the phenomenon under discussion (e.g., *What* is taking place?)
2. Theories of how and why it occurs, as described by the research
3. Evaluation of the research and suggestions for future research

---

QUICK TIP

Narrow Your Topic
Since most of your social scientific research and literature review presentations will be relatively brief, make sure to sufficiently narrow your topic research question and scale your findings to fit the time allotted (see Chapter 8). To ensure that you report the research accurately, maintain a working bibliography of your sources. For guidelines on creating source notes, see "From Source to Speech" sections in Chapters 10 and 11, and Appendix A.

Evaluate Policies and Programs

In addition to explaining phenomena, social scientists often measure the effectiveness of programs developed to address these issues. In preparation for on-the-job delivery, instructors may ask you to evaluate a program or policy. Typically, **policy/program evaluation reports** include the following:

1. Explanation of the program's mission
2. Description of the program's accomplishments
3. Discussion of how the accomplishments were measured, including any problems in evaluation
4. Conclusions regarding how well or poorly the program has met its stated objectives

Recommend Policies

As well as evaluating programs and policies, you may be asked to recommend a course of action on an issue or problem. This mirrors what is sometimes required of psychologists, sociologists, communication specialists, and others, who investigate an issue and then present their findings to the person or body commissioning the report. A **policy recommendation report** typically includes the following:

1. Definition and brief discussion of the problem
2. Recommendations to solve the problem or address the issue
3. Application of forecasting methods to show likely results of the recommended policy
4. Plan for implementation of the recommendations
5. Discussion of future needs or parameters to monitor and evaluate the recommendations

Preparing Effective Social Scientific Presentations

Good social scientific presentations clearly explain the research question, refer to current research, and use timely data.

- *Illustrate the research question.* Pay special attention to clearly illustrating the nature of the research question and the means by which the results were achieved.
- *Refer to current research.* Credible social scientific presentations refer to recent findings in the field. Instructors are more likely to accept experimental evidence if it is replicable over time and is supported by current research.
- *Use timely data.* Instructors expect student presentations to include timely data and examples. A report on poverty rates for a sociology course must provide up-to-date data, because poverty rates change yearly. A review of treatments for the mentally ill, for example, should accurately reflect current treatments.

Speaking assignments in arts and humanities courses (including English, philosophy, foreign languages, art history, theater, music, religion, and history) often require that you interpret the meaning of a particular idea, event, person, story, or artifact. Your art history professor, for example, may ask you to identify the various artistic and historical influences on a sculpture or a painting. An instructor of literature may ask you to explain the theme of a novel or a poem. A theater instructor may ask you to offer your interpretation of a new play.

Rather than focusing on quantitative research, presentations in the arts and humanities often rely on your analysis and interpretation of the topic at hand. These interpretations are nonetheless grounded in the conventions of the field and build on research within it.

Oral presentation assignments in arts and humanities courses can range from informative speeches of explanation to individual and team debates. Some presentations may involve performance, with students expressing artistic content.

Informative Speeches of Description and Analysis

Often in the arts and humanities, students prepare informative speeches (see Chapter 23) in which they explain the relevance of an historical or contemporary person or event; a genre or school of philosophical thought; or a piece of literature, music, or art. For example, an art history professor may require students to discuss the artist Bernini's contribution to St. Peter's Cathedral in Rome. Visual aids are often a key part of such presentations; here, audiences would expect to see relevant reproductions and photographs.

Presentations That Compare and Contrast

Instructors in the arts and humanities often ask students to compare and contrast events, stories, people, or artifacts in order to highlight similarities or differences. For example, you might compare two works of literature from different time periods or two historical figures or works of art. These presentations may be informative or persuasive in nature. Presentations that compare and contrast include the following items:

1. *Thesis statement* outlining the connection between the events, stories, people, or artifacts

2. *Discussion of main points,* including several examples that highlight similarities and differences

3. *Concluding evaluative statement* about the comparison (e.g., if the presentation is persuasive, why one piece of literature was more effective than another; if informative, a restatement of similarities and differences)

Debates

Often students will engage in debates on opposing ideas, historical figures, or philosophical positions. In a history class, for example, students might argue whether sixteenth-century women in Western Europe experienced a Renaissance. The speaker must present a brief assertion (two to three minutes) about the topic; the opposing speaker then responds with a position. Whatever side of an issue you address, prepare a well-composed argument with strong supporting evidence.

QUICK TIP

Be Prepared to Lead a Discussion

Many students taking arts and humanities courses must research a question and then lead a classroom discussion on it. For example, a student of English may lead a discussion on Anton Chekov's play, The Cherry Orchard. *The speaker would be expected to provide a synopsis of the plot, theme, and characters and offer an analysis of the play's meaning. For directions on leading a discussion, see Chapter 31.*

Preparing Effective Arts and Humanities Presentations

Good presentations in the arts and humanities help the audience to think of the topic in a new way by providing an original interpretation of the topic under consideration. A presentation on the historical significance of the success of Hitler's National Socialist Party, for example, will be more effective if you offer a new way of viewing the topic rather than reiterating what other people have said or what is already generally accepted knowledge. A debate on two philosophical ideas will be most effective when you assert issues and arguments that are different from those that the audience has thought of before. Because many speaking events in the arts and humanities call for interpretation, the more original the interpretation (while remaining logical and supported by evidence), the more compelling the presentation will be for the audience.

31 Education Courses

In education courses (including subfields such as curriculum and instruction, physical education, secondary and elementary education, and education administration), the most common and practical speaking event is *teaching in a classroom*. Assignments in education courses often focus on some form of instructional task, such as *giving a lecture* or *demonstrating an activity*. In a mathematics education course, you may give a mini-lecture on a particular geometric theorem. In a learning-styles course, you may tailor an activity to a variety of different learners.

Delivering a Lecture

A **lecture** is an informational speech for an audience of student learners. Standard lectures range from fifty minutes to an hour and a half in length; a *mini-lecture presentation*, designed to give students an opportunity to synthesize information in a shorter form, generally lasts about fifteen to twenty minutes. Structure your lecture as follows:

1. Overview
2. Statement of the thesis
3. Statement of the connection to previous topics covered
4. Discussion of the main points
5. Preview of the next assigned topic

Facilitating a Group Activity

In the **group activity presentation**, the speaker facilitates a postlecture group activity by providing the following brief remarks:

1. A succinct review of the lecture thesis
2. A description of the goal of the activity
3. Directions on carrying out the activity
4. A preview of the discussion session following the activity

Facilitating a Classroom Discussion

In the **classroom discussion presentation**, the speaker facilitates a discussion following a lecture. When leading a classroom discussion, offer brief preliminary remarks and then guide the discussion as it proceeds.

1. Begin by outlining critical points to be covered.
2. Prepare several general guiding questions to launch the discussion.
3. Prepare relevant questions and examples for use during the discussion.

Preparing Effective Education Presentations

Good presentations in education are marked by clear organization, integration of the material into the broader course content, and student-friendly supporting material.

- *Organize material logically.* Presentations in education must be tightly organized so that the audience can easily access information. Thus, pay careful attention to selecting an organizational pattern (see Chapters 13 and 24). In educational settings, the simpler the organizational structure, the better. Use organizing devices such as **preview statements** and **transitions** to help listeners follow ideas in a lecture, for example. Provide clear and logical directions for group activities.

- *Integrate discussion to overall course content.* Effective lectures, activities, and discussions are clearly connected to other parts of the course, topic, or content. Describe how the lecture for the day relates to yesterday's lecture to help students connect topics. Within a discussion, make clear connections between students' comments and other topics that have been raised or topics that will be raised in the future.

- *Tailor examples and evidence to the audience.* Effective educational presentations use familiar examples and evidence that the audience can grasp easily. The successful instructor would not support an idea with a statistical proof, for example, unless the audience members were trained in statistics. Regardless of the audience, use examples that will enhance learning; these examples are often the ones closest to the students' experiences.

32 Business Courses

It is commonplace in the business world to deliver sales presentations, proposals, staff reports, progress reports, and crisis-response presentations (see Chapter 35 for descriptions). Many instructors require students to simulate most of these reports in the classroom, especially sales presentations and proposals. Another common assignment is the *case study*, described in detail below.

QUICK TIP

Build Career Skills

Approach your business presentation assignments as a way to build critically important career skills. Many prospective employers will ask about such classroom experience, and you will deliver similar presentations throughout your business career. Entry-level employees with superior oral presentation skills tend to get promoted sooner than their co-workers.

Case Study Presentations

To help students understand the potential complexities of real-world business situations, instructors often require them to report orally on case studies, either alone or in teams. A **case study** is a detailed analysis of a real (or realistic) business situation. Students are typically expected to consider the case study carefully and then report on the following items:

1. Description/overview of the major issues involved in the case

2. Statement of the major problems and issues involved

3. Identification of any relevant alternatives to the case

4. Presentation of the best solutions to the case, with a brief explanation of the logic behind them

5. Recommendations for implementing the solutions, along with acknowledgment of any impediments

Preparing Effective Classroom Business Presentations

When preparing and delivering case studies, as well as other types of presentations in your business class, bear in mind the following points:

- *Understand the requirements.* Make sure you understand the purpose of the presentation, its relationship to the assignment, and the expectations for its delivery, including presentation format and time limits.

- *Give equal attention to oral and written assignments.* Don't assume that the oral presentation part of the assignment is less important than any written materials. Business instructors are especially sensitive to the need for speaking skills among their graduates.

- *Prepare for follow-up questions.* Questions are just as likely to come from your student-peers as they are from the instructor. Make sure that you are familiar with all aspects of your subject even if you do not cover everything in your presentation.

- *Do timed rehearsals.* Many business students think their presentations are much shorter than they actually turn out to be, and business instructors are often strict about time limits. Don't get caught going over time and being penalized or — even worse — being cut off by your instructor.

- *Rehearse as a team.* In a team format, it is unlikely that all team members will be equally prepared for the presentation. To avoid a lopsided delivery, rehearse as a group (see Chapter 26 on team presentations).

33 | Nursing and Allied Health Courses

Speaking assignments in nursing and allied health courses — physical therapy, occupational therapy, radiology, pharmacy, and other areas of health care — range from reviews of research articles in professional journals to reports on community service projects in a clinical setting. Students are assigned a mix of individual and team presentations that instruct clients on health care practices and techniques, describe plans of care to medical teams, communicate patient status at change of shifts, and make policy recommendations to managers. Visual aids such as PowerPoint slides may be required; certain courses also entail preparation of individual or team poster sessions (see Chapter 26).

Community Service Learning Project

In a **community service learning project**, students learn about and help address a need or problem in a community agency, such as may exist in an adult daycare center, a mental health facility, or a burn center. Typically, presentations about your participation in these projects should include the following:

- Description of the community agency and its client base
- Overview of the service project and your role in it
- Description of your accomplishments
- Report of any problems encountered
- Relationship of service learning to course content
- Summary of what you learned

Treatment Plan Reports

Either individually or as part of a health care team, persons in the helping professions often evaluate patients' conditions and outline plans of treatment. One form of treatment plan, called the **case conference**, includes the following:

- Description of patient status
- Explanation of the disease process
- Steps in the treatment regimen
- Goals for patient and family
- Plans for patient's care at home
- Review of financial needs
- Assessment of resources available

The shift report is a concise overview of the patient's status and needs, which is delivered to the oncoming caregiver. Information includes:

- Patient name, location, reason for care
- Current physical status
- Day on clinical pathway for particular diagnosis
- Pertinent psychosocial data, including plans for discharge and involvement of family
- Care needs: physical, hygiene, activity, medication, nutritional.

Policy Recommendation Report

In the **policy recommendation report**, the speaker recommends the adoption of a new (or modified) health practice or policy, such as introducing a new treatment regimen at a burn center. This report (sometimes assigned as part of a capstone course) addresses the following:

- Review of existing policy or practice
- Description of proposed policy recommendation
- Review of the existing scientific literature on the policy recommendation
- Plan of action for implementing the policy or practice

Preparing Effective Presentations in Nursing and Allied Health Courses

Good presentations in health-related courses accurately communicate scientific information while simultaneously assessing practical conditions. Depending on the audience (e.g., patient or staff), communication will shift from therapeutic/empathetic to more matter of fact, and instructors will expect to see these shifts of tone reflected in your presentations. Instructors will expect you to do the following:

- Use **evidence-based practice** based on current research findings for all assignments.
- Apply concepts in the literature to your work with patients.
- Evaluate the results of your interventions.

34 Communicating in Groups

Most of us will spend a substantial portion of our educational and professional lives participating in **small groups** or teams[1] (usually between three and twenty people); and many of the experiences we have as speakers, in the classroom, workforce, and in *virtual groups* online, occur in a group setting. Groups often report on the results they've achieved, and some groups form solely for the purpose of coordinating oral presentations (see Chapter 26 on team presentations). Thus understanding how to work cooperatively within a group setting is a critical skill.

Focus on Goals

How well or poorly you meet the objectives of the group — whether coordinating a team presentation or solving an engineering dilemma — is largely a function of how closely you keep sight of the group's goals and avoid behaviors that detract from these goals. Setting an **agenda** can help participants stay on track by identifying items to be accomplished during a meeting; often it will specify time limits for each item.[2]

Adopt Productive Roles

In a group, you will generally assume dual roles, such as a task role and an interpersonal role. Task roles are the hands-on roles that directly relate to the group's accomplishment of its objectives. Examples include "recording secretary" (takes notes) and "moderator" (facilitates discussion).[3] Members also adopt various interpersonal roles, or styles of interacting in the group, such as "the harmonizer" (smoothes out tension) and "the gatekeeper" (keeps the discussion moving and gets everyone's input).[4] Task and interpersonal roles help the group achieve its mission. Conversely, counterproductive behaviors such as "hogging the floor" (not allowing others to speak), "blocking" (being overly negative about group ideas; raising issues that have been settled), and "recognition seeking" (acts to call attention to oneself rather than to group tasks) do not help with the group's goals and should be avoided.

Center Disagreements around Issues

Whenever people come together to consider an important issue, conflict is inevitable. But conflict doesn't have to be destructive. In fact, the best decisions are usually those that emerge from productive conflict.[5] In *productive conflict,* group members clarify questions, challenge ideas, present counterexamples, consider worst-case scenarios, and reformulate proposals. Productive conflict centers disagreements around issues rather than personalities. In *person-based conflict,* members argue with one another instead of about the issues, wasting time and impairing motivation; *issues-based conflict* allows members to test and debate ideas and potential solutions. It requires each member to ask tough questions, press for clarification, and present alternative views.[6]

Resist Groupthink

For a group to be truly effective, members eventually need to form a *collective mind*, that is, engage in communication that is critical, careful, consistent, and conscientious.[7] At the same time, they must avoid groupthink, the tendency to accept information and ideas without subjecting them to critical analysis.[8] Groups prone to groupthink typically exhibit these behaviors:

- Participants reach a consensus and avoid conflict so as to not hurt others' feelings, but without genuinely agreeing.
- Members who do not agree with the majority feel pressured to conform.
- Disagreement, tough questions, and counterproposals are discouraged.
- More effort is spent justifying the decision than testing it.

QUICK TIP

Optimizing Decision Making in Groups
*Research suggests that groups can reach the best decisions by adopting two methods of argument: **devil's advocacy** (arguing for the sake of raising issues or concerns about the idea under discussion) and **dialectical inquiry** (devil's advocacy that goes a step further by proposing a countersolution to the idea).[9] Both approaches help expose underlying assumptions that may be preventing participants from making the best decision.*

Be a Participative Leader

When called upon to lead a group, bear in mind the four broad styles of leadership and select the participative model:

- *autocratic* (leaders make decisions and announce them to the group)

- *consultive* (leaders make decisions after discussing them with the group)
- *delegative* (leaders ask the group to make the decision)
- *participative* (leaders make decisions with the group)[10]

Research suggests that often the most effective leader is participative, that is, one who facilitates a group's activities and interaction in ways that lead to a desired outcome.

Set Goals

As a leader, aim to be a catalyst in setting and reaching goals in collaboration with other group members. It is your responsibility to ensure that each group member can clearly identify the group's purpose(s) and goal(s).

Encourage Active Participation

Groups tend to adopt solutions that receive the largest number of favorable comments, whether these comments emanate from one individual or many. If only one or two members participate, it is their input that sets the agenda, whether or not their solution is optimal.[11] To encourage group participation, do the following:

- *Directly ask members to contribute.* Sometimes one person, or a few people, dominates the discussion. Encourage others to contribute by redirecting the discussion in their direction ("Patrice, we haven't heard from you yet" or "Juan, what do you think about this?").
- *Set a positive tone.* Some people are reluctant to express their views because they fear ridicule or attack. Minimize

 CHECKLIST: Guidelines for Setting Group Goals

✓ Identify the problem.

✓ Map out a strategy.

✓ Set a performance goal.

✓ Identify resources necessary to achieve the goal.

✓ Recognize contingencies that may arise.

✓ Obtain feedback.

such fears by setting a positive tone, stressing fairness, and encouraging politeness and active listening.

- *Make use of devil's advocacy and dialectical inquiry.* Raise pertinent issues or concerns, and entertain solutions other than the one under consideration.

Facilitate Decision Making

To reach a decision or solution that all participants understand and are committed to, guide participants through the six-step process of reflective thinking shown in Figure 34.1, which is based on the work of educator John Dewey.[12]

Step 1   Identify the Problem
• What is being decided upon?
Group leader summarizes problem, ensures that all group members understand problem, and gains agreement from all members.

Step 2   Conduct Research and Analysis
• What information is needed to solve the problem?
Conduct research to gather relevant information.
Ensure that all members have relevant information.

Step 3   Establish Guidelines and Criteria
• Establish criteria by which proposed solutions will be judged.
Reach criteria through consensus and record criteria.

Step 4   Generate Solutions
• Conduct brainstorming session.
Don't debate ideas; simply gather and record all ideas.

Step 5   Select the Best Solution
• Weigh the relative merits of each idea against criteria. Select one alternative that can best fulfill criteria.
If more than one solution survives, select solution that best meets criteria.
Consider merging two solutions if both meet criteria.
If no solution survives, return to problem identification step.

Step 6   Evaluate Solution
• Does the solution have any weaknesses or disadvantages?
• Does the solution resemble the criteria that were developed?
• What other criteria would have been helpful in arriving at a better solution?

FIGURE 34.1 Making Decisions in Groups: John Dewey's Six-Step Process of Reflective Thinking

Rather than being formal public speeches, business and professional presentations are forms of **presentational speaking**—reports delivered by individuals addressing colleagues, clients, and customers, as well as multiple members of work groups addressing similarly composed audiences (see Chapter 26). This form of address has much in common with formal public speaking, yet important differences exist:[1]

- *Degree of formality.* Presentational speaking is *less formal* than public speaking; on a continuum, it would lie midway between public speaking at one end and conversational speaking at the other.

- *Audience composition.* Audiences attending public speeches range from those that are relatively small to those composed of thousands. The audience for a presentation can be as small as three people. Additionally, public-speaking audiences are more likely to be self-selected or voluntary, and they expect to be attending a onetime event. Attendees of oral presentations are more likely to be part of a "captive" audience, as in a classroom. As a group they are also more similar than audiences for public speeches, in that there is an ongoing relationship among the participants.

- *Speaker expertise.* Listeners generally assume that a public speaker has more expertise or firsthand knowledge than they do on a topic. Presentational speakers, by contrast, are more properly thought of as "first among equals."

QUICK TIP

Prepare to Interact with the Audience

In business and professional presentations, verbal interaction between speaker and audience is the rule rather than the exception. Audience members ask questions and make comments during and after the talk, and it isn't unusual for a presentation to be stopped midway when a discussion ensues or time runs out. Anticipating this, introduce important information early on in your presentation, and prepare answers for likely questions.

Five of the most common types of business and professional presentations are sales presentations, proposals, staff reports, progress reports, and crisis-response presentations.[2]

Sales Presentations

A **sales presentation** attempts to lead a potential buyer to purchase a service or a product described by the presenter. The general purpose of sales presentations is to persuade.

Audience

The audience for a sales presentation depends on who has the authority to make the purchase under consideration. Some sales presentations are invited by the potential buyer. Others are "cold sales" in which the presenter/seller approaches a first-time potential buyer with a product or a service. In some cases the audience might be an intermediary—a community agency's office manager, for example, who then makes a recommendation to the agency director.

Sales presentations are most successful when you clearly show how the product or service meets the needs of the potential buyer and you demonstrate how it surpasses other options available.

Organization

Due to its inherently persuasive nature, plan on organizing a sales presentation as you would a persuasive speech (see Chapter 24). Suitable patterns include the motivated sequence, comparative advantage, and problem-solution or problem-cause-solution models (see Chapter 24). The comparative advantage pattern works well when the buyer must choose between competing products and seeks reassurance that the product being presented is indeed superior. The problem-solution or problem-cause-solution pattern is especially effective when selling to a buyer who needs a product to solve a problem.

With its focus on audience needs, the **motivated sequence** (sometimes called the *basic sales technique*) offers an excellent means of appealing to buyer psychology. To use it to organize a sales presentation, do the following:

1. Draw the potential buyer's attention to the product.
2. Isolate and clarify the buyer's need for the product.
3. Describe how the product will satisfy the buyer's need.
4. Invite the buyer to purchase the product.

QUICK TIP

Adapt the Motivated Sequence to the Selling Situation
When making a sales presentation following the motivated sequence, the extent to which you focus on each step depends on the nature of the selling situation. In cold-call sales situations, consider spending more time discovering the potential buyer's needs. For invited sales presentations, spend more time detailing the characteristics of the product and showing how it will satisfy the buyer's needs.

Proposals

Organizations must constantly make decisions based on whether to modify or adopt a product, procedure, or policy. Such information is routinely delivered as a **proposal**. Proposals may be strictly informative, as when a facilities manager provides information to his or her superiors. Often, proposals are persuasive in nature, with the presenter arguing in favor of one course of action over another.

Audience

The audience for a proposal can vary from a single individual to a large group; the individual or individuals have primary or sole decision-making responsibility. Because many proposals seek to persuade listeners, careful adaptation to the audience is critical to an effective presentation.

Organization

A proposal can be quite lengthy and formally organized or relatively brief and loosely structured. Organize lengthy proposals as follows:

1. Introduce the issue.
2. State the problem.
3. Describe the method by which the problem was investigated.
4. Describe the facts learned.
5. Offer explanations and an interpretation of the findings.
6. Offer recommendations.

Organize brief proposals as follows:

1. State your recommendations.
2. Offer a brief overview of the problem.
3. Review the facts on which the recommendations are based.

Staff Reports

A **staff report** informs managers and other employees of new developments that affect them and their work, or reports on the completion of a project or task.

Audience

The audience for a staff report is usually a group, but it can be an individual. The recipients of a staff report then use the information to implement new policy, to coordinate other plans, or to make other reports to other groups.

Organization

Formal staff reports are typically organized as follows:

1. State the problem or question under consideration (sometimes called a "charge" to a committee or a sub-committee).
2. Provide a description of procedures and facts used to address the issue.
3. Discuss the facts that are most pertinent to the issue.
4. Provide a concluding statement.
5. Offer recommendations.

Progress Reports

A **progress report** is similar to a staff report, with the exception that the audience can include people *outside* the organization as well as within it. A progress report updates clients or principals on developments in an ongoing project. On long-term projects, such reports may be given at designated intervals or at the time of specific task completions. On short-term projects, reports can occur daily.

Audience

The audience for a progress report might be a group of clients or customers, developers and investors, next-line supervisors, company officers, media representatives, or same-level co-workers. Progress reports are commonplace in staff meetings in which subcommittees report on their designated tasks. Audience questions are common at the end of progress reports (see Appendix B on handling question-and-answer sessions).

Organization

Organize a progress report as follows:

1. Briefly review progress made up to the time of the previous report.
2. Describe new developments since the previous report.
3. Describe the personnel involved and their activities.
4. Detail the time spent on tasks.
5. Explain supplies used and costs incurred.
6. Explain any problems and their resolution.
7. Provide an estimate of tasks to be completed for the next reporting period.

Crisis-Response Presentations

Crisis-response presentations (also called "crisis communication") are meant to reassure an organization's various audiences (its "publics") and restore its credibility in the face of an array of threats, such as contaminated products, layoffs, chemical spills, or bankruptcy. These are often conveyed via media such as television and radio.

Audience

Crisis-response presentations may target one, several, or multiple audiences. A personnel manager may address a group of disgruntled engineers unhappy over a new policy. Seeking to allay fears of ruin and shore up stockholder confidence, the CEO of an embattled corporation may target anxious employees and shareholders alike.

Organization

A variety of strategies exists for organizing a crisis presentation, ranging from simple denial to admitting responsibility for a crisis and asking forgiveness.[3] Familiarity with a range of *image restoration strategies* will allow the speaker to select those techniques that best apply to the situation at hand.[4] In essence, the crisis-response presentation is based on persuasion and argument. Sound reasoning and evidence are essential to its effectiveness. Depending on the issue and audience(s) involved, use one or another of the organizational patterns described in Chapter 24, especially problem-solution and refutation.

QUICK TIP

Stick to Ethical Ground Rules

As in public speeches, the ethical standards of trustworthiness, respect, responsibility, and fairness (see Chapter 2) must infuse any business or professional presentation you deliver. **Business and professional ethics** *define how people within a company or profession integrate the "ethical ground rules" into their policies and practices. Such ethics also involve complying with legal standards and adherence to internal rules and regulations.* [5]

A.   Citation Guidelines 252

B.   Question-and-Answer Sessions 262

C.   Preparing for Mediated
     Communication 263

D.   Tips for Non-Native
     Speakers of English 266

Instructors will often require that you include a bibliography of sources with your speech (see Chapters 2 and 10). You can document sources by following documentation systems such as Chicago, APA, MLA, CSE, and IEEE.

Chicago Documentation

Two widely used systems of documentation are outlined in *The Chicago Manual of Style,* Fifteenth Edition (2003). The first, typically used by public speakers in a variety of disciplines, provides for bibliographic citations in endnotes or footnotes. This method is illustrated below. The second form employs an author-date system: Sources are cited in the text with full bibliographic information given in a concluding list of references. For information about the author-date system—and more general information about Chicago-style documentation—consult the *Chicago Manual,* Chapters 16 and 17.

1. BOOK BY A SINGLE AUTHOR   Give the author's full name followed by a comma. Then italicize the book's title. In parentheses, give the city of publication followed by a colon, publisher's name followed by a comma, and publication date. Place a comma after the closing parenthesis; then give page numbers from which your paraphrase or quotation is taken.

1. Eric Alterman, *What Liberal Media? The Truth about Bias and the News* (New York: Basic Books, 2003), 180–85.

2. BOOK BY TWO OR MORE AUTHORS

2. Bill Kovach and Tom Rosenstiel, *The Elements of Journalism: What Newspeople Should Know and the Public Should Expect* (New York: Three Rivers Press, 2001), 57–58.

3. EDITED WORK

3. Joseph B. Atkins, ed., *The Mission: Journalism, Ethics, and the World* (Ames: Iowa State University Press, 2002), 150–57.

4. Jonathan Dube, "Writing News Online," in *Shop Talk and War Stories: American Journalists Examine Their Profession,* ed. Jan Winburn (Boston: Bedford/St. Martin's, 2003), 202.

4. ARTICLE IN A MAGAZINE

5. John Leo, "With Bias toward All," *U.S. News & World Report,* March 18, 2002, 8–9.

5. ARTICLE IN A JOURNAL   Give the author's full name, the title of the article in quotation marks, the title of the journal in italics, the volume and issue numbers, the year of publication in parentheses followed by a colon, and the pages used.

6. Tom Goldstein, "Wanted: More Outspoken Views: Coverage of the Press Is Up, but Criticism Is Down," *Columbia Journalism Review* 40, no. 4 (2001): 144–45.

6. ARTICLE IN A NEWSPAPER

7. Felicity Barringer, "Sports Reporting: Rules on Rumors," *New York Times,* February 18, 2002, sec. C.

7. WEB SITE   Give the name of the author (if available), the title of the page in quotation marks followed by a comma, the title of the Web site, and the site's address. The date you accessed the site is optional; if you include it, add it in parentheses at the end.

8. "Challenging Hate Radio: A Guide for Activists," *Fairness and Accuracy in Reporting (FAIR),* www.fair.org/activism/hate-radio .html (accessed February 5, 2005).

8. E-MAIL MESSAGE

9. Grace Talusan, e-mail message to author, March 20, 2005.

9. E-MAIL DISCUSSION LIST MESSAGE

10. Ola Seifert, e-mail to Society of Professional Journalists mailing list, August 23, 2002, http://f05n16.cac.psu.edu (accessed September 14, 2005).

10. ELECTRONIC DATABASE

11. Mark J. Miller, "Tough Calls: Deciding When a Suicide Is Newsworthy and What Details to Include Are among Journalism's More Sensitive Decisions," *American Journalism Review* 24, no. 10 (2002): 43, http://infotrac.galegroup.com (accessed March 1, 2005).

11. GOVERNMENT DOCUMENT

12. U.S. Congress, *The Electronic Freedom of Information Improvement Act: Hearing before the Subcommittee on Technology and the Law of the Committee on the Judiciary, 1992* (Washington, DC: GPO, 1993), 201.

12. PERSONAL COMMUNICATION

13. Soo Jin Oh, letter to author, August 13, 2005.

13. INTERVIEW

14. Walter Cronkite, interview by Daniel Schorr, *Frontline,* PBS, April 2, 1996.

14. VIDEO RECORDING

15. *All the President's Men,* VHS, directed by Alan J. Pakula (Burbank, CA: Warner Brothers, 1976).

15. SOUND RECORDING

16. Noam Chomsky, *Case Studies in Hypocrisy,* read by Noam Chomsky (AK Press, 2000).

17. Antonio Vivaldi, *The Four Seasons,* conducted by Seiji Ozawa, Telarc 80070.

APA Documentation

Most disciplines in the social sciences — psychology, anthropology, sociology, political science, education, and economics — use the author-date system of documentation established by the American Psychological Association (APA). This citation style highlights dates of publication because the currency of published material is of primary importance in these fields.

In the author-date system, use an author or organization's name in a signal phrase or parenthetical reference within the main text to cite a source.

For example, you could cite Example 1 on p. 255 with the author's name in a signal phrase as follows:

Rabin (1999) states that an increase in environmental stresses increases the chances for contracting common types of influenza by 12%.

Or with a parenthetical reference as follows:

One study found that environmental stress increased the chances for contracting common types of influenza by 12% (Rabin, 1999).

Each in-text citation refers to an alphabetical references list that you must create.

For more information about APA format, see the *Publication Manual of the American Psychological Association,* Fifth Edition (2001) and the *APA Style Guide to Electronic References* (2007).

The numbered entries that follow introduce and explain some conventions of this citation style using examples relating to the topic of stress management.

1. BOOK BY A SINGLE AUTHOR   Begin with the author's last name and initials followed by the date of publication in parentheses. Next, italicize the book's title, and end with the place of publication and the publisher.

Rabin, B. S. (1999). *Stress, immune function, and health: The connection.* New York: Wiley-Liss.

2. BOOK BY MULTIPLE AUTHORS OR EDITORS

Williams, S., & Cooper, L. (2002). *Managing workplace stress: A best practice blueprint.* New York: Wiley.

3. ARTICLE IN A REFERENCE WORK

Kazdin, A. E. (2000). Stress. In *Encyclopedia of psychology* (Vol. 7, pp. 479–489). New York: Oxford University Press.

4. GOVERNMENT DOCUMENT

U.S. Department of Health and Human Services. (1997). *Violence in the workplace: Guidelines for understanding and response.* Washington, DC: U.S. Government Printing Office.

5. JOURNAL ARTICLE   Begin with the author's last name and initials followed by the date of publication in parentheses. Next, list the title of the article and italicize the title of the journal in which it is printed. Then give the volume number, italicized, and the issue number in parentheses if the journal is paginated by issue. End with the inclusive page numbers of the article.

Dollard, M. F., & Metzer, J. C. (1999). Psychological research, practice, and production: The occupational stress problem. *International Journal of Stress Management, 6*(4), 241–253.

6. MAGAZINE ARTICLE

Cobb, K. (2002, July 20). Sleepy heads: Low fuel may drive brain's need to sleep. *Science News, 162,* 38.

7. NEWSPAPER ARTICLE

Goode, E. (2002, December 17). The heavy cost of chronic stress. *The New York Times,* p. D1.

8. UNSIGNED NEWSPAPER ARTICLE

Stress less: It's time to wrap it up. (2002, December 18). *Houston Chronicle,* p. A1.

9. DOCUMENT FROM A WEB SITE

Centers for Disease Control. (1999, January 7). *Stress . . . at work.* Retrieved from http://www.cdc.gov/niosh/stresswk.html

10. E-MAIL DISCUSSION LIST MESSAGE

Roseman, J. (1997, September 2). OEM: Stress, health impact, and social work. Message posted to http://list.mc.duke.edu/cgibin/wa?A2=ind9709&L=occ-env-med-l&F=&S=&P=2391

11. ARTICLE IN AN ONLINE PERIODICAL

Barringer, F. (2008, February 7). In many communities, it's not easy going green. *The New York Times.* Retrieved from http://www.nytimes.com.

12. ARTICLE FROM A DATABASE

Viswesvaran, C., Sanchez, J., & Fisher, J. (1999). The role of social support in the process of work stress: A meta-analysis. *Journal of Vocational Behavior, 54,* 314–334. doi: 10.1006/jvbe.1998.1661

MLA Documentation

Created by the Modern Language Association, MLA documentation style is fully outlined in the *MLA Handbook for Writers of Research Papers,* Sixth Edition (2003). Disciplines that use MLA style include English literature, the humanities, and various foreign languages.

In MLA format, you document materials from other sources with in-text citations that incorporate signal phrases and parenthetical references.

For example, you could cite Example 1 from page 257 with the author's name in a signal phrase as follows:

Berg notes that "'Chicano' is the term made popular by the Mexican American civil rights movement in the 1960s and 1970s" (6).

Or with a parenthetical reference as follows:

The term "Chicano" was "made popular by the Mexican American
civil rights movement in the 1960s and 1970s" (Berg 6).

Each in-text citation refers to an alphabetical works cited list
that you must create.

The sample citations given here all relate to a single topic:
film appreciation and criticism.

1. BOOK BY A SINGLE AUTHOR   Citations for most books are
arranged as follows: (1) the author's name, last name first;
(2) the title and subtitle, underlined; and (3) the city of publication, an abbreviated form of the publisher's name, and
the date. Each of these three pieces of information is followed by a period and one space.

Berg, Charles Ramírez. Latino Images in Film: Stereotypes,
Subversion, and Resistance. Austin: U of Texas P, 2002.

2. BOOK BY MULTIPLE AUTHORS OR EDITORS   Give the first
author's name, last name first, then list the name(s) of the
other author(s) in regular order with a comma between
authors and the word *and* before the last one. The final name
in a list of editors is followed by a comma and "ed." or "eds."

Hill, John, and Pamela Church Gibson, eds. The Oxford Guide to
Film Studies. New York: Oxford UP, 1998.

3. ARTICLE IN A REFERENCE WORK

Katz, Ephraim. "Film Noir." The Film Encyclopedia. 4th ed. 2001.

4. GOVERNMENT DOCUMENT

United States. Cong. House. Committee on the Judiciary. National
Film Preservation Act of 1996. 104th Cong., 2nd sess.
H. Rept. 104-558. Washington: GPO, 1996.

5. MAGAZINE ARTICLE

Ansen, David. "Lights! Action! Cannes!" Newsweek 19 May 1997:
76–79.

6. JOURNAL ARTICLE

Kingsley-Smith, Jane E. "Shakespearean Authorship in Popular
British Cinema." Literature-Film Quarterly 30 (2002): 159–61.

7. NEWSPAPER ARTICLE

Sebastian, Pamela. "Film Reviews Have a Delayed Effect on Box-
Office Receipts, Researchers Say." Wall Street Journal 13 Nov.
1997: A1+.

8. NEWSPAPER EDITORIAL

"The Edgy Legacy of Stanley Kubrick." Editorial. New York Times
10 Mar. 1999: A18.

9. ONLINE SCHOLARLY PROJECT OR REFERENCE DATABASE

"Origins of American Animation." American Memory. 31 Mar. 1999.
Library of Congress. 26 June 2003 <http://memory.loc.gov/
ammem/oahtml/oahome.html>.

10. PERSONAL OR PROFESSIONAL WEB SITE

"American Beauty." Crazy for Cinema. 24 Oct. 2000 <http://
crazy4cinema.com/Review/FilmsA/f_american_beauty.html>.

11. ARTICLE IN AN ONLINE PERIODICAL

Taylor, Charles. "The Pianist." Salon 27 Dec. 2002. 1 Jan. 2005
<http://www.salon.com/ent/movies/review/2002/12/27/
pianist/index_np.html>.

12. POSTING TO A DISCUSSION GROUP

Granger, Susan. "Review of The Cider House Rules." Online posting.
30 Mar. 2000. Rotten Tomatoes. 2 Oct. 2000 <http://
www.rottentomatoes.com/click/source-381/reviews.php?cats=
&letter=c&sortby=movie&page=68&rid=775926>.

13. E-MAIL MESSAGE

Boothe, Jeanna. "Re: Top 100 Movies." E-mail to the author.
16 Feb. 2005.

14. SINGLE-ISSUE CD-ROM, DISKETTE, OR MAGNETIC TAPE

"Pulp Fiction." Blockbuster Movie Trivia. 3rd ed. CD-ROM. New
York: Random, 1998.

15. WORK OF ART OR PHOTOGRAPH

Christenberry, William. Grave III. Hunter Museum of Art,
Chattanooga.

16. INTERVIEW

Sanderson, Andrew. Telephone interview. 12 June 2002.

CSE Documentation

The CSE (Council of Science Editors) style is most frequently used in the fields of biology and environmental science. The current CSE style guide is *Scientific Style and Format: The CSE Manual for Authors, Editors, and Publishers,* Seventh Edition (2006). Publishers and instructors who require the CSE style do so in two possible formats: a citation-sequence superscript format and a name-year format.

* If you use the citation-sequence superscript format, number and list the references in the sequence in which they are first cited in the speech.
* If you use the name-year format, list the references, unnumbered, in alphabetical order.

In the following examples, all of which refer to environmental issues, you will see that the citation-sequence format calls for listing the date after the publisher's name in references for books and after the name of the periodical in references for articles. The name-year format calls for listing the date immediately after the author's name in any kind of reference. Notice also the absence of a comma after the author's last name, the absence of a period after an initial, and the absence of underlining in titles of books or journals.

1. BOOK BY ONE AUTHOR   Be sure to list the total number of pages in the book.

Citation-Sequence

[1] Leggett JK. The carbon war: global warming and the end of the oil era. New York: Routledge; 2001. 341 p.

Name-Year

Leggett JK. 2001. The carbon war: global warming and the end of the oil era. New York: Routledge. 341 p.

2. BOOK BY TWO OR MORE AUTHORS

Citation-Sequence

[2] Goldstein IF, Goldstein M. How much risk?: a guide to understanding environmental health hazards. New York: Oxford Univ Pr; 2002. 304 p.

Name-Year

Goldstein IF, Goldstein M. 2002. How much risk?: a guide to
understanding environmental health hazards. New York:
Oxford Univ Pr. 304 p.

3. JOURNAL ARTICLE

Citation-Sequence

3 Stolzenberg, W. Flocking together: Texas and Mexico team up to
conserve a hidden sanctuary. Nature 2001;51:20–21.

Name-Year

Stolzenberg, W. 2001. Flocking together: Texas and Mexico team
up to conserve a hidden sanctuary. Nature 51:20–21.

4. MAGAZINE ARTICLE

Citation-Sequence

4 Wilcott B. Art for Earth's sake. Mother Jones 2000 Jun:16.

Name-Year

Wilcott B. 2000 June. Art for Earth's sake. Mother Jones:16.

5. NEWSPAPER ARTICLE

Citation-Sequence

5 Parson EA. Moving beyond the Kyoto impasse. New York Times
2001 Jul 1; Sect A:23(col 1).

Name-Year

Parson EA. 2001 Jul 1. Moving beyond the Kyoto impasse. New
York Times; Sect A:23(col 1).

6. WEB SITE   For electronic sources, CSE recommends the
guidelines in the *National Library of Medicine Recommended
Formats for Bibliographic Citation Supplement: Internet Formats* (2001). The National Library of Medicine does not give
a format for the name-year system; simply follow the citation-
sequence format but omit the citation number.

6 Tennessee Department of Environment and Conservation [home-
page on the Internet]. Nashville: The Department; [cited 2002
Jun 26]. Available from: http://www.state.tn.us/environment/.

7. E-MAIL MESSAGE

7 McGee E. Toxins in the Arkansas River [electronic mail on the
Internet]. Message to: Maura O'Brien. 2001 Sep 26, 2:12 pm
[cited 2001 Oct 3]. [about 3 screens].

8. E-MAIL DISCUSSION LIST MESSAGE

8 Affleck-Asch W. Three hundred pesticides to be withdrawn in
     Europe [discussion list on the Internet]. 2002 Dec 2, 6:37
     pm [cited 2003 Jan 2]. [about 8 paragraphs]. Available from:
     http://www.mail-archive.com/ecofem%40csf.colorado.edu

IEEE Documentation

The Institute of Electrical and Electronics Engineers (IEEE)
style requires that references appear at the end of the text, not
in alphabetical order but in the order in which the references
are cited in the text. A bracketed reference number beginning
with *B* precedes each entry. For speakers, this means creating
a bibliography of sources listed in the order in which they
were cited in the speech (this is done in bibliographies for
speeches in any format). For more information on IEEE documentation, check the *IEEE Standards Style Manual* online at
http://standards.ieee.org/guides/style/index.html.

1. BOOK

[B1] Vorpérian, V., *Fast Analytical Techniques for Electrical and
     Electronic Circuits.* New York: Cambridge University Press,
     2002, p. 462.

2. PERIODICAL

[B2] Brittain, J. C., "Charles F. Scott: A pioneer in electrical power
     engineering," *IEEE Industry Applications Magazine,* vol. 287,
     no. 6, pp. 6–8, Nov./Dec. 2000.

3. WEB PAGE

[B3] Harnack, A., and Kleppinger, E., "Beyond the MLA Handbook:
     Documenting Electronic Sources on the Internet" [Online
     style sheet] (June 1996), Available at: http://english.ttu
     .edu.kairos/1.2/

Question-and-Answer Sessions

Deftly fielding questions is a final critical component of making a speech or a presentation. As the last step in preparing your speech, anticipate and prepare for questions the audience is likely to pose to you. Write these questions down, and practice answering them. Spend time preparing an answer to the most difficult question that you are likely to face. The confidence you will gain from smoothly handling a difficult question should spill over to other questions.[1]

Protocol during the Session

As a matter of courtesy, call on audience members in the order in which they raise their hands. Consider the following guidelines:

- *Repeat or paraphrase the question* ("The question is 'Did the mayor really vote against . . .'"). This will ensure that you've heard it correctly, that others in the audience know what you are responding to, and that you have time to reflect upon and formulate an answer. Note that there are a few exceptions to repeating the question, especially when the question is hostile. One expert suggests that you should always repeat the question when speaking to a large group; when you're in a small group or a training seminar, however, doing so isn't necessary.[2]

- *Initially make eye contact with the questioner; then move your gaze to other audience members.* This makes all audience members feel as though you are responding not only to the questioner but to them as well.

- *Remember your listening skills.* Give questioners your full attention, and don't interrupt them.

- *Don't be afraid to pause while formulating an answer.* Many speakers feel they must feed the audience instantaneous responses; this belief sometimes causes them to say things that they later regret. This is especially the case in media interviews (see Appendix C). Pauses that seem long to you may not appear lengthy to listeners.

- *Keep answers concise.* The question-and-answer session is not the time to launch into a lengthy treatise on your favorite aspect of a topic.

Handling Hostile and Otherwise Troubling Questions

When handling hostile questions, do not get defensive. Doing so will damage your credibility and only encourage the other person. Maintain an attitude of respect, and stay cool and in control. Attempt to defuse the hostile questioner with respect and goodwill. Similarly, never give the impression that you think a question is stupid or irrelevant, even if it clearly is.

* *Do not repeat or paraphrase a hostile question.* This only lends the question more credibility than it is worth. Instead, try to rephrase it more positively[3] (e.g., in response to the question "Didn't your department botch the handling of product X?" you might respond, "The question was 'Why did product X experience a difficult market entry?' To that I would say that . . .").

* *If someone asks you a seemingly stupid question, do not point that out.* Instead, respond graciously.[4]

Ending the Session

Never end a question-and-answer session abruptly. As time runs out, alert the audience that you will take one or two more questions and then must end. The session represents one final opportunity to reinforce your message, so take the opportunity to do so. As you summarize your message, thank your listeners for their time. Leave an air of goodwill behind you.

C Preparing for Mediated Communication

The underlying principles described throughout this guide will stand you in good stead as you prepare to communicate through an electronic medium such as television, radio, or the videoconference. These speaking situations do present some unique challenges, however.

Speaking on Television

On television, you are at the mercy of reporters and producers who will edit your remarks to fit their time frame. Therefore, before your televised appearance, find out as much as you can about the speech situation — for example, how long you will be on camera and whether the show will be aired live or taped. You may need to convey your message in **sound bite** form — succinct statements that summarize your key points in twenty seconds or less.

Eye Contact, Body Movements, and Voice

The question of where to direct your gaze is critical in televised appearances, as is controlling body movement and voice. The following are some guidelines:

- Don't play to the camera. In a one-on-one interview, focus on the interviewer. Do not look up or down or tilt your head sideways; these movements will make you look uncertain or evasive.[1]
- If there is an audience, treat the camera as just another audience member, glancing at it only as often as you would at any other individual during your remarks.
- If there is only you and the camera, direct your gaze at it as you speak.
- Keep your posture erect.
- Exaggerate your gestures slightly.
- Project your voice, and avoid speaking in a monotone.

Dress and Makeup

To compensate for the glare of studio lights and distortions caused by the camera, give careful consideration to dress and grooming:

- Choose dark rather than light-colored clothing. Dark colors such as blue, gray, green, and brown photograph better than lighter shades.
- Avoid stark white, because it produces glare.
- Avoid plaids, dots, and other busy patterns because they tend to jump around on the screen.
- Avoid glittering jewelry, including tie bars.
- Wear a little more makeup than usual because bright studio lights tend to make you look washed out.

Speaking on Radio: The Media Interview

The following are guidelines for preparing for media interviews on the radio. These same guidelines can be applied to the television interview.

- Know the audience and the focus of the program. What subjects does the broadcast cover? How long will the interview be? Will it be taped or live?

- Brush up on background information and have your facts ready. Assume that the audience knows little or nothing about the subject matter.

- Use the interviewer's name during the interview.

- Prepare a speaking outline on notecards for the interview. Remember that the microphone will pick up the sound of papers being shuffled.

- Remember that taped interviews may be edited. Make key points in short sentences, and repeat them using different words.[2] Think in terms of sound bites.

- Anticipate questions that might arise, and decide how you will answer them.

- Use transition points to acknowledge the interviewer's questions and to bridge your key message points, such as "I am not familiar with that, but what I can tell you is . . ."; "You raise an interesting question, but I think the more important matter is . . ."[3]

- Avoid the phrase "No comment." It will only exaggerate a point you are trying to minimize. Instead, say "I am not at liberty to comment/discuss. . . ."

Speaking on the Videoconference

Videoconferencing integrates video and voice to connect students and instructors in remote sites with each other in real time. To deliver an online presentation, prepare as you would for one on-site, but pay particular attention to good diction, delivery, and dynamic body language.[4]

- Look into the camera to create eye contact; speak directly to the long-distance audience.

- To prevent video "ghosting" (pixilation), avoid sudden, abrupt, or sweeping movements.

- To compensate for audio delays, speak and move a little more slowly and deliberately than normal.

- Wear pale, solid colors and avoid flashy jewelry (see additional tips on dress above, "Speaking on Television").

- Prepare visual aids following the principles described in Chapter 21.[5]

D Tips for Non-Native Speakers of English

In addition to the normal fear of being at center stage, non-native speakers of English face the burden of worrying about delivering a speech in a non-native language. If English is your first language, remind yourself of how difficult it would be for you to deliver a speech in another language. As you listen to a non-native speaker, place yourself in his or her shoes. If necessary, politely ask questions for clarification.

If you are a non-native speaker of English, think about public speaking as an opportunity to learn more about the English language and how to use it. As you listen to your classmates' speeches, for example, you will gain exposure to spoken English. Practicing your speech will give you time to work on any accent features you want to improve.[1] Research shows that thinking positively about preparing speeches actually *reduces anxiety* and helps you prepare a better speech. So tell yourself that by studying public speaking you will find many good opportunities to improve your English and become a better communicator of English. In addition, by spending time writing and outlining your speech, you will gain confidence in your written language skills. Here are a few tips to get you started:

- *Take your time and speak slowly.* This will give your listeners time to get used to your voice and to focus on your message.

- *Identify English words that you have trouble saying.* Practice saying these words five times. Pause. Then say the words again five times. Progress slowly until the word becomes easier to pronounce.

- *Avoid using words that you don't really have to use, such as jargon* (see Chapter 16). Learn to use a thesaurus to find synonyms—words that mean the same thing—that are simpler and easier to pronounce.

- *Offer words from your native language to emphasize your points.* This will help the audience to better appreciate your native language and accent. For example, the Spanish word *corazón* has a lyrical quality that makes it sound much better than its English counterpart, "heart." Capitalize on the beauty of your native tongue.

Learn by Listening

Listening is the key to learning a language. Using textbooks to study usage and grammar is important, but it is through spoken language—hearing it and speaking it—that we gain fluency.

Listening to the speeches of colleagues or classmates, as well as those broadcast by television channels such as C-Span, can help you hone the skills you need to become a better speaker. Nearly all college libraries own many videocassettes and other recorded materials made specifically for ESL (English as a second language) speakers such as yourself, and the reference librarian will be happy to locate them for you. The Internet also offers many helpful listening resources. Among the many sites you can find is the *Talking Merriam Webster English Dictionary* (at www.webster.com/). This online dictionary allows you to hear the correct pronunciations of words.

Broaden Your Listeners' Perspectives

Consider sharing a personal experience with the audience. Stories from other lands and other ways of life often fascinate listeners. Unique cultural traditions, eyewitness accounts of newsworthy events, or tales passed down orally from one generation to the next are just some of the possibilities. Depending on the goal of your speech, you can use your experiences as supporting material for a related topic or as the topic itself.

One freshman public-speaking student from Poland related what life for her was like after the fall of communism in 1989. She described how goods she had never seen before suddenly flooded the country. A wondrous array of fruit and meat left the most vivid impression on the then 11-year-old; both had been nearly impossible to find under the old regime. Her audience was fascinated with her firsthand account of historical events, and the speaker found that sharing her unique experiences boosted her confidence.

Practice with a Tape Recorder

Most experts recommend that you prepare for delivering your first speech (as well as for subsequent speeches) by practicing with a tape recorder.[2] Non-native speakers may wish to pay added attention to pronunciation and articulation as they listen. *Pronunciation* is the correct formation of word sounds. *Articulation* is the clarity or forcefulness with which the sounds are made, regardless of whether they are pronounced correctly. It is important to pay attention to and work on both areas.

Because languages vary in the specific sounds they use and the way these sounds are produced by the vocal chords, each of us will speak a non-native language a bit differently than do native speakers. That is, we speak with some sort of accent. This should not concern you in and of itself. What is important is identifying which specific features of your pronunciation, if any, seriously interfere with your ability to make yourself understandable. Listening to your speech with a tape recorder or videotape, perhaps in the presence of a native speaker, will allow you to identify trouble spots. Once you have identified which words you tend to mispronounce, you can work to correct the problem. If possible, try to arrange an appointment with an instructor to help you identify key linguistic issues in your speech practice tape. If instructors are unavailable, try asking a fellow student.

Use Vocal Variety

Non-native speakers may be accustomed to patterns of vocal variety — volume, pitch, rate, and pauses — that are different from a native English speaker. The pronunciation of English depends on learning how to combine a series of about forty

---

QUICK TIP

Check for Correct Articulation

As you listen to your recording, watch also for your articulation of words. ESL students whose first languages don't differentiate between the /sh/ sound and its close cousin /ch/, for example, may say "share" when they mean "chair" or "shoes" when they mean "choose."[3] It is important therefore that you also check to make sure that you are using the correct meaning of the words you have selected for your speech.

basic sounds (fifteen vowels and twenty-five consonants) that together serve to distinguish English words from one another. Correct pronunciation also requires that the speaker learn proper word stress, rhythm, and intonation or pitch.[4] As you practice your speeches, pay particular attention to these facets of delivery. Seek feedback from others, including your teacher, making sure that your goal of shared meaning can be met when you do deliver your speech.

Counteract Problems in Being Understood

Virtually everyone who learns to speak another language will speak that language with an accent. What steps can you take when your accent will make your oral presentation difficult for the audience to understand?

In the long term, interacting with native speakers in everyday life will help enormously. With immersion, non-native speakers can begin to stop translating things word for word and start thinking in English. Using a tape recorder and practicing your speech in front of others are also very important.

But what if your experience with English is limited and you must nonetheless give an oral presentation? Robert Anholt, a scientist and the author of *Dazzle 'Em with Style: The Art of Oral Scientific Presentation*, suggests the following:

- Practice the presentation often, preferably with a friend who is a native English speaker.
- Learn the presentation almost by heart.
- Create strong presentation aids that will convey most of the story by themselves, even if your voice is hard to understand.[5]

Glossary

abstract A brief summary of a study.

abstract language Language that is general or nonspecific.

active listening A multistep, focused, and purposeful process of gathering and evaluating information.

active voice The feature of a verb indicating that the subject performs the action. Effective speeches make ample use of the active voice. See also *passive voice*.

ad hominem fallacy A logical fallacy that targets the person instead of the issue at hand in an attempt to discredit an opponent's argument.

after-dinner speech A speech that is likely to occur before, after, or during a formal dinner; a breakfast or lunch seminar; or other type of business, professional, or civic meeting.

agenda A document identifying the items to be accomplished during a meeting.

alliteration The repetition of the same sounds, usually initial consonants, in two or more neighboring words or syllables.

almanac A reference work that contains facts and statistics in many categories or on a given topic, including those that are related to historical, social, political, and religious subjects.

analogy An extended metaphor or simile that compares an unfamiliar concept or process with a more familiar one in order to help the listener understand the one that is unfamiliar.

anaphora A rhetorical device in which the speaker repeats a word or phrase at the beginning of successive phrases, clauses, or sentences.

anecdote A brief story of an interesting, humorous, or real-life incident that links back to the speaker's theme.

antithesis A rhetorical device in which two ideas are set off in balanced (parallel) opposition to each other.

appeal to tradition A logical fallacy suggesting that something is true because traditionally it has been true.

argument A stated position, with support, for or against an idea or issue; contains the core elements of claim, evidence, and warrants.

articulation The clarity or forcefulness with which sounds are made, regardless of whether they are pronounced correctly.

atlas A collection of maps, text, and accompanying charts and tables.

attitude Our general evaluations of people, ideas, objects, or events.

audience analysis The process of gathering and analyzing demographic and psychological information about audience members.

audience-centered perspective Stance taken by the speaker in which he or she adapts the speech to the needs, wants, attitudes, beliefs, and values of an audience.

bandwagoning A logical fallacy that uses (unsubstantiated) general opinion as its (false) basis.

begging the question A logical fallacy in which what is stated cannot help but be true, even though no evidence has been presented.

beliefs The ways in which people perceive reality or determine the very existence or validity of something.

biased language Any language that relies on unfounded assumptions, negative descriptions, or stereotypes of a given group's age, class, gender, disability, and geographic, ethnic, racial, or religious characteristics.

body (of speech) The part of the speech in which the speaker develops the main points intended to fulfill the speech purpose.

body language The bodily activity of the speaker and the meaning the audience assigns to this activity.

brainstorming A problem-solving technique that involves the spontaneous generation of ideas; includes making lists, using word association, and mapping topics.

brief example A single illustration of an idea, item, or event being described.

business and professional ethics Defines how individuals within a company or a profession integrate ethical ground rules into policies, practices, and decision making.

call to action A challenge to audience members to act in response to a speech; placed at the conclusion of a persuasive speech.

canned speech A speech used repeatedly and without sufficient adaptation to the rhetorical speech situation.

canons of rhetoric A classical approach to speechmaking in which the speaker divides a speech into five parts: invention, arrangement, style, memory, and delivery.

case conference An oral report prepared by health-care professionals evaluating a patient's condition and outlining a treatment plan.

case study A detailed illustration of a real or hypothetical business situation.

causal (cause-effect) pattern of arrangement A pattern of organizing speech points in order of causes and then in order of effects, or vice versa.

central processing A mode of processing a persuasive message that involves thinking critically about the contents of the message and the strength and quality of the speaker's arguments.

channel The medium through which the speaker sends a message, such as sound waves, air waves, and so forth.

chart A method of representing data and their relationship to other data in a meaningful form. Several different types of charts are helpful for speakers: flow charts, organization charts, and tabular charts (tables).

cherry-picking Selectively presenting only those facts and statistics that buttress one's point of view while ignoring competing data.

chronological pattern of arrangement A pattern of organizing speech points in a natural sequential order; used when describing a series of events in time or when the topic develops in line with a set pattern of actions or tasks.

circle pattern of arrangement A pattern of organizing speech points so that one idea leads to another, which leads to a third, and so forth, until the speaker arrives back at the speech thesis.

claim The declaration of a state of affairs, often stated as a thesis statement, in which a speaker attempts to prove something.

claim of fact An argument that focuses on whether something is or is not true or whether something will or will not happen.

claim of policy An argument that recommends that a specific course of action be taken, or approved, by an audience.

claim of value An argument that addresses issues of judgment.

classroom discussion presentation A type of oral presentation in which the speaker presents a brief overview of the topic under discussion and introduces a series of questions to guide students through the topic.

closed-ended question A question designed to elicit a small range of specific answers supplied by the interviewer.

co-culture A community of people whose perceptions and beliefs differ significantly from those of other groups within the larger culture.

code-switching The selective use of dialect within a speech.

colleague within the field audience An audience of persons who share the speaker's knowledge of the general field under question but who may not be familiar with the specific topic under discussion.

colloquial expression An informal expression characterized by regional variations of speech. See also *idiom*.

common knowledge Information that is likely to be known by many people and is therefore in the public domain; the source of such information need not be cited in a speech.

community service learning project report Oral report in which the speaker describes a community agency and its client base, his or her role and accomplishments in working with the agency, any problems encountered, and what was learned.

comparative advantage pattern A pattern of organizing speech points so that the speaker's viewpoint or proposal is shown to be superior to one or more alternative viewpoints or proposals.

conclusion (of speech) The part of the speech in which the speaker reiterates the speech purpose, summarizes main points, and leaves the audience with something to think about or act upon.

connotative meaning The individual associations that different people bring to bear on a word.

coordinate points Ideas that are given the same weight in an outline and are aligned with one another; thus Main Point II is coordinate with Main Point I.

coordination and subordination The logical placement of ideas relative to their importance to one another. Ideas that are coordinate are given equal weight. An idea that is subordinate to another is given relatively less weight.

copyright A legal protection afforded original creators of literary or artistic works.

counterproductive roles Negative interpersonal roles adopted by group members.

crisis-response presentation A type of oral presentation in which the speaker seeks to reassure an organization's various audiences ("publics") and restore its credibility in the face of potentially reputation-damaging situations.

cultural intelligence The willingness to learn about other cultures and gradually reshape one's thinking and behavior in response to what one has learned.

cultural sensitivity A conscious attempt to be aware of and acknowledge beliefs, norms, and traditions that differ from one's own.

decoding The process of interpreting a message.

defamatory speech Speech that potentially harms an individual's reputation at work or in the community. See also *slander*.

defensive listening A poor listening behavior in which the listener reacts defensively to a speaker's message.

definition by etymology Defining something by providing an account of a word's history.

definition by example Defining something by providing an example of it.

definition by negation Defining something by explaining what it is not.

definition by synonym Defining something by comparing it with another term that has an equivalent meaning. For example: A friend is a comrade, or a buddy.

delivery The vocal and nonverbal behavior that a speaker uses in a public speech; one of the five canons of rhetoric.

delivery cues Brief reminder notes or prompts placed in the speaking outline that can refer to transitions, timing, speaking rate and volume, presentation aids, quotations, statistics, and difficult-to-pronounce or remember names or words.

demographics Statistical characteristics of a given population. Characteristics typically considered in the analysis of audience members include age, gender, ethnic or cultural background, socioeconomic status (including income, occupation, and education), and religious and political affiliation.

denotative meaning The literal or dictionary definition of a word.

design review presentation A type of oral presentation that provides information on the results of a design project; frequently delivered in technical fields such as engineering, computer science, and architecture.

devil's advocacy Arguing for the sake of raising issues or concerns about the idea under discussion.

diagram A schematic drawing that explains how something works or how it is constructed or operated; useful in simplifying and clarifying complicated procedures, explanations, and operations.

dialect A distinctive way of speaking associated with a particular region or social group.

dialectical inquiry Devil's advocacy that goes a step further by proposing a countersolution to an idea.

dignity The feeling that one is worthy, honored, or respected as a person.

direct quotation Statement made verbatim—word for word—by someone else. Direct quotations should always be acknowledged in a speech.

disinformation The deliberate falsification of information.

DLP (digital light processing) projector A projector designed for computer images that is equipped with an illumination, or light source, in its own case, thereby eliminating the need for an overhead projector.

domain The suffix at the end of a Web address that describes the nature of the Web site: business/commercial <.com>, educational <.edu>, government <.gov>, military <.mil>, network <.net>, or nonprofit organization <.org>.

dyadic communication Communication between two people, as in a conversation.

eight by eight rule Rule of design suggesting having no more than eight lines or bullet points per slide or other kind of visual aid.

either-or fallacy A logical fallacy stated in terms of two alternatives only, even though there are additional alternatives.

encoding The process of organizing a message, choosing words and sentence structure, and verbalizing the message.

encyclopedia A reference work that summarizes knowledge found in original form elsewhere and provides an overview of subjects.

ethical ground rules A code of ethical conduct in speechmaking; being trustworthy, respectful, responsible, and fair.

ethnocentrism The belief that the ways of one's own culture are superior to those of other cultures. Ethnocentric speakers act as though everyone shares their point of view and points of reference, whether or not this is in fact the case.

ethos The Greek word for "character." According to the ancient Greek rhetorician Aristotle, audiences listen to and trust speakers if they exhibit competence (as demonstrated by the speaker's grasp of the subject matter) and good moral character.

eulogy A speech whose purpose is to celebrate and commemorate the life of someone while consoling those who are left behind; typically delivered by close friends and family members.

evaluation research presentation A type of oral presentation reporting on the effectiveness of programs developed to address various issues; frequently delivered in social scientific fields.

evidence Supporting material that provides grounds for belief.

evidence-based practice An approach to medical treatment in which caregivers make decisions based on current research and "best practices."

example (as form of support) An illustration whose purpose is to aid understanding by making ideas, items, or events more concrete and by clarifying and amplifying meaning.

expert or insider audience An audience of persons with an intimate knowledge of the topic, issue, product, or idea being discussed.

expert testimony Any findings, eyewitness accounts, or opinions by professionals who are trained to evaluate or report on a given topic; a form of supporting material.

explanatory research presentation A type of oral presentation focusing on studies that attempt to analyze and explain a phenomenon; frequently delivered in social scientific fields.

extended example Multifaceted illustration of the idea, item, or event being described, thereby getting the point across and reiterating it effectively.

extended research presentation See *field study presentation.*

fact book See *almanac.*

facts Documented occurrences, including actual events, dates, times, places, and people involved.

fairness An ethical ground rule; making a genuine effort to see all sides of an issue; being open-minded.

fair use doctrine Legal guidelines permitting the limited use of copyrighted works without permission for the purposes of scholarship, criticism, comment, news reporting, teaching, and research.

feedback Audience response to a message, which can be conveyed both verbally and nonverbally through gestures. Feedback from the audience often indicates whether a speaker's message has been understood.

field searching (often called **advanced search**) A search tool in most Internet search engines that targets specific search parameters to narrow search results.

field study presentation A type of oral presentation typically delivered in the context of science-related disciplines in which the speaker provides (1) an overview of the field research, (2) the methods used in the research, (3) an analysis of the results of the research, and (4) a time line indicating how the research results will be used going forward.

figures of speech Expressions, such as metaphors, similes, analogies, and hyperbole, in which words are used in a nonliteral fashion.

First Amendment The amendment to the U.S. Constitution that guarantees freedom of speech ("Congress shall make no law abridging the freedom of speech.")

fixed-alternative question A closed-ended question that contains a limited choice of answers, such as "Yes," "No," or "Sometimes."

fixed microphone A microphone that remains stationary.

flip chart A large (27–34 inch) pad of paper on which a speaker can illustrate speech points.

flow chart A diagram that shows step-by-step the progression through a procedure, relationship, or process.

font A set of type of one size and face.

full-sentence transition A signal to listeners, in the form of a declarative sentence, that the speaker is turning to another topic.

gateway (information portal) An entry point (such as a library's home page) into a large collection of reference materials that have been selected and reviewed by experts.

gender stereotype Oversimplified and often severely distorted ideas about the innate nature of men or women.

general speech purpose A statement of the broad speech purpose that answers the question, "Why am I speaking on this topic for this particular audience and occasion?" Usually the general speech purpose is to inform, to persuade, or to celebrate or commemorate a special occasion. See also *specific speech purpose*.

graph A graphical representation of numerical data. Graphs neatly illustrate relationships among components or units and demonstrate trends. Four major types of graphs are line graphs, bar graphs, pie graphs, and pictograms.

group activity presentation An oral presentation that introduces students to an activity and provides them with clear directions for its completion.

groupthink The tendency of a group to accept information and ideas without subjecting them to critical analysis.

handout Printed material that conveys information that is either impractical to give to the audience in another manner or intended to be kept by audience members after a presentation.

hasty generalization A logical fallacy in which an isolated instance is used to make an unwarranted general conclusion.

hate speech Any offensive communication—verbal or nonverbal—directed against people's race, ethnicity, religion, gender, or other characteristics. Racist, sexist, or ageist slurs, gay bashing, and cross burnings are all forms of hate speech.

hierarchy of needs A classic model of human action developed by Abraham Maslow based on the principle that people are motivated to act on the basis of their needs.

hypothetical example An illustration of something that could happen in the future if certain events were to occur.

identification A feeling of commonality with another. Effective speakers attempt to foster a sense of identification between themselves and audience members.

idiom Language specific to a certain region or group of people (also called *colloquial expression*).

indentation In an outline, the plotting of speech points to indicate their weight relative to one another; subordinate points are placed underneath and to the right of higher-order points.

individual debate format A debate in which one person takes a side against another.

information Data set in a context for relevance.

information portal See *gateway*.

informative speech A speech providing new information, new insights, or new ways of thinking about a topic. The general purpose of an informative speech is to increase the audience's understanding and awareness of a topic.

integrity The quality of being incorruptible; unwillingness to compromise for the sake of personal expediency.

internal preview An extended transition that alerts audience members to ensuing speech content.

internal summary An extended transition that draws together important ideas before proceeding to another speech point.

interpersonal roles Types of roles or styles of interacting in a group that facilitate group interaction.

interview A type of face-to-face communication conducted for the purpose of gathering information. Interviews can be conducted one-on-one or in a group.

introduction (of speech) The first part of a speech, in which the speaker establishes the speech purpose and its relevance to the audience, and previews the topic and the main points.

invisible Web The portion of the World Wide Web that includes pass-protected sites, documents behind firewalls, and the contents of proprietary databases. General search engines usually fail to find this portion of the Web.

jargon Specialized terminology developed within a given endeavor or field of study.

key-word outline The briefest form of outline, uses the smallest possible units of understanding associated with a specific point to outline the main and supporting points.

lavaliere microphone A microphone that attaches to a lapel or a collar.

lay audience An audience of persons lacking specialized knowledge of the general field related to the speaker's topic and of the topic itself.

lay testimony Firsthand findings, eyewitness accounts, or opinions from nonexperts such as eyewitnesses.

lazy speech A poor speech habit in which the speaker fails to properly articulate words.

LCD (liquid crystal display) panel A device connected to a computer used to project slides stored in the computer.

lecture An informational speech to an audience of student learners.

library gateway An entry point into a large collection of research and reference information that has been selected and reviewed by librarians.

listening The conscious act of receiving, comprehending, interpreting, and responding to messages.

listening distraction Anything that competes for a listener's attention. The source of the distraction may be internal or external.

logical fallacy A statement that is based on an invalid or deceptive line of reasoning. See also *begging the question, bandwagoning, either-or fallacy, ad hominem argument, hasty generalization, non sequitur, slippery slope,* and *appeal to tradition.*

logos The Greek rhetorician Aristotle used this term to refer to persuasive appeals to reason and logic.

main points Statements that express the key ideas and major themes of a speech. Their function is to make claims in support of the thesis statement.

malapropism The inadvertent use of a word or phrase in place of one that sounds like it.

mass communication Communication that occurs between a speaker and a large audience of unknown people. The receivers of the message are not present with the speaker or are part of such an immense crowd that there can be little or no interaction between speaker and listener. Television, radio news broadcasts, and mass rallies are examples of mass communication.

message The content of the communication process—thoughts and ideas put into meaningful expressions. A message can be expressed both verbally (through the sentences and points of a speech) and nonverbally (through eye contact and gestures).

metaphor A figure of speech used to make implicit comparisons without the use of "like" or "as" (e.g., "Love is a rose").

meta-search engine A search engine that searches a variety of individual search engines simultaneously. Examples include MetaCrawler and Dogpile.

methods/procedure presentation An oral presentation describing and sometimes demonstrating an experimental or mathematical process, including the conditions under which it can be applied; frequently delivered in scientific and mathematics related fields.

misinformation Information that is false.

mixed audience An audience composed of a combination of persons—some with expert knowledge of the field and topic and others with no specialized knowledge.

model A three-dimensional, scale-size representation of an object, such as a building.

motivated sequence A five-step process of persuasion, developed by Alan Monroe, that begins with arousing attention and ends with calling for action.

multimedia A single production that combines several media (stills, sound, video, text, and data).

mumbling Slurring words together at low volume and pitch so they are barely audible.

narrative A story based on personal experiences or imaginary incidents.

narrative organizational pattern A pattern of organizing speech points so that the speech unfolds as a story with characters, plot, and setting. In practice, this pattern often is combined with other organizational patterns.

noise Anything that interferes with the communication process between a speaker and audience so that the message cannot be understood; source may be external (in the environment) or internal (psychological factors).

non sequitur ("does not follow") A logical fallacy in which the conclusion is not connected to the reasoning.

nonverbal immediacy Acts that create the perception of psychological closeness between the speaker and audience members.

open-ended question A question designed to allow respondents to elaborate as much as they wish; useful in probing beliefs and opinions.

operational definition Defining something by describing what it does. For example: A computer is something that processes information.

oral scientific presentation A type of oral presentation following the model used in scientific investigations, including an introduction, description of methods, results, and conclusion; commonly found in the disciplines of science and mathematics. Such a presentation can focus on original research or on research conducted by others.

oratory In classical terms, the art of public speaking.

original research presentation See *oral scientific presentation*.

overhead transparency An image on a transparent background that can be viewed by projection.

paid inclusion The practice of paying a fee to a search engine company for inclusion in its index of possible results, without a guarantee of ranking.

paid placement The practice of paying a fee to a search engine company to guarantee a higher ranking within its search results.

pandering Identifying with values not one's own in order to win approval from an audience.

panel discussion A type of oral presentation in which a group of persons (at least three, and generally not more than nine) discusses a topic in the presence of an audience and under the direction of a moderator.

parallel form The statement of equivalent speech points in similar grammatical form and style.

parallelism The arrangement of words, phrases, or sentences in similar grammatical and stylistic form. Parallel structure can help the speaker emphasize important ideas in the speech.

paraphrase A restatement of someone else's statements or written work that alters the form or phrasing but not the substance of that person's ideas.

passive voice The feature of a verb indicating that the subject is acted upon or is the receiver of the action.

patchwrite plagiarism A form of plagiarism in which material is copied from a source and then occasional words and sentence structure are changed or rearranged to make it appear as if the material were one's own.

pathos The Greek rhetorician Aristotle used this term for appeals to emotion. Such appeals can get the audience's attention and stimulate a desire to act but must be used ethically.

pauses Strategic elements of a speech used to enhance meaning by providing a type of punctuation, emphasizing a point, drawing attention to a key thought, or just allowing listeners a moment to contemplate what is being said.

performance anxiety A feeling of anxiety that occurs the moment one begins to perform.

periodical A regularly published magazine or journal.

peripheral processing A mode of processing a persuasive message that does not consider the quality of the speaker's message, but is influenced by such non-content issues as the speaker's appearance or reputation, certain slogans or one-liners, and obvious attempts to manipulate emotions. Peripheral processing of messages occurs when people lack the motivation or the ability to pay close attention to the issues.

perspective taking The identification of audience members' attitudes, values, beliefs, needs, and wants, and the integration of this information into the speech context.

persuasion The process of influencing attitudes, beliefs, values, and behavior.

persuasive speech A speech whose goal is to influence the attitudes, beliefs, values, or acts of others.

phrase outline A delivery outline that uses a partial construction of the sentence form of each point, instead of using complete sentences that present the precise wording for each point.

pitch The range of sounds from high to low (or vice versa) determined by the number of vibrations per unit of time; the more vibrations per unit (also called *frequency*), the higher the pitch, and vice versa.

plagiarism The act of using other people's ideas or words without acknowledging the source.

policy recommendation report A type of oral presentation offering recommendations to solve a problem or address an issue.

poster A large (36" × 56"), bold, two-dimensional design incorporating words, shapes, and, if desired, color, placed on an opaque backing; used to convey a brief message or point forcefully and attractively.

poster session A format for the visual presentation of posters, arranged on freestanding boards, containing a display summarizing a study or issue for viewing by participants at professional conferences. The speaker prepares brief remarks and remains on hand to answer questions as needed.

preparation anxiety A feeling of anxiety that arises when a speaker begins to prepare for a speech, at which point he or she might feel overwhelmed at the amount of time and planning required.

pre-performance anxiety A feeling of anxiety experienced when a speaker begins to rehearse a speech.

pre-preparation anxiety A feeling of anxiety experienced when a speaker learns he or she must give a speech.

presentation aid(s) Objects, models, pictures, graphs, charts, video, audio, or multimedia.

presentational speaking A type of oral presentation in which individuals or groups deliver reports addressing colleagues, clients, or customers within a business or professional environment.

preview statement Statement included in the introduction of a speech in which the speaker identifies the main speech points.

primary research Original or firsthand research, such as interviews and surveys. See also *secondary research.*

problem-cause-solution pattern of arrangement A pattern of organizing speech points so that they demonstrate (1) the nature of the problem, (2) reasons for the problem, (3) unsatisfactory solutions, and (4) proposed solution(s).

problem-solution pattern of arrangement A pattern of organizing speech points so that they demonstrate the nature and significance of a problem first, and then provide justification for a proposed solution.

progress report A report that updates clients or principals on developments in an ongoing project.

pronunciation The correct formation of word sounds.

prop Any live or inanimate object used by a speaker as a presentation aid.

propaganda Information represented in such a way as to provoke a desired response.

proposal presentation A type of business or professional presentation in which the speaker provides information needed for decisions related to modifying or adopting a product, procedure, or policy.

prototype A model of a design.

public domain Bodies of work, including publications and processes, available for public use without permission; not protected by *copyright* or patent.

public speaking A type of communication in which a speaker delivers a message with a specific purpose to an audience of people who are present during the delivery of the speech. Public speaking always includes a speaker who has a reason for speaking, an audience that gives the speaker its attention, and a message that is meant to accomplish a purpose.

public-speaking anxiety Fear or anxiety associated with a speaker's actual or anticipated communication to an audience.

qualitative research Research in which the emphasis is placed on observing, describing, and interpreting behavior.

quantitative research Research in which the emphasis is placed on statistical measurement.

questionnaire A written survey designed to gather information from a pool of respondents.

reasoning Logical explanation of a claim by linking it to evidence.

receiver The recipient of a source's message; may be an individual or a group of people.

reckless disregard for the truth A quality of defamatory speech that is legally liable. See also *defamatory speech*.

reference librarian A librarian trained to help library users locate information resources.

refutation organizational pattern A pattern of organizing speech points in which each main point addresses and then refutes (disproves) an opposing claim to a speaker's position.

request for funding presentation A type of oral presentation providing evidence that a project, proposal, or design idea is worth funding; frequently delivered in technical fields such as engineering, computer science, and architecture.

research overview presentation A type of oral presentation in which the speaker provides context and background for a research question or hypothesis that will form the basis of an impending undertaking; typically delivered within the context of scientific and mathematical disciplines.

respect To feel or show deferential regard. For the ethical speaker, respect ranges from addressing audience members as unique human beings to refraining from rudeness and other forms of personal attack.

responsibility A charge, trust, or duty for which one is accountable.

restate-forecast form A type of transition in which the speaker restates the point just covered and previews the point to be covered next.

review of academic article A type of oral presentation in which the speaker reports on an article or study published in an academic journal.

review of the literature presentation A type of oral presentation in which the speaker reviews the body of research related to a given topic or issue and offers conclusions about the topic based on this research; frequently delivered in social scientific fields.

rhetoric The practice of public speaking, or *oratory.*

rhetorical device A technique of language to achieve a desired effect.

rhetorical question A question that does not invite actual responses, but is used to make the listener or the audience think.

rhetorical situation Holistic approach to speechmaking in which the speaker considers the audience, the occasion, and the overall speech situation when planning a speech.

roast A humorous tribute to a person; one in which a series of speakers jokingly poke fun at the individual being honored.

roman numeral outline An outline format in which main points are enumerated with roman numerals (I, II, III), supporting points with capital letters (A, B, C); third-level points with Arabic numerals (1, 2, 3); and fourth-level points with lowercase letters (a, b, c).

sales presentation A type of oral presentation that attempts to lead a potential buyer to purchase a service or product described by the presenter.

sans serif typeface A typeface that is blocklike and linear and is designed without tiny strokes or flourishes at the top and bottom of each letter.

scale question A closed-ended question that measures the respondent's level of agreement or disagreement with specific issues.

scanning A technique for creating eye contact with large audiences; the speaker moves his or her gaze across an audience from one listener to another and from one section to another, pausing to gaze briefly at each individual.

search engine Indexes the contents of the Web.

secondary research Published facts and statistics, texts, documents, and any other information not originally collected and generated by the researcher. See also *primary research.*

selective perception A psychological principle that posits that listeners pay attention selectively to certain messages and ignore others.

sentence outline An outline in which each main and supporting point is stated in sentence form and in precisely the way the speaker wants to express the idea; generally used for working outlines.

serif typeface A typeface that includes small flourishes, or strokes, at the top and bottom of each letter.

shared meaning The mutual understanding of a message between speaker and audience. Shared meaning occurs in varying degrees. The lowest level of shared meaning exists when the speaker has merely caught the audience's attention. As the message develops, depending on the encoding choices by the source, a higher degree of shared meaning is possible.

shift report Oral report by a health-care worker that concisely relays patient status and needs to incoming caregivers.

signposts Conjunctions or phrases (such as "next," "in the first case," etc.) that indicate *transitions* between supporting points.

simile A figure of speech used to compare one thing with another by using the words "like" or "as" (e.g., "He works like a dog").

slander See *defamatory speech*.

slang Informal, short-lived language specific to certain (usually young) age groups.

slippery slope A logical fallacy in which one instance of an event is offered as leading to a series of events or actions.

small group A collection of between three and twenty people.

small group communication Communication involving a small number of people who can see and speak directly with one another, as in a business meeting.

socioeconomic status (SES) A demographic variable that includes income, occupation, and education.

sound bite A succinct statement that summarizes key points in twenty seconds or less.

source The person who creates a message, also called a *sender*. The speaker transforms ideas and thoughts into messages and sends them to a receiver, or an audience.

spatial pattern of arrangement A pattern of organizing main points in order of their physical proximity or direction relative to each other; used when the purpose of a speech is to describe or explain the physical arrangement of a place, a scene, or an object.

speaker credibility The quality that reveals that a speaker has a good grasp of the subject, displays sound reasoning skills, is honest and nonmanipulative, and is genuinely interested in the welfare of audience members; a modern version of *ethos*.

speaking extemporaneously A type of delivery that falls somewhere between impromptu and written or memorized deliveries. Speakers delivering an extemporaneous speech prepare well and practice in advance, giving full attention to all facets of the speech—content, arrangement, and delivery alike. Instead of memorizing or writing the speech word for word, they speak from an outline of key words and phrases.

speaking from manuscript A type of delivery in which the speaker reads the speech verbatim—that is, from prepared written text that contains the entire speech, word for word.

speaking from memory A type of delivery in which the speaker puts the entire speech, word for word, into writing and then commits it to memory.

speaking impromptu A type of delivery that is unpracticed, spontaneous, or improvised.

speaking outline A delivery outline to be used when practicing and actually presenting a speech.

speaking rate The pace at which a speech is delivered. The typical public speech occurs at a rate slightly less than 120 words per minute.

specialized search engine A search engine that searches for information only on specific topics. Also called *vertical search engine* or *vortal*.

special occasion speech A speech that is prepared for a specific occasion and for a purpose dictated by that occasion.

specific purpose statement A statement created for use by the speaker when planning the speech; the statement lays out what the speaker wants the audience to gain from the speech, e.g., "I want to inform my audience about three major reasons why our oceans are endangered today." See also *general speech purpose*.

speech of acceptance A speech made in response to receiving an award. Its purpose is to express gratitude for the honor bestowed on the speaker.

speech of inspiration A speech whose purpose is to inspire or motivate the audience to consider positively, reflect on, and sometimes even to act on the speaker's words.

speech of introduction A short speech whose purpose is defined by two goals: to prepare or "warm up" audience members for the speaker and to motivate them to listen to what the speaker has to say.

speech of presentation A speech whose purpose is twofold: to communicate the meaning of the award and to explain why the recipient is receiving it.

staff report A report that informs managers and other employees of new developments relating to personnel that affect them and their work.

statistics Quantified evidence; data that measure the size or magnitude of something, demonstrate trends, or show relationships with the purpose of summarizing information, demonstrating proof, and making points memorable.

style The specific word choices and rhetorical devices (techniques of language) that speakers use to express their ideas.

subject (Web) directory A searchable database of Web sites organized by categories (e.g., Yahoo! Directory).

subject-specific database An electronic database in which subject specialists, including but not limited to librarians, point to specialized databases created by other subject specialists.

subordinate points Ideas subordinate to others that are given relatively less weight. In an outline, they are indicated by their indentation below the more important points.

supporting material Examples, narratives, testimony, facts, and statistics that support the speech thesis and form the speech.

supporting points The supporting material or evidence (examples, narratives, testimony, and facts and statistics) gathered to justify the main points and lead the audience to accept the purpose of a speech; used to substantiate or prove the thesis statement.

table A systematic grouping of data or numerical information in column form.

talking head A speaker who remains static, standing stiffly behind a podium, and so resembles a televised shot of a speaker's head and shoulders.

target audience Those individuals within the broader audience who are most likely to be influenced in the direction the speaker seeks.

task roles Types of roles that directly relate to the accomplishment of the objectives and missions of a group. Examples include "Recording secretary" and "Moderator."

team debate format A debate in which a team of two or more people opposes a second team, with each person having a speaking role.

team presentation A type of oral presentation prepared and delivered by a group of three or more people.

testimony Firsthand findings, eyewitness accounts, and opinions by people, both lay (nonexpert) and expert.

thesis statement The theme, or central idea, of a speech that serves to connect all the parts of the speech in a single line. The main points, supporting material, and conclusion all relate to the thesis.

tilde (~) A symbol that appears in the domain of a Web address; usually indicates a personal page rather than an institutional Web site.

toast A brief tribute to a person or an event being celebrated.

topical pattern of arrangement A pattern of organizing main points as subtopics or categories of the speech topic.

topic mapping A brainstorming technique in which words are laid out in diagram form to show categorical relationships among them; useful for selecting and narrowing a speech topic.

transitions Words, phrases, or sentences that tie speech ideas together and enable a speaker to move smoothly from one point to the next.

trustworthiness The quality of displaying both honesty and dependability.

typeface A specific style of lettering, such as Arial, Times Roman, or Courier. Typefaces come in a variety of fonts, or sets of sizes (called the "point size"), and upper and lower cases.

values Our most enduring judgments about what is good and bad in life, as shaped by our culture and our unique experiences within it.

virtual library A collection of library holdings available online.

visualization An exercise for building confidence in which the speaker, while preparing for the speech, closes his or her eyes and envisions a series of positive feelings and reactions that will occur on the day of the speech.

vocal fillers Unnecessary and undesirable sounds or words used by a speaker to cover pauses in a speech or conversation. Examples include "uh," "hmm," "you know," "I mean," and "it's like."

vocal variety The variation of volume, pitch, rate, and pauses to create an effective delivery.

voice A feature of verbs in written and spoken text that indicates the subject's relationship to the action; verbs can be either active or passive.

volume The relative loudness of a speaker's voice while giving a speech.

warrants See *reasoning*.

wholesale plagiarism A form of plagiarism in which material is "cut and pasted" into a speech from print or online sources and represented as one's own.

word association A brainstorming technique in which one writes down ideas as they come to mind, beginning with a single word.

working bibliography A running list of speech sources with relevant citation information; used to create a final bibliography or reference list for a speech.

working outline A preparation or rough outline using full sentences in which the speaker firms up and organizes main points and develops supporting points to substantiate them.

Notes

CHAPTER 1

1. Vickie K. Sullivan, "Public Speaking: The Secret Weapon in Career Development." *USA Today*, 133 (May 2005): 24.

2. Ronald Alsop, "Poor Writing Skills Top M.B.A. Recruiter Gripes," *The Wall Street Journal* (January 17, 2006).

3. D. Uchida, M. J. Cetron, and F. McKenzie, "What Students Must Know to Succeed in the 21st Century," special report (World Future Society) based on "Preparing Students for the 21st Century," a report on a project by the American Association of School Administrators, 1996.

4. William Avram, "Public Speaking." *Compton's Online Encyclopedia.* Retrieved June 10, 2000, from www.comptons.com/encyclopedia/.

5. Robert Perrin, "The Speaking-Writing Connection: Enhancing the Symbiotic Relationship," *Contemporary Education* 65 (1994): 2.

6. David C. Thomas and Kerr Inkson, *Cultural Intelligence: People Skills for a Global Business* (San Francisco: Berrett-Koehler Publishers, 2004), 14.

7. Ibid.

CHAPTER 2

1. *The Compact Edition of the Oxford English Dictionary*, 1971 ed., 2514.

2. Cited in Edward P. J. Corbett, *Classical Rhetoric for the Modern Student* (New York: Oxford University Press, 1990).

3. Susan Grogan Faller, Steven E. Gillen, and Maureen P. Haney, "Rights Clearance and Permissions Guidelines," paper prepared by law firm of Greenebaum Doll & McDonald, Cincinnati, Ohio, 2002.

4. W. Gudykunst, S. Ting-Toomey, S. Suweeks, and L. Stewart, *Building Bridges: Interpersonal Skills for a Changing World* (Boston: Houghton Mifflin, 1995), 92.

5. Ibid.

6. Michael Josephson, personal interview, May 10, 1996.

7. Ibid.

8. Rebecca Moore Howard, "A Plagiarism Pentimento," *Journal of Teaching Writing* 11 (1993): 233.

9. "How to Recognize Plagiarism," Indiana University Bloomington School of Education Web site. Retrieved June 16, 2002, from www.indiana.edu/.

10. Skyscraper Museum Web site. Retrieved June 26, 2002, from www.skyscraper.org.

11. Judy Hunter, "Lecture on Academic Honesty," presented to entering students at Grinnell College, Grinnell, Iowa. Retrieved December 10, 1996, from ac.grin.edu/~hunterj/achon/lecture97.html.

12. United States Copyright Office Web site on copyright at www.copyright.gov, including works classified as literary, musical, dramatic, choreographic, pictorial, graphic, sculptural, audiovisual, sound recording, and architectural.

13. Steven E. Gillen, "Rights Clearance and Permissions Guidelines," paper prepared by the law firm Greenebaum Doll & McDonald, Cincinnati, Ohio, 2002.

14. United States Copyright Office Web site on copyright, section on Fair Use. Retrieved February 19, 2005, from www.copyright.gov/fls/fl102 .html.

CHAPTER 3

1. Kathy Thompson, Pamela Leintz, Barbara Nevers, and Susan Witkowski, "The Integrative Listening Model: An Approach to Teaching and Learning Listening," *Journal of General Education* 53 (2004): 225–46.

2. Andrew Wolvin and C. Coakley, *Listening,* 4th ed. (Dubuque, IA: Wm. C. Brown, 1992), 28.

3. M. Burley-Allen, *Listening: The Forgotten Skill: A Self-teaching Guide* (New York: Wiley, 1995). M. G. Eskaros, "Fine-tune your listening skills," *Hydrocarbon Processing* 83 (2004).

4. H. E. Chambers, *Effective Communication Skills for Scientific and Technical Professionals* (Cambridge, MA: Perseus Publishing, 2001).

5. S. Golen, "A Factor Analysis of Barriers to Effective Listening," *Journal of Business Communication* 27 (1990): 25–36.

6. Thomas E. Anastasi Jr., *Listen! Techniques for Improving Communication Skills,* CBI series in Management Communication (Boston: CBI Publishing, 1982), 35.

7. Ibid.

8. "Listening Factoids." Retrieved March 28, 2006, from www.listen .org/Templates/factoids.htm; Thomas E. Anastasi, Jr. *Listen! Techniques for Improving Communication* (Boston: CBI Publishing, 1982), 35.

CHAPTER 6

1. James C. McCroskey, "Classroom Consequences of Communication Anxiety," *Communication Education* 26 (1977): 27–33; James C. McCroskey, "Oral Communication Apprehension: A Reconceptualization," in *Communication Yearbook* 6, ed. M. Burgoon (Beverly Hills: Sage, 1982), 136–70; Virginia P. Richmond and James C. McCroskey, *Communication Apprehension, Avoidance, and Effectiveness,* 5th ed. (Boston: Allyn & Bacon, 1998).

2. Adapted from James C. McCroskey, "Oral Communication Apprehension: A Summary of Recent Theory and Research," *Human Communication Research* 4 (1977): 79–96.

3. Ibid.

4. David-Paul Pertaub, Mel Slater, and Chris Barker, "An Experiment on Public Speaking Anxiety in Response to Three Different Types of Virtual Audience," *Presence: Teleoperators and Virtual Environments* 11 (2002): 680–78.

5. Joe Ayres, "Coping with Speech Anxiety: The Power of Positive Thinking," *Communication Education* 37 (1988): 289–96; Joe Ayres, "An Examination of the Impact of Anticipated Communication and Communication Apprehension on Negative Thinking, Task-Relevant Thinking, and Recall," *Communication Research Reports* 9 (1992): 3–11.

6. S. Hu and Joung-Min Romans-Kroll, "Effects of Positive Attitude toward Giving a Speech on the Cardiovascular and Subjective Fear Responses during Speech in Speech Anxious Subjects," *Perceptual and*

Motor Skills 81, no. 2 (1995): 609–10; S. Hu, T. R. Bostow, D. A. Lipman, S. K. Bell, and S. Klein, "Positive Thinking Reduces Heart Rate and Fear Responses to Speech-Phobic Imagery," *Perceptual and Motor Skills* 75, no. 3, pt. 2 (1992): 1067–76.

7. M. T. Motley, "Public Speaking Anxiety Qua Performance Anxiety: A Revised Model and Alternative Therapy," *Journal of Social Behavior and Personality* 5 (1990): 85–104.

8. Joe Ayres, C. S. Hsu, and Tim Hopf, "Does Exposure to Performance Visualization Alter Speech Preparation Processes?" *Communication Research Reports* 17 (2000): 366–74.

9. Joe Ayres and Tim S. Hopf, "Visualization: Is It More than Extra-Attention?" *Communication Education* 38 (1989): 1–5.

10. Laurie Schloff and Marcia Yudkin, *Smart Speaking* (New York: Plume, 1991), 91–92.

11. Lars-Gunnar Lundh, Britta Berg, Helena Johansson, Linda Kjellén Nilsson, Jenny Sandberg, and Anna Segerstedt, "Social Anxiety is Associated with a Negatively Distorted Perception of One's Own Voice," *Cognitive Behavior Therapy* 31 (2002): 25–30.

CHAPTER 7

1. James C. McCroskey, Virginia P. Richmond, and Robert A. Stewart, *One on One: The Foundations of Interpersonal Communication* (Englewood Cliffs, NJ: Prentice Hall, 1986).

2. Daniel O'Keefe notes that although attitudes and behavior are "generally consistent," there are "a large number of possible moderating variables," including the relative demands of the behavior, whether there is a vested position, and others. Daniel J. O'Keefe, *Persuasion: Theory & Research*, 2nd ed. (Thousand Oaks, CA: Sage, 2002), 17.

3. Ibid.

4. James C. McCroskey, Virginia Richmond, and Robert A. Stewart, *One-on-One: The Foundation of Interpersonal Communication* (Englewood Cliffs, NJ: Prentice Hall, 1986), 76.

5. Herbert Simon, *Persuasion in Society* (Thousand Oaks, CA: Sage, 2001), 385–87.

6. Kenneth Burke, *A Rhetoric of Motives* (Berkeley, CA: University of California Press, 1969).

7. Nick Morgan, *Working the Room: How to Move People to Action through Audience-Centered Speaking* (Cambridge, MA: Harvard Business School Press, 2003).

8. Nick Morgan, *Working the Room: How to Move People to Action through Audience-Centered Speaking* (Cambridge, MA: Harvard Business School Press, 2003), 181–97; 2.

9. J. G. Melton, *Encyclopedia of American Religions*, 7th ed. (Detroit: Gale Research, 1999).

10. Geert Hofstede, *Culture's Consequences: International Differences in Work-Related Values* (Beverly Hills: Sage, 1980). Adapted from a discussion in Larry A. Samovar, Richard E. Porter, and Lisa A. Stefani, *Communication between Cultures* (Belmont, CA: Wadsworth, 1998).

11. Samovar, Porter, and Stefani, *Communication between Cultures*, 68.

12. Disability Web site, www.disabilityinfo.gov/.

13. Ibid.

14. Ibid., 223–24.

CHAPTER 9

1. Richard F. Corlin, "The Coming Golden Age of Medicine," *Vital Speeches of the Day* 68, no. 18 (2002).

2. Risa Lavizzo-Mourey, "Childhood Obesity: The Killer Threat Within," *Vital Speeches of the Day* 70, no. 13 (2004): 396–400.

3. Quoted in K. Q. Seelye, "Congressman Offers Bill to Ban Cloning of Humans," *New York Times*, March 6, 1997, sec. A:3.

4. Mark Turner, *The Literary Mind* (New York: Oxford University Press, 1996).

5. Bonnie Campbell, "Breaking the Silence on Domestic Violence," *Des Moines Register*, July 2, 1995, Op Ed. Retrieved from www.ojp.usdoj .gov/vawo/speeches/bonoped.htm.

6. Earle Gray, "Want to be a Leader? Start Telling Stories," *Canadian Speeches* 16, no. 6 (2003): 75(2).

7. Testimony of Derek P. Ellerman to Subcommittee on Human Rights and Wellness, Committee on Government Reform, United States House of Representatives, July 8, 2004 (Polaris Project). Retrieved Mar. 15, 2005, from www.polarisproject.org/polarisproject/news_p3 /DPETestimony_p3.htm.

8. Rodney Reynolds and Michael Burgoon, "Evidence," in *The Persuasion Handbook: Developments in Theory and Practice*, ed. J. P. Dillard and M. Pfau (Thousand Oaks, CA: Sage, 2002), 427–44.

9. John C. Reinard, *Foundations of Argument* (Dubuque, IA: Wm. C. Brown, 1991).

10. U.S. Census Bureau American Factfinder, Profile of General Demographic Characteristics 2000, Geographic Area Colorado, factfinder .census.gov/servlet/QTTable?_bm=n&_lang=en&qr_name=DEC_2000 _SF1_U_DP1&ds_name=DEC_2000_SF1_U&geo_id=04000US08.

11. Sara Kehaulani Goo, "Airbus Hopes Big Plane Will Take Off, Beat Boeing." *Washington Post*, Sunday, December 19, 2004. Retrieved May 13, 2005, from www.washingtonpost.com/wp-dyn/articles/A9900-2004Dec18 .html.

12. Centers for Disease Control and Prevention, "Births to Youngest Teens at Lowest Levels in Almost 60 Years." Retrieved May 13, 2005, from www.cdc.gov/od/oc/media/pressrel/r041115.htm.

13. Bureau of Transportation Statistics, "Airline On-Time Statistics and Delay Causes, On-Time Arrival Performance National," March 2005. Retrieved May 16, 2005, from www.transtats.bts.gov/OT_Delay /OT_DelayCause1.asp.

14. Center on Budget and Policy Priorities Web site, "Behind the Numbers: An Examination of the Tax Foundation's Tax Day Report," April 14th, 1997. Retrieved June 7, 2005, from www.cbpp.org/taxday .htm.

15. Data from Centers for Disease Control and Prevention, "Youth Risk Behavior Surveillance — United States, 2003," *Morbidity and Mortality Weekly Report*, May 21, 2004, 1–96. Retrieved February 3, 2005, from www.cdc.gov/mmwr/preview/mmwrhtml/ss5302a1.htm.

16. Ibid.

CHAPTER 10

1. Robert G. Torricelli, *Quotations for Public Speakers: A Historical, Literary, and Political Anthology* (New Brunswick, NJ: Rutgers University Press, 2002).

2. Robert J. Morgan, *Nelson's Complete Book of Stories, Illustrations, and Quotes: The Ultimate Contemporary Resource for Speakers* (Nashville: Thomas Nelson, 2000).

CHAPTER 11

1. Susan Gilroy, "The Web in Context: Virtual Library or Virtual Chaos?" Lamont Library of the Harvard College Library Web site. Retrieved May 5, 2005, from hcl.harvard.edu/lamont/resources/guides/.

2. Ibid.

3. Ibid.

4. Sandra Kerka, "Myths and Realities: Information Management," 1997, ERIC, retrieved May 16, 2005, from www.eric.ed.gov:80/ERICWebPortal/Home.portal?_nfpb=true&_pageLabel=Home_page.

5. Elizabeth Kirk, "Evaluating Information Found on the Internet" (The Sheridan Libraries of the Johns Hopkins University), last modified February 12, 2002. Retrieved May 4, 2005, from www.library.jhu.edu/researchhelp/general/evaluating/index.html.

6. Embassy of the United States, Minsk, Belarus, "Response to Recent State Media Allegations and Accusations," Feb. 14, 2006. Retrieved March 6, 2006, from minsk.usembassy.gov/html/emb_tv_prog_021406.html.

7. Jorgen J. Wouters, "Searching for Disclosure: How Search Engines Alert Consumers to the Presence of Advertising in Search Results," *Consumer Reports WebWatch*, November 8, 2004. Retrieved May 10, 2005, from www.consumerwebwatch.org/dynamic/search-report-disclosure-abstract.cfm.

8. Jorgen J. Wouters, "Searching for Disclosure: How Search Engines Alert Consumers to the Presence of Advertising in Search Results," *Consumer Reports WebWatch*, November 8, 2004. www.consumerwebwatch.org/dynamic/search-report-disclosure-abstract.cfm.

9. "Bare Bones 101: Lesson 4: Gateways and Subject-specific Databases," last updated 27 September 2004, University of South Carolina Beaufort Library. Retrieved May 12, 2005, from www.sc.edu/beaufort/library/pages/bones/lesson4.shtml

10. Andrew Harnack and Eugene Kleppinger, *Online! A Reference Guide to Using Internet Sources* (Boston: Bedford/St. Martin's, 2002).

CHAPTER 12

1. Gordon H. Bower, "Organizational Factors in Memory," *Cognitive Psychology* 1 (1970): 18–46.

2. E. Thompson, "An Experimental Investigation of the Relative Effectiveness of Organization Structure in Oral Communication," *Southern Speech Journal* 26 (1960): 59–69.

3. R. G. Smith, "Effects of Speech Organization upon Attitudes of College Students," *Speech Monographs* 18 (1951): 292–301.

4. H. Sharp Jr. and T. McClung, "Effects of Organization on the Speaker's Ethos," *Speech Monographs* 33 (1966): 182ff.

5. Leonard J. Rosen and Laurence Behrens, *The Allyn & Bacon Handbook* (Needham, MA: Allyn & Bacon, 1992), 103.

CHAPTER 13

1. PBS, "Life on the Internet Timeline," www.pbs.org/internet/timeline/index.html.

2. Anita Taylor, "Tales of the Grandmothers: Women and Work." *Vital Speeches of the Day* 71, no. 7 (2005): 209–12.

3. Sonja K. Foss and Karen A. Foss, *Inviting Transformation: Presentational Speaking for a Changing World* (Prospect Heights, IL: Waveland Press, 1994).

CHAPTER 14

1. Note to Production: endnote reference to come, will need to double check with authors.]

CHAPTER 15

1. Ron Hoff, *I Can See You Naked,* rev. ed. (Kansas City: Andrews McMeel, 1992), 41.

2. William Safire, *Lend Me Your Ears: Great Speeches in History* (New York: W.W. Norton, 1992), 676.

3. Bas Andeweg and Jap de Jong, "May I Have Your Attention? Exordial Techniques in Informative Oral Presentations," *Technical Communication Quarterly* 7, no. 3 (1998): 271–84.

4. W. Lee, "Communication about Humor as Procedural Competence in Intercultural Encounters," in *Intercultural Communication: A Reader,* 7th ed., ed. L. A. Samovar and R. E. Porter (Belmont, CA: Wadsworth, 1994), 373.

5. Kenneth Burke, *A Rhetoric of Motives* (Berkeley: University of California Press, 1950).

6. Marvin Runyon, "No One Moves the Mail like the U.S. Postal Service," *Vital Speeches of the Day* 61, no. 2 (November 1, 1994): 52–55.

7. Robert L. Darbelnet, "U.S. Roads and Bridges," *Vital Speeches of the Day* 63, no. 12 (April 1, 1997): 379.

8. Bas Andeweg and Jap de Jong, "May I Have Your Attention? Exordial Techniques in Informative Oral Presentations," *Technical Communication Quarterly* 7, no. 3 (Summer 1998): 271.

9. R. O. Skovgard, personal interview by author, June 10, 1995.

10. Holger Kluge, "Reflections on Diversity," *Vital Speeches of the Day* 63, no. 6 (January 1, 1997): 171–72.

11. William E. Kirwan, "Preventing School and Campus Violence," speech delivered to the SUNY Stony Brook Student–Community Wellness Leadership Symposium, Stony Brook, NY, February 15, 2000.

12. Hillary Rodham Clinton, "Women's Rights Are Human Rights," speech delivered to the United Nations Fourth World Conference on Women, Beijing, China, September 5, 1995.

CHAPTER 16

1. Robert Harris, "A Handbook of Rhetorical Devices," July 26, 2002, *Virtual Salt* Web site. Retrieved August 5, 2002, from www.virtualsalt.com/rhetoric.htm.

2. Peggy Noonan, *Simply Speaking: How to Communicate Your Ideas with Style, Substance, and Clarity* (New York: Regan Books, 1998), 51.

3. Dan Hooley, "The Lessons of the Ring," *Vital Speeches of the Day* 70, no. 20 (2004): 660–63.

4. James E. Lukaszewski, "You Can Become A Verbal Visionary," speech delivered to the Public Relations Society of America, Cleveland, Ohio, April 8, 1997. Executive Speaker Library, www.executive-speaker.com/lib_moti.html.

5. Ronald Reagan, address before a Joint Session of the Congress on the Program for Economic Recovery, 1981.

6. Andrea Lunsford and Robert Connors, *The St. Martin's Handbook,* 3rd ed. (New York: St. Martin's Press, 1995), 101.

7. L. Clemetson and J. Gordon-Thomas, "Our House Is on Fire," *Newsweek* 137 (June 11, 2001), 50.

8. *The Concise Oxford Dictionary of Linguistics* (Oxford University Press, 1997).

9. Gloria Anzaldúa, "Entering into the Serpent," in *The St. Martin's Handbook,* ed. Andrea Lunsford and Robert Conners (New York: St. Martin's Press, 1995), 25.

10. Howard K. Battles and Charles Packard, *Words and Sentences,* bk. 6 (Lexington, MA: Ginn & Company, 1984), 110.

11. Cited in William Safire, *Lend Me Your Ears: Great Speeches in History* (New York: W.W. Norton, 1992), 22.

12. Lunsford and Connors, *St. Martin's Handbook,* 345.

CHAPTER 17

1. James C. McCroskey, *An Introduction to Rhetorical Communication,* 8th ed. (Englewood Cliffs, NJ: Prentice Hall, 2001), 273.

2. Robbin Crabtree and Robert Weissberg, *ESL Students in the Public Speaking Classroom: A Guide for Teachers* (Boston: Bedford/St.Martin's, 2000), 24.

CHAPTER 18

1. Susan Berkley, "Microphone Tips," *Great Speaking* ezine 4, no. 7 (2002). Retrieved September 1, 2002, from the Great Speaking Web site www.antion.com.

2. Kyle James Tusing and James Price Dillard, "The Sounds of Dominance: Vocal Precursors of Perceived Dominance during Interpersonal Influence," *Human Communication Research* 26 (2000): 148–71.

3. Andrew C. Billings, "Beyond the Ebonics Debate: Attitudes About Black and Standard American English," *Journal of Black Studies,* 36 (2005): 68–81.

4. Sylvie Dubois, "Sounding Cajun: The Rhetorical Use of Dialect in Speech and Writing," *American Speech* 77, no. 3 (2002): 264–87.

5. Quoted in Alsion Mitchell, "State of the Speech: Reading Between the Lines," *New York Times,* February 2, 1997, E5.

6. Walt Wolfram, "Everyone Has an Accent," *Teaching Tolerance Magazine,* Fall 2000, 18. Retrieved April 16, 2006 from www.tolerance.org/teach/magazine/features.jsp?p=0&is=17&ar=186.

CHAPTER 19

1. Reid Buckley, *Strictly Speaking: Reid Buckley's Indispensable Handbook on Public Speaking* (New York: McGraw-Hill, 1999), 204.

2. Laurie Schloff and Marcia Yudkin, *Smart Speaking* (New York: Plume, 1991), 108.

3. Buckley, *Strictly Speaking,* 209.

4. J. P. Davidson, "Shaping an Image That Boosts Your Career," *Marketing Communications* 13 (1988): 55–56.

5. Albert Mehrabian, *Silent Messages* (Belmont, CA: Wadsworth, 1981); Mike Allen, Paul L. Witt, and Lawrence R. Wheeless, "The Role of Teacher Immediacy as a Motivational Factor in Student Learning: Using

Meta-Analysis to Test a Causal Model," *Communication Education* 55, no. 6 (2006): 21–31.

CHAPTER 20

1. Richard E. Mayer, *Multimedia Learning* (Cambridge University Press, 2001); Edward R. Tufte, *Visual Explanations: Images and Quantities, Evidence and Narrative* (Cheshire, CT: Graphics Press, 1997).

2. Mayer, *Multimedia Learning* (Cambridge University Press, 2001).

3. Mayer, *Multimedia Learning* (Cambridge University Press, 2001).

4. Adapted from "Using Overhead Transparencies" by Lenny Laskowski. Retrieved May 5, 2006, from www.ljlseminars.com/transp .htm; and "Using Overhead Projectors," by Media Services, Robert A. L. Mortvedt Library, Pacific Lutheran University. Retrieved May 5, 2006, from www.plu.edu/~librl/workshops/multimedia/overhead.html.

CHAPTER 21

1. Julie Terberg, "Font Choices Play a Crucial Role in Presentation Design," *Presentations Magazine*, April 2005. Retrieved May 8, 2006, from www.presentations.com/presentations/creation/article_display.jsp?vnu_content_id=1000875169.

2. Ibid.

3. Tad Simons, "Does PowerPoint Make You Stupid?" *Presentations Magazine*, March 2004. Retrieved May 10, 2006, from www.presentations .com/presentations/delivery/article_display.jsp?vnu_content_id=10004 82464.

CHAPTER 22

1. Edward Tufte, "PowerPoint is Evil," *Wired* 11 (2003). Retrieved May 10, 2006, from www.wired.com/wired/archive/11.09/ppt2_pr.html.

CHAPTER 23

1. Howard K. Battles and Charles Packard, *Words and Sentences*, bk. 6 (Lexington, MA: Ginn & Company, 1984), 459.

2. Katherine E. Rowan, "A New Pedagogy for Explanatory Public Speaking: Why Arrangement Should Not Substitute for Invention," *Communication Education* 44 (1995): 245.

3. Vickie K. Sullivan, "Public Speaking: The Secret Weapon In Career Development," *USA Today*, May 2005 133 no. 2720, p. 24(2).

4. Katherine E. Rowan, "A New Pedagogy for Explanatory Public Speaking: Why Arrangement Should Not Substitute for Invention," *Communication Education* 44 (1995): 236–50.

5. S. Kujawa and L. Huske, *The Strategic Teaching and Reading Project Guidebook*, rev. ed. (Oak Brook, IL: North Central Regional Educational Laboratory, 1995).

6. The Altoona List of Medical Analogies, "How to Use Analogies," Altoona Family Physicians Residency Web site. Retrieved June 13, 2005, from www.altoonafp.org/analogies.htm.

7. Shawn M. Glynn et al., "Teaching Science with Analogies: A Resource for Teachers and Textbook Authors," National Reading Research Center, Instructional Resource No. 7, Fall 1994.

8. The Altoona List of Medical Analogies.

9. Shawn M. Glynn et al., "Teaching Science with Analogies," 19.

10. Tina A. Grotzer, "How Conceptual Leaps in Understanding the Nature of Causality Can Limit Learning: An Example from Electrical Cir-

cuits," paper presented at the annual conference of the American Educational Research Association, New Orleans, LA, April 2000. Retrieved June 17, 2005, from the Project Zero Web site, Harvard University Graduate School of Education, pzweb.harvard.edu/Research/UnderCon.htm.

11. E. Thompson, "An Experimental Investigation of the Relative Effectiveness of Organization Structure in Oral Communication," *Southern Speech Journal* 26 (1966): 59–69.

CHAPTER 24

1. Richard E. Petty and John T. Cacioppo, *Communication and Persuasion: Central and Peripheral Routes to Attitude Change* (New York: Springer-Verlag, 1986).

2. Kathleen Reardon, *Persuasion in Practice* (Newbury Park, CA: Sage Publications, 1991), 210.

3. Russel H. Fazio, "How Do Attitudes Guide Behavior?" in *The Handbook of Motivation and Cognition: Foundations of Social Behavior*, ed. Richard M. Sorrentino and E. Tory Higgins (New York: Guilford, 1986).

4. Reprinted from Gregory R. Suriano, *Great American Speeches* (New York: Gramercy Books, 1993), 298–303.

5. Kim Witte and Mike Allen, "A Meta-analysis of Fear Appeals: Implications for Effective Public Health Campaigns," *Health Education and Behavior* 27 (2000): 591–615.

6. Joseph R. Priester and Richard E. Petty, "Source Attributions and Persuasion: Perceived Honesty as a Determinant of Message Scrutiny," *Personality and Social Psychology Bulletin* 21 (1995): 637–54.

See also Kenneth G. DeBono and Richard J. Harnish, "Source Expertise, Source Attractiveness, and the Processing of Persuasive Information: A Functional Approach," *Journal of Personality and Social Psychology* 55 (1987): 541.

7. B. Soper, G. E. Milford, and G. T. Rosenthal, "Belief When Evidence Does Not Support the Theory," *Psychology and Marketing* 12 (1995): 415–22, cited in Stephen M. Kosslyn and Robin S. Rosenberg, *Psychology: The Brain, the Person, the World* (Boston, MA: Allyn & Bacon, 2004), 330.

8. Richard Petty and John T. Cacioppo, "The Elaboration Likelihood Model of Persuasion," in *Advances in Experimental Social Psychology* 19, ed. L. Berkowitz (San Diego: Academic Press, 1986), 123–205; Richard Petty and Duane T. Wegener, "Matching versus Mismatching Attitude Functions: Implications for Scrutiny of Persuasive Messages," *Personality and Social Psychology Bulletin* 24 (1998): 227–40.

9. Richard M. Perloff, *The Dynamics of Persuasion: Communication Attitudes in the 21st Century* (Mahwah, NJ: Lawrence Erlbaum, 2003), 137.

10. Dennis S. Gouran, "Attitude Change and Listeners' Understanding of a Persuasive Communication," *Speech Teacher* 15 (1966): 289–94; J. P. Dillard, "Persuasion Past and Present: Attitudes Aren't What They Used to Be," *Communication Monographs* 60 (1966): 94.

11. Adapted from J. C. McCroskey, *An Introduction to Rhetorical Communication*, 6th ed. (Englewood Cliffs, NJ: Prentice Hall, 1993).

12. Ibid.

13. Jennifer Aaker and Durairaj Maheswaran, "The Impact of Cultural Orientation on Persuasion," *Journal of Consumer Research* 24 (December 1997): 315–28.

14. Jennifer L. Aaker, "Accessibilty or Diagnosticity? Disentagling the Influence of Culture on Persuasion Processes and Attitudes," *Journal of Consumer Research* 26 (March 2000): 340–57.

15. Kristine L. Fitch, "Cultural Persuadables," *Communication Theory* 13 (February 2003): 100–123.

16. Ibid.

17. Jennifer L. Aaker and Patti Williams, "Empathy versus Pride: The Influence of Emotional Appeals across Cultures," *Journal of Consumer Research* 25 (1998): 241–61.

18. Ibid.

19. Ibid.

20. Edward P. J. Corbett, *Classical Rhetoric for the Modern Student*, 3rd ed. (New York: Oxford University Press, 1990).

21. S. Morris Engel, *With Good Reason: An Introduction to Informal Fallacies*, 6th ed. (Boston: Bedford/St. Martin's, 2000), 191.

22. Alan Monroe, *Principles and Types of Speeches* (Chicago: Scott, Foresman, 1935).

23. James R. DiSanza and Nancy J. Legge, *Business and Professional Communication: Plans, Processes, and Performance*, 2nd ed. (Boston: Allyn & Bacon, 2002), 236.

24. Herbert Simon, *Persuasion in Society* (Thousand Oaks, CA: Sage Publications, 2001), 385–87.

CHAPTER 25

1. Roger E. Axtell, *Do's and Taboos of Public Speaking: How to Get Those Butterflies Flying in Formation* (New York: Wiley, 1992), 150.

CHAPTER 26

1. With thanks to Michal Dale of Southwest Missouri State University's Department of Communication.

2. L. Kroeger, *The Complete Idiot's Guide to Successful Business Presentations* (New York: Alpha Books, 1997), 113.

3. Edward S. Inch and Barbara Warnick, *Critical Thinking and Communication: The Use of Reason in Argument*, 3rd ed. (Boston: Allyn & Bacon, 1998).

4. Some points are derived from Robert Anholt, *Dazzle 'Em with Style: The Art of Oral Scientific Presentation* (New York: W. H. Freeman and Company, 1994); see also the Web site for Colorado State University's "Guides about Speeches and Presentations," section on poster sessions (August 28, 2000). Retrieved September 2, 2000, from writing.colostate .edu/references/speaking.htm.

CHAPTER 27

1. Robert Anholt, *Dazzle 'Em with Style: The Art of Oral Scientific Presentation* (New York: W. H. Freeman and Company, 1994).

CHAPTER 28

1. Deanna P. Daniels, "Communicating across the Curriculum and in the Disciplines: Speaking in Engineering," *Communication Education* 51 (July 2002): 3.

2. Ibid.

3. Office of Naval Research Web site. "Tips for Preparing and Delivering Scientific Talks and Using Visual Aids." Retrieved January 1, 2001, from www.onr.navy.mil/onr/speak/.

4. Frederick Gilbert Associates. "Power-Speaking Tips." Retrieved August 30, 2000, from www.powerspeaking.com/powerspeaking/pstips .cfm.

CHAPTER 29

1. James M. Henslin, *Sociology: A Down-to-Earth Approach,* 5th ed. (Boston: Allyn & Bacon, 2001), 139.

2. William E. Thompson and James V. Hickey, *Society in Focus: An Introduction to Sociology,* 2nd ed. (New York: HarperCollins, 1966), 39.

CHAPTER 34

1. H. Dan O'Hair, James S. O'Rourke, and Mary John O'Hair, *Business Communication: A Framework for Success* (Cincinnati: South-Western, 2001).

2. H. Dan O'Hair, Gustav Friedrich, and Lynda Dixon, *Strategic Communication for Business and the Professions,* 4th ed. (Boston: Houghton Mifflin, 2002).

3. K. D. Benne and P. Sheats, "Functional Roles of Group Members," *Journal of Social Issues* 4 (1948): 41–49.

4. Ibid.

5. M. Afzalur Rahim, *Managing Conflict in Organizations,* 3rd ed. (Westport, CT: Greenwood Publishing Group, 2001).

6. Dan O'Hair, Gustav Friedrich, John Wiemann, and Mary Wiemann, *Competent Communication,* 2nd ed. (New York: St. Martin's, 1997).

7. Geoffrey A. Cross, "Collective Form: An Exploration of Large-Group Writing," *Journal of Business Communication* 37 (2000): 77–101.

8. Irving Lester Janis, *Groupthink: Psychological Studies of Policy Decisions and Fiascoes* (Berkeley: University of California Press, 1982).

9. O'Hair, Friedrich, and Dixon, *Strategic Communication for Business and the Professions.*

10. Victor H. Vroom and Philip Yetton, *Leadership and Decision Making* (Pittsburgh: University of Pittsburgh Press, 1973); C. Pavitt, "Theorizing about the Group Communication-Leadership Relationship: Input-Process-Output and Functional Models," in *Handbook of Group Communication Theory and Research,* ed. Lawrence R. Frey, Dennis S. Gouran, and Marshall Scott Poole (Thousand Oaks, CA: Sage, 1999), 313–34.

11. L. Richard Hoffman and Norman R. F. Maier, "Valence in the Adoption of Solutions by Problem-Solving Groups: Concept, Method, and Results," *Journal of Abnormal and Social Psychology* 69 (1964): 264–71.

12. John Dewey, *How We Think* (Boston: D. C. Heath Co., 1950).

CHAPTER 35

1. For a review, see Priscilla S. Rogers, "Distinguishing Public and Presentational Speaking," *Management Communication Quarterly* 2 (1988): 102–15; Frank E. X. Dance, "What Do You Mean 'Presentational' Speaking?" *Management Communication Quarterly* 1 (1987): 270–81.

2. Part of this classification of business presentations is adapted from Raymond V. Lesikar, John D. Pettit Jr., and Marie E. Flatley, *Lesikar's Basic Business Communication,* 8th ed. (New York: McGraw-Hill, 1999).

3. William L. Benoit, *Accounts, Excuses, and Apologies: A Theory of Image Restoration Strategies* (Albany: State University of New York Press, 1995).

4. Ibid.

5. Business for Social Responsibility Web site, "Business Ethics," copyright 2001–2002. Retrieved October 2, 2002, from www.bsr.org/BSRResources/WhitePaperDetail.conf.

APPENDIX B

1. Patricia Nelson (page revised Nov. 3, 1999). "Handling Questions and Answers." Toastmasters International, Edmonton and Area. Retrieved September 1, 2000, from www.ecn.ab.ca/toast/qa.html.

2. Diane DiResta, *Knockout Presentations: How to Deliver Your Message with Power, Punch, and Pizzazz* (Worcester, MA: Chandler House Press, 1998), 236.

3. Ibid., 237.

4. Lillian Wilder, *Talk Your Way to Success* (New York: Eastside Publishing, 1986), 279.

APPENDIX C

1. E. Flege, J. M. Munro, and I. R. A. McKay, "Factors Affecting Strength of Perceived Foreign Accent in a Second Language," *Journal of the Acoustical Society of America* 97 (1995): 312.

2. Daria Price Bowman, *Presentations: Proven Techniques for Creating Presentations that Get Results* (Holbrook, MA: Adams Media, 1998), 177.

3. Oklahoma Society of CPAs (OSCPA), "Tips for Successful Media Interviewing." Retrieved June 10, 2006, from www.oscpa.com/?757.

4. Diane Howard, "Guidelines for Videoconference Presentations, Performances, and Teaching," Retrieved June 10, 2006, from dianehoward .com.

5. Some tips adapted from AT&T Education Web site, "Videoconferencing." Retrieved June 13, 2006, from www.kn.pacbell.com/wired/vidconf/compressedVid.html.

APPENDIX D

1. E. Flege, J. M. Munro, and I. R. A. McKay, "Factors Affecting Strength of Perceived Foreign Accent in a Second Language," *Journal of the Acoustical Society of America* 97 (1995): 312.

2. The content in this section is based on Robbin Crabtree and Robert Weissberg, *ESL Students in the Public Speaking Classroom*, 2nd ed. (Boston: Bedford/St. Martins, 2003), 23.

3. M. C. Florez, "Improving Adult ESL Learners' Pronunciation Skills." *National Clearinghouse for ESL Literacy Education*, 1998. Retrieved April 10, 2000, from www.cal.org/NCLE/DIGESTS/Pronun.htm.

4. Ibid.

5. Robert Anholt, *Dazzle 'Em with Style: The Art of Oral Scientific Presentation* (New York: W. H. Freeman & Co, 1994), 156.

Acknowledgments

Bono. Speech delivered to graduating class of University of Pennsylvania, May 17, 2004.

Michael Eskew. Speech delivered to the States Institute on International Education, Washington, DC, December 8, 2005.

Edward Jay Epstein. "Title Page." From *The Big Picture* by Edward Jay Epstein. Copyright © 2005 by Random House, Inc. Used by permission of Random House, Inc.

Lauren Fleishman. 2 photos with "Jamie Oliver Serves Up Lunch." From *Newsweek*, August 8, 2005, p. 50. Copyright © Lauren Fleishman, 2005. Reprinted with permission of the photographer.

Google Advance Search webpage. www.google.com. Reprinted with permission of Google Inc.

Julian Makey. Photo of Jamie Oliver, from *Newsweek*, August 8, 2005, p. 50. Reprinted with permission from REX USA.

The Nobel Foundation. Material from Nobelprize.org. Published with permission from the Nobel Foundation. © The Nobel Foundation 2005. www.nobel.se.

Jamie Oliver. Originally published in *Newsweek*, August 8, 2005, p. 50. Photo by Jamie Oliver. Used by permission of REX USA.

Anita Taylor. Speech delivered to Woman of the Year Celebration, Aerospace Corp., Chantilly, VA, September 13, 2004.

Peg Tyre and Sarah Staveley-O'Carroll. "How to Fix School Lunch." From *Newsweek*, August 8, 2005, p. 50.

Index

abstract language, 120
academic articles, review of, 216
acceptance, speeches of, 205–6
acronyms, 208
action step, in motivated sequence, 190
active listening, 18
active voice, 122
ad hominem argument, 185
after-dinner speeches, 207–8
agenda, 240
age of audience, 39
alliteration, 123
almanacs, 63
analogies, 120–21
    in informative speeches, 163–64
anaphora, 123
anecdotes, 56, 111
animation effects (PowerPoint), 154–55
antithesis, 124
anxiety, 27–34
    identifying causes of, 28–29
    onset of, 29–30
    performance, 30
    preparation, 30
    pre-performance, 30
    strategies to manage, 30–34
APA documentation system, 254–56
appeal to tradition, 186
appropriate language, 121
architecture design reviews, 226–28
arguments, 177, 181–86
    in debates, 219
    other side of, 183
Aristotle, 177, 178
arrangement, 6
articles from periodicals, recording and citing, 66
articulation, 133–34, 268
arts and humanities courses, 232–33
atlases, 68
attention step, in motivated sequence, 188–89

attitudes, audience members', 36
audience analysis, 22–23, 36–47
    cultural differences, 41–43
    demographics, 39–41
    identifying audience members' attitudes, beliefs, and values, 36–39
    speech setting and, 47
    surveys of audience members, 44–45
    through published sources, 47
audience-centered approach, 36
audiences (listeners)
    of business and professional presentations, 244
    of classroom presentations, 215
    of crisis-response presentations, 248
    ethical speech and, 9–10
    gaining the attention of, 111–12
    perspective of, 6, 36
    persuasive speeches and, 193–94
    of progress reports, 247–48
    of proposals, 246
    respecting values of, 10
    of sales presentations, 245
    of staff reports, 247
    topic of speech and, 49
audio, 144
AutoContent Wizard (PowerPoint), 152
averages, 59

balance, principle of, 86
bandwagoning, 185
bar graphs, 142
begging the question, 185
beliefs, 36
biased language, 119
bibliography, working, 69
biographical resources, 63
Blank Presentation mode (PowerPoint), 152–53
body, 25, 82
body language, 135–39

books, 61–62
  recording and citing, 64
Boolean operators, 79
brainstorming, 49–50
  by categories, 51
breathing, stress-control, 32–33
brief examples, 55
business and professional
        presentations, 244–49
business courses, presentations
        in, 236–37

call to action, 116
canons of rhetoric, 6
case conferences, 238
case study presentations, 236
categorical pattern, 94
causal (cause-effect) pattern,
        92–93
center of attention, anxiety
        about being the, 28–29
central processing, 180
ceremonial speech. *See* special
        occasion speech
channel, 5
"chartjunk," 150
charts, 144
cherry-picking, 60
Chicago Manual of Style
        documentation system,
        252–54
chronological arrangement,
        90–91
circle organizational pattern,
        95–96
citation guidelines, 252–62
claims (propositions), 181
  of fact, 182, 187
  of policy, 182, 187
  of value, 182, 187
classroom discussion
        presentations, 234–35
classroom presentations
  arts and humanities courses,
        232–33
  business courses, 236–37
  education courses, 234–35
  formats for, 215–21
  in nursing and allied health
        courses, 237–39
  science and mathematics
        courses, 221–25
  social science courses,
        229–31
  technical courses, 225–28
clichés, avoiding, 121

clip art, 156
closed-ended questions, 44–45
closure, 115
co-culture, 40
code-switching, 134
coherence, 85–86
collective mind, 241
collectivism, 42
colloquial expressions, 120
color, 149
common ground, 112
common knowledge, 13
communication
  elements in, 4–5
  public speaking as a form of,
        3–4
community service learning
        projects, 238
comparative advantage pattern,
        190–91
comparison and contrast
        presentations, 232–33
compassionate feedback, 19
conciseness, 118
conclusion, 25, 82, 114–17
  length of, 115
  memorable, 116–17
concrete words, 120
confidence
  sense of, 126
  strategies to boost your,
        30–34
conflict, in groups, 240
connotative meaning, 122
constructive feedback, 19
conversation, envisioning your
        speech as a, 31
coordinate points, 25, 86
coordination and subordination,
        25–26, 86
copyright, 14
core values, 184
credibility as a speaker
  introduction and, 113–14
  language that builds, 121
  persuasive speeches and,
        178
crediting sources, 12–14
  Web sources, 71
crisis-response presentations,
        248–49
CSE (Council of Science Editors)
        style, 259–61
cultural background of listeners,
        39–41
cultural barriers to listening, 17

cultural differences, adapting to, 41–43
cultural intelligence, 8
cultural norms, 184
cultural premises, 184
cultural sensitivity, 8, 119–20
culture, persuasive speeches and, 183 84
currency, of Web sites and sources, 70, 72

debates, 218–20
    in arts and humanities courses, 233
    on controversial topics, 229
decision making in groups, 241, 242
declarative sentences, 83
decoding, 5
defamatory speech, 9
defensive listening, 17
definition, in informative speeches, 161
delivery cues, in speaking outlines, 104–5
delivery of speech, 6, 125–39
    from manuscript, 127
    methods of, 127–30
    naturalness and enthusiasm, 126
    practicing, 138 39
delivery outline, 98–99
demographics of audiences, 23
    adapting your message to, 39–41
demonstration, in informative speeches, 162
denotative meaning, 122
description, in informative speeches, 161–62
Design Template option (PowerPoint), 152
diagrams, 144
dialects, 121, 134–35
digital projectors, 145
dignity, 10
directness, 126
direct quotations, orally crediting, 12–14
disabilities, 43
discussions. *See* debates
disinformation, 70–71
distractions, 16–17
documentation systems, 252–62
    APA (American Psychological Association), 254–56

Chicago Manual of Style documentation system, 252–54
    CSE (Council of Science Editors) style, 259–61
    IEEE (Institute of Electrical and Electronics Engineers), 261
    MLA (Modern Language Association), 256–59
dressing appropriately, 138
dyadic communication, 3

education courses, presentations in, 234–35
education level, 40
eight by eight rule, 147
either-or fallacy, 185
emotions, persuasive speeches and, 177–78, 184
encoding, 5
encyclopedias, 63
engineering design reviews, 226
enthusiasm, 126
ethical issues
    public speaking and, 8–15
    statistics, 59–60
ethnic background of listeners, 39–41
ethnocentrism, 8
ethos, 178
eulogies and other tributes, 207
evidence, 181, 182–83
examples, as supporting material, 55
Existing Presentation option (PowerPoint), 153
experience, speech anxiety and lack of, 28
explanation, in informative speeches, 162
explanatory research presentations, 230
extemporaneous speech, 129–30
extended examples, 55
extended research presentations, 223–24
eye contact, 136–37

facial expressions, 135–36
facts
    orally crediting sources for, 13–14
    startling or unusual, 111
fairness, 10, 11
Fair Use, doctrine of, 14–15

fallacies in reasoning, 184–86
feedback, 5
    constructive and
        compassionate, 19
    to informative speeches, 164
    learning from, 34
feelings, audience's, 36–38
femininity, 42
field searching, 79
field study presentations,
    223–24
figures of speech, 120
fillers, vocal, 132
First Amendment, 9
fixed-alternative questions, 44
flip charts, 145
flowcharts, 144
flowing the debate, 219
frequencies, 58
funding, requests for, 227

gender stereotypes, 41
general body movement, 137
general speech purpose, 50
gestures, 137
    natural, 33
goals, group, 240
government publications, 62–63
graphs, 142
group activity presentations, 234
groups, communicating in,
    239–44
groupthink, 241

handouts, 146–47, 149
hasty generalization, 186
hate speech, 11
hierarchy of needs, 178–79
Hofstede, Geert, 41
humor, 111
hypothetical examples, 56

identification, 112
identification with listeners, 38
idioms, 120
IEEE documentation style, 261
image restoration strategies,
    248–49
immediacy, creating a feeling of,
    138
impromptu speaking, 128–29
income, 40
indentation, of supporting
    points, 84
individualism, 43
    versus collectivism, 42

inexperience, speech anxiety
    and, 28
informative speech(es), 20, 116,
    159–76
    of description and analysis, 232
    helping listeners follow along,
        162–63
    main points in, 164–66
    reducing confusion in,
        163–64
    sample, 166–76
    strategies for presenting
        content in, 161–62
    types of, 159–60
Inkson, Kerr, 8
inspiration, speeches of, 208
integrity, 10
Internet, the, plagiarism on, 15
Internet research, 69–80
    balancing print and online
        sources, 69–72
    commercial factors and, 75
    crediting of sources and
        trustworthiness, 69–70
    currency of Web sites, 70
    distinguishing among
        information,
        propaganda,
        misinformation, and
        disinformation, 70–71
    evaluating authorship and
        sponsorship of Web sites,
        70
    most authoritative Web sites,
        70
    subject (Web) directories,
        74–75
    tools for, 71–74
interpersonal roles, 240
interviews, 45–46
intonation, varying your, 131
introduction, 24–25, 82,
    110–14
    length of, 115
    motivating the audience to
        accept your goals,
        113–14
    speeches of, 204–5
    winning the audience's
        attention in, 111–12
invention, 6
invisible web, 78
issues-based conflict, 241

jargon, 118
Josephson, Michael, 10

key-word outlines, 99
kinesthetic connection, 38

language, 117–26
  appropriate, 121
  concrete, 120
  culturally sensitive and
      unbiased, 119–20
  that builds credibility, 121
  that creates a lasting
      impression, 122–24
  that encourages shared
      meaning, 119–22
  vivid, 120–21
lasting impression, language that
      creates a, 122
lavaliere microphone, 131
laziness, listening and, 17
lazy speech, 133
LCD panels, 145
leading questions, 45
lectures, 234
legal speech, 9–10
library research, 69–71, 74
  electronic resources, 75
  virtual libraries, 75, 78
line graphs, 142
listeners (audiences)
  of business and professional
      presentations, 244
  classroom presentation, 215
  of crisis-response
      presentations, 248
  ethical speech and, 9–10
  gaining the attention of,
      111–12
  perspective of, 6, 36
  persuasive speeches and,
      193–94
  of progress reports, 247–48
  of proposals, 246
  respecting values of, 10
  of sales presentations, 245
  of staff reports, 247
  topic of speech and, 49
listening
  active, 18
  critically, 18–19
  defensive, 17
  definition of, 15
  goals for, 18
  non-native speakers of
      English and, 267
  obstacles to, 16–17
  selectively, 15–16
loaded questions, 45

logical fallacies, 184–86
logos, 177

main points, 82–83
  developing, 24
  in informative speeches, 162,
      164–66
  previewing, 112–13
  restricting number of, 83
  restricting to a single idea, 83
  thesis statement and, 52–53
  transitions between, 87
malapropism, 121
manuscript, speaking from, 127
masculinity, 42
Maslow, Abraham, 178–79
mass communication, 3–4
masters, PowerPoint, 154
mathematical presentations,
      221–25
mean, 59
median, 59
mediated communication,
      263–66
memorable speeches, 116–17
memory, 6
  speaking from, 127–28
message, 5
metaphors, 120
  mixed, 121
methods/procedure
      presentations, 223
microphones, tips on using, 131
Microsoft PowerPoint
      presentations, 150–57
  entering and editing text, 155
  inserting objects into slides,
      156
  masters, 154
  presentation options, 151–53
  running the presentation, 157
  transition and animation
      effects, 154–55
  views in, 154
mini-lecture presentations, 234
misinformation, 70–71
mixed metaphors, 121
MLA documentation system,
      256–59
mode, 59
models, 141
Monroe's motivated sequence,
      188–90, 245
motivated sequence, 245
  Monroe's, 188–90
movies, in PowerPoint, 156

moving as you speak, 33
multidimensional bar graphs, 142
multimedia, 144
mumbling, 133

narrative organizational pattern,
        94–95
narratives, 56–57
natural gestures, 33
naturalness, 126
needs, listeners', persuasive
        speeches and, 178–80
need step, in motivated
        sequence, 189
negative thoughts, anxiety and,
        31
nervousness. *See* anxiety
neutral questions, 45
newspapers, 62
noise, 5
non-native speakers of English,
        tips for, 266–69
non sequitur, 186
nonverbal delivery, 27
Noonan, Peggy, 118
Normal view (PowerPoint), 154
notes, 65, 67
nursing and allied health courses,
        presentations in, 237–39

occupation, 40
offensive speech, 11
online sources (Web sources).
        See also Internet research
    recording and citing, 76
oral presentations. *See*
        presentations
oratory, 6, 127–28
organization (organizational
        patterns), 26, 81–108
    body of the speech, 82
    causal (cause-effect) pattern,
        92–93
    chronological arrangement,
        90–91
    circular pattern, 95–96
    of crisis-response
        presentations, 248–49
    main points, 82–83
    narrative pattern, 94–95
    of persuasive speeches,
        187–93
        comparative advantage
            pattern, 190–91
        Monroe's motivated
            sequence, 188–89

        problem-solution pattern,
            187–88
        refutation pattern, 192–93
    problem-solution pattern,
        93–94, 187–88
    of progress reports, 248
    of proposals, 246–47
    of sales presentations, 245
    spatial pattern, 91
    of staff reports, 247
    supporting points, 84–86
    topical pattern, 94, 95
outlines, 25–26, 96–110
    phrase, 98–99
    speaking, 98–99, 104–8
    working, 97–103
overconfidence, listening and, 17
overhead transparencies, 145

panel discussions, 223
parallelism (parallel structure),
        123–24
    stating main points in, 83
paraphrasing, 67
    interviewee's answers, 46
    orally crediting, 13
participative leadership, 241–42
passive voice, 122
pathos, 177
pauses, 132
percentages to express
        proportion, 58–59
performance anxiety, 30
periodicals, 62
peripheral processing, 180
Perrin, Robert, 7
personal pronouns, audience
        involvement and, 119
person-based conflict, 240–41
perspective, audience's, 6, 36
persuasive approach, in technical
        presentations, 227
persuasive speech(es), 20, 116,
        176–203
    arguments in, 181–86
    audience type and, 193–94
    balancing reason and emotion
        in, 177–78
    credibility and, 178
    culture and, 183–84
    encouraging mental
        engagement in, 180–81
    needs of listeners and, 178–80
    organization of, 187–93
        comparative advantage
            pattern, 190–91

Monroe's motivated sequence, 188–89
problem-solution pattern, 187–88
refutation pattern, 192–93
sample, 194–203
phrase outlines, 98–99
phrases, adding punch to your speech with, 119
pictograms, 142
pie graphs, 142
pitch, 131
plagiarism, avoiding, 11–15
poetry collections, 68
policy/program evaluation reports, 230
policy recommendation reports, 231, 239
political values and beliefs, audience's, 41
positive thoughts, anxiety and, 31
posters, 146
poster sessions, 220–21
posture, 137
power distance, 42
PowerPoint presentations, 150–57
  entering and editing text, 155
  inserting objects into slides, 156
  masters, 154
  presentation options, 151–53
  running the presentation, 157
  transition and animation effects, 154–55
  views in, 154
practicing (rehearsing)
  confidence and, 31
  delivering the speech, 26–27, 105–6, 138–39
  natural gestures, 33
preparation anxiety, 30
pre-performance anxiety, 30
pre-preparation anxiety, 29
presentation aids, 26, 140–57
  designing, 147–50
  to illustrate processes, 224
  in informative speeches, 166
  rehearsing, 146
  types of, 141–47
presentations (presentation speeches), 206
  architecture design, 226
  business and professional, 244–49

case study, 236
classroom
  arts and humanities courses, 232–33
  business courses, 236–37
  education courses, 234–35
  formats for, 215–21
  in nursing and allied health courses, 237–39
  science and mathematics courses, 221–25
  social science courses, 229–31
  technical courses, 225–28
classroom discussion, 234–35
design review, 226
explanatory research, 230
field study, 223–24
group activity, 234
lectures, 234
methods/procedure, 223
policy/program evaluation, 230
policy recommendation, 231
request for funding, 227
research, 222
research overview, 223
sales, 245–46
in science and mathematics courses, 221–25
that compare and contrast, 232–33
preset animations (PowerPoint), 155
previewing
  main points, 112–13
  topics and purpose, 112
previews, as transitions, 88–89
primary research, 61
problem-cause-solution-feasibility pattern, 187–88
problem-cause-solution pattern, 187
problem-solution pattern of arrangement, 93–94
  for persuasive speeches, 187–88
productive conflict, 240
progress reports, 247–48
projectors, digital, 145
pronunciation, 133
propaganda, 70–71
proposals, 246–47
props, 141
public domain, 14

public speaking. *See also*
        speeches
    classical roots of, 6
    as communication, 3–4
    ethical, 8–15
    learning, 6–8
    reasons to study, 2–3
purpose of a speech, 5, 23
    general, 50
    previewing, in the
            introduction, 112
    reiterating the, in conclusion,
            116
    specific, 51–52

question-and-answer sessions,
        262–63
questionnaires, 44
questions
    interview, 45
    winning the audience's
            attention with, 111
quotations, 111
    books of, 63, 68
    notes for, 77
    orally citing, 77

radio, speaking on, 265
rapport, directness and, 126
rate of speaking, 132
reasoning (warrants), 181
receiver, 5
reckless disregard for the truth,
        9–10
recommending policies, 231
red herring, 185
reference sources, essential, 62
reference works, 63, 68
refutation, in debates, 219
refutation organizational
        pattern, 192–93
relevance
    of thesis statements, 54
    of topics, 113
religion, 40–41
repetition, 118
    to create rhythm, 122–23
    in informative speeches,
            163
requests for funding, 227
research. *See also* Internet
        research; library
        research; sources
    organizing, 69
    primary, 61
    secondary, 61

research overview presentations,
        223
research presentations, 222
respect for the audience, 10
responsibilities, of listening, 17
responsibility, ethical public
        speaking and, 8–10
restate-forecast form, 88
reviews
    of academic articles, 216
    of the literature, 229–30
rhetoric, 6
rhetorical devices, 117
rhetorical questions, 111
    transitions stated as, 88
rhetorical situation, 5
roasts and toasts, 206
roles, in groups, 240
Roman numeral outlines, 84

sales presentations, 245–46
satisfaction step, in motivated
        sequence, 189–90
scale questions, 44
scanning, 137
science and mathematics
        courses, presentations in,
        221–25
scriptwriting, 17
search commands, 78–79
search engines (search tools),
        73–80
secondary research (secondary
        sources), 61–68
selective perception, 15–16
sentence fragments, adding
        punch to your speech
        with, 119
sentence outlines, 97
setting for speech, 47
shared meaning, 5
    language that encourages,
            119–22
shift reports, 238
similes, 120
Simon, Herbert, 193
simplicity
    of language, 118
    of presentation aids, 147
slander, 121
slang, 134
Slide show view (PowerPoint),
        154
Slide sorter view (PowerPoint),
        154
slippery slope, 186

small group communication, 3
smiling, 135
social phenomena, explaining,
    230
social science courses,
    presentations in, 229–31
socioeconomic status (SES), 40
sounds, in PowerPoint, 156
sources
    in communication process, 5
    critically evaluating, 68
    orally crediting, 12–14
    refering orally to, 61
spatial pattern of arrangement, 91
speaker expertise
    business and professional
        presentations, 244
    as evidence, 183
speaking outlines (presentation
    outlines), 26, 98–99,
    104–8
speaking rate, 132
special occasion speech(es), 21,
    204–15
    of acceptance, 205–6
    after-dinner, 207–8
    eulogies and other tributes, 207
    of inspiration, 208
    of introduction, 204–5
    of presentation, 206
    roasts and toasts, 206
    sample, 209–13
specific speech purpose, 51–52
speech(es). *See also* informative
        speech(es); persuasive
        speech(es);
        presentational speaking;
        public speaking
    overview of, 21–22
    parts of, 24–25
speech anxiety. *See* anxiety
staff reports, 247
statistics
    ethical presentation of, 59–60
    orally crediting sources for,
        13–14
    startling or unusual, 111
stories, 56–57, 111
stress-control breathing, 32–33
stretching, anxiety and, 33
style, 6, 117
subject (Web) directories, 74–75
subordinate points (subpoints),
    25–26, 86
success, 3
    visualizing, 32

summaries, 65
    of key points, in conclusion,
        115
    as transitions, 88–89
supporting materials, 55–69. *See
    also* sources
    examples, 55–56
    facts and statistics, 58–60
    gathering, 24
    locating, 61–69
        secondary sources, 61–68
    stories, 56–57
    testimony, 57
    variety of, 57
supporting points
    indentation of, 84–85
    to prove your claims, 84
surveys, of audience members,
    44–45

tables, 144
    in PowerPoint, 156
target audience, 39
task roles, 240
team presentations, 216–18
technical courses, presentations
    in, 225–28
television, speaking on, 264
temporal pattern (chronological
    pattern), 90–91
testimony, 57
text placeholders, 155
thesis statements, 52–54, 82
    composing, 23–24
    relevant and motivating, 54
Thomas, David C., 8
topic(s)
    narrowing focus of, 50–51
    previewing, in the
        introduction, 112
    reiterating the, in conclusion,
        116
    selecting, 22, 48–50
topical pattern of arrangement,
    94, 95
topic mapping, brainstorming
    by, 50
transition effects (PowerPoint),
    154
transitions, 86–89
    in informative speeches, 162
    between main points, 87
    previews and summaries as,
        88–89
    between supporting points,
        87–88

transitions (transitional words and phrases), sample techniques for posing, 88
transparencies, 145
treatment plan reports, 238
trustworthiness
  of speaker, 9, 10
  of Web sites, 71

unbiased language, 119–20
uncertainty, 42
unity, 85

vague questions, 45
values of audiences, 36
  core, 184
  respecting, 10
variety, vocal, 133, 268–69
verbatim, 127
video, 144
videoconferencing, 265–66
virtual libraries, 78
visual aids, in technical presentations, 228

visualization, 32
  in informative speeches, 162
visualization step, in motivated sequence, 190
vivid imagery, 120–21
  in persuasive speeches, 177
vocal delivery, 26–27
vocal fillers, 132
vocal variety, 133, 268–69
voice
  speaking, 130–35
  of verbs, 122
volume, speaking, 130–31

Web sources. *See* Internet research; online sources
word association, brainstorming by, 49
working bibliography, 69
working outlines, 26, 97–103
worksheets, in PowerPoint, 156

QUICK TIPS

Public Speaking Is Linked to Career Success 3

Adopt an Audience Perspective 6

Earn Your Audience's Trust 9

Beat the Odds by Listening 16

The Responsibilities of Listening 17

Rehearsing Builds Confidence 31

Envision Your Speech as a Conversation 31

Stretch for Success 33

Appeal to Your Listeners' Concerns 37

Make a Kinesthetic Connection 38

Consider Disability When Analyzing an Audience 43

Explore Topics through Cyber-Brainstorming 49

Try Brainstorming by Category 51

Use the Thesis Statement to Stay Focused 54

Give the Story Structure 57

Use a Variety of Supporting Materials 57

Avoid Cherry-Picking 60

Essential Reference Sources 62

Choose Helpful Tools to Track Your Research 69

Find the Invisible Web 78

Save the Best for Last — or First 83

Organizing Is Time Well Spent 85

Create at Least Two Subpoints . . . or None 86

Mix and Match 90

The Freedoms of the Topical Pattern 95

Use Outlining to Sharpen Your Thinking 97

Sometimes Only Exact Wording Will Do 104

When Credibility Is Key 113

Length of Introductions and Conclusions 115

Create a Memorable Conclusion 117

Experiment with Phrases and Sentence Fragments 119

Avoid Clichés and Mixed Metaphors 121

Denotative versus Connotative Meaning 122

Build Rapport by Being Direct 126

Learn the Extemporaneous Method of Delivery 129

Control Your Rate of Speaking 132

Avoid Meaningless Vocal Fillers 132

Skip the Slang 134

Focus on Three Visual Anchors 136

Stand Straight 137

Create a Feeling of Immediacy 139

Practice Five Times 139

Use Presentation Aids to Supplement Your Main Ideas 141

Using Serif and Sans Serif Type 148

Save the Text for Handouts 149

Using Animation Effects 155

Enlighten Rather than Advocate 159

Present New and Interesting Information 163

The Limits of Analogies 163

Incorporate Presentation Aids 165

Expect Modest Results 177

Base Your Emotional Appeals on Sound Reasoning 178

Show Them the Money 180

Address the Other Side of the Argument 183

Commemorate Life — Not Death 207

Tailor Your Message to the Audience and Occasion 209

Practice for a Balanced Group Delivery 217

Flowing the Debate 219

What Do Science-Related Courses Include? 222

Use Presentation Aids to Illustrate Processes 224

What Are the Technical Disciplines? 226

Lead with Results 227

Narrow Your Topic 230

Be Prepared to Lead a Discussion 233

Build Career Skills 236

Optimizing Decision Making in Groups 241

Prepare to Interact with the Audience 244

Adapt the Motivated Sequence to the Selling Situation 246

Stick to Ethical Ground Rules 249

Check for Correct Articulation 268

CHECKLISTS

Getting Started
An Ethical Inventory 11
Steps to Avoid Plagiarism 14
Use the Thought/Speech Differential to Listen Critically 19
Identifying Speech Types 21
Steps in Gaining Confidence 34

Development
Respond to the Audience as You Speak 38
Reviewing Your Speech in the Light of Audience Demographics 43
Identifying the Speech Topic, Purpose, and Thesis 53
Evaluating Your Research Needs 60
Subject (Web) Directory or Search Engine? Which to Use? 74

Organization
Reviewing Main and Supporting Points 87
Reviewing Transitions 89
Choosing an Organizational Pattern 96
Steps in Creating a Working Outline 99
Tips on Using Notecards or Sheets of Paper 105
Steps in Creating a Speaking Outline 106

Starting, Finishing, and Styling
Guidelines for Preparing the Introduction 110
How Effective Is Your Introduction? 114
Guidelines for Preparing the Conclusion 114
How Effective Is Your Conclusion? 117
Use Language Effectively 124

Delivery
Tips on Using a Microphone 131
Practice Check for Vocal Effectiveness 133
Tips for Using Effective Facial Expressions 136
Broad Dress Code Guidelines 138

Presentation Aids
Incorporating Presentation Aids into Your Speech 146
Apply the Principles of Simplicity and Continuity 149
Inserting Tables and Worksheets in PowerPoint 156

Types of Speeches
Guidelines for Communicating Your Informative Message 165
Possible Matches of Organizational Patterns with Speech Types 166
Structure the Claims in Your Persuasive Speech 182
Steps in the Motivated Sequence 191
Preparing a Speech of Introduction 205

The Classroom and Beyond
Team Presentation Tips 218
Tips for Winning a Debate 220
Evaluating Your Original Research Presentation 222
Tips for Preparing Successful Scientific Presentations 225
Presenting a Technical Report to a Mixed Audience 228
Guidelines for Setting Group Goals 242

CONTENTS

PART 1 · GETTING STARTED   1

1. BECOMING A PUBLIC SPEAKER   2
   Why Study Speech?
   Speech as Communication
   Process of Communication
   Classical Roots
   Speaking in Public

2. ETHICS   8
   Influencing Others
   Legality and Ethics
   Audience Values
   Ground Rules
   Avoiding Plagiarism

3. LISTENING   15
   Selective Listening
   Listening Obstacles
   Active Listening
   Critical Listening
   Feedback

4. TYPES OF SPEECHES   20
   Informative
   Persuasive
   Special Occasion

5. SPEECH OVERVIEW   21
   Topic Selection
   Audience Analysis
   Speech Purpose
   Thesis Statement
   Main Points
   Supporting Materials
   Major Speech Parts
   Outline
   Presentation Aids
   Delivery

6. SPEECH ANXIETY   27
   Causes of Anxiety
   Onset of Anxiety
   Boosting Confidence

PART 2 · DEVELOPMENT   35

7. AUDIENCE ANALYSIS   36
   Attitudes, Beliefs, and Values
   Demographics
   Cultural Differences
   Surveys, Interviews, and Sources
   Settings

8. TOPIC AND PURPOSE   48
   Where to Begin
   Consider the Audience
   Avoid Overused Topics
   General Purpose
   Narrowed Topic
   Specific Purpose
   Thesis Statement

9. DEVELOPING SUPPORT   55
   Examples
   Stories
   Testimony
   Facts and Statistics
   Ethical Statistics
   Oral References

10. LOCATING SUPPORT   61
    Secondary Sources
    Evaluating Sources
    Record References
    • From Source to Speech: Citing
      Books
    • From Source to Speech: Citing
      Periodicals

11. INTERNET RESEARCH   69
    Balancing Sources
    Be Critical
    Information, Propaganda,
      Misinformation, and Disinformation
    • From Source to Speech: Evaluating
      Web Sites
    Internet Search Tools
    Subject Directories
    Commercial Factors
    Library Resources
    Avoiding Single Search Engines
    Smart Searches
    Citing Sources
    • From Source to Speech: Citing Web
      Sites

PART 3 · ORGANIZATION   81

12. ORGANIZING THE SPEECH   82
    Main Points
    Supporting Points
    Organization
    Transitions

13. ORGANIZATIONAL PATTERNS   89
    Chronological
    Spatial
    Causal (Cause–Effect)
    Problem–Solution
    Topical
    Narrative
    Circular

14. OUTLINING THE SPEECH   96
    Working Outlines
    Speaking Outlines
    Outline Preparation

**PART 4 · STARTING, FINISHING,
AND STYLING**   109

15. INTRODUCTIONS AND
    CONCLUSIONS   110

16. LANGUAGE   117
    Writing for the Ear
    Encouraging Shared Meaning
    Creating an Impression